# CUENTOS DE HISPANOAMÉRICA
# EN EL SIGLO XX
# III

*clásicos castalia*

COLECCIÓN FUNDADA POR
DON ANTONIO RODRÍGUEZ-MOÑINO

DIRECTOR
DON ALONSO ZAMORA VICENTE

Colaboradores de los volúmenes publicados:

J. L. Abellán. F. Aguilar Piñal. José M.ª G. Allegra. A. Amorós.
F. Anderson. R. Andioc. J. Arce. I. Arellano. J. A. Ascunce. E. Asen-
sio. R. Asún. J.B. Avalle-Arce. F. Ayala. G. Azam. P. L. Barcia.
Á. J. Battistessa. G. Baudot. H. E. Bergman. A. Blecua. J. M. Blecua.
L. Bonet. H. Bonneville. C. Bravo-Villasante. J. M. Cacho Blecua.
M. Camarero. M.ª J. Canellada. J. L. Canet. J. L. Cano. S. Carrasco.
J. Caso González. E. Catena. B. Ciplijauskaité. A. Comas. E. Correa
Calderón C. C. de Coster. J. O. Crosby. D. W. Cruickshank. C. Cue-
vas. B. Damiani. A. Delgado Gómez. A. B. Dellepiane. G. Demerson.
A. Dérozier. J. M.ª Díez Borque. F. J. Díez de Revenga. R. Doménech.
J. Dowling. A. Duque Amusco. M. Durán. P. Elia. I. Emiliozzi.
H. Ettinghausen. A. R. Fernández. R. Ferreres. M. J. Flys.
I.-R. Fonquerne. E. I. Fox. V. Gaos. S. García. C. García Barrón.
L. García Lorenzo. M. García-Posada. D. T. Gies. G. Gómez-Ferrer
Morant. A. A. Gómez Yebra. J. González-Muela. F. González Ollé.
G. B. Gybbon-Monypenny. A. Hermenegildo. R. Jammes. E. Jareño.
P. Jauralde. R. O. Jones. J. M.ª Jover Zamora. A. D. Kossoff.
T. Labarta de Chaves. M.ª J. Lacarra. J. Lafforgue. C. R. Lee.
I. Lerner. J. M. Lope Blanch. F. López Estrada. L. López-Grigera.
L. de Luis. I. R. Macpherson. F. C. R. Maldonado. N. Marín.
E. Marini-Palmieri. R. Marrast. J. M. Martínez Cachero. F. Martínez
García. M. Mayoral. D. W. McPheeters. G. Mercadier. W. Mettmann.
I. Michael. M. Mihura. M. T. Mir. C. Monedero. J. Montero Padilla.
H. Montes. J. F. Montesinos. E. S. Morby. L. A. Murillo. R. Navarro
Durán. A. Nougué. G. Orduna. B. Pallares. J. Paulino. J. Pérez.
M. A. Pérez Priego. J.-L. Picoche. A. Piedra. J. H. R. Polt. A. Prieto.
E. Pupo-Walker. A. Ramoneda. M. I. Resina Rodrigues. J.-P. Ressot.
R. Reyes. J. V. Ricapito. F. Rico. C. Richmond. D. Ridruejo.
E. L. Rivers. E. Rodríguez Tordera. J. Rodríguez-Luis. J. Rodríguez
Puértolas. L. Romero. V. Roncero López. J. M. Rozas. J. M. Ruano
de la Haza. E. Rubio Cremades. F. Ruiz Ramón. C. Ruiz Silva.
P. E. Russell. G. Sabat de Rivers. C. Sabor de Cortazar. F. G. Sali-
nero. J. Sanchis-Banús. R. P. Sebold. D. S. Severin. D. L. Shaw.
S. Shepard. M. Smerdou Altolaguirre. G. Sobejano. N. Spadaccini.
O. Steggink. G. Stiffoni. R. B. Tate. J. Testas. A. Tordera. J. C. de
Torres. I. Uria Maqua. J. M.ª Valverde. D. Villanueva. S. B. Vranich.
F. Weber de Kurlat. K. Whinnom. A. N. Zahareas. A. Zamora
Vicente. A. F. Zubizarreta. I. de Zuleta.

# CUENTOS
# DE HISPANOAMÉRICA
# EN EL SIGLO XX

## TOMO III

*Edición,*
*introducción y notas*
*de*
FERNANDO BURGOS

clásicos castalia

Madrid

Copyright © Editorial Castalia, S.A., 1997
Zurbano, 39 - 28010 Madrid - Tel. 319 58 57 - Fax. 310 24 42

Cubierta de Víctor Sanz

Impreso en España - Printed in Spain

I.S.B.N.: 84-7039-761-3
I.S.B.N.: 84-7039-762-1 (Obra completa)
Depósito Legal: M. 11.960-1997

CRÉDITOS

La reproducción de los cuentos incluidos en esta antología ha sido debidamente autorizada. Al pie de cada cuento se da el crédito correspondiente en el caso de las editoriales y/o representantes que así lo indicaron.

Agradecemos a los autores que autorizaron la inclusión de sus cuentos así como a quienes nos ayudaron en esta tarea, en especial a Carmen Naranjo, Angélica de Icaza, Eduardo Castro Le Fort, Silda Cordoliani, Andrea Esteban Carpentier, Luis Arturo Ramos, Isabel Castellanos, Augusto Guzmán Martínez, Melita y Rosalba Guzmán, Sofía Soriano vda. de Guzmán, Carmen Beatriz Ramos Otero, Dra. Perla Rozencvaig, Gracia de Aburto, Dra. Mirta Arlt, Neus Espresate, Luz Bono de Di Benedetto, Gustavo Zalamea Traba, Andrea Lihn Mingram, Camilo Restrepo Guzmán, Luciano Martinis, Eliodoro Yáñez, Sara Luisa del Carril, Dr. Luis Merino Montero, Autilia S. vda. de Alfonseca, Altagracia Alfonseca de García, Muriel A. Alfonseca, Rogelio Sinán Domínguez, Irene Menocal, Ricardo Bada, Ingeniero Marcos Amador, Dr. Jaime Lavado Montes y Erika Seidman.

Nuestro agradecimiento a las siguientes editoriales, agencias e instituciones: Monte Ávila Editores, Caracas, Venezuela; Fondo de Cultura Económica, México; Editorial Universitaria Centroamericana, EDUCA, San José Costa Rica; Ediciones Era, México; Casa de la Cultura Ecuatoriana Benjamín Carrión, Quito, Ecuador; Le Parole Gelate, Roma, Italia; Agencia Literaria Balcells, Barcelona, España; Universidad de Chile, Santiago, Chile.

# SUMARIO

5

# CUENTOS
# DE HISPANOAMÉRICA
# EN EL SIGLO XX

## TOMO III

## JOSÉ EMILIO PACHECO
### (México, D. F., 1939)

E L primer libro de José Emilio Pacheco, a la temprana edad de dieciocho años, es la colección de cuentos *La sangre de Medusa* en 1958, obra en la que ya es patente su calidad de narrador pero con la cual Pacheco no queda conforme, ya que —objetando la idea de una creación definitiva— auspicia la necesidad de su revisión. A la publicación de esta colección siguen otros cuatro libros de cuentos y dos novelas, llamando la atención de la crítica por la efectiva naturaleza renovadora de su escritura. La poesía de José Emilio Pacheco está entre las mejores de Hispanoamérica, dominio inteligentemente aprovechado para buscar nuevas avenidas para su propia prosa, sobre todo porque para el escritor mexicano, el arte literario debe concebirse como una zona de signos más que como un sistema de géneros.

La excepcional obra de José Emilio Pacheco ha sido traducida al inglés y alemán; su éxito en el extranjero es ciertamente correspondido con el nacional, puesto que en reconocimiento a su brillante producción se le otorga el Premio Nacional de Literatura en 1992. Actualmente reside en México, aunque viaja todos los años a Estados Unidos para ejercer la docencia por un semestre en la Universidad de Maryland.

En el cuento "La reina" —incluido en la colección *El viento distante y otros relatos*— el efecto catártico del arte descansa en el poder de conmiseración de la lectura; mientras tanto, narrativamente se provoca la delectación por

9

resaltar lo sórdido. Burla frente a la pretensión de lo atractivo tornada en grotesco: parecen confabularse la obesidad, el vestido en desuso, el maquillaje recargado, sumándose además al contexto del carnaval y del disfraz en el que la diversión persigue con sorna y crueldad.

Pintura narrativa excesiva, equilibrada con un proceso de original invención: el resto del mundo con el cual se relaciona Adelina existe sólo desde la perspectiva enfermiza y alienada que nos entrega el personaje, o llega indirectamente —el teléfono, el retrato familiar, el diario íntimo—, o se distorsiona en un ambiente cargado de anonimato en que carros alegóricos y máscaras sólo transitan el poder de la simulación. En este último plano se llega al autorretrato logrado por el personaje adepto al placer/perversidad de su producción masoquista.

# LA REINA*

> *Oh reina, rencorosa y*
> *enlutada...*
>
> Porfirio Barba Jacob

ADELINA apartó el rizador de pestañas y comenzó a aplicarse el rimmel. Una línea de sudor manchó su frente. La enjugó con un clínex y volvió a extender el maquillaje. Eran las diez de la mañana. Todo lo impregnaba el calor. Un organillero tocaba el vals *Sobre las olas*. Lo silenció el estruendo de un carro de sonido en que vibraban voces imcomprensibles. Adelina se levantó del tocador, abrió el ropero y escogió un vestido floreado. La crinolina ya no se usaba pero, según la modista, no había mejor recurso para ocultar un cuerpo como el suyo.

Se contempló indulgente en el espejo. Atravesó el patio interior entre las macetas y los bates de béisbol, las manoplas y gorras que Oscar había dejado como para estorbarle su camino. Entró en el cuarto de baño y subió a la balanza. Se descalzó, incrédula. Pisó de nuevo la cubierta de hule. Se desnudó y probó por tercera vez. La balanza marcaba ochenta kilos. Debía estar descompuesta: era el mismo peso registrado una semana atrás al iniciar la dieta y el ejercicio.

Regresó por el patio que era más bien un pozo de luz con vidrios traslúcidos. Un día, como predijo Oscar, el piso iba a desplomarse si ella no adelgazaba. Se imaginó cayendo en la tienda de ropa. Los turcos, inquilinos de su padre, la detestaban. Cómo iban a reírse Aziyadé y Nadir al verla sepultada bajo metros y metros de popelina.

Al llegar al comedor vio como por vez primera los lánguidos retratos familiares: Adelina a los seis meses, triunfadora en el concurso "El bebé más robusto de Veracruz". A los nueve años, en el teatro Clavijero, declamando "Madre o mamá" de Juan de Dios Peza. Oscar, recién nacido, flotante en un moisés enorme, herencia de su hermana. Oscar, el año pasado, pítcher en la Liga Infantil del Golfo. Sus padres el día de la boda, él aún con uniforme de cadete. Guillermo en la proa del Durango, ya con insignias de capitán. Guillermo en el acto de estrechar la mano al señor presidente en ocasión de unas maniobras entre el castillo de San Juan de Ulúa y la isla de Sacrificios. Hortensia al fondo, con sombrilla, tan ufana de su marido y tan cohibida por hallarse junto a la esposa del gobernador y la diputada Goicochea. Adelina, en la fiesta de quince años, bailando con su padre el vals *Fascinación*. Qué día. Mejor ni acordarse. Quién la mandó invitar a las Osorio. Y el chambelán que no llegó al Casino: antes que hacer el ridículo valsando con Adelina, prefirió arriesgar su carrera y exponerse a la hostilidad de Guillermo, su implacable instructor en la Heroica Escuela Naval.

## 2

—Qué triste es todo —se oyó decirse—. Ya estoy hablando sola. Es por no desayunarme—. Fue a la cocina. Se preparó en la licuadora un batido de plátanos y leche condensada. Mientras lo saboreaba hojeó *Huracán de amor*. No había visto ese número de "La Novela Semanal", olvidado por su madre junto a la estufa. Hortensia es tan envidiosa... ¿Por qué me seguirá escondiendo sus historietas y sus revistas como si yo fuera todavía una niñita?

"No hay más ley que nuestro deseo", afirmaba un personaje en *Huracán de amor*. Adelina se inquietó ante el torso desnudo del hombre que aparecía en el dibujo. Pero nada comparable a cuando encontró en el portafolios de su padre *Corrupción en el internado para señoritas* y *La seducción de Lisette*. Si Hortensia —o peor: Guillermo— la hubieran sorprendido...

Regresó al baño. En vez de cepillarse los dientes se enjuagó con Listerine y se frotó los incisivos con la toalla. Cuando iba hacia su cuarto sonó el teléfono.

—Gorda...

—¿Qué quieres, pinche[1] enano maldito?

—Cálmate, gorda, es un recado de *our father*. ¿Por qué amaneciste tan furiosa, Adelina? Debes de haber subido otros cien kilos.

—Qué te importa, idiota, imbécil. Ya dime lo que vas a decirme. Tengo prisa.

—¿Prisa? Sí, claro: vas a desfilar como reina del carnaval en vez de Leticia ¿no?

—Mira, estúpido, esa *negra* débil mental, no es reina ni es nada: su familia compró todos los votos y ella se acostó hasta con el barrendero de la Comisión Organizadora. Así quién no.

—La verdad, gorda, es que te mueres de envidia. Qué darías por estar ahora arreglándote para el desfile en vez de Leticia.

—¿El desfile? Ja ja, no me importa el desfile. Tú, Leticia y todo el carnaval me valen una pura chingada.[2]

—Qué lindo vocabulario. Dime dónde lo aprendiste. No te lo conocía. Ojalá te oigan mis papás.

—Vete al carajo.

—Ya cálmate, gorda. ¿Qué te pasa? ¿De cuál fumaste? Ni me dejas hablar... Mira, dice mi papá que vamos a comer aquí en Boca del Río con el vicealmirante; que de una vez va ir a buscarte la camioneta porque luego, con el desfile, no va a haber paso.

—No, gracias. Dile que tengo mucho que estudiar. Además ese viejo idiota del vicealmirante me choca. Siempre

---

[1] *pinche*: despreciable.
[2] *chingada*: vulgarismo en México. En este contexto equivale a "me valen nada".

con sus bromitas y chistecitos imbéciles. Y el pobre de mi papá tiene que celebrarlos.

—Haz lo que te dé la gana, pero no tragues tanto ahora que nadie te vigila.

—Cierra el hocico y ya no estés chingando.

—¿A que no le contestas así a mi mamá? ¿A que no, verdad? Voy a desquitarme, gorda maldita. Te vas a acordar de mí, bola de manteca.


### 3


Adelina colgó furiosa el teléfono. Sintió ganas de llorar. El calor la rodeaba por todas partes. Abrió el ropero infantil adornado con calcomanías de Walt Disney. Sacó un bolígrafo y un cuaderno rayado. Fue a la mesa del comedor y escribió:

> Queridísimo Alberto:
> Por milésima vez hago en este cuaderno una carta que no te mandaré nunca y siempre te dirá las mismas cosas. Mi hermano acaba de insultarme por teléfono y mis papás no me quisieron llevar a Boca del Río. Bueno, Guillermo seguramente quiso; pero Hortensia lo domina. Ella me odia, por celos, porque ve cómo me adora mi papá y cuánto se preocupa por mí.
> Aunque si me quisiera tanto como yo creo ya me hubiese mandado a España, a Canadá, a Inglaterra, a no sé dónde, lejos de este infierno que mi alma sin ti, ya no soporta.

Se detuvo. Tachó "que mi alma, sin ti, ya no soporta."

> Alberto mío, dentro de un rato voy a salir. Te veré de nuevo, por más que no me mires, cuando pases en el carro alegórico de Leticia. Te lo digo de verdad: Ella no te merece. Te ves tan... tan no sé cómo decirlo, con tu uniforme de cadete. No ha habido en toda la historia un cadete como tú. Y Leticia no es tan guapa como supones. Sí, de acuerdo, tal vez sea atractiva, no lo niego: por algo llegó a ser reina del carnaval. Pero su tipo resulta, ¿cómo te diré?, muy vulgar, muy corriente. ¿No te parece?
> Y es tan coqueta. Se cree muchísimo. La conozco desde que estábamos en kinder. Ahora es íntima de las Osorio y antes hablaba muy mal de ellas. Se juntan para bularse de mí porque

soy más inteligente y saco mejores calificaciones. Claro, es natural no ando en fiestas ni cosas de ésas, los domingos no voy a dar vueltas al zócalo,[3] ni salgo todo el tiempo con muchachos. Yo sólo pienso en ti amor mío, en el instante en que tus ojos se volverán al fin para mirarme.

Pero tú, Alberto, ¿me recuerdas? ¿Te has olvidado de que nos conocimos hace dos años —acababas de entrar en la Naval— una vez que acompañé a mi papá a Antón Lizardo? Lo esperé en la camioneta. Tú estabas arreglando un yip y te acercaste. No me acuerdo de ningún otro día tan hermoso como aquel en que nuestras vidas se encontraron para ya no separarse jamás.

Tachó "para ya no separarse jamás".

Conversamos muy lindo mucho tiempo. Quise dejarte como recuerdo mi radio de transistores. No aceptaste. Quedamos en vernos el domingo para ir al zócalo y a tomar un helado en el "Yucatán".

Te esperé todo el día ansiosamente, Lloré tanto esa noche... Pero luego comprendí: no llegaste para que nadie dijese que te interesaba cortejarme por ser hija de alguien tan importante en la Armada como mi padre.

En cambio, te lo digo sinceramente, nunca podré entender por qué la noche del fin de año en el Casino Español bailaste todo el tiempo con Leticia y cuando me acerqué y ella nos presentó dijiste: "mucho gusto".

Alberto: se hace tarde. Salgo a tu encuentro. Sólo unas palabras antes de despedirme. Te prometo que esta vez sí adelgazaré y en el próximo carnaval, como lo oyes, yo voy a ser ¡LA REINA! (Mi cara no es fea, todos lo dicen.) ¿Me llevarás a nadar a Mocambo, donde una vez te encontré con Leticia? (Por fortuna ustedes no me vieron: estaba en traje de baño y corrí a esconderme entre los árboles.)

Ah, pero el año próximo, te juro, tendré un cuerpo más hermoso y más esbelto que el suyo. Todos los que nos miren te envidiarán por llevarme del brazo.

Chao, amor mío. Ya falta poco para verte. Hoy como siempre es toda tuya

Adelina

---

[3] *zócalo:* en México, plaza.

4

Volvió a su cuarto. Al ver la hora en el despertador de Bugs Bunny dejó sobre la cama el cuaderno en que acababa de escribir, retocó el maquillaje ante el espejo, se persignó y bajó a toda prisa las escaleras de mosaico. Antes de abrir la puerta del zaguán respiró el olor a óxido y humedad. Pasó frente a la sedería de los turcos: Aziyadé y Nadir no estaban; sus padres se disponían a cerrar.

En la esquina encontró a dos compañeros de equipo de su hermano. (¿No habían ido con él a Boca del Río?) Al verla maquillada le preguntaron si iba a participar en el concurso de disfraces o si acababa de lanzar su candidatura para Rey Feo.

Los miró con desprecio y furia. Se alejó taconeando bajo el olor a pólvora que dejaban al estallar los buscapiés, las brujas y las palomas. No había tránsito: la gente caminaba por la calle tapizada de serpentinas, latas y cascos de cerveza. Encapuchados, mosqueteros, payasos, legionarios romanos, ballerinas, circasianas, amazonas, damas de la corte, piratas, napoleones, astronautas, guerreros aztecas y grupos y familias con máscaras, gorritos de cartón, sombreros zapatistas o sin disfraz avanzaban hacia la calle principal.

Adelina apretó el paso. Cuatro muchachas se volvieron a verla y la dejaron atrás. Escuchó su risa unánime y pensó que se estarían burlando de ella como los amigos de Oscar. Luego caminó entre las mesas y los puestos de los portales, atestados de marimbas, conjuntos jarochos,[4] vendedores de jaibas rellenas, billeteros de lotería.

No descubrió a ningún conocido pero advirtió que varias mujeres la miraban con sorna. Pensó en sacar el espejito de su bolsa para ver si, inexperta, se había maquillado en exceso. Por vez primera empleaba los cosméticos de su madre. Pero ¿dónde se ocultaría para mirarse?

Con grandes dificultades llegó a la esquina elegida. El calor y el estruendo informe, la cercanía promiscua de

---

[4] *jarochos*: de Veracruz.

tantos extraños le provocaban un malestar confuso. Entre aplausos apareció la descubierta de charros y chinas poblanas. Bajo gritos y música desfiló la comparsa inicial: los jotos[5] vestidos de pavos reales. Siguieron mulatos disfrazados de vikingos, guerreros aztecas cubiertos de serpentinas, estibadores con bikinis y penachos de rumbera.

Desfilaron cavernarios, kukluxklanes, Luis XV y la nobleza de Francia con sus blancas pelucas entalcadas y sus falsos lunares, Blanca Nieves y los Siete Enanos (Adelina sentía que la empujaban y manoseaban), Barbazul en plena tortura y asesinato de sus mujeres, Maximiliano y Carlota en Chapultepec, pieles rojas, caníbales teñidos de betún y adornados con huesos humanos (la transpiración humedecía su espalda), Romeo y Julieta en el balcón de Verona, Hitler y sus mariscales, llenos de monóculos y suásticas, gigantes y cabezudos, James Dean al frente de sus rebeldes sin causa, Pierrot, Arlequín y Colombina, doce Elvis Presleys que trataban de cantar en inglés y moverse como él. (Adelina cerró los ojos ante el brillo del sol y el caos de épocas, personajes, historias.)

Empezaron los carros alegóricos, unos tirados por tractores, otros improvisados sobre camiones de redilas: el de la Cervecería Moctezuma, Miss México, Miss California, notablemente aterrada por lo que veía como un desfile salvaje, las Orquídeas del Cine Nacional, el Campamento Gitano —niñas que lloriqueaban por el calor, el miedo de caerse y la forzada inmovilidad—, el Idilio de los Volcanes según el calendario de Helguera, la Conquista de México, las Mil y una Noches, pesadilla de cartón, lentejuelas y trapos.

La sobresaltaron un aliento húmedo de tequila y una caricia envolvente: —Véngase, mamasota, que aquí está su rey—. Adelina, enfurecida, volvió la cabeza. Pero ¿hacia quién, cómo descubrir al culpable entre la multitud burlona o entusiasmada? Los carros alegóricos seguían desfilando: los Piratas en la Isla del Tesoro, Sangre Jarocha, Guadalupe la Chinaca, Raza de Bronce, Cielito Lindo, la Adelita, la Valentina y Pancho Villa, los Buzos en el país

---

[5] *jotos:* en México, homosexuales.

de las sirenas, los astronautas con el Sputnik y los extraterrestres.

Desde un inesperado balcón las Osorio, muertas de risa, se hicieron escuchar entre las músicas y los gritos del carnaval: —Gorda, gorda: sube. ¿Qué andas haciendo allí abajo, revuelta con la plebe y los chilangos?[6] ¿Ya no te acuerdas de que la gente decente de Veracruz no se mezcla con los fuereños,[7] mucho menos en carnaval?

Todo el mundo pareció descubrirla, observarla, repudiarla. Adelina tragó saliva, apretó los labios: primero muerta que dirigirles la palabra a las Osorio, ir a su encuentro, dejarse ver con ellas en el balcón. Por fin, el carro de la reina y sus princesas. Leticia Primera en su trono bajo las espadas cruzadas de los cadetes. Alberto junto a ella muy próximo. Leticia toda rubores, toda sonrisitas, entre los bucles artificiales que sostenían la corona de hojalata. Leticia saludaba en todas direcciones, sonreía, enviaba besos al aire.

—Cómo puede cambiar la gente cuando está bien maquillada —se dijo Adelina. El sol arrancaba destellos a la bisutería del cetro, la  corona, el vestido. Atronaban aplausos y gritos de admiración. Leticia Primera recibía feliz la gloria que iba a durar unas cuantas horas, en un trono destinado a amanecer en un basurero. Sin embargo Leticia era la reina y estaba cinco metros por encima de Adelina que la observaba sin aplaudir ni agitar la mano, el rostro sombrío, la mirada de odio.

—Ojalá se caiga, ojalá haga el ridículo delante de todo el mundo, ojalá de tan apretado le estalle el disfraz y vean el relleno de hulespuma en sus tetas murmuró entre dientes Adelina, ya sin temor de ser escuchada.

—Ya verá, ya verá el año que entra: los lugares van a cambiarse. Leticia estará aquí abajo muerta de envidia y yo... —Una bolsa de papel arrojada desde quién sabe dónde interrumpió el monólogo: se estrelló en su cabeza y la bañó de anilina roja en el preciso instante en que pasaba frente a ella la reina. La misma Leticia no pudo menos que

---

[6] *chilangos:* de ciudad de México.
[7] *fuereños:* forasteros.

descubrirla entre la multitud y reírse. Alberto quebrantó su pose de estatua y soltó una risilla.

Fue un instante. El carro se alejaba. Adelina se limpió la cara con las mangas del vestido. Alzó los ojos hacia el balcón en que las Osorio manifestaban su pesar ante el incidente y la invitaban a subir. Entonces la bañó una nube de confeti que se adhirió a la piel humedecida. Se abrió paso, intentó correr, huir, hacerse invisible.

Pero el desfile había terminado. Las calles estaban repletas de chilangos, de jotos, de mariguanos, de hostiles enmascarados y encapuchados que seguían arrojando confeti a la boca de Adelina entreabierta por el jadeo, bailoteaban para cerrarle el paso, aplastaban las manos en sus senos, desplegaban espantasuegras en su cara, la picaban con varitas labradas de Apizaco.

Y Alberto se alejaba cada vez más. No descendía del carro para defenderla, para vengarla, para abrirle camino con su espada. Y Guillermo, en Boca del Río, ya aturdido por la octava cerveza, festejaba por anticipado los viejos chistes eróticos del vicealmirante. Y bajo unas máscaras de Drácula y de Frankestein surgían Aziyadé y Nadir, la acosaban en su huida, le cantaban, humillante y angustiosamente cantaban, un estribillo improvisado e interminable:

—A Adelina / le echaron anilina / por no tomar Delgadina. / Poor noo toomaar Deelgaadiinaa.

Y los abofeteó y pateó y los niños intentaron pegarle y un Satanás y una Doña Inés los separaron. Aziyadé y Nadir se fueron canturreando el estribillo. Adelina pudo continuar la fuga hasta que al fin abrió la puerta de su casa, subió las escaleras y halló su cuarto en desorden: Oscar estuvo allí con sus amigos de la novena de béisbol, Oscar no se quedó en Boca del Río, Oscar volvió con su pandilla, Oscar también anduvo en el desfile.

Vio el cuaderno en el suelo, abierto y profanado por los dedos de Oscar, las manos de los otros. En las páginas de su última carta estaban las huellas digitales, la tinta corrida, las grandes manchas de anilina roja. Cómo se habrán burlado, cómo se estarán riendo ahora mismo, arrojando bolsas de anilina a las caras, puñados de confeti a las bocas, rompiendo huevos podridos en las cabezas, valiéndose de la impunidad conferida por sus máscaras y disfraces.

—Maldito, puto, enano cabrón, hijo de la chingada. Ojalá te peguen. Ojalá te den en toda la madre y regreses chillando como un perro. Ojalá te mueras. Ojalá se mueran tú y la puta de Leticia y las pendejas de las Osorio y el cretino cadetito de mierda y el pinche carnaval y el mundo entero.

Y mientras hablaba, gritaba, gesticulaba con doliente furia, rompía su cuaderno de cartas, pateaba los pedazos, arrojaba contra la pared el frasco de maquillaje, el pomo de rimmel, la botella de Colonia Sanborns.

Se detuvo. En el espejo enmarcado por las figuras de Walt Disney miró su pelo rubio, sus ojos verdes, su cara lívida cubierta de anilina, grasa, confeti, sudor, maquillaje y lágrimas. Y se arrojó a la cama llorando, demoliéndose, diciéndose:

—Ya verán, ya verán el año que entra.

# TOMÁS DE MATTOS
(Montevideo, Uruguay, 1947)

CUANDO Tomás de Mattos recién comenzaba su producción, Ángel Rama descubre la gran calidad literaria del escritor uruguayo y lo da a conocer en la antología *Cien años de raros*, publicada por la Editorial Arca en 1966. De Mattos ha publicado hasta ahora tres colecciones de cuentos y la novela *¡Bernabé, Bernabé!*, obra premiada varias veces y de la que ya se han impreso más de diecisiete mil ejemplares. Esta exitosa recepción de su novela ha creado muchísimo interés por conocer el resto de su narrativa en la cual sobresale la colección de cuentos *Trampas de barro*, libro en el que se puede apreciar la madurez artística de Tomás de Mattos y la gran desenvoltura con que aborda la narración del cuento.

El cuidado de estilo es una preocupación fundamental del autor, aspecto que logra sin perder de vista el sentido de renovación literaria, especialmente en los nuevos ángulos de caracterización psicológica de los personajes. En cuanto a la visión del mundo, I. Ariel Villa se ha referido a los cruces de búsqueda y desesperanza presentes en la obra del escritor uruguayo: "De Mattos sigue la tradición de Tomás, el apóstol: como él hurga en las llagas de Cristo, busca sus huellas, y eso transforma su fe en algo fermental y humano, en una búsqueda de Dios que no siempre es fructífera" ("Tomás de Mattos, un narrador de nuestro tiempo" en *Trampas de barro*. Montevideo: Ediciones de la Banda Oriental, 1981, p. 5). Un sentimiento de abandono y soledad que puede llegar a ser alucinante persigue a los seres del universo de *Trampas de barro*, colección de donde proviene el cuento "De puro buena que soy".

Tomás de Mattos se graduó en Derecho; ha residido muchos años en Tacuarembó, donde ejerce la abogacía.

## DE PURO BUENA QUE SOY

¡A Y, hermano, qué me ha pasado! ¡Qué injusticia, mucha-cho! ¡Pero qué injusticia! ¿Por qué a mí que siempre me he cuidado de no hacer nada que me pueda perjudicar? ¿Por qué justo a mí? ¿Por qué?

Todo el mundo dirá lo mismo... ¿no? Creo haberte man-yado.[1] Tampoco vos me creés. Esta fama que tengo, de parda[2] vivida, y los hermanitos y hermanitas que me regaló mamá, no me ayudan nada. Claro que es así; no me digas que no. Mirá: yo no te voy a vender un buzón, pero vos querés que te lo venda. ¡Andá, andá!, ¡que se nota en la cara! Toda-vía no me has dicho nada, pero ya sé qué me estás pidiendo. Hablá, hablá, negra, mentí, contá, inventá todo lo que se te ocurra que yo te escucho y elijo lo que nos puede servir.

¿Que no? ¡Dale! Vos también ya te recibiste de bom-bero. Y yo sé bien lo que todos somos por dentro.

¿Ya leíste el expediente? ¿Y qué te pareció? El Juez me dijo que no sirve eso de que soy la única que mantiene a mi madre y que tampoco vale lo de que el Director me tira por aquello que a lo mejor ya te contó la Maura cuando te fue a ver. ¿Sí?... ¿Y?... ¡La ppp...! ¿Quién me manda a mí caer en las manos de ustedes?

Tá, tá; si ustedes lo dicen, lo acepto. Tampoco a mí me gusta que me discutan lo que sé... ¡Pero que no importe el despelote[3] que armé sólo dos horas antes, con la muerta

---

[1] *manyado: manyar*, comer.
[2] *parda:* en el Río de la Plata, término ofensivo para el mestizo.
[3] *despelote:* lío, alboroto.

23

por eclampsia! ¿Eclampsia? ¿No lo sabés? Es... ¿cómo decirte? una crisis de hipertensión en la embarazada. No es raspar y comer, no creas. A veces se mueren, como justo se nos murió esa mujercita... Bueno, tá, ya te dije que no voy a discutir. Lo único que te pido es que te juegues por mí y que no tengas miramiento: si hay que cortar cabezas, córtalas. Mirá que está en juego mi pellejo.

Hace dos días que no duermo, que paso pensando en esto; no creo lo que veo, casi no entiendo dónde estoy. *"Parda —me paso diciendo— estás jodida, te jodieron, te jodiste".* Todo el día me paso preguntando cómo fue que me jodí, quién tuvo ]a culpa. Y no me sé contestar. Sólo sé que estoy aquí. *"Parda ¿viste? Tas en la cárcel y todo tu viejo barrio, bien contento".* Eso es lo que me digo; o esto otro: *"Parda, pardita, perdiste tu laburo*[4] *¿qué vas a hacer con las cuotas del Fitito?".* ¡Y me imagino tan bien lo que andará diciendo la Chola, que es una que vive a la vuelta de casa: *"¡Pensar que a mí no quiso hacérmelo! ¡Claro, yo no le pagaba! ¡Claro, yo no era del Centro! ¡Claro, yo no era la hija del gerente, la mujer del doctor Antúnez!".* Y yo sigo preguntándome: ¿de dónde me viene esta injusticia, esta putísima suerte? Me da rabia que no me crean, que no tengan en cuenta todo lo que digo, que no consideren que nunca hice nada indebido. Te juro, te juro por mí, si querés, que soy lo único que me duele, que no hice nada. Te-lo-a-se-gu-ro, te-lo-ju-ro. Mirá, creeme, te digo la verdad: yo, en lo que me importa, en mi trabajo, soy intachable. En lo otro... pero ¿qué tiene que ver lo otro? En lo otro, che, yo no me quiero casar y punto.

Si te dijera que no me casé por cuidar a mamá, que vive de lo que le doy, te mentiría. No me casé porque no quise. Porque todo me costó mucho, yo me hice de abajo, de bien abajo, y nadie me regaló nada. Y otra razón también hubo, pero a nadie le interesa; él ya se debe haber ol vidado, y yo también.

¡Los años que soporté vivir en Montevideo sin tener un peso! Y ahora, justo cuando empiezo a sanar un poco de

[4] *laburo:* trabajo.

plata me viene a pasar esto. Dicen que soy vintenera;[5] es cierto. Cuido que nadie me robe, que todos me paguen los vintenes[6] que gano. Pero mirá que no me desvivo por el dinero. Lo quiero para unas poquitas cosas; pagarme el autito, tener ropa, irme de vacaciones. Que Porto Alegre, que Asunción, que Buenos Aires; ahí por la vueltita, nomás. Cosas sencillas, ¿sabés?: revistas para el fin de semana, una reservita por cualquier cosa (¡pero, che!, ¡se te iluminaron los ojos!), comer lo que quiera, ¿te das cuenta? ¡Pavadas[7] y nada más que pavadas! ¿Para qué otra cosa sirve el dinero? Pero lo que cobro, lo he ganado limpiamente. Yo no estoy con los abortos, ¿sabés? ¡Yo no estoy con los abortos!

Yo estoy, y no lo digo de la boca para afuera, te lo digo con todo el cuerpo, con la vida. Creelo: esta parda está llena de vida. Por eso creo que lo de la eclampsia importa. Importa pilones[8] aunque el Juez y vos, que se supone que me vas a defender, digan que no. Pero importa; mirá que importa. Me pinta de cuerpo entero, tal como soy: rea pero franca, sin pelos en la lengua; derramando vida, aunque no se den cuenta. Demuestra qué es lo que pienso. Y se enraba[9] con lo otro: si yo, cuando la eclampsia, que pasó dos horas antes, actué así, ¿por qué iba a cambiar con esta otra pituquita[10] de mierda? ¿Porque era la mujercita del doctor Antúnez, la hija del gerente? ¡Pero che!, ¡para mí todos somos iguales! ¡Soy demócrata de alma! ¿Qué otra diferencia había? Ninguna. Macanudo que la de la eclampsia era una señorita, pero es lo mismo, ¡je!, porque la de Antúnez, hace dos años que tiene al marido en libertad. En Libertad con mayúscula, se entiende. Entonces, ¿por qué

---

[5] *vintenera:* que le gusta el dinero, los *vintenas.*

[6] *vintenes: vintén*; antigua moneda de cobre en el Río de La Plata; equivalía a dos centésimos de peso.

[7] *pavadas:* tonterías.

[8] *pilones:* muchísimo; *pila*, mucho.

[9] *se enraba:* ata, conecta; entre otros significados, *enrabarse* es sinónimo de *rabiatar,* es decir, atar por la cola.

[10] *pituquita:* engreída; que hace alarde de elegancia.

en un caso voy a defender al niño y en el otro no? Y además importa, fijate que ésta es la tercera razón que te doy,
porque aclara el estado en que me encontraba cuando la
mujercita de Antúnez vino a casa.

¿Que qué? ¡Ahhh! ¡Ahora te interesa! Claro que te lo
cuento. ¿Qué más quiero desde hace rato? Bueno, mirá. La
de la eclampsia, de buenas a primeras, se murió. Serían las
siete menos cuarto. Cuando dejó de respirar, sólo la enfermera y yo estábamos con ella. Pero no fue porque muriera
que armé el lío. Casi no me importó; casi no me dolió. Casi
me alegré que se fuera más rápido de lo que habían dicho.
Y no por desalmada, sino porque no quedaba nada más por
hacerle: la chiquilina estaba para morirse. Si yo estaba con
ella era para hacer que le abrieran la panza y le sacaran
el niño. Pero por más que los llamé, ninguno me llevó el
apunte. Se quedaron en sus consultas. Yo, por supuesto,
no podía hacerlo; tal vez lo haga mucho mejor que ellos, pero
no soy médico. No me dio el rollo para eso. Soy boba pero no
masco vidrio. Lástima que no pude localizarlo a tiempo a
Alberto, que es el único ginecólogo con el que me llevo
bien y puedo hablar con él. Sabe pila y es sencillo, no se las
da de doctor. Llegó justo cuando la chiquilina se murió. Yo
estaba con el estetoscopio auscultando los latidos del gurisito.[11] Se los oía claritos. Dicen que ya eran muy lentos. Yo
nunca estuve para medir su frecuencia; yo estaba sólo para
oírlos, para hacer que lo sacaran de la madre. No estaba
para pensar nada, menos para decidir si era o no apto para
vivir; yo no me sentía con derecho a resolver esa cuestión.
Alberto me hizo caso, le ordenó a la enfermera que trajese
lo necesario. *"Aquí mismo lo hacemos"*, me dijo, porque a
la chiquilina la habíamos sacado de la sala y la teníamos en
una pieza. ¡Justo en ese momento entró la Tola, que es una
de las mujeres más imbéciles que conozco! Está intoxi-
cada de libros: no vive. Se bajó los lentes a la punta de la
nariz, se llevó la lapicera a la boca como si fuese una
boquilla y le dijo a Alberto porque a mí, como siempre,
me ignoró: *"¡Ah no, Alberto, yo no sería partidaria!"*. Y

---

[11] *gurisito: gurí;* en el Río de la Plata, nene, niño.

largó una chorrera[12] de términos médicos para decir lo que yo hubiese resumido en dos patadas: *"El gurí puede nacer tarado"*. Yo no me aguanté más y le grité: *"¿Vos tenés derecho a decidir por él?"*. Y ella, sonriendo, me miró de arriba abajo, de izquierda a derecha, del centro al barrio, y me contestó: *"¿Y ese derecho lo tienes tú?"*. Lo que no le perdono a Alberto es que dudase, que amagase cambiar de opinión. ¿Quién era la Tola para discutirle? ¡No es nada más que una interna! Dos o tres minutos se perdieron. La enfermera ya había regresado y estaba todo pronto. Pero Alberto vacilaba, sentado en la cama, con la mano en la rodilla de la muerta, y la Tola insistía. En ese momento llegó Tognera, y comenzó a hacerse el muy humano, dándoselas de jefe de servicio, que lo es pero no merece serlo, de jefe que escucha a todos, hasta a las parteras y a las enfermeras. Pero ahí el narigudo viejo no estuvo del todo mal. Me miró y me dijo: *"Yo estoy con usted"*. Por eso, mirá que, a lo mejor, puede salirnos de testigo, pero... no... ¡Si es un Pilatos, ese!, ¡se va a lavar las manos, como siempre! Esa tarde, cuando me dijo eso, casi le perdono todo lo que no hace. Fue en seguida hacia la muerta y auscultó. Cuando puso la cara que puso, allí ya me derrumbé, allí ya estallé aunque todavía no dije nada. Allí ya me puse histérica. Quedó Serio ¿sabés? y le dijo a ellos, no a mí: *"Ahora ya es tarde, muchachos. No nos pueden caber dudas. Tal vez, cinco o diez minutos antes... Pero ahora ya es tarde"*. Y le tendió el estetoscopio a la Tola, que había puesto una cara de entristecida que te digo. Sé que me descontrolé, que dije cosas que ahora me doy cuenta que no debí haber dicho. Sobre todo, estoy segura que no me perdonan que le dije a la familia lo que pensaba. Pero, en fin, lo hecho, hecho está.

¡Y dos horas después, lo que me viene a pasar! ¡Pero mirá si soy ilusa! Sé bien que no soy el centro de los comentarios. Ninguno de ellos dirá siquiera: *"¡Pobre parda!"*. Si piensan algo en mí, será sólo para decir: *"Pero ¿por qué Marta no recurrió a alguno de nosotros?"* Marta se llamaba la mujer de Antúnez. ¡Ja! Si alguno dijo eso, se habrá apurado a

---

[12] *una chorrera*: un montón.

añadir: *"¡Claro! La hubiéramos aconsejado"*. No sé; son cosas que imagino... ¡Total! Tengo todo el tiempo del mundo para hacerlo. Pero de una cosa sí estoy segura que lo han pensado y conversado. *"¡Lo que le faltaba a Antúnez! ¡Pobre Flaco! ¡Con todo lo que ya le ha pasado!"*. Y en eso tienen razón. A mí, antes que a ellos, me dio mucha lástima Antúnez y eso que nunca lo pude pasar. Superteórico, presuntuoso, estirado, siempre corrigiéndome con el pretexto de que aprendiese, elogiándome con una sonrisa falluta[13] y compasiva: *"Me gusta trabajar con usted, Elena. Es muy responsable"*. Siempre se consideró superior a mí. Él era el médico; yo, la partera. Él, el culto; yo, la inculta. Él, el que estaba bien ubicado políticamente; yo, la pachequista reaccionaria. Pero cuando la mujercita empezó a contarme y yo agarré la onda enseguida ¡la pucha![14] ya le tuve lástima. A nadie, estando preso, le gustará enterarse que otro le hizo un hijo a su mujer, ¿no? Y ahora que sólo debería tenerme lástima a mí misma, todavía lo compadezco y mucho más, porque se enterará de alguna otra cosita más. Aparte de los cuernos, la muerte de la mujercita, que te aseguro que será lo que más le dolerá porque, todavía no sé por qué, la adoraba. Y pensará también en los hijos. Se desesperará por dejarlos solos en esto que les está pasando. ¡Ah, sí! ¡El está peor que yo!

¿Qué hubieras hecho en mi lugar, hermano? ¿Qué hubieras hecho? Decime quién tiene la culpa. Porque, mirá, si yo hubiese obrado contra lo que siempre he pensado, te aseguro que no estaría aquí, la taradita estaría viva, los gurises con su madre y Antúnez seguiría en la llaga pero, al menos, no se le verían los cuernos. No puedo decirte, aunque lo quisiera, que la culpa la tuvo la mujercita de mierda: es que yo también necesito hombres. Me dirás que pudo haberse cuidado; también lo he pensado. Ella me dijo que fue una vez, ¡je!, y de golpe. ¿Vos le creés? Conozco de esas cosas. Pero, del modo que fuese, pasó y vos, en la calentura, no te ponés a pensar. Pasó y tá. ¿Y a

---

[13] *falluta:* falsa, hipócrita.
[14] *¡la pucha!:* ¡diablos! interjección de sorpresa o fastidio.

quién iba a recurrir? Dijo que me tenía confianza. Y yo ahora pienso que, a lo mejor, el pobre Antúnez no era tan falluto como yo pensaba. ¡Gran honor me hizo esa imbécil! Sólo a mí me tenía confianza. Descartaba "mi secreto y discreción". Eso me dijo, no perdiendo sus finezas ni cuando estaba pidiendo un aborto. No podía recurrir a los colegas de su marido. De algunos (supongo) sabía lo que eran; con los más amigos, tendría vergüenza. Me dijo, y tampoco le creí, que no se angustiaba por ella, sino por el pobre tipo. Se puso a llorar; no se aguantó en el molde. Claro que pensaba en él, y que sabía lo que le había hecho; pero más le pesaba lo que le crecía en la barriga. Yo le dije que no; y por la forma en que se lo dije, casi me sentí una podrida. Pero es que me había ofendido, ¿sabés? ¿De dónde había sacado ella que yo podría hacerle un aborto? Estuve mal; fui grosera. No le hablé de mujer a mujer; no compartí su problema. Pero hasta miedo tuve; vos sabés mejor que yo que, en estas cosas, hasta por un consejo te meten en cana.[15] Yo sé que soy egoísta, pero siempre he cuidado mi trabajo. Vivo de eso y me importa, no te lo puedo ocultar, la platita. La platita mía, limpia y bien ganada. No la plata del gerente, como me dijo el Juez, que se pasó de atrevido. ¡En fin! Ya ves que si le hubiera dicho que sí, nada hubiera pasado. Pero le dije que no y creeme que volvería a hacerlo. Le dije que no y quedamos mirándonos, hasta que no aguantó más y volvió a llorar. Pero seguí diciéndole que no. Lo que no puedo entender es cómo no puede valer mi palabra, si todo lo que pasó yo lo explico perfectamente. ¡Cuántos años de partera tengo! ¡Tendrían que creerme, che! ¡Tendrían que...!

Perdoná; pero tampoco yo soy de fierro. ¡No! ¡No! Te juro que no sé quién ni qué maniobra le hicieron. ¡Si yo ni siquiera la examiné! ¡Claro que te podría decir quiénes se dedican acá a hacer eso! Decime una cosa: en serio, ¿necesitás que te lo diga? Pero ¿para qué?, ¿para qué quemarlos? ¡Si salta a la vista que nadie que sepa algo lo hizo! ¿Quién sabe si no fue ella misma? ¿Me entendés? No es

---

[15] *cana:* cárcel.

que no quiera colaborar, pero por ese lado no vayas, que no vas a sacar nada en limpio.

Mirá, después que vino a pedirme el aborto, pasó más de un mes. Cuando la veía le miraba la barriga y la verdad es que no se notaba, pero estaba engordando. Estando en la cosa y como ya llevaba más de tres meses de embarazo, creí saber lo que había decidido. Pensé que se había franqueado con su familia, conseguido su apoyo, y que, llegada la época, bajaría hasta Montevideo y volvería desocupada. Y casi me quedé contenta: lo importante era que el niño viviera; después, lo demás se arreglaría. La vida, ante todo. ¿Qué? ¿No te convence? ¡Pero si es lo que debió haber hecho! ¿Qué otra cosa le quedaba por hacer?

Sí, sí, te entiendo. Más de lo que creés: esta parda ya te está quitando mucho tiempo. No, no, no me digas que no; si es así, pero si yo no me ofendo, yo te entiendo. Quedate tranquilo que termino enseguida. Bueno, después de casi agarrarme de los pelos con la Tola, y de haber insultado a Tognera y hasta al pobre Alberto, y de haber armado flor de escándalo[16] con los familiares de la muerta, volví hecha un trapo del Hospital. Temblando con lo que al día siguiente podía pasarme y con toda la amargura del gurí que dejamos morir. Tomé un cacho de whisky y vi que no me iba a hacer nada y me zampé dos Mogadón. Me dormí profundamente y, entonces, la que atendió a Marta, fue mi vieja. Y ahí se selló mi suerte. Porque si yo soy la que abro la puerta, te juro que no la dejo entrar. Pero estaba con un sueño de muerte. Si mi madre no hubiera luchado a brazo partido, no me habría despertado. Sentía los sacudones, oía los gritos (porque mamá estaba histérica, te supondrás) pero no reaccionaba. Tenía algo así como la idea de que la pobre vieja estaba desesperada, que quería que yo hiciera algo. Pero no alcanzaba a saber qué, ni me animaba; estaba convencida de que, fuese lo que fuese, no podría hacerlo ni, con lo mal que me sentía, nadie tenía derecho a reclamarme que lo hiciese. Sólo quería que me dejasen en paz.

---

[16] *flor de escándalo: flor* en este contexto es un aumentativo; un escándalo enorme.

Me despabilé (y es un decir) recién cuando vi el reguero de sangre, a través del living, desde el zaguán hasta mi consultorio. Ni te cuento lo que vi allí: Marta, acostada en mi camilla, hecha una catarata de sangre. Sí, sí, vino sola. ¡Yo qué sé por qué! A esa altura, con mi camilla empapada, yo ya estaba absolutamente liquidada. Y lo más triste fue que me di cuenta pero me entregué ¿entendés? Porque, ¿qué otra cosa podía hacer? Cuando la llevaba en mi auto al Sanatorio, iba como si yo fuera otra, mirando de afuera las cosas, diciéndome: *"Parda, no seas idiota ¿no ves en lo que te has metido?"* Recién cuando murió me desesperé. Detuve el coche en pleno Centro (cerca de las diez de la noche de un sábado, ¿te das cuenta?) y la sacudí y le pedí a gritos que reviviera. Para siempre recordaré lo que en esos segundos espantosos me tocó vivir. La lluvia torrencial repicando sobre el techo del Fitito; la boca abierta de la pobre Marta; su cara blanca, transparente; los ojos entreabiertos; los bocinazos del auto de atrás; las caras que se fueron arrimando a las ventanillas. Mirá: no me voy a mandar la parte,[17] justo hoy, de decir que nunca he llorado; pero me precio de ser dura. Bueno, hundí la cabeza en la dirección y ahí sí que largué el tarro. Y ya lloraba por mí... ya estaba segura de lo que me iba a pasar.

¡En fin! No podemos volver atrás ¿verdad? Pienso que desde que ella golpeó en mi puerta ya estaba liquidada ¿no?... ¿Qué?... No. Te juro que no se me pasó por la cabeza: no llegué a preguntarle quién se lo había hecho; no me lo dijo; al principio, no se me ocurrió preguntárselo y, después, ya fue demasiado tarde.

Vos no me creés. ¡Mi propio defensor no me cree! Yo sé lo que estás pensando; hace un rato te lo vi en la cara. Vos pensás, y no me lo niegues, lo mismo que los otros: que yo me callo porque estuve enredada con quien vos sabés... ¡Como si fuera a pasar lo que pasó, si él lo hubiera hecho! ¡O si yo fuera la que lo hizo! ¡Por favor! Mirá: lo único que pido es esto: si piensan que fui capaz de hacerlo, que me

---

[17] *no me voy a mandar la parte:* no me voy a jactar, no haré alarde de algo así.

reconozcan, por lo menos, que lo haría bien. Te juro que yo no tengo nada que ver con esto; que no lo hice; que no sé quién lo hizo.

¿Te das cuenta? ¡A mí que nunca me metí en nada me viene a pasar esto! Pero te lo juro, me lo vuelve a pedir y le vuelvo a decir que no. Aunque me jorobe yo y se muera ella. Es que siempre lo dije: yo estoy con la vida. Vos todavía no me creés; te lo sigo viendo en la cara. Pero, ¿qué le vamos a hacer? Yo igual seguiré diciendo que estoy aquí guardada, de puro buena que soy.

## FERNANDO AINSA
### (Palma de Mallorca, España, 1937)

N A R R A D O R  y ensayista uruguayo de destacada presencia en las letras hispanoamericanas. Su obra narrativa ha recibido varias distinciones notables entre las cuales sobresalen el Premio Remuneración Literaria de Novela 1970 por su obra *De papá en adelante* y el Segundo Premio de Novela Corta del Ayuntamiento de Leganés, Madrid, por "Un vals para Teresita". Su cuentística ha sido incluida en diversas antologías del cuento hispanoamericano y el relato "Los destinos de Héctor" —posteriormente incluido en *Los naufragios de Malinow*— fue seleccionado en 1985 entre las mejores piezas narrativas por el exigente y prestigioso diario *Le Monde*.

La trayectoria ensayística de Fernando Ainsa, igualmente sólida, llena un espacio de tres décadas con obras de gran repercusión en la crítica latinoamericana; premiada, además, numerosas veces. Tanto la obra cuentística como ensayística de Fernando Ainsa se ha dado a conocer internacionalmente con traducciones al inglés, francés, italiano, portugués, holandés, búlgaro, ruso, árabe, rumano y húngaro. Fernando Ainsa reside actualmente en París, donde se desempeña como editor de la Editorial de la UNESCO e investigador del Centre de Recherches Inter-Universitaires des Champs Culturels d'Amérique Latine; Universidad de París III-Sorbonne Nouvelle. Es integrante del consejo de redacción de las revistas literarias *Río de la Plata* y *Cuadernos Americanos* y de la revista de filosofía *Prometeo*, editada por la Universidad de Guadalajara; miembro, asimismo, del consejo editorial de la Colección Archivos de la Literatura Latinoamericana y del Caribe del Siglo Veinte.

El cuento seleccionado se incluyó en la antología *Fuera de fronteras: escritores del exilio uruguayo*, publicada en Estocolmo en 1984. El mismo año aparece en la antología *Cuentistas hispanoamericanos en la Sorbona*; posteriormente se incorpora a la colección del mismo título en 1988. En este relato de Fernando Ainsa, contar es canalizar la invención, también, recurrir a la mentira literaria, el decurso desconocido de lo imaginativo. Contar es revivir la fantasía y poseer la imaginación, actividades imperativas con que se vence el sino olvidadizo y rutinario de lo cotidiano.

# LOS NAUFRAGIOS DE MALINOW

DONDE RECORDAMOS LA ÉPOCA EN QUE LA FANTASÍA,
FORMA IMAGINATIVA DE LA MENTIRA, PERMITIÓ A NUESTRA ALDEA
OLVIDAR EL ABURRIMIENTO A QUE LA SIMPLE VERDAD PARECÍA
HABERLA CONDENADO.

> ¡Ah, los buques, los viajes, el no-saberse-
> el-paradero de Fulano de Tal, marino, conocido
> de nosotros!
> ¡Ah, la gloria de saber que un conocido murió
> ahogado frente a una isla del Pacifico!
> Nosotros, que estuvimos con él, se lo contare-
> mos a todos.
>
> *Oda marítima*
> Fernando Pessoa

A H O R A  nos lo decimos todos: no debería haber sido tan difícil creer a Malinow.

Sin embargo, cuando venía a contarnos el nuevo naufragio que había visto, en su aire de extranjero rubio descendiente de rusos blancos, había algo que no nos inspiraba confianza.

Ahora que Malinow se ha ido, las noches de invierno se nos hacen más largas en la rueda de pescadores y contrabandistas que formamos en el bar Jiménez, y hay quién asegura que, en esta costa barrida por vientos tan contradictorios los naufragios que nos contaba Malinow podían haber sucedido realmente.

Podían, sí.

Porque en la parte más abierta de estas playas, donde el

35

océano rompe con más fuerza, se ven los restos de muchos barcos que encallaron alguna vez llevados por un temporal, arrastrados por una corriente. Con paciencia y memoria se podría trazar un mapa punteando los naufragios, precisando las fechas que se remontan hasta galeones y carabelas de la época colonial, hoy devorados por la espuma y la arena.

Ahora que Malinow se ha ido, hay quienes reconstruyen con cuidado estos posibles mapas de nuestra costa, llenos de cruces y de una historia que, en cualquiera de los casos, ninguno de nosotros ha vivido, pero que él aseguraba haber visto en sus paseos solitarios en las noches de tormenta.

Pero entonces, cuando Malinow entraba en el bar Jiménez, lo recibían sólo sonrisas y miradas incrédulas. Las burlas eran aún mayores cuando decidía contar, una y otra vez, con pequeñas variantes, siempre hablando en tiempo presente, su naufragio favorito: cómo su abuelo Boris había llegado a este país, encallado su barco en la punta más agreste y lejana de la playa que se pierde hacia el oeste.

Sus mechones de pelo rubio pajizo le caían sobre la frente y los ojos de azul claro se le iluminaban, como si estuviera viendo lo que nos decía:

> ...y cuando todos los pasajeros se han salvado, y los botes están en la orilla, el abuelo Boris, capitán responsable del barco, lo mira por última vez, sube con dificultad al puente de mando, tan inclinada está ya la cubierta, y toma de su cabina todos los papeles del navío y los guarda con cuidado en su bolsillo...

En esos momentos de su relato, Malinow esperaba siempre que alguno de nosotros lo interrumpiera para hacerle preguntas, pero todos —aunque lo escucháramos con atención— nos hacíamos los distraídos. Malinow era demasiado rubio para inspirar confianza, pero también era demasiado entusiasta para callarse ante nuestra indiferencia. Y así seguía hablando con grandes gestos:

> ...y cuando el temporal arrecia, el abuelo capitán revisa con parsimonia los cajones donde tiene su brújula personal, un reloj de oro y las fotos de su familia. El barco se escora aún

más, y crujidos que parecen lamentos brotan de los maderos y de los hierros, para subir desde las bodegas inundadas hasta el puente de mando, como un himno de difuntos que se mezcla con el ruido de las olas que se rompen contra el casco, lamen con ferocidad la cubierta y entran a borbollones espesos por los ojos de buey de vidrios despedazados. Abuelo examina los restos húmedos de su pequeño mundo que está por desaparecer y sube al único puente que emerge ahora de las aguas. Desde allí observa la playa, donde su tripulación y los pasajeros lo esperan con impaciencia, batidos los rostros por la lluvia y el viento. El capitán Boris está satisfecho porque todos han supervivido, porque todos están sanos y salvos gracias a su sangre fría y a la seguridad con la que personalmente ha organizado el salvamento antes de pensar en sí mismo. Baja luego un pequeño bote que se balancea sobre la borda, salta en su casco con la gorra de capitán calada hasta los ojos, empuña los remos y va hacia ellos. Abuelo esquiva con habilidad unas rocas y llega a la playa en el justo momento en que, rodeado de un estallido final de hierros y maderas, el barco se parte y todo desaparece bajo las grandes olas que cubren triunfalmente sus restos para siempre. El capitán Boris estrecha la mano de cada uno de los pasajeros, abraza a sus tripulantes y oficiales, y llora en silencio. Así llegó mi abuelo, el capitán ruso Boris, a este país.

No recordamos cuántas veces nos contó Malinow este naufragio que se entroncaba con la pretendida historia de su sangre. Cada vez que nos lo contaba, a falta de otros naufragios que hubiera visto la víspera, añadía algún nuevo detalle, una pequeña variante, algún capítulo anterior o posterior de la historia de su abuelo que:

> ...nunca más se había vuelto a embarcar y que había caminado por esta costa hasta el fin de sus días, sus ojos fijos en un horizonte tras el cual habían quedado los suyos, en la lejana Rusia.

Malinow explicaba como:

> Abuelo se quedó a vivir aquí y se casó con una criolla que le dio una hija —mi madre— el mismo día en que murió desangrada sin esperanzas de socorro médico.

Cuando nos contaba esta historia, su piel clara y dorada por el sol se le perlaba de gotas de sudor casi imperceptibles. Era una emoción que parecía venirle de muy adentro, pero en la que ninguno de nosotros quería creer.

Ahora que Malinow se ha ido de El Paso, pensamos a veces que fuimos muy cobardes, porque nadie le dijo nunca en la cara lo que se murmuraba cuando salía del bar, tarde en la noche:

"Su abuelo había llegado a esta tierra desde Rusia

—sí—

pero no como capitán de un barco, sino como integrante de un grupo de campesinos que huía de los vientos que recorrían ese país por los años de 1910 y cuyo sentido histórico ninguno había entendido."

Había llegado de Rusia

—sí—

pero con una mujer y dos hijos, que abandonó poco después, para escaparse con una linda criolla, y venirse a este pueblo a orillas del mar, lejos de la colonia San Javier que los rusos habían fundado en el interior del país y a la que nunca volvería.

Los más viejos de entre nosotros

—los que lo conocieron—

aseguraban que Boris no sabía nadar, que le tenía miedo al mar y que nunca se bañó en la playa, ni siquiera cuando hacía calor y hasta las viejas beatas se mojaban los tobillos levantándose las faldas con una olvidada picardía.

Ni siquiera entonces, no.

Esto es lo que se decía entonces, cuando Malinow salía del bar. Sin embargo, ahora que se ha ido del pueblo, hay quién recuerda haber visto colgados en los muros de la casa que el capitán Boris levantó sobre las rocas de la punta Oeste, una brújula, un cuadrante, un reloj de oro y viejos papeles escritos en extraños caracteres.

Ahora que Malinow se ha ido, hay otros que recuerdan que un hombre rubio como el Capitán, venía a veces de otro pueblo a visitarlo y que fumaban juntos en silencio en la terraza, mirando el mar. Y hay hasta quién dice que ese hombre de apariencia más joven, era uno de los oficiales del barco que naufragó en nuestra costa.

Ahora que se ha ido de El Paso, el maestro de la escuela, Don Cosme, cuando viene a tomarse una cerveza con nosotros, nos dice que Malinow, como un viejo marinero inglés al que habría cantado un poeta de cuyo nombre no se acuerda, sufría de una terrible agonía que lo obligaba a contar, una y otra vez un naufragio, para calmarse al final, pero sintiendo unos días después una nueva angustia que le arrebataba el corazón, incendiaba su pecho, y le hacía ver en el rostro de cada uno de nosotros, un eco posible a una historia condenada a nunca terminar.

El maestro se pregunta ahora si no debió interrumpir alguna vez a Malinow para preguntarle si en algún momento de su vida no había matado un albatros.

Ahora que Malinow se ha ido, nos hacemos muchos reproches, pero hay que reconocer que, de todas maneras, sus relatos de naufragios no dejaban nunca trazas. No había maderas flotando, no había mástiles de veleros quebrados, ni cascos de barcos encallados en las arenas de nuestras playas sobresaliendo de entre las olas, para probar que su testimonio era cierto

Sus naufragios no tenían supervivientes. No había signos de S.O.S. escuchados las noches de temporal. Todo se lo engullía el océano. No había otro relato que el suyo, contado con grandes gestos de sus manos nerviosas en el centro de la rueda del bar.

¿Cómo aceptar —entonces— que sus ojos habían transpasado las tinieblas rasgadas por rayos y centellas, para ver como se hundían sin dejar ningún rastro sus grandes y pequeños barcos, sus veleros, sus chalupas, sus buques mercantes de banderas desconocidas?

A veces —hay que decir la verdad ahora que Malinow se ha ido— detrás de su relato llegaba una débil prueba a nuestras playas. Recordemos, por ejemplo, cómo una mañana se nos apareció el mar cubierto de esferas blancas, miles de huevos que flotaban y que se depositaron en la orilla con la suavidad de la calma que sigue a la violencia de un temporal de otoño. Recordemos que tres días antes,

Malinow nos había contado que un pequeño buque mercante andaba a la deriva frente al cabo que cierra la playa por el Oeste y que para evitar encallar en sus rocas, había visto a la tripulación arrojar parte de la carga por la borda.

Recordemos ahora cómo nos reímos entonces a sus espaldas, porque nos parecía que su fantasía había rebasado el margen de credibilidad que otros naufragios necesitaron para ser posibles. Hubiera bastado imaginar que los barcos también pueden transportar huevos de un país a otro para creer en lo que pasó frente a nuestra costa.

Se pudo sí, sin mucho esfuerzo haber creído a Malinow cuando aún estaba entre nosotros. Porque pescadores y contrabandistas sabemos que en esta costa naufragan muchos barcos, más allá de los límites de nuestro territorio. Lo leemos a veces en los periódicos que llegan por casualidad, lo escuchamos en la radio y sabemos que en invierno hay pueblos enteros que ven, dominados por la impotencia, cómo se debaten en el centro de tempestades barcos que se hunden con estrépito frente a sus ojos.

Sabemos también cómo en las madrugadas solitarias que siguen a esos temporales, muchos habitantes de esos pueblos se aventuran en los barcos semi-hundidos, para traerse maletas y baúles, linternas, maderas de puertas y balaustradas, vajillas y cubiertos, ollas y las mantas y sábanas empapadas de camarotes desiertos.

Sabemos que los barcos son saqueados en los días que siguen y despojados de todo bronce o hierro, antes que el óxido llegue.

Sabemos que esos saqueos duran varios meses y que el tiempo se encarga de lo demás. En unos años, esos barcos de colores vivos y pabellones diversos quedan reducidos apenas a un casco, donde es imposible reconstruir con la imaginación el impecable trazado de la proa original.

Y sabemos, finalmente, que el naufragio que fue titular de una primera página en un periódico de la capital, es ahora solamente una cruz en un mapa, cuyo significado sólo recuerda un memorioso, parte de un paisaje que no puede imaginarse sin sus despojos; nada más.

Más allá de nuestro pueblo pasan estas catástrofes que

merecen la atención, pero aquí no podía ser posible mientras vivía entre nosotros Malinow. Este ruso con aire de rubio solitario y mentiroso, no podía ser el único capaz de descubrir un naufragio entre dos centellas y una tempestad.

Sin embargo, ahora que se ha ido, nos preguntamos si no veía realmente los naufragios aunque sucedieran lejos. Tal vez podía vivirlos aquí, como si los viera realmente o, tal vez, los veía aunque hubieran acaecido muchos años o décadas atrás. ¿No nos hablaba —muchas veces— de barcos de antiguo velamen o diseño superado?

> De allí le venía el alma compleja, el llamado confuso de las aguas, la voz inédita e implícita de todas las cosas del mar, de los naufragios, de los viajes lejanos, de las travesías peligrosas...;

Estos versos nos los recita ahora burlonamente el maestro del pueblo, citando a otro poeta cuyo nombre tampoco puede recordar, pero del que sabe era portugués, lo que nos asombra, como si los portugueses no pudieran ser poetas.

En los meses que precedieron su partida, Malinow se nos apareció más agitado que nunca. Madrugaba más que ninguno de nosotros, caminaba a lo largo de las playas desiertas los días de temporal, cuando nadie se atrevía a aventurarse fuera de su rancho y volvía empapado, muy tarde en las madrugadas, con los ojos iluminados por un nuevo naufragio al que había asistido como testigo privilegiado.

El último invierno que pasó entre nosotros, Malinow fue el único en aventurarse en la Punta del Diablo, donde las rocas terminan en forma abrupta en el mar que se convierte en océano hacia el Este de ese cabo, más allá del faro abandonado hace ya muchos años. En esos meses Malinow era el único que hablaba en las veladas del Bar Jiménez, mientras nos miraba beber en silencio, esquivando encontrar sus ojos azules.

A fines de ese invierno, una noche excepcionalmente estrellada y tibia, Malinow entró más agitado que de costumbre y nos dijo, casi gritando: "No me creerán, pero hoy me ha pasado algo extraordinario".

Nadie le preguntó: "¿Qué has visto hoy Malinow?",

como hacíamos en alguna ocasión, disimulando apenas nuestra ironía, porque ni ese día, ni la noche anterior, temporal alguno había barrido la costa para justificar la historia de un naufragio percibido entre dos relámpagos.

Pese a nuestro silencio, Malinow nos contó en su hábil tiempo presente:

> Estoy esta tarde en la playa, a la altura del Fortín, cuando creo ver el resto de un mástil movido por las olas, al borde del mismo mar. Al acercarme me doy cuenta que no es una madera la que flota en la orilla, sino un cuerpo humano, más bien los restos de un cuerpo desfigurado por el mar. Es el cadáver de un hombre de unos cuarenta y tantos años, bien vestido con los andrajos de un smoking o un frac, algo así. No está hinchado como suelen estar los ahogados que he visto tantas veces balancearse en las olas; sus rasgos son casi normales, pero como mordidos por la vida del mar, comenzados a disolverse para siempre en el cuerpo de peces y crustáceos. Se le ve, pese a todo, un algo de elegancia perdida, algo de auténtico Señor caído al mar, en sus dedos azulados, en los zapatos de charol, en el perfil de su rostro, en ese conjunto de cosas sutiles que nos dicen que alguien no es de nuestro mundo, aunque haya irrumpido en él. Así era el ahogado que me encontré esta tarde en la playa, a la altura del Fortín.

Nadie parecía escuchar a Malinow. Todos aparentábamos estar preocupados por el juego de cartas, por la botella que se vaciaba, por la puerta que se abría y cerraba de golpe con los que iban llegando al bar. Malinow siguió hablando, como ordenando para sí mismo los recuerdos frescos de esa tarde asoleada del mes de agosto, de ese último invierno que pasaría entre nosotros.

> Estoy mirando el cuerpo, cuando una ola le abre los restos del smoking y veo un gran sobre alargado en su bolsillo. Me inclino y lo tomo. Está empapado y cerrado con un lacre. Cuando lo voy a abrir, oigo un rumor que viene del mar. Una lancha se acerca a gran velocidad, dando saltos sobre el agua. Más allá, un yate se balancea con suavidad, inmóvil en la tarde apacible. Tengo miedo, no se por qué. Agachado, trato de que no me vean y me escurro entre las dunas y me echo al borde

mismo del bosque de eucaliptus que bordea el camino que lleva a la estancia de Don Miguel. Acostado en la arena, veo llegar la lancha que recorre con lentitud la playa. En la proa, un hombre de unos sesenta años mira con binoculares la orilla, hasta que descubre el cuerpo del ahogado y con gestos enérgicos indica a dos marineros que se acerquen. Observando la costa desierta, lo izan con exagerado disimulo y hurgan entre sus ropas como si buscaran el gran sobre lacrado que yo tengo entre mis manos.

Malinow se pasó la mano por la frente y conjurando sus recuerdos, prosiguió:

La lancha no se va. Está detenida a unos metros de la orilla y el hombre de los binoculares barre lentamente la playa como si buscara algo, como si estuvieran buscando a alguien más. Con las piernas abiertas para mantener el equilibrio en la proa oscilante, parece detenerse por unos segundos en el borde del bosque donde estoy escondido Pero la tarde está cayendo y cada vez hay menos luz. De golpe la lancha se pone en movimiento y se va como llegó, tragada por la distancia, hasta llegar junto al yate que levanta amarras y se esfuma en el horizonte.

Malinow quedaría, una vez más, solo con su historia. El ahogado ha sido llevado lejos de cualquier otro testigo. Pero esta vez un sobre lacrado y húmedo ha quedado en su poder. Y Malinow, bajando la voz nos dijo:

—Entonces lo abro y encuentro varios miles de dólares en billetes de cien y quinientos.

Nuestro silencio sería de sorpresa y no de indiferencia, una atención conquistada a golpes por las palabras mágicas: "Billetes, miles de dólares".

Lo miramos y vimos sus ojos llenos de satisfacción. Por fin había podido comprar nuestra incredulidad, con los miles de dólares de su fortuito hallazgo.

Alguien le pediría entonces:

—A ver Malinow, muéstranos un billete.

Con la calma de su nueva posición triunfante conquistada, nos respondió:

—Lo siento, no tengo ninguno aquí. Estaban mojados y los estoy secando en casa, junto a la estufa.

—¿Ni uno Malinow, no tienes ni uno para pagarnos una copa? ¿No tienes ni uno para comprarnos un poco de confianza en lo que dices? —Le pregunta Romualdo y nos echamos a reír.

Todos nos reímos, menos Malinow. Alguien había mencionado la palabra confianza y lo habían herido para siempre. Empezó a tartamudear, quiso gritar entre el estruendo de la carcajada general: "Pero además de los miles de dólares, me he encontrado una mujer muy hermosa".

Nadie hacía caso a Malinow. Después de oírlo durante años en silencio, todos se reían y hacían ruidos desagradables, como si quisieran terminar para siempre con sus historias de ahogados, naufragios y botines perdidos. La emoción y el desconcierto parecían escaparse de los puños tensos de Malinow y su voz se quebró en sollozos cuando añadió:

> Me he encontrado una mujer hermosa desvanecida unos metros más allá del ahogado, enganchado y disimulado su cuerpo entre dos rocas, un vestido de noche pegado a su piel como si fuera una auténtica sirena. La creo muerta, pero está viva. La tomo en mis brazos y ella abre sus grandes ojos de color verde claro y me mira profundamente, como nadie me ha mirado nunca.

No escuchábamos a Malinow. Había llegado nuestra hora y le gritamos:

—¡Ruso mentiroso!, nieto de un campesino cobarde que le tuvo siempre miedo al mar. Estamos hartos de oírte Malinow. Basta, ruso, basta con tus historias.

Y Malinow, con la voz quebrada, entre un sollozo y la indignación, seguía explicando, como si se justificara:

> La llevo a casa donde está durmiendo La abrigo, enciendo la estufa, me está esperando...

Sebastián se adelanta y entre las burlas del resto de nosotros, le dice con una carcajada:

—Vuelve a su lado, apúrate, vuelve con tu sirena. A lo mejor se despierta y se te escapa con los dólares. Mira que buena historia tendrás para contarnos mañana: como se te han esfumado el amor y el dinero.

Malinow nos miró a uno por uno, buscando uno solo que no se estuviera riendo, y fue entonces cuando se dio cuenta que la piel exageradamente blanca que lo separaba de todos nosotros, estaba rasgada para siempre como la tensa de un tambor que no redoblaría nunca más.

Entonces Malinow salió y, cuando esperamos volverlo a ver a la noche siguiente como si no hubiera pasado nada, dispuesto a contarnos una nueva mentira, supimos que se había ido de El Paso.

No hemos vuelto a verlo desde entonces.

Pero sabemos de él o creemos saber, porque atenuados por la distancia y el tiempo

(¿Sabe alguien a qué velocidad viajan los rumores?)

nos llegan vagos ecos, no precisamente de Malinow, sino de una pareja de rubios de aire eslavo que se ha establecido con un bar en la costa, más allá del Cabo Polonio.

Dicen que el dueño de ese bar cuenta todas las noches historias de naufragios que vio en un punto de la costa donde nació y vivió muchos años y que nosotros quisiéramos ahora que fuera la nuestra.

Dicen que los parroquianos de ese bar lo escuchan asombrados, le hacen preguntas, y que una mujer rubia muy hermosa sonríe con aire de ser feliz, sentada detrás de la caja registradora.

Esto es lo que dicen algunos.

Porque hay otros que afirman que esa pareja de rubios (en los rasgos del hombre queremos descubrir a Malinow) cuenta naufragios que dicen haber visto tomados del brazo, paseando las noches en que hay tempestades por esa costa.

Ahora

—allá, lejos de aquí—

todos lo creen, porque además cuando cuenta sus naufragios rodeado por sus propios parroquianos, ella —la rubia— acota con seriedad: "Sí, es verdad" —o más lacónicamente "Así fue". Pero unos y otros

—todos nosotros—

sentimos que lo más grave, desde que se ha ido Malinow

de El Paso, es que aquí no pasa nada digno de ser contado
y que la verdad de nuestras vidas cotidianas es muy aburrida. Descubrimos con angustia que este pueblo necesita
—como probablemente también lo necesitan otros pueblos— de algo que parezca mentira para seguir viviendo y
para que las noches de invierno sean menos largas.

En realidad —nos lo decimos todos ahora que se ha ido
definitivamente— no debería haber sido tan difícil creer a
Malinow.

## LUISA VALENZUELA
(Buenos Aires, Argentina, 1938)

L A obra de la escritora argentina ha sido aclamada internacionalmente por su extraordinaria calidad creativa. La diversidad de discursos estéticos que ha explorado Luisa Valenzuela va desde el ímpetu irreverente por encontrar el logos transformacional de lo literario como en *El gato eficaz* hasta la necesidad de exponer el funcionamiento de la literatura y del artista en un ambiente vigilado y violento como en *Aquí pasan cosas raras*. Visión dialógica de la experiencia creativa que conjuga el desafío de lo nuevo en el arte y su contextualización social.

La narrativa de Valenzuela ha recibido una extraordinaria atención crítica y la mayor parte de su obra ha sido traducida al inglés. La escritora ha residido en Barcelona, México, París y Nueva York, donde ha dictado numerosas conferencias. Actualmente vive en Buenos Aires.

La singular actitud creativa de la narradora argentina se conecta al hecho de ver la escritura como un reto "en cuanto acto de conocimiento y en su capacidad para desgarrar velos". (F. Burgos y M. J. Fenwick, "Literatura a orillas del Mississippi: diálogo con Luisa Valenzuela". *Confluencia* 8/9 [1993]: 164). Propuesta bien cumplida por la visión lúcida de una gran escritora cuyo cuento "Simetrías", que da el título a la colección de 1993, provoca una extensiva red de conexiones que transitan la posesión abusiva del cuerpo, el aniquilamiento de la tortura,

47

la humillación y el control. La victimización y encierro de la mujer y del orangután junto con la atención de un amor enajenado progresan en una simétrica y perturbadora relación.

# SIMETRÍAS

D E entre tantas y tantas inexplicables muertes ¿por qué
destacar estas precisas dos? Se hace la pregunta de vez en
cuando, se habla a sí mismo en tercera persona y se dice
¿por qué Héctor Bravo rescata estas dos muertes? No se
aplaude por eso, pero conoce parte de la respuesta: porque
entre ambas atan dos cabos del mito, cierran un círculo. Lo
cual no explica los motivos de su obsesión, su empecina-
miento.

Y eso quisiera olvidar. Cerrarles la puerta a los recuerdos, y sin embargo—

Parece que un coronel levantó la pistola en cada caso.

Las sacamos a pasear. No puede decirse que no somos
humanos y hay tan pocas que nos lo agradecen.

Es cierto, en parte. Nos sacan a pasear, nos traen los
más bellos asquerosos vestidos, nos llevan a los mejores
asquerosos lugares con candelabros de plata a comer
delicias. Ascos. No son en absoluto humanos, humanita-
rios menos. Apenas podemos probar las supuestas delicias, los vestidos nos oprimen la caja torácica; de todos
modos después nos restituyen al horrror nos hacen vomitar lo comido nos arrancan los vestidos nos hacen devol-
verlo todo. Con creces. Sólo que, sólo que. Un mínimo de
dignidad logramos mantener en algún rincón del alma y
nunca delatamos a los otros.

—No, no son humanos.

Hasta los más nobles sentimientos, se dice Héctor Bravo, pueden transmutarse y perder toda nobleza.

Cuando el amor llega lo ilumina todo.

Permítaseme reír de tan estereotipada frase. Permítaseme reír con ganas porque ya nos van dejando poco lugar para la risa.

Sólo lugar para eso que llamaremos amor a falta de mejor palabra.

Palabra que puede llegar a ser la peor de todas: una bala. Así como la palabra bala, algo que penetra y permanece. O no permanece en absoluto, atraviesa. Después de mí el derrumbe. Antes, el disparo.

Las mujeres que están en nuestro poder lo saben. Esta mujer lo sabe, y esa otra y la otra y aquella también. Han perdido sus nombres ahora entre nosotros y saben dejarse atravesar porque nos hemos encargado de ablandarlas. Nos hemos aplicado a conciencia y ellas lo saben.

Ellas saben otras cosas, también, que hasta los generales y los contraalmirantes quisieran conocer y ellas callan. A pesar de los horrores y de las deslumbrantes salidas punitivas, ellas callan y ellos no dejan de admirarlas por eso. Las admira también un civil, Héctor Bravo, que sufre similares padecimientos pero no en carne propia sino en esa interpósita persona llamada obsesión.

La obsesión de Héctor Bravo es elíptica. El otro foco se apoya en otra época, treinta años atrás, 1947. Él piensa que allí radica el comienzo de todo. Las balas eran entonces más mansas, no así las pasiones: una mujer está en el jardín zoológico de Buenos Aires frente a la jaula del orangután, quizá porque gorila no hay o quizá porque gorila es el enemigo. Se trata, eso sí, de un bello ejemplar de orangután de melena cobriza, todo él una gran melena cobriza, casi roja. Una llamarada tibia. La mujer y el orangután se miran.

Eran tiempos de intercambios más sencillos, bastaba la mirada.

Nosotros las miramos pero ellas no nos ven. Están encapuchadas o les hemos vendado los ojos. Tabicadas, decimos. Las miramos de arriba abajo y también por dentro, les metemos cosas, las perforamos y punzamos y exploramos. Les metemos más cosas, no siempre nuestras, a veces más tremendas que las nuestras. Ellas chillan si es que les queda un hilo de voz. Después nos las llevamos a cenar sin tabique y sin capucha y sin siquiera ese hilo de voz, sin luz en la mirada, cabizbajas.

Les hacemos usar los más bellos vestidos. Los más bellos vestidos.

Les metemos cosas muchas veces más tremendas que las nuestras porque esas cosas son también una prolongación de nosotros mismos y porque ellas son nuestras. Las mujeres.

"Y muchas veces nos traían peluqueros y maquilladores al centro de detención y nos obligaban a ponernos unos vestidos largos, recamados. Queríamos negarnos y no podíamos, como en las demás instancias. Sabíamos muy bien de dónde habían sacado los vestidos —cubiertos de lentejuelas, sin hombros como para resaltar y hacer brillar nuestras cicatrices— sabíamos de dónde los habían sacado pero no dónde nos llevarían con los vestidos puestos. Todas peinadas y maquilladas y manicuradas y modificadas, sin poder en absoluto ser nosotras mismas."

La obsesión de Héctor Bravo, la primera obsesión —si es que estas configuraciones pueden respetar un orden cronológico: la mujer está peinada con un largo rodete coronándole la frente, lo que entonces quizá se llamaba una banana, algo con relleno que le crea una aureola alrededor del cráneo. El resto del pelo lo lleva suelto y es de color oscuro, casi negro. El orangután es digamos pelirrojo y se mantiene erguido en sus cuartos traseros. Los dos se miran fijo. Muy fijo.

¿Cuándo habrá tenido lugar el primer intercambio de miradas, el encuentro?

"Cuando te desvisten la cabeza te visten el cuerpo perdés toda conciencia de vos misma es lo más peligroso ni sabés donde estás parada y eso que paradas lográbamos estar muy pocas veces y eso en el patio helado."

¡A sentarse!, les gritamos igual que a los reclutas, a acostarse con las piernas abiertas, más abiertas, les gritamos y es una excelente idea. Que no mueran de pie como soldados, que revienten panza arriba como cucarachas, como buenas arrastradas, que

(pero soldados son, son más soldados ellas que nosotros. ¿Son ellas más valientes? Ellas saben que van a morir por sus ideas y se mantienen firmes en sus ideas. Nosotros apenas —gozosamente— las matamos a ellas).

Hay un reclamo:

¿quién sopló la palabra gozosamente sin decirla en voz alta? El adverbio exacto sería gloriosamente. Gloriosamente, he dicho. Gloriosamente es como nosotros las matamos, por la gloria y el honor de la patria.

La mujer y el mono configuran a su vez otro cuadro vivo. Apenas vivo porque apenas se mueven. La mujer y el mono se miran a través del tiempo y el espacio. Los separa una fosa. Tantas otras separaciones los aquejan pero poco les importa. Acodada a la baranda que circunda la fosa —o quizá apoyada en forma mucho menos inocente— ella lo mira a él y él la mira a ella.

Cuando ella llega el resto del mundo se acaba para él.

Ese gran animal que saltaba y se colgaba de una rama del árbol seco y hacía cómicas cabriolas más allá de la fosa ya no es más el mismo. Ya no es más animal. La mira a ella con ojos enteramente humanos, enamorados. Y ella lo sabe.

Mirar hay que mirar porque si uno da vuelta la cara, si uno tiene lástima o siente repugnancia, porque si uno tiene lástima o siente repugnancia aquello a lo que estamos abocados deja de ser sublime.

"Es algo demoníaco sabemos cómo se llama ellos no le dan su verdadero nombre lo llaman interrogatorio le dicen escarmiento y nosotras sabemos de los compañeros que han sido dejados como harapos, destrozados de a poco hueso a hueso, que han sido dejados sangrantes macilentos tirados en el piso después de haberles hecho perder toda su forma humana. Nosotras sabemos de las otras, los otros, y de noche oímos sus gritos y esos gritos se nos meten a veces dentro de la cabeza y son sólo nuestro recuerdo de nosotras mismas tan pero tan imperecedero y sabemos, cuando con las uñas o el zapato o de alguna otra forma brutal aunque sea dulce nos abren la vulva como una boca abierta en la que meterán de todo pero nunca nunca algo tan terrible y voraz y vivo, tan destrozador e irremediable como les han metido a otras, lo sabemos, porque nos sacarán a pasear, para lucirse con estas presas que somos, en todos los sentidos de la palabra presas."

¿Cómo no se supo antes, cómo nadie habló, cómo nadie las vio en el Mesón del Río, pongamos por caso, o en alguno de los demás restaurantes de categoría donde las llevaban entre una sesión y otra? Esas mujeres quizá bellas, perfectamente engalanadas, sus heridas maquilladas, y mudas, puestas allí para demostrar que los torturadores tienen un poder más absoluto aún e incontestable que el poder de humillación o de castigo.

Fue un experimento compartido y de golpe hubo un militar que perdió el norte.

El mono ladea la cabeza, la mujer ladea la cabeza.

El mono hurga entre su densa pelambre colorada, la mujer apoya los pechos contra la baranda y se pasa suavemente la lengua por los labios. El mono se entrega al desenfreno, la mujer lo mira y mira y mira (1947).

1977. Esta mujer la quiero para mí no me la toquen sólo yo voy a tocarla de ahora en adelante déjenmela en paz, acá estoy yo y me pinto solo para darle guerra de la buena.

Esta mujer es mía ahora le paso la mano por las combas la acaricio suave ella sabe o cree que voy a pegarle nada de eso, se me va la mano, la mano la sopapea con el dorso, enfurecida, la mano actúa por su cuenta la acaricia de nuevo y yo puedo solazarme, entregarme, puedo por fin entregarme a una mujer puedo bajar la guardia arrancarme las jinetas puedo.

porque esta mujer es más héroe que todos nosotros juntos

porque esta mujer mató por una causa y nosotros apenas matamos porque sí, porque nos dicen.

Esta mujer es mía y me la quedo y si quiero la salvo y salvarla no quiero, sólo tenerla para mí hasta sus últimas consecuencias. Por ella dejo las condecoraciones y entorchados en la puerta, me desgarro las vestiduras, me desnudo y disuelvo, y sólo yo puedo apretarla. Y disolverla.

Héctor Bravo puede superponer las dos historias, las dos mujeres, y a veces siente que se parecen entre sí, que hay afinidades entre ellas. La enamorada del mono y la amada del militar. A veces los amores se le enredan a Héctor Bravo, anacrónicamente, y el orangután ama a la amada del militar, el militar y la mujer del orangután se juntan. Quisiera por momentos imaginarse a la otra pareja posible, cómica por cierto, pero sabe que la obsesión no puede ni debe permitirse el alivio de la risa. Entonces, nada de militar y mono.

Resulta fácil imaginar a la enamorada del mono (quizá a su vez imaginaria, ella) con el militar de treinta años más tarde. Es fácil porque esa mujer tiene de por sí una filiación castrense: un otro coronel, su legítimo esposo. Un marido que no ha aparecido hasta ahora porque hasta ahora las visitas al zoológico parecían inocentes, y el marido es hombre de preocupaciones serias —el destino de la patria, verbigracia— y no puede distraerse en nimiedades conyugales.

Por su parte el coronel de más reciente cuño deja que la conyugalidad se le vaya al carajo. Y también al carajo el destino de. Su centro, su preocupación del momento es esa mujer que está entre rejas, tirada sobre una mesa de tortura esperándolo siempre con las piernas abiertas. Una amante cautiva.

El mono también está cautivo pero puede permitirse el gozo.

El mono se sacude en breves, intensísimos espasmos que la otra mujer, aquella que mantienen extendida sobre la mesa de metal, parecería reproducir al contacto de la picana eléctrica.

La picana aplicada por el militar, claro está, un coronel reducido ahora al universal papel de enamorado.

La mujer en el zoológico le lleva caramelos al mono y otras golosinas que se venden allí para los chicos, no para los animales a los que está prohibido alimentar. Su marido el coronel no puede notar el gasto, es mínimo. Nota eso sí los retornos cada vez más destemplados de su esposa, su mirada perdida cuando él le habla de temas cruciales. Ella parecería estar en la jungla entre animales y no en el coqueto departamento del barrio residencial, escuchándolo a él.

Entre fieras salvajes de verdad está la otra y sin embargo su militar amante ha logrado arrancarle una sonrisa que queda allí planeando, algo angélica porque por suerte o por milagro quienes se entretuvieron anteriormente con ella no jugaron a romperle los dientes.

Desde el otro lado de la pared llegan alaridos y no son de la selva si bien parecerían venir de arcaicos animales heridos en la profundidad de cavernas paleolíticas. Sobre la mesa que es en realidad una alta camilla recubierta de una plancha de metal, sobre el piso rugoso de cemento, contra las paredes encostradas de sangre, él le hace el amor a la mujer. El coronel enamorado y su elegida. Y el olor a sexo se confunde con el otro olor dulzón de quienes pasaron antes por allí y allí quedaron, para siempre salpicados en piso, techo, paredes y mesa de torturas.

Es importante evitar el olvido, reconoce ahora Héctor Bravo. Hay que recordar esas paredes que han sido demolidas con el firme propósito de borrar el cuerpo del delito, de escatimarle al mundo la memoria del horror para permitir que el horror un día pueda renacer como nuevo. Que el horror no se olvide, ni el olor ni el dolor ni—

Treinta años separan un dolor de otro. También unos pocos kilómetros. La obsesión de Héctor Bravo los combina, ayudada por la recurrencia de un período histórico; otra vuelta de tuerca como un garrote vil.

La mujer del mono regresa a su casa cada día más desgreñada (Héctor Bravo no lo cree, pero parece que los guardianes del zoológico comentan entre risas que el orangután está perdiendo peso). La mujer del centro clandestino de detención en poder de las fuerzas armadas está cada día mejor peinada, arregladita. Cosa que la aleja cada día más de sí misma.

La simetría no radica en el pelo de estas dos mujeres. Buscar por otra parte.

Pocos se preocupan (1947) por el mono, menos personas aún se preocupan por la mujer (1977), tan arregladita ella, hierática mujer de músculos un poquito atrofiados, demacrada pero hermosa. Sólo un hombre, en realidad, se preocupa por esa mujer y se preocupa mucho. Demasiado. Ya no se contenta con llevarle vestidos y joyas obtenidos en dudosas requisas policiales. Ahora él, personalmente, vestido de civil, va a las mejores lencerías y casas de moda de la Capital y le compra ropa. Con propias manos le toma la medida del cuello, oprimiendo un poco, y después se dirige a Antoniazzi a encargarle una gargantilla demasiado ajustada, carísima. Se la brinda como prueba de amor y la obliga a usarla y la gargantilla tiene algo de collar de perro, con argollas de oro azul, una especialidad de la joyería. Con el fino cinturón de piel de víbora a modo de correa podría conducir a la mujer por todo el mundo, pero no son esas sus aspiraciones. Él pretende que ella lo siga por propia voluntad, que ella lo ame.
Y si para ella el amor alguna vez fue algo muy distinto del sometimiento, ella ya ni se acuerda. O no quiere acordarse. Éstos son tiempos de supervivencia y de silencio: no brindar la menor información, mantenerse ida, distante; apenas sonreír un poco si se puede y tratar de devolver un

beso pero nunca abrir la boca para hablar, para delatar. Nunca. El asco debe quedar relegado a una instancia externa a esas paredes.

Las paredes son él porque él la saca del encierro en la cárcel clandestina y, amurada en tapados de piel, camuflada en bellos vestidos, enmascarada tras elaborados maquillajes y peinados, se la lleva al teatro Colón, a cenar a los mejores sitios y nadie nadie la reconoce ni se le acerca en estas incursiones y de todos modos nadie podría acercársele, rodeado como suele estar él de todos sus guardaespaldas.

Ella a su vez no reconoce a nadie ni levanta la vista. Oscuramente sabe que por un solo gesto de su parte, una mirada, condena al otro; y sabe que por un gesto o una mirada él la va a lastimar, después, va a marcarla por debajo de la línea del escote para poder volver a lucirla en otras galas.

Él no lo hace por marcarla ni insiste ya en que ella denuncie a sus compañeros. Sólo busca nuevas excusas para poder penetrarla un poco más hasta lograr poseerla del todo. Él la ama. Mucho más de lo que el mono puede amar a la otra mujer, mucho más de lo que hombres o animales superiores han amado jamás, piensa él. Y la saca a pasear con mayor frecuencia de la que aconseja la prudencia y hasta espera poder presentársela a su legítima esposa y meterla en el lecho conyugal.

Los altos mandos del ejército empiezan a alarmarse.

Héctor Bravo no sabe si la mujer del mono alguna vez quiso o intentó arrancar al mono de su encierro, llevarlo de paseo, meterlo en— Son posibilidades bastante ridículas. Los altos mandos del ejército (1947, tiempos un poco menos sórdidos) empiezan a reírse de los cuernos del coronel que tiene por rival a un mono. Un orangután, ni siquiera un gorila. Y pelirrojo, el simio, para colmo.

¿Dolerá más que los cuernos la risa de los camaradas de armas?

La mujer del mono está al margen de esas consideraciones y se siente inocente. Ella sólo mira, pero en ese mirar se le va la vida, se le va el alma, se le estira un tentáculo largo largo que alcanza hasta la piel tan sedosa del mono y la acaricia. El mono tiene una expresión humana y a la vez mansa, incontaminada. El mono sabe responder a la mirada de la mujer enloqueciendo de gozo.

El gozo del coronel 1977 es más medido como corresponde a su grado. El gozo es más medido, en apariencia, pero el amor que siente por la mujer tabicada es inconmensurable.

Ocurre que la amo, parece que dijo —se le escapó— en cierta oportunidad, y la frase no cayó en oídos sordos. Sus superiores empiezan a fijarse en él y a preocuparse mientras pasean a sus víctimas favoritas por los salones de los grandes hoteles. Empiezan a observarlo, a él que tan sólo observa la línea del cuello de la mujer amada o su torpe manera de llevarse a los labios la copa de champán, con un miedo secreto.

¿Dónde estará el respeto en todo esto?, se pregunta de golpe Héctor Bravo como si el respeto fuera moneda corriente.

El mono evidencia una forma de respeto al aceptar distancias sin haber intentado jamás saltar la fosa, sin quejarse.

Hasta que una noche ya encerrado en su jaula se pone a aullar desgarradoramente y el coronel en el cuartel a pocas cuadras del zoológico oye el aullido y sabe que se trata de su rival el simio llamándola a la esposa de él y toma el cinto con la cartuchera y toma el arma reglamentaria y sale del cuartel con paso decidido.

El jardín zoológico está cerrado y el guardián nocturno no oye las órdenes de abrir los portones ni oye los improperios.

Mientras tanto, treinta años más tarde, los altos mandos del ejército lo han enviado al coronel enamorado en misión oficial a Europa. La prisionera que él apaña es una subversiva peligrosa y los hombres de pro no pueden andar involucrándose con elementos enemigos de la patria. Mejor dicho, involucrarse pueden y hasta deben, lo imperdonable es el haber descuidado el deber para hundirse —sin quererlo, es cierto— en las fangosas aguas del deseo. Un verdadero desacato. Porque un coronel de la nación no puede privilegiar a una mujer por encima del mismísimo ejército, por más que se trate de una mujer propiedad del ejército.

Borrón y cuenta nueva es lo que corresponde en estos casos.

Y el coronel del '77 está cumpliendo su misión en Europa mientras el coronel del '47 escala las imposibles verjas del zoológico.

Los tiempos se confunden en la obsesión de Héctor Bravo, es decir que en una instancia, al menos, los tiempos son los mismos.

La bala también parece ser la misma.

Y cuando los dos enamorados vuelven al sitio de su deseo, la mujer al zoológico, el coronel de Europa, encuentran sendas celdas vacías. Y los dos encuentran un terror filiforme trepándoles por la espalda y encuentran un odio que habrá de crecerles con los días.

En cuanto al otro par —el mono y la mujer sobre la consabida mesa—, como fruto del haber sido tan amados, lo único que encontraron fue la muerte.

## SERGIO RAMÍREZ
### (Masatepe, Nicaragua, 1942)

E X C E L E N T E , original es la obra cuentística y novelística de Sergio Ramírez, uno de los buenos ensayistas, además, de la América Hispana. El ensayo de Ramírez se ha traducido al inglés y su obra narrativa ha sido traducida a varios idiomas con lo cual su producción se ha dado a conocer ampliamente. Su primera creación literaria es una colección de cuentos publicada en 1963, pero no es hasta comienzos de la década siguiente cuando su cuentística alcanza el conocimiento más amplio del lector hispanoamericano con la publicación de *De tropeles y tropelías*, galardonado con el Premio Latinoamericano de Cuento.

La difusión internacional de su obra comienza en la década de los ochenta, unos cuatro años después de haberse publicado *Charles Atlas también muere*, una de las mejores colecciones de cuentos hispanoamericanos en la década de los setenta, dedicada al "tratamiento irónico de la enajenación cultural" como señalaría el autor en *Oficios compartidos* (México: Siglo XXI, 1994, p. 72). En 1992 publica *Clave de sol*, otra buena colección de nueve cuentos en la que destacan piezas narrativas como "Kalimán el magnífico y la pérfida Mesalina", "La suerte es como el viento" y "Volver".

La dialéctica buscada entre las relaciones del pensamiento estético y la creación artística en el caso del escritor nicaragüense recuerdan la misma firmeza, sentido fundacional, proyección americanista y profundidad intelectual de las postulaciones del escritor argentino Esteban Echeverría.

60

El cuento "El centerfielder", escrito en 1967, fue incluido en la colección *Charles Atlas también muere*. El tema del béisbol le "ha seducido" admite el autor: "Me atrae, desde niño, el golpe solitario de la pelota contra un guante, me atraen los estadios iluminados, me atraen los héroes beisboleros, esos personajes míticos, que sin sus uniformes, y lejos del engramado, conocí de niño como macheteros cortadores de caña, mecánicos, torneros, zapateros, que podían morir un día de una cuchillada en una cantina, o fusilados a mansalva, bajo la ley fuga, en una prisión de la dictadura. Por eso último escribí "El centerfielder". (*Oficios compartidos*, ed. cit., p. 73). El pasado (tiempo del vínculo, de la satisfacción) y el presente (tiempo de la violencia, del acosamiento) alternan con magistral ejecución narrativa en este cuento donde se ilumina el crudo trasfondo social que hay tras la relación verdugo-víctima.

Sergio Ramírez Mercado siguió la carrera de abogacía; residió por un tiempo en Costa Rica y en Alemania, regresando más tarde a Managua. Después del derrocamiento de la dictadura de Somoza es nombrado vicepresidente de Nicaragua, cargo que desempeñó varios años.

# EL CENTERFIELDER

E L foco pasó sobre las caras de los presos una y otra vez, hasta que se detuvo en un camastro donde dormía de espaldas un hombre con el torso desnudo, reluciente de sudor.

—Ése es, abrí —dijo el guardia asomándose por entre los barrotes.

Se oyó el ruido de la cerradura herrumbrada resistiéndose a la llave que el carcelero usaba amarrada a la punta de un cable eléctrico, con el que rodeaba su cintura para sostener los pantalones. Después dieron con la culata del garand[1] sobre las tablas del camastro, y el hombre se incorporó, una mano sobre los ojos porque le hería la luz del foco.

—Arriba, te están esperando.

A tientas comenzó a buscar la camisa; se sentía tiritar de frío aunque toda la noche había hecho un calor insoportable, y los reos estaban durmiendo en calzoncillos, o desnudos. La única hendija en la pared estaba muy alta y el aire se quedaba circulando en el techo. Encontró la camisa y en los pies desnudos se metió los zapatos sin cordones.

—Ligerito —dijo el guardia.

—Ya voy, que no ve.

—Y no me bostiqués[2] palabra, ya sabés.

—Ya sé qué.

—Bueno, vos sabrás.

[1] *garand:* rifle; nombre  de la marca del rifle por su inventor John C. Garand (1888-1974)

[2] *bostiqués:* bosticar, chistar; no chistes y no te atrevas a  responderme .

El guardia lo dejó pasar de primero.

—Caminá —le dijo, y le tocó las costillas con el cañón del rifle. El frío del metal le dio repelos.[3]

Salieron al patio y al fondo, junto a la tapia, las hojas de los almendros brillaban con la luz de la luna. A las doce de la noche estarían degollando las reses en el rastro al otro lado del muro, y el aire traía el olor a sangre y estiércol.

Qué patio más hermoso, para jugar béisbol. Aquí deben armarse partidos entre los presos, o los presos con los guardias francos. La barda será la tapia, unos trescientos cincuenta pies desde el *home* hasta el *centerfield*. Un batazo a esas profundidades habría que fildearlo[4] corriendo hacia los almendros, y después de recoger la bola junto al muro el cuadro se vería lejano y la gritería pidiendo el tiro se oiría como apagada, y vería al corredor doblando por segunda cuando de un salto me cogería de una rama y con una flexión me montaría sobre ella y de pie llegaría hasta la otra al mismo nivel del muro erizado de culos de botellas y poniendo con cuidado las manos primero, pasaría el cuerpo asentando los pies y aunque me hiriera al descolgarme al otro lado caería en el montarascal donde botan la basura[5] huesos y cachos, latas, pedazos de silletas,[6] trapos, periódicos, animales muertos y después correría espinándome en los cardos, caería sobre una corriente de agua de talayo[7] pero me levantaría, sonando atrás duras y secas, como sordas, las estampidas de los garands.

—Páreseme allí. ¿A dónde crees vos que vas?

—Ideay,[8] a mear.

—Te estás meando de miedo, cabrón.

Era casi igual la plaza, con los guarumos[9] junto al atrio

---

[3] *repelos:* escalofríos; variante de repelús y repeluzno.

[4] *fildearlo:* en el béisbol, interceptar y devolver la pelota.

[5] *montarascal:* donde botan la basura: monte tupido donde tiran la basura.

[6] *silletas:* silla rústicas, ordinarias.

[7] *agua de talayo:* blancuzca, jabonosa; lavazas.

[8] *Ideay:* exclamación típica en Nicaragua.

[9] *guarumos:* un tipo de árbol; es grande, de madera ligera y tronco hueco.

de la iglesia y yo con mi manopla patrullando el centerfielder, el único de los fielders que tenía una manopla de lona
era yo y los demás tenían que coger a mano pelada, y a las
seis de la tarde seguía fildeando aunque casi no se veía pero
no se me iba ningún batazo, y sólo por su rumor presentía
la bola que venía como una paloma a caer en mi mano.

—Aquí está, capitán —dijo el guardia asomando la
cabeza por la puerta entreabierta. Desde dentro venía el
zumbido del aparato de aire acondicionado.

—Mételo y váyase.

Oyó que la puerta era asegurada detrás de él y se sintió
como enjaulado en la habitación desnuda, las paredes enca-
ladas,[10] sólo un retrato en un marco dorado y un calendario
de grandes números rojos y azules, una silleta en el centro y
al fondo la mesa del capitán. El  aparato estaba recién
metido en la pared porque aún se veía el repello[11] fresco.

—¿A qué horas lo agarraron? —dijo el capitán sin levantar la cabeza.

Se quedó en silencio, confundido, y quiso con toda el
alma que la pregunta fuera para otro, alguien escondido
debajo de la mesa.

—Hablo con usted, o es sordo: ¿A qué horas lo captu-
raron?

—Despuecito de las seis, creo —dijo, tan suave que
pensó que el otro no lo había escuchado.

—¿Por qué cree que despuecito de las seis? ¿No me
puede dar una hora fija?

—No tengo reloj, señor, pero ya había cenado y yo como
a las seis.

Vení cená me gritaba mi mamá desde la acera. Falta un
*inning*,[12] mamá, le contestaba, ya voy. Pero hijo, no ves que
ya está oscuro, qué vas a seguir jugando. Si ya voy, sólo
falta una tanda, y en la iglesia comenzaban los violines y el
armonio a tocar el rosario, cuando venía la bola a mis
manos para sacar el último *out* y habíamos ganado otra vez
el juego.

[11] *repello:* cal, yeso.
[12] *inning:* partida, entrada en el béisbol.

—¿A qué te dedicás?

—Soy zapatero.

—¿Trabajás en taller?

—No, hago remiendos en mi casa.

—Pero vos fuiste beisbolero, ¿o no?

—Sí fui.

—Te decían "Matraca" Parrales, ¿verdad?

—Si, así me decían, era por mi modo de tirar a *home*, retorciendo el brazo.

—¿Y estuviste en la selección que fue a Cuba?

—Sí, hace veinte años, fui de centerfielder.

—Pero te botaron.

—A la vuelta.

—Eras medio famoso con ese tu tiro a *home* que tenías.

Iba a sonreírse pero el otro lo quedó mirando con ira.

La mejor jugada fue una vez que cogí un *fly* en las gradas del atrio, de espaldas al cuadro metí la manopla y caí de bruces en las gradas con la bola atrapada y me sangró la lengua pero ganamos la partida y me llevaron en peso a mi casa y mi mamá echando las tortillas, dejó la masa y se fue a curarme llena de orgullo y de lástima, vas a quedarte burro pero atleta, hijo.

—¿Y por qué te botaron del equipo?

—Porque se me cayó un *fly* y perdimos.

—¿En Cuba?

—Jugando contra la selección de Aruba; era una palomita que se me zafó de las manos y entraron dos carreras, perdimos.

—Fueron varios los que botaron.

—La verdad, tomábamos mucho, y en el juego, no se puede.

—Ah.

"Permiso" quería decir, para sentarse, porque sentía que las canillas se le aflojaban, pero se quedó quieto en el mismo lugar, como si le hubieran untado pega en las suelas de los zapatos.

El capitán comenzó a escribir y duró siglos. Después levantó la cabeza y sobre la frente le vio la roja señal del kepis.

—¿Por qué te trajeron?

Sólo levantó los hombros y lo miró desconcertado.

—Ajá, ¿por qué?

—No —respondió.

—No qué.

—No, no sé.

—Ah, no sabés.

—No.

—Aquí tengo tu historia —y le mostró un *folder*—,[13] puedo leerte algunos pasajes para que sepás de tu vida —dijo poniéndose de pie.

Desde el fondo del campo el golpe de la bola contra el guante del cátcher se escucha muy lejanamente, casi sin sentirse. Pero cuando alguien conecta, el golpe seco del bate estalla en el oído y todos los sentidos se aguzan para esperar la bola. Y si el batazo es de aire y viene a mis manos, voy esperándola con amor, con paciencia, bailando debajo de ella hasta que llega a mí y poniendo las manos a la altura de mi pecho la aguardo como para hacerle un nido.

—El viernes 28 de julio a las cinco de la tarde, un jeep willys capota de lona, color verde se paró frente a tu casa y de él bajaron dos hombres: uno moreno, pantalón kaki, de anteojos oscuros; el otro chele,[14] pantalón bluyín, sombrero de pita; el de anteojos llevaba un valijín de la panamerican y el otro un salbeque de guardia. Entraron a tu casa y salieron hasta las diez de la noche, ya sin el valijín ni el salbeque.[15]

—El de anteojos —dijo, e iba a seguir pero sintió necesidad de tragar una cantidad infinita de saliva—, sucede que era mi hijo, el de anteojos.

—Eso ya lo sé.

Hubo otro silencio y sintió que los pies se le humedecían dentro de los zapatos, como si acabara de cruzar una corriente.

---

[13] *folder:* (término inglés); carpeta.

[14] *chele:* blanco; rubio.

[15] *salbeque:* bolsa, saco especial para llevar cosas.

—En el valijín que te dejaron había parque[16] para ametralladora de sitio y el salbeque estaba lleno de fulminantes. Ahora, ¿cuánto tiempo hacía que no veías a tu hijo?

—Meses —susurró.

—Levántame la voz, que no oigo nada.

—Meses, no sé cuánto, pero meses. Desapareció un día de su trabajo en la mecatera[17] y no lo volvimos a ver.

—¿Ni te afligiste por él?

—Claro, un hijo es un hijo. Preguntamos, indagamos, pero nada.

Se ajustó la dentadura postiza, porque sintió que se le estaba zafando.

—¿Pero vos sabías que andaba enmontañado?

—Nos llegaban los rumores.

—Y cuando se apareció en el jeep, ¿qué pensaste?

—Que volvía. Pero sólo saludó y se fue. Cosa de horas.

—Y que le guardaran las cosas.

—Sí, que iba a mandar por ellas.

—Ah.

Del folder sacó más papeles escritos a máquina en una letra morada. Revisó y al fin tomó uno que puso sobre la mesa.

—Aquí dice que durante tres meses estuviste pasando parque, armas cortas, fulminantes, panfletos, y que en tu casa dormían los enemigos del gobierno.

No dijo nada. Sólo sacó un pañuelo para sonarse las narices. Debajo de la lámpara se veía flaco y consumido, como reducido a su esqueleto.

—Y no te dabas cuenta de nada, ¿verdad?

—Ya ve, los hijos —dijo.

—Los hijos de puta, como vos.

Bajó la cabeza a sus zapatos sucios, la lengüeta suelta, las suelas llenas de lodo.

—¿Cuánto hace?

—¿Qué?

—¿Que no ves a tu hijo?

---

[16] *parque:* munición
[17] *mecatera:* gentío, multitud.

Lo miró al rostro y sacó de nuevo su pañuelo.

—Usted sabe que ya lo mataron. ¿Por qué me pregunta?

El último *inning* del juego con Aruba, 0 a 0, dos *outs* y la bola blanca venía como flotando a mis manos, fui a su encuentro, la esperé, extendí los brazos e íbamos a encontrarnos para siempre cuando pegó en el dorso de mi mano, quise asirla en la caída pero rebotó y de lejos vi al hombre barriéndose en *home* y todo estaba perdido, mamá, necesitaba agua tibia en mis heridas porque siempre vos lo supiste, siempre tuve coraje para fildear aunque dejara la vida.

—Uno quiere ser bueno a veces, pero no se puede —dijo el capitán rodeando la mesa. Metió el *folder* en la gaveta y se volvió para apagar el aparato de aire acondicionado. El repentino silencio inundó el cuarto. De un clavo descolgó una toalla y se la arrolló al pescuezo.

—Sargento —llamó.

El sargento se cuadró en la puerta y cuando sacaron al preso volvió ante el capitán.

—¿Qué pongo en el parte? —preguntó.

—Era beisbolista, así que inventate cualquier babosada:[18] que estaba jugando con los otros presos, que estaba de centerfielder, que le llegó un batazo contra el muro, que aprovechó para subirse al almendro, que se saltó la tapia, que corriendo en el solar del rastro lo tiramos.

[18] *babosada:* tontería.

# ARMANDO ALMÁNZAR RODRÍGUEZ
## (Santo Domingo, República Dominicana, 1935)

L A obra literaria de Armando Almánzar Rodríguez ha sido dedicada al cuento, género en el que ha recibido varios premios nacionales y en el que ha producido cinco bellas colecciones en las que se puede apreciar su talento innato en el arte de la narrativa breve. Además de su labor literaria se ha desempeñado como crítico de cinematografía a través de un programa radial y en publicaciones de revistas y periódicos dominicanos. El relato "El gato" fue ganador en 1966 del primer premio en el concurso nacional organizado por la Sociedad Cultural "La Máscara"; se incluyó en la colección *Límite* cuya primera edición apareció en 1967. Otros cuentos premiados del autor son "Tríada" (1967), "¿Estará ahí Fulgencio?" (1968) y "Don Casimiro y el león" (1976). Entre los varios aspectos de la maestría cuentística del escritor dominicano se advierte en esta selección una consciente concepción lúdica de lo literario, llevada a cabo con originalidad, y tempranamente en relación a otros cuentos hispanoamericanos que explorarían vetas similares.

La narración del cuento seleccionado tiende a hacerse visible como arte escritural. En ese proceso puede desvelarse el mecanismo del juego creación/lectura así como el que se prepara narrativamente para los personajes: el gato conoce los movimientos del ratón, y el marido los de la esposa que lo ha engañado. Almánzar sabe mantener finamente a través de todo el cuento esa doble perspectiva de tensión y alternar con técnicas de inspiración cinematográfica el balance de cada escena en que se representa el juego.

La trayectoria cuentística de Armando Almánzar es sólida. En cada una de sus colecciones está presente su conocimiento del género y la novedad con que resuelve cada dirección estética ya sea en el tratamiento de lo urbano, en el de la posesión de una escritura "objetivista", en la combinatoria de onirismos y fantasías. En *Límite*, además del cuento seleccionado en esta antología, sobresalen "Un hombre en la luna", "Rostro", "Arribo de vuelo", "Límite", "Frío... frío... caliente" y "Tríada". En *Infancia feliz*, destacan "Conspiración", "Recuerdos, memoria de lo nunca sido", "Conspiración", King-kong", "Un juego para matar el tiempo", "Carvajal" e "Infancia feliz". En *Selva de agujeros negros para "Chichi la Salsa"* el cuento que titula la colección, "Niños al atardecer" y "La tiendecita de fantasía" son excelentes relatos.

# EL GATO

D o s puntos fosforescentes acechaban desde la parte superior del techo; ante ellos, la superficie de éste se extendía a la débil luz de las estrellas, cubierta de hojas y papeles aplastados y podridos por las lluvias y el tiempo. El animal descansaba muellemente, sin apenas moverse; sus ojos no se apartaban del rincón opuesto del techo, aquel donde estaban apilados varios viejos y carcomidos maderos. De improviso, los músculos del gato se pusieron en tensión, se convirtieron en firmes resortes, prestos al salto; sus ojos se clavaron con mayor insistencia en un hueco formado por dos maderos... la cabeza del ratón se asomaba por allí, moviéndose ligeramente de un lado a otro, como esperando lo que pudiera suceder. La paciencia del gato iba dando sus frutos, al fin salía el escurridizo animal, se decidía a abandonar el seguro refugio de su cueva en busca de alimento; allí estaba, ya salía...

—Y dime, querida, ¿cómo te fue en ese juego de canasta? La voz resonó bastante fuerte; ésta y un torrente de amarillenta luz brotaron de buenas a primeras desde la ventana abierta del segundo piso que daba al techo; simultáneamente el ratón retrocedió de un brinco los pocos pasos que había avanzado, introduciéndose de nuevo en el hueco.

Los músculos del gato se aflojaron en tanto sus ojos observaban la ventana y sus orejas se movían ligeramente.

—¡Oh! Ya sabes cómo son esas reuniones Ernesto: la canasta, unos cuantos cocteles y... chismes, eso sí, muchos chismes...

71

—Sí, sobre todo los chismes, querida; no podían faltar en una reunión... de mujeres...

El rectángulo de luz que proyectaba la ventana extendía sobre el techo, sus más lejanas aristas difusas y deformes; más allá, el gato continuaba acuclillado, cómodamente, los músculos relajados; sus ojos se entornaban al mirar sobre la claridad hacia el rincón oscuro de los maderos.

—¿Estaba la esposa de Alberto, querida?

La voz llegó esta vez algo más distante, profunda.

—¿Isabel? No, no pudo ir.

Un fuerte gorgotear se escuchó al insistir la voz alejada y profunda, cavernosa; el gato volvió la vista hacia la ventana y pestañeó repetidas veces.

—¿Fue en casa de Julián el juego?

—Este... no..., no fue en casa de Julián.

Una suave brisa soplaba del norte. Los ojos del gato chispeaban en la oscuridad, aguardando, paciente...

—Y entonces... ¿dónde jugaron, María?

Ls voz del hombre se escuchaba ahora más fuerte y clara, a pesar de que evidentemente su tono había descendido.

—En casa de Amalia.

Una sombra se alargó sinuosa sobre el rectángulo al recortarse la figura del hombre en la ventana; el gato observó la sombra, luego la negra figura en la ventana, y se movió sobre sus acolchadas patas traseras, con suavidad, impaciente.

Creí que me habías dicho antes que iban a casa de Julián.

—Sí, sí, íbamos a casa de Julián, sólo que luego decidieron... prefirieron la casa de Amalia; es más cómoda, ¿sabes?

La alargada sombra se deslizó sobre la claridad, fundiéndose en el oscuro resto de la superficie del techo.

—Menos mal que no llegaron a ir donde Julián...

—¿Por qué lo dices?

La espalda del gato se encorvó mientras sus orejas se movían hacia los lados; un leve crujido surgía de los maderos.

—Es que estuve a punto de llegarme allá al salir de la reunión... hubiera sido un viaje tonto... ¿no es así.... querida?

Las palabras de la mujer llegaron al techo algo apagadas a su vez, inseguras.

—Sí..., claro, Ernesto..., claro que sí...

—Así es querida, así es, hubiera sido un viaje en balde... porque... tú no te encontrabas en casa de Julián..., ¿verdad?

El lomo del felino estaba completamente arqueado, los músculos de sus patas tirantes como resortes de acero, sus ojos clavados en el rincón opuesto, donde de nuevo asomaba la nariz olisqueante del roedor, moviéndose nerviosamente de un lado a otro...

—No, no... cómo iba a estar ahí si... si estaba jugando en casa de Amalia...

El cuerpo se levantó ligeramente sobre sus patas, con lentitud...

—Pues, para que veas, como no estaba seguro del lugar donde jugaban, decidí llamar a casa de... Amalia, para... informarme...

El gato se movió sigilosamente hacia adelante, dos, tres, cuatro pasos; el ratón había avanzado, en una nerviosa carrerita, un buen trecho entre las hojas y los podridos papeles.

—Este... sabes Ernesto, no quería decírtelo, pero no fuimos a jugar... en realidad fuimos a un bar y bebimos unos tragos... una tontería, sé que no debía hacerlo sin tu permiso... por eso... por eso no te lo había dicho...

—Sí, una tontería... y, sin embargo, tu automóvil estaba en la marquesina de Julián...

Las patas delanteras del felino se encogieron en tanto su rabo se arqueaba rígido; el ratón olisqueaba una vetusta semilla de mango, punteando el suelo con sus patas.

—Pero Ernesto, no estarás pensando que yo...

—No... querida, no estoy pensando nada malo de ti, imposible; te lo estoy diciendo, estoy seguro, completamente seguro...

El flexible cuerpo se movió hacia atrás, sin despegar las patas del suelo...

—No Ernesto, no, no es como tú crees, estás equivocado... ¿qué vas a hacer, Ernesto?, ¿qué...

Una mancha atravesó velozmente el alargado rectángulo de luz.

—¡No, no, por favor! El cuerpecillo del ratón se estremecía espasmódicamente, al resonar el agudo alarido, el gato levantó la cabeza..., sus pupilas brillaron al reflejar la luz de la ventana.

CRISTINA PERI ROSSI
(Montevideo, Uruguay, 1941)


L A excepcional creatividad poética y narrativa de la escritora uruguaya ha sido celebrada internacionalmente. Su
obra literaria, comenzada hace un poco más de tres décadas con el libro *Viviendo*, cuenta con cuatro novelas, ocho
colecciones de cuentos y cinco libros de poesía. La primera
etapa de la producción de Peri Rossi corresponde a la realizada en Montevideo donde, además de su obra *Viviendo*,
publica la novela *El libro de mis primos* y las colecciones de
cuentos *Los museos abandonados* e *Indicios pánicos*. En
1970, cuando la escritora tenía veintinueve años, los sucesos de la dictadura militar en Uruguay la fuerzan a exiliarse
en España. Se establece en Barcelona y allí comienza una
segunda etapa de su producción que va a incluir la publicación de su poesía y la de su excelente novela *La nave de los
locos*, texto que motivará el interés crítico por la obra total
de la autora.
    El relato "El efecto de la luz sobre los peces" pertenece
al libro *El museo de los esfuerzos inútiles*, colección de
treinta excelentes cuentos. La fascinación de la escritora
uruguaya por transitar diversamente el polifacético curso
de la modernidad aparece reiteradamente en su obra y
puede apreciarse en el texto seleccionado a través de una
interesante técnica narrativa que desplaza temporalmente
el foco en la ciudad moderna sólo para hacerlo más rele-
vante en la progresión metafórica del cuento. La técnica de
un poderoso mensaje subliminal que ofrece la utilización
del lenguaje narrativo subtextual es el soporte mimético en

75

referencia a los medios de comunicación, en particular, a la eficacia del anuncio que interrumpe una narración central. En la medida que aumenta la compulsiva fascinación con el espectáculo de la pecera, escala el aislamiento. En este punto, un inevitable sentido de enajenación invade el total de los elementos narrativos.

La obra de Cristina Peri Rossi se identifica mejor con la idea de una multiescritura provocada y provocativa que al escapar de las fijaciones de estilo reúne las diferencias de géneros específicos en la consecución de una territorialidad creativa dúctil y expansiva.

## EL EFECTO
## DE LA LUZ SOBRE LOS PECES

V I V O solo, es decir: con la pecera. Se trata de una pecera grande, rectangular, iluminada por una luz de neón, y dentro de ella, los peces se mueven con comodidad, absorbiendo el aire, nadando entre las pequeñas piedras del fondo, los líquenes y las algas.

Está instalada en el living, junto al dormitorio. Además de la luz de neón, que está permanentemente encendida (no soportaría la idea de que los peces se mueven a oscuras, en la soledad de la casa), la pecera tiene un sistema de oxigenación eléctrico, que asegura la renovación del aire.

Mi existencia ha cambiado mucho desde que compré la pecera. Ahora vuelvo a casa en seguida, cuando salgo del empleo, ansioso de instalarme en la silla, frente a la pecera, a mirar los hipnóticos movimientos, a suspenderme, yo también, del agua repleta de barbas y de filamentos. Me acuesto tarde, lamentando tener que separarme de ellos. Algunos se esconden detrás de las caracolas de mar, como si quisieran huir de mis miradas, conservar su intimidad. Porque el carácter de los peces es diferente, ofrece muchas singularidades curiosas, si se los aprende a ver y a conocer. Algunos, tienen raras costumbres. El pececito negro, por ejemplo. Ése, jamás sube a la superficie: prefiere las aguas intermedias, no siente curiosidad por lo que sucede más arriba. *No sé quién es mi vecino de al lado. Nunca lo vi.* El dorado, en cambio, es muy asustadizo y huye cada vez que cambio el agua. Tengo mucho cuidado con la comida: como todo el mundo sabe, los peces son criaturas muy voraces y su glotonería los conduce a la muerte, si uno se excede en la ración. De modo que me compré una balanza y controlo minuciosamente la cantidad de comida que les doy. Eso no evita que se produzcan conflictos; algunos peces, valiéndose de su tamaño, intentan devorar más alimento del que les corresponde, sin pensar en los otros. Los peces, los compro en un acuario, cerca de la casa donde vivo. *En los edificios modernos, nadie se conoce.* Suelo conversar con el dueño acerca de las costumbres de los peces, aunque él no entiende mucho de eso. Vende plantas, perros y gatos, además de peces. Me ha dicho que en los ultimos tiempos, ha aumentado la afición por los acuarios, y disminuido el índice de natalidad en el país. Pero voy a cambiar de proveedor: éste los vende en una bolsa de nylon, llena de agua, y yo tengo la sensación de que compro peces envasados. "Medio quilo de peces rojos, por favor", me parece que digo. Uno puede morir, en la ciudad, sin que nadie se entere. La pecera me provoca una especial fascinación. Acomodo bien la silla —¿he dicho que es rectangular?—, apago todas las luces y me siento a observarlos. Sé que es imposible pensar en nada, y aquel que lo intenta, siente su espíritu mucho más inquieto que de costumbre. Sin embargo, yo lo he conseguido, fijando los ojos en la pecera. Es una suerte de hipnosis. Los peces se deslizan, no importa hacia adónde, no hay ninguna clase de ansiedad en ello; las aguas registran escasos movimientos, las plantas están quietas; el musgo, sedoso, irradia una metálica calma. El liquen, parece almíbar. A veces se me adhiere a los dedos, cuando limpio la pecera. Si suena el teléfono, no lo atiendo: no quiero que nadie me distraiga, que interrumpa la observación.

Hay peces pequeños y otros más grandes. Trato de no manifestar preferencias por unos o por otros; aunque la gente lo ignore, los peces son criaturas sensibles, muy susceptibles al trato. *Hoy leí en el periódico que fue encontrado el cadáver de una mujer, muerta dos meses atrás, en su casa. Los vecinos se dieron cuenta por el olor que invadía la escalera. Antes, nadie lo había advertido. En realidad, es una ventaja que los cadáveres huelan.* De todos modos, confieso mi predilección por los peces iridiscentes: son pequeños, ágiles, y tienen una línea de fósforo en las aletas, como los sellos de la reina de Inglaterra. Circulan de manera fulgurante por la pecera, como estrellas en huida. ¿Se habrá dado cuenta, el pez rojo, de mi predilección por los iridiscentes? Conozco a una mujer, que vive sola, que se hace llamar todas las mañanas por su sobrino, para que éste compruebe que ella no ha muerto. El es muy cumplidor, y telefonea todos los días, desde la oficina. "Todavía no me he muerto", contesta ella. Detesta la idea de ser hallada muerta mucho tiempo después de haber fallecido. Desde que compré la pecera, salgo de casa menos que antes. Me parece un acto de crueldad dejarlos solos: ellos están acostumbrados a mi mirada, sé que me reconocen. Antes, aceptaba algunas invitaciones. Iba a jugar al billar, a beber cerveza o a mirar la televisión en colores. Ahora, regreso de inmediato. Especialmente, desde que descubrí que mi pecera guarda un entretenimiento maravilloso: contemplar cómo los peces se devoran entre sí. Esto es más entretenido que el teatro o que el boxeo; es un espectáculo lleno de interés y de emoción. He llegado a faltar al trabajo para contemplar, arrobado, la lucha de los peces. Es un combate a muerte, lento, tenaz, sin piedad ni tolerancia.

Siempre hay un pez que inicia la persecución. Ésta, puede durar días enteros, hasta una semana, y en esos períodos, consigo difícilmente concentrarme en el trabajo: temo que a mi regreso, el perseguidor ya haya devorado a su víctima, y yo sólo lo note al contar el número de peces.

Al principio, puede parecer que se trata de un juego. Pero algo, en la mirada aterrorizada del que huye, demuestra que es una verdadera lidia. El perseguidor no descansa nunca, y los reiterados fracasos no le restan perseverancia. Acecha a su víctima desde ángulos imprevistos; para el perseguido, no hay tregua, no hay descanso, no existen algas benignas ni piedras protectoras. El perseguidor aparece detrás de una caracola, y, veloz, se lanza sobre su presa; ésta, sólo consigue salvarse si mueve con habilidad el timón de su cola o si imprime a su nado mayor velocidad. De todos modos, si asciende hasta la superficie, el perseguidor va detrás; si desciende, también le sigue. A veces, consigue tocar con la boca el borde del pez que huye, pero sin llegar a dañarlo. He presenciado combates muy largos.

Cuando por fin el perseguidor logra morder la cola de su víctima, la agonía puede prolongarse mucho tiempo más. Es entonces cuando sucede un fenómeno muy interesante: los demás peces, que hasta ese momento habían permanecido indiferentes a la lucha, sin colaborar con uno o con otro, se incorporan activamente a la cacería, tratando, a su vez, de morder al herido, de arrancarle un pedazo. Hasta los más pequeños participan de la actividad. El rastro de sangre que va dejando la víctima los convoca alrededor, y cada uno, dando dentelladas, trata de cercarla. Es estimulante observar cómo los espectadores participan del espectáculo.

Devorar a un pez herido es una operación lenta, difícil. Los otros integrantes de la pecera se cruzan en el camino desde diferentes ángulos, lanzan un mordisco y retroceden; el pez herido, por otra parte, aún intenta defenderse escondiéndose entre las piedras, el musgo o el liquen. Sin contar con el hecho de que en el grupo de perseguidores suelen producirse altercados, disputas, roces. A veces, el pez que ha aplicado el último mordisco a la víctima es herido, a su vez, por el que viene detrás.

Cuando uno de los perseguidores consigue sobresalir por su ferocidad, lo aíslo, durante un tiempo; de este modo, el resto de los peces pueden competir con más homogeneidad, Luego, lo lanzo otra vez dentro de la pecera. Su reincorporación a las aguas provoca temor, un ligero desconcierto,

Desde que descubrí el combate de los peces, no admito visitas: me gusta observar solo el espectáculo, sin acompañantes que me distraigan con sus observaciones inoportunas. Por otro lado, una vez que invité a dos amigos a presenciar el combate, se comportaron con mucha grosería. Apostaron por uno de los peces, se excitaron, chorrearon los muebles con cerveza, lanzaban juramentos e improperios, estuvieron a punto de romper la pecera. No querían irse: estaban dispuestos a permanecer en el sillón hasta que uno de los peces se tragara al otro. "A veces tarda muchos días. Hay peces que se resisten a morir", les informé. Comenzaron a rogarme que los dejara en casa hasta el final.

Desde entonces, me niego a recibir visitas. A veces, lamentablemente, un pez muy voraz consigue devorar al resto de los peces antes de que llegue la hora de irme a dormir. Entonces bajo, corriendo, hasta la casa del vendedor de plantas, perros, gatos y acuarios. Le pido, con ansiedad, que me venda media docena de peces rojos y media docena de peces negros. "¿Está seguro? —me interpela—. Tengo entendido que no coexisten pacíficamente, que suelen devorarse los unos a los otros". "Media docena de rojos, media docena de negros", insisto, ansioso. "En realidad, yo era albañil. Pero me quedé sin trabajo, éste no era mi oficio". Me voy muy contento, con mi docena de peces nuevos. Los meto rápidamente en la pecera. Entonces, me siento a esperar. A veces, tardan uno o dos días en decidirse a combatir. Entretanto, los alimento bien, controlo que sus raciones no sean ni excesivas, ni escasas. Cambio el agua de la pecera, ajusto el tubo de oxígeno. Y mantengo la luz encendida todo el día.

## JAIME COLLYER
(Santiago, Chile, 1955)

L A colección *Gente al acecho,* de Jayme Collyer, reúne
quince notables cuentos de sabio dominio narrativo y
novedosa exploración en vertientes antropológicas y signos
culturales persistentes. Incluye piezas extraordinariamente bien narradas como "Una jaula vacía", "Desapari-
ción de un comerciante", "Danubio pardo", "Todos los
caballos de Toulon van desnudos", "Última cena",
"Boleto de ida y vuelta". La colección contiene también
el cuento largo "Los años perdidos", el cual había sido
publicado como libro en Madrid, y galardonado en 1985
con el Premio de novela corta Ciudad de Villena en Alicante, España. La acogida de *Gente al acecho* fue exitosa;
al año de su publicación aparece una segunda edición y la
crítica destaca con entusiasmo sus cualidades y el hecho
de que Collyer se colocaba con esta publicación entre los
primeros en la cuentística chilena. Antes de la publicación de *Gente al acecho*, varios cuentos de Jaime Collyer
habían sido premiados y publicados en revistas chilenas,
cubanas y españolas (*Paula*, *Casa de las Américas*, *Playboy*-Barcelona). Su cuento "Todos los caballos de Toulon van desnudos" fue galardonado en 1985 con el Premio
Jauja de Cuentos en Valladolid, España. En Chile, su obra
fue premiada en 1979 en los Juegos Literarios Gabriela
Mistral.

El relato que incluimos —premiado en 1988 en un
concurso de la revista *Playboy* en Barcelona— pertenece
a la colección *Gente al acecho*. "Danubio pardo" entra en la

región de la sexualidad por el recurso del retrato de
Freud en sus últimos años, la relación con sus pacientes,
la práctica del psicoanálisis, sus recuerdos, paseos y conclusiones. La Viena de entonces, sin embargo, vive la
inminencia del terror nazi: esvásticas dibujadas en las
calles, amenazas, vigilancia, imperativo del exilio, finalmente. La historia emergente del psicoanálisis en el círculo de esa otra Historia atroz de control y aniquilación,
punto en el que nos acercamos además a esa imagen que
titula a esta colección, "gente al acecho", condena que viaja
en el tiempo, nazismo, dictaduras latinoamericanas,
racismos y neorracismos. La música del "Danubio azul"
transformada en la pintura del Danubio pardo, en la
sombra de un poder extralimitado y demente. En la conjun-
ción de estos discursos entrecruzados, el cuento deviene
complejo y la lectura inicial de una textura narrativa
enfocada preferentemente en lo erótico se revela insufi-
ciente. Aquí, también, se expone la libertad y maestría
con que trabaja artísticamente Collyer: no hay héroes ni
ideologías, Freud y Nietzsche van a caer del pedestal. El
juego de las inversiones canalizado con toques de irreverencia: Sigmund, el psicoanalista/el observado atiende
a una paciente que es espía de la policía secreta nazi.
Freud, el psicoterapista/el *voyeur* contempla la relación
sexual de su paciente con un oficial de las S.S. Cuentística
eficaz, creativa, activada por una escritura penetrada de
sutil ironía.

Jaime Collyer realizó sus estudios universitarios en
la Universidad de Chile, graduándose en psicología. En
1981 se dirige a Madrid donde cursa estudios de posgrado en Relaciones Internacionales y Ciencias Políticas. Durante su estadía en España publica en 1989 su
primera novela, *El infiltrado*, en la editorial Mondadori.
Regresa a Chile en 1991, fecha en la que concluye el
manuscrito de su segunda novela, aún inédita por decisión del propio autor. Ha comenzado a escribir otra
novela, titulada provisionalmente "Historia de una
oveja". Collyer ha traducido numerosas obras literarias
del inglés al español.

## DANUBIO PARDO

E N ningún caso iba a alterar, en función de oscuras amenazas, mis hábitos más arraigados, que incluían un breve paseo al atardecer, por entre las cruces gamadas pintarrajeadas en la acera, bajo mis pies. A lo más evitaba pisarlas, claro, para no exacerbar a sus autores: ni falta que hacía activar sus iras. Al principio me pareció que el emblema se distribuía en los muros y callejuelas del sector en forma azarosa, sin un motivo definido, ninguna alusión directa a mi persona. Pronto comprendí que su dispersión era calculada: todas conducían, en hilera, al portal del "viejo profesor", me discriminaban de manera explícita con su derrotero grotesco, que invariablemente culminaba frente a nuestro apartamento de la Bergasse, a orillas del Danubio. A pesar de todo, me negué a descartar mis paseos del portal de casa al río, bordeando la orilla y luego de vuelta, a paso lento, cansino, indiferente. La premura no es un baluarte al alcance de un octogenario, ni siquiera por el privilegio de saberme observado, en Viena o incluso ahora en Londres. Mi hija Anna se oponía con juvenil vehemencia a aquellos devaneos seniles por el barrio. Las cruces y las amenazas, los entorchados y botas habían hecho mella en su espíritu. Aún hoy, lejos ya de casa, la inquietan sus potenciales nocivos y la entiendo. Es joven y un rostro aún joven es vulnerable a las botas o los estropicios que ellas puedan ocasionarle. No es mi caso, ni lo era en Viena, cuando deambulaba por el barrio al atardecer, a la búsqueda de un respiro junto al Danubio.

Tenía además otros pasatiempos, mis libros, una o dos

pacientes residuales. Entre ellas Frau Skoff, Bertha Skoff, que habría de convertirse, por su temperamento resuelto, en la inesperada protagonista de mis últimos días en Viena. Solía verla en mi consulta dos veces por semana. Me recordaba, con su naturalidad envolvente, el caso de *Anna O.*, una dama tan voluptuosa como exasperante que Breuer derivó a mi consulta por razones no del todo claras, posiblemente para tentarme. Vana estratagema: no pensaba arriesgar mi trayectoria impecable arrojándome con avidez sobre aquella damisela turbadora cuando estuviera distraída en el diván. Durante meses hube, pues, de refrenar erecciones en el sillón a sus espaldas. Algo que no referí en mis notas sobre *Anna O.*, ciertamente. La ciencia ha de preservar sus coartadas y sus máscaras habituales.

Los años han debilitado, en cualquier caso, mi voluntad y resquemores profesionales, ahora que la teoría está redondeada y nadie espera ya grandes revelaciones por escrito sobre la *chose sexuelle*. Tampoco podía escandalizarme ante la osadía de Bertha, que me sorprendió ya en la tercera sesión con un prolongado silencio.

—¿Qué ocurre?—indagué.

—No es justo, doctor—respondió en tono provocativo.

—¿No?

—Así no puedo hablarle con sinceridad. Necesito mirarlo a los ojos.

Un gesto calculado de su parte, para iniciar por ese flanco la anhelada profanación del templo. Ya entonces presentí que no volvería a tenderse en el diván, un desafío al que todo buen analista está expuesto en su carrera, gajes del oficio. En la próxima sesión lo ratifiqué, al verla frente a mí en el sillón más próximo, no ya el diván, observándome con desenfado y una sonrisa cargada de sugerencias en su faz rubicunda, pero ni siquiera pensé en oponerme. En el fondo soy un romántico: cualquier pieza de Schubert, una sonata menor, me persuade más que todo Descartes y sus raciocinios impecables, se aviene perfectamente con el temperamento de un hombre ya mayor, súbitamente confrontado a una jovencita austríaca bien proporcionada, de cabellos rizados y pechos generosos. Entonces me habló, la primera vez, de su esposo, al que definió como "un asqueroso burócrata" originario de la baja Austria, en quien ciertos hábitos vieneses no parecían haber influido gran cosa. Era, a juzgar por su relato, en extremo rudimentario, primitivo y rabioso. Le gustaba zarandearla por las noches, como harían quizás sus antepasados ribereños con las ovejas y las cabras, para sodomizarla a su arbitrio. Ella participaba cuando menos a nivel retórico de sus prácticas. En nuestras sesiones aludía a él como "un potro" y "un semental insaciable". Respecto al artilugio entre sus piernas, sus verbalizaciones eran aún más decidoras. Lo designaba alternativamente como "el salame" o "la longaniza", y otras variantes de charcutería.

A partir de la quinta sesión algo varió nuevamente en su espíritu y ya no le bastó con mirarme desde el sillón. En ella pensamiento y acción eran sinónimos, una sola y deliciosa muestra de irreverencia. En premeditado arrebato de impudicia—ahora sé que todos sus gestos eran rigurosamente premeditados—, se quedó observándome unos instantes sin decir palabra, tras lo cual se abalanzó con sus dedos resueltos hasta mi entrepierna, aprisionando de manera abrupta "el salame", en este caso el mío. Que, aun cogido de improviso, pasó de su letargo habitual a la condición bravía de un *bratwurst* recalentado. Dicho sea de paso, el accesorio funciona aún estupendamente, quizás por haberme pasado la vida atento a las obscenidades íntimas de moros y cristianos. Una forma como cualquier otra de ejercitar sus cualidades eréctiles.

Su rostro malicioso estaba ahora a escasos centímetros del mío, con su aliento de fresas muy cerca de mi boca. Una mujer joven, cuyos dedos insistían con delicadeza entre mis piernas.

—Así no llegaremos a ninguna parte, Frau Skoff —le advertí.

—¿Por qué no?—respondió desafiante.

Ni modo de insistir en la negativa. Una mano femenina alrededor del adminículo es la vía directa al paraíso, al que no es fácil resistirse. ¿Quién podía reprochárselo y forzar hipócritas razones de mi parte? ¿O desistir en ese momento del fulgor y abandonar Sodoma y Gomorra sin siquiera echarles una ojeada? Ella misma se encargó de resolver ésa y otras dudas, decidida y sonriente, sin dejar de observarme con sus ojos turbios, como el Danubio en días nublados. Ajena a todo resquemor, inútiles resquemores, hurgó alevosa, francamente, en la región de mi braguetera, la abrió con ambas manos y aferró sin vacilaciones su contenido, recorriéndolo delicadamente con las uñas y sus dedos tibios, trajinándolo de arriba a abajo. Yo derivé muy a pesar mío a una postura indecorosa en el sillón, con los brazos distendidos a ambos lados y las piernas recogidas, ovillándome contra el respaldo, como un felino displicente y conforme junto a la chimenea.

—Nunca había conocido uno de éstos—la oí comentar, al tiempo que aflojaba la presión.

Eso me trajo de vuelta. Se había detenido a contemplar su presa, que por un segundo pareció decaer, amilanada entre sus manos. Se refería sin duda a la ausencia de cierto material superfluo, del que fui despojado a temprana edad, como tantos vástagos de Abraham. A modo de consuelo, me dije que una verga sincera, sin envoltorios ni máscaras, debía ser más soportable a la vista en su calculada indefensión.

Ese día al atardecer vagué con singular inquietud por la ribera, indiferente a las cruces en la acera y a sus autores. Pese a lo cual, a escasos metros de nuestro portal vislumbré por primera vez a un trío de camisas pardas montando guardia en las cercanías, al acecho de su obra pictórica, para resguardarla de mis tacones. Como si alguien los hubiera advertido de mi itinerario.

El sábado comenté el asunto con la princesa, mi aristocrática veladora de aquellos días, una Buonaparte de pura cepa, reticente por cuestiones de linaje a los desfiles masivos, independientemente de sus enseñas. Solía visitarme una vez por semana para insistir en los peligros circundantes y la necesidad de abandonar el país. Esta vez la vi fruncir el entrecejo, quizás por incredulidad. Es sabido que mi estirpe cultiva cierta paranoia consuetudinaria. Luego sugirió la posibilidad de contactar de una vez a los norteamericanos por lo de los pasaportes.

—Será igual que en Berlín, profesor—dijo apesadumbrada—. Y allí en Alemania los espíritus precavidos se han ido hace tiempo.

Pero no me resignaba a la posibilidad de una fuga. En la octava sesión, Bertha se resolvió al fin a abordarme con los labios. Era la fase oral, que irrumpió en plenitud ese día, tras hablarme largamente de su esposo. Poco antes de acabar la sesión suspiró compungida, estiró su mano hasta mi vientre, extrajo suavemente al animalito de su morada y cayó de rodillas. Lo demás fue el diluvio, en cierto sentido literal: primero un despliegue imperceptible de su lengua prodigiosa por el dispositivo y luego un arrebato de voracidad, hasta absorberlo por completo entre las comisuras, succionándolo con presteza entre sus fauces quemantes, arrolladoras. Era la vuelta a los orígenes, una renovación del pacto fundamental, la costilla y el barro, el ofidio y la manzana. Y Luzbel al acecho entre las ramas, con Eva de rodillas junto al diván y Adán (un servidor) a punto de rodar nuevamente del sillón.

—Nunca había visto uno de éstos—insistió con voz trémula, en un dilema conocido.

—¿Se refiere a la ausencia de algunos accesorios, no?—indagué, pero no hubo respuesta. Acababa de llenarse nuevamente la boca y no podía hablar, sorbiendo con deliciosa beligerancia lo que hubiera a su alcance, exprimiéndolo a su antojo entre los labios, paseando sus dedos finos, nada recatados, por el envoltorio jubiloso de mis genitales, una caricia descarada e insistente, el roce justo para acrecentar el ardor y reducirme a un guiñapo sobre el sillón. Hasta suscitar, con femenina destreza y la fricción acompasada de sus labios, la descarga anhelada, el aluvión decisivo, colmándose la boca de promesas, suprimiendo de un plumazo mis débiles reticencias y todo asomo de culpa, toda una vida de postergaciones junto al diván, a la espera de sus labios sedientos...

Al atardecer de ese día me extravié nuevamente dichoso, exultante, a orillas del Danubio, como un adolescente al cabo de su primera cita amorosa. Por primera vez en largo tiempo olvidé las dolencias de mi boca, hasta encendí a hurtadillas un habano, ajeno a la imagen fantasmagórica y tenaz de mis guardianes, siempre la tonalidad grisácea de sus enseñas a mis espaldas.

Días después resolvieron pasar a la ofensiva. El comisario de policía local nos remitió una comunicación oficial, que mi hija, consternada, fue la primera en leer: de insistir en mis paseos cotidianos por el barrio tendría que adosar a mis solapas la estrella de David. Anna vislumbró en todo ello una advertencia, y una afrenta, claro. A mí no me lo pareció: David es la fuente de todo lo nuestro, con él todo anduvo de maravillas para nuestro pueblo. ¿Por qué habría de avergonzarme su enseña sobre la solapa? Las cruces quedarían diseminadas en las aceras, bajo mis zapatos. El emblema de Judea flamearía, en cambio, insobornable sobre mi pecho.

Aquella noche recorté yo mismo la estrella de seis puntas en un trozo de paño, con Anna reprochándomelo desde la ventana, atenta al exterior. Una visita adicional de la princesa a la mañana siguiente me disuadió de adosarla finalmente a mis ropas.

—Le darán una paliza—dijo taxativa—. Y no estamos usted ni yo en edad para esas cosas.

Preferí encerrarme en la consulta con mis notas sobre Moisés, que luego he proseguido aquí en Londres, a pesar de mi escasa simpatía por el personaje. Todo en él son prohibiciones y amenazas, como las de mis más recientes perseguidores. Lo suyo era con seguridad algún dilema genital. Me parece estarlo viendo, enfurruñado y solo en los altos de Canaán, mientras su pueblo se daba al jolgorio, con el becerro de oro en las preferencias de todos. Algo por lo demás comprensible: en la soledad del desierto y las arenas un becerro puede ser un complemento ideal para la entrepierna.

Hasta que el viejo regresó de las montañas con la cantinela esa de la charla con Yahvé y sus infortunadas *Tablas de la Ley*. ¡Astuta forma de canalizar sus más íntimas y seniles crispaciones! La vejez es una incitación a la retórica, qué duda cabe.

Le ha ocurrido, en rigor, a muchos de mis colegas y antagonistas, todos a un paso ya del asilo. Prefiero no hablar de ellos: la historia dará cuenta por sí sola de sus aciertos y omisiones. Tan sólo Nietzsche, ese pajarraco irascible, amerita quizás alguna nota a pie de página, teniendo en cuenta el entusiasmo que ahora suscita su obra en Goebbels y compañía. Lo conocí a la vuelta del siglo, por intermedio de Lou Andreas Salomé, que andaba enredada con él. Salomé—me gusta designarla por el apellido, que evoca algún homicidio bíblico de importancia—insistió en que nos reuniéramos los tres en su casa. Por esa época me hallaba interesado más de la cuenta en la cocaína y sus falaces propiedades y sugerí que aspiráramos una pizca, para entrar en confianza. No fue una buena idea: nada más probarla, el tipo comenzó a vociferar algo relativo al Anticristo y a Salomé se le ocurrió quitarse la blusa y el corsé, dos de sus pasatiempos favoritos. Acabamos los tres en el multitudinario lecho de mi amiga, eufóricos, para ensayar alguna opción tripartita entre las sábanas. Salomé se encargó de las posiciones, dada su experiencia en el tema. Sabía brindar a cada uno lo suyo y lo que más convenía, sin discriminaciones sutiles. Aquella vez realizó la sucesiva degustación del instrumental. Luego paseó sus manos hábiles por nuestros más íntimos resquicios, de manera alternativa o simultánea, en caricias exasperantes y frágiles, hasta que nos descubrimos los tres de rodillas sobre el colchón y ella entre ambos, con la boca nuevamente adosada al accesorio nada desdeñable de mi antagonista. Yo me situé a espaldas de ella, atento al vaivén de sus ancas brillosas, deseoso de explorar con los labios el aromático desfiladero entre ambas y llenarme la boca de su hedor, para luego sucumbir con la verga entre sus muslos, en febril balanceo sobre la cama, los tres bañados en sudor, una maraña incorregible de pies y manos, y el vaivén compartido en aquella estancia ahora impregnada de atávicas esencias corporales, mientras nuestro amigo hacía alguna extemporánea referencia al Anticristo, Salomé daba alaridos y yo enumeraba ciertas obscenidades escogidas en su oreja para halagarla, en un frenesí a tres voces, una batahola final de maldiciones y súplicas y jadeos incontrolados sobre el colchón.

¡Eramos tan jóvenes!

La madrugada se encargó de diluir tristemente el hechizo. Desperté sobresaltado y Salomé conmigo: Nietzsche estaba ya vestido y nos observaba fijamente desde una silla próxima, con expresión amenazante. Sin siquiera brindarnos los buenos días, formuló alguna alusión estentórea a "los hijos de Abraham", carentes según él de "los más elementales añadidos carnales para satisfacer a una dama". Tras lo cual cogió su sombrero y se marchó. Una coyuntura propicia para demostrarle a Salomé lo contrario, con novedosas quejas y alaridos de ambos a la hora del desayuno.

A contar de ese día, mi buena amiga comenzó a visitarme con asiduidad en la consulta. "Para completar tu aprendizaje", según me explicó un día en el Café Sacher. A raíz de lo cual, el frustrado galán la emprendió por escrito contra el cristianismo. Y no creo preciso recordar a nadie que el afamado Jesucristo era un miembro descarriado de *mi* tribu, no la de él.

Un espíritu insaciable, la bella Salomé. Lo suyo eran las ostras, el vino blanco y una cierta predilección por las arremetidas desde la retaguardia, *per angostam viam*, lo cual delataba en ella cierta fijación anal y a mí me tuvo al borde del divorcio. Al buenazo de Mahler le sirvió, en cambio, de inspiración para su quinta sinfonía.¿O fue la cuarta?

Una época memorable, desde luego. Juntos configuramos el deslumbrante fin de siglo vienés, del cual no quedan sino despojos. Unidos todos en cuerpo y alma, aunque sólo fuera por nuestra común adicción a las posaderas volubles de Salomé.

Como ahora comenzaba a ocurrirme con las de Bertha. Me preocupaba de todas formas su insistencia en la succión. En fases ulteriores del proceso clínico anhelaba reconducirla a otras posibilidades: primero la puerta trasera (¿sería comparable a la de Salomé?) y luego el conducto regular, hasta completar satisfactoriamente su evolución libidinal. Siempre y cuando los fanáticos del garrotazo nos dieran tiempo.

Estábamos ya próximos a la decimonovena sesión cuando el embajador americano acudió personalmente a nuestro apartamento de la Bergasse para entregarme el visado y los pasaportes, ante las urgencias de la princesa. Uno de sus amigos de la nobleza que ahora estaba en el Ministerio de Propaganda le había advertido que las S.S. caerían por el barrio en cualquier momento. Al parecer, alguien los tenía bien informados de mi práctica clínica y horarios y ya me habían asignado una cómoda barraca en algún sitio lejano.

—En Londres lo esperan desde hace meses, profesor— me advirtió el embajador—. Tendrá que abandonar el país esta semana, no hay otra posibilidad.

No la había, ciertamente. Anna, cuando menos, se lo tomó al pie de la letra. Al mediodía comenzó a empacar mis posesiones, los libros, las cartas, los iconos egipcios, el manuscrito de Moisés y otros enseres, para despacharlos al día siguiente a Londres. Tan sólo me resistí a desarticular la consulta, a pesar de la avidez con que los británicos merodeaban ahora en torno a mi diván .

"Lo quieren para el museo en su honor", me había susurrado el embajador americano, como hablándole a un infante.

Eso acrecentó mi desazón: no me sentía aún con ánimos para congeniar bajo el mismo techo con las piezas momificadas del Louvre o el British Museum, pero el tiempo apremiaba. El martes, la princesa nos reservó un compartimiento en el expreso a París del viernes por la noche. Ese mismo día llamé por teléfono a Bertha y la cité para el jueves, indicándole que me iba a Inglaterra. Sería nuestra última sesión. A través del auricular me pareció, en cualquier caso, menos sorprendida de lo esperable.

El miércoles al atardecer di un último paseo por Viena, con el alma saturada de inminentes nostalgias. Cada palmo de los alrededores, la orilla del río, los puentes diseminados en su recorrido, las águilas decrépitas que jalonaban los edificios imperiales, los tranvías conducentes al palacio de Schönbrunn, todo me remitía a alguna instancia previa. Mi vida entera se resumía en aquellos parajes, todo al alcance—aún— de mi mano temblorosa, para disfrutarlo por vez postrera, ajeno a la estridencia de los más recientes estandartes, resignado desde ya al olvido en otras latitudes, quizás los aledaños bulliciosos de Picadilly Circus. Y nunca más los cisnes. Nunca más el fragor clandestino, irreprochable, de los enamorados en las cercanías de la Karlskirche. Nunca más la penumbra de la Volksoper, ni Bertha, o sus rizos anaranjados entre mis piernas...

Sin darme cuenta, llegué caminando hasta el Hofburg y de ahí, por callejuelas menores, a los jardines del Stadtpark, donde la orquesta municipal ejecutaba al aire libre los valses de Strauss. Nada más apropiado para la ocasión. Me detuve junto a la arboleda, a espaldas de las mesas, para observar desde allí a una o dos parejas que en ese momento danzaban a los sones de "Rosas del sur". Parecía una estampa de otro tiempo, un segundo robado al calendario, cuando había paz. La gente, rubicunda y altiva, contemplaba la escena desde las mesas. Entre los árboles, paladeé con avidez el instante. Contra los entorchados, las botas, los uniformes, sobreviviría el vals, pese a todo, para renovar un día lo mejor del espíritu vienés.

Fue entonces, a los acordes finales de "Rosas del sur", que la vi. O más bien la reconocí entre las restantes parejas, conducida en el vals con paso marcial por un individuo uniformado. Una mujer de cabellos rizados, y una calavera ínfima, de metal, entre los entorchados de su acompañante. Era Bertha, guiada en esa pieza de vals por un oficial de las S.S. Y parecía dichosa.

Permanecí allí, abrumado entre los árboles, sin atinar a nada. Segundos después—la orquesta daba paso ahora al "Danubio azul"—abandonaron los dos del brazo la pista al aire libre, por el sendero de gravilla. A sólo unos pasos de donde me hallaba oculto se detuvieron. Él la envolvió con sus manos pálidas, cadavéricas, y murmuró alguna obscenidad junto a su oreja, algo que la hizo reír. Luego hizo una propuesta apremiante:

—¡Allí, tras el monumento de Strauss!

Se dirigieron ambos al lugar indicado (y yo detrás a hurtadillas), para fundirse en un abrazo violento, despojándose al instante, con premura, de las ropas. Él se reservó las botas y la gorra, con la calavera de metal en lugar destacado, ella únicamente las medias, el corsé. Al compás

inquietante del vals en la distancia, ambos de pie, casi desnudos, los vi recorrerse voraz, compulsiva, desaforada-
mente, con los labios, hasta desplomarse al unísono sobre
la hierba y rodar, morderse, succionar por turnos, ella de
rodillas entre sus piernas lampiñas, él con las manos aga-
rrotadas en torno a sus pechos, sustrayéndolos con furia al
corsé para exprimirlos a destajo y gruñir impensados hala-
gos, "buen trabajo, mi niña, te has portado de maravillas...". Contra el sangriento decorado del atardecer,
vislumbré sus fauces procaces, la dentadura centelleante
dispuesta a la carcajada o el furor, para él sería lo mismo.
Me hallaba petrificado entre los arbustos, un voyeur minu-
cioso y dolido que ahora atendía al jadeo acompasado de
ambos allí en las tinieblas, con Strauss impertérrito en su
pedestal y Bertha finalmente descontrolada, sumida ahora
en conocidas referencias gastronómicas, al tiempo que su
antagonista la conminaba a darse la vuelta, a quedar en
pies y manos sobre la hierba y revolcar sus pechos generosos entre las florecillas del parque municipal, para plantear
desde allí a su contendor uniformado (¿el mismo que la
habría enviado a mi casa?) las exigencias del caso, requi-
riéndole con voz ronca que cumpliera su parte del pacto,
"¡mételo ya!", Eva rendida una vez más ante la serpiente,
en este caso el ángel caído y marcial que ahora irrumpía
desde atrás por entre sus nalgas, dispuesto a consolidar el
sacrificio y su triunfo, con la presa a buen recaudo de sus
garras, abandonada a los penúltimos estertores y gemidos,
y el vals sonando en las proximidades, aparte una risotada
en la distancia, quizás el tenebroso Luzbel al acecho entre
las ramas, siempre atento al goce de sus emisarios. Y
Bertha en pies y manos sobre el barro, resignada con
deleite al fragor que la horadaba desde atrás, un segundo de
placer y dolor, y nuevamente el placer, un estertor definitivo
y luego el vacío, la caída, todos fuera del paraíso, los dueños
del poder y sus espías, todos a la fosa común, como ya estaba
ocurriendo en Dachau, en Treblinka, en Bergen-Belsen, una
sola, única hoguera diseminada por toda la tierra...

Volví tembloroso a mi apartamento de la Bergasse. Esa
noche desmonté la consulta, reuní mis diplomas, ordené las

fotos. Ya no los requería. Como supuse, Bertha Skoff no regresó a mi consulta al día siguiente, para nuestra última sesión. Acababa de redondear a su modo el proceso terapéutico. Tan sólo faltaba, quizás, el informe a sus superiores: el viejo se marcha, caso archivado.

## RUBÉN BAREIRO SAGUIER
(Villeta del Guarnipitán, Paraguay, 1930)

ORIGINAL narrador, poeta y ensayista graduado en Derecho y en Letras en la Universidad Nacional de Asunción, institución en la que ejerció la docencia como profesor de literatura hispanoamericana y paraguaya. Fundó en Asunción la revista de cultura *Alcor*, órgano de expresión generacional en Paraguay que dirigió entre 1955 y 1971. Prosiguió estudios de posgrado en Francia, recibiéndose en Letras en la Universidad de París, donde ejercería luego la docencia como profesor de literatura latinoamericana y de lengua guaraní. En 1991, después de un largo exilio, regresa a Paraguay por un año para integrarse al proceso de reforma educacional en su país y poner en marcha un proyecto de educación bilingüe. Ha sido investigador en el Centre National de la Recherche Scientifique de Francia y colaborador consultante en programas sobre encuentros de cultura de la UNESCO. Actualmente es embajador de su país en Francia y delegado permanente ante la UNESCO.

El cuento "Sólo un momentito" es el primero de la colección *Ojo por diente*, obra ganadora del Primer Premio Casa de las Américas en 1971. La exitosa acogida de estas narraciones aseguró una difusión internacional, con ediciones en Barcelona, Caracas, La Habana, Montevideo y una traducción al francés en 1972. La fina cuentística del brillante y creativo escritor paraguayo participa de admirables conjunciones póeticas y míticas en las que el recuerdo viaja hacia una raíz dolorosa, pero necesaria.

## SÓLO UN MOMENTITO

E L sol le dolía en los oídos como el eco de un estampido cercano, como el eco de lo que se les había comunicado esta mañana temprano. Parado en pleno rajasol, sentía pasar a través de sus huesos recalentados las capas ondulantes y quietas en el aire pesado. Por momentos le era imposible mantener los ojos abiertos; entonces veía esas placas, esos puntos, esas rayas, esos signos rojos, verdes, azules, amarillos sucederse en la pantalla negra de su cabeza. Los dibujitos seguían danzando cuando abría de nuevo los ojos, moviendo ahora las capas superpuestas de resol.

El suboficial gubernista les había leído la orden sin alterar la voz, tranquilamente, como comunicándoles que iban a bañarse en el tajamar o que debían ensillar el caballo para salir al campo. Pero el muchacho intuyó que se trataba de una cabalgata más larga, de una zambullida más profunda. Fue entonces cuando sintió el zumbido largo en los oídos y le dolió el tajo de los recuerdos. ¿Dónde estaría su compañera? ¿Habría podido escapar al ventarrón de odio y fuego que arrasaba los montes, el valle, los ranchos? En ese momento le agradó recordarla en la embriaguez de los bailes bajo las enramadas. En uno de ellos la había encontrado, punto rojo y fijo cerca de la luz asmática de una Petromax, cuerpo duro del primer contacto, olor salvaje de pelo lloviendo sobre el suelo sediento de sus deseos. Y su risa y sus muslos prietos le carcomían los sesos; una raya que le iba bajando desde la nuca hasta las ingles.

Al terminar de leer el papel, el sargento los miró amistosamente. Su vozarrón amable llenó el aire; "A prepararse

97

cada uno solamente... por estos lugares no hay pa'í..." El Padre Cristóbal había traído del pueblo los muñecos que hablaban "Misterios de la Sagrada Pasión y Muerte..." decía el Pa'í Cristóbal; seguramente por eso él no entendía muy bien lo que decían los títeres. La función se había realizado en el patio de la escuela y ellos, los alumnos, habían preparado la tarima en el sitio que ocupaba el de la orquesta cuando había baile. Cómo le había impresionado el muñeco pálido tratando de escapar del machete en media luna con que la calavera lo perseguía, saltaba como un toro maneado y trataba de esconderse

De repente reconoció la figura chopetona, maciza, moviéndose entre los hombres que acababan de llegar al puesto. Un rayo se le abrió dentro del pecho. Pese a la multiplicación de las mariposas del sol en las pupilas, se le apareció el inconfundible balanceo del cuerpo musculoso. Lo veía venir desde lejos en la memoria, caracoleando en su doradillo lustroso, a veces él —muchacho— en la delantera de la montura, lleno de orgullo; los gritos del jinete seguían la cadencia alegre de la música y él, el relumbrón de las botas domingueras. En las tardes de carrera, veía la mano segura con el anillo de piedra roja, tendida con el vaso tintineante por el pedazo de hielo que hacía sudar los gruesos paneles de vidrio, la dulzura del mosto rascaba la garganta y le iba pintando de frescura las demás partes del cuerpo.

El hombre lo vio de golpe, se paró en seco y apartándose del pelotón, se acercó a pasos pequeños, fruncido el ceño. El muchacho dio un paso corto y sacándose un imaginario sombrero juntó las manos.

—Sea paíno... —adelantó las manos para recibir la bendición.

—Dios te... —un murmullo completó la fórmula del padrino. El hombre había cambiado de mano el arma para trazar la tosca cruz de aire con dos dedos de la mano derecha levantados. Terminada la señal, le pasó la diestra. El apretón fue breve, rudo, cordial. La frente del padrino había recuperado su superficie tranquila.

—¿Dónde caíste, mi hijo...? —La voz era la misma que cuando la bendición. Con un ligero movimiento de cabeza el hombre indicó la izquierda y ambos se apartaron varios metros del grupo de prisioneros, en dirección opuesta a la que había tomado la patrulla a su mando.

—Ayer, a la entrada de Cañada Candil. Queríamos llegar a Angostura para cruzar el río a nado...

—Heee... —cortó el hombre, pensativo. El largo monosílabo aparentaba indiferencia, así como la mirada distante, lejana.

—Tío... ¿cómo se ha de terminar esto...? La voz se fue apagando hasta volverse casi inaudible.

—Y... —el hombre levantó la cabeza y fijó en la cara del muchacho una mirada marrón e intensa— ...el pelotón está a mi mando.

Se hizo un hoyo de silencio. El hombre veía al niño montado en su hombro, riendo feliz; oía el llanto del adolescente cuando la muerte del padre, en la anterior revolución. Esa era otra historia; su cuñado hubiera podido matarlo a él. Cuando hay revolución, cada uno defiende su color; cuando la muerte viene, no hay tu tía.

—Así no más tiene que ser... —el hombre se sorprendió reflexionando en voz alta. Su sobrino le miraba, con la misma admiración que cuando hacía bailar a su caballo la polka partidaria.

Las olas de calor traían pedazos de voces de los otros prisioneros; contra la luz se adivinaba el movimiento de moscas lentas. Detrás, las moscas verdes caminaban con sus patas, con sus miles de ojos, con sus automáticas bajo el brazo. Después, la tierra reseca, el pasto requemado subían y bajaban en suaves declives; las islas escuálidas de árboles reverberaban en la distancia. Más allá, la luz incendiaba el monte, el aire azul.

—El hombre y el muchacho estaban apartados de todo, el sol daba de plano sobre sus cabezas, los pies chupaban sus sombras y las pasaban al fondo de la tierra roja y sedienta. Dos árboles plantados en medio del campo, de esos que atraen los rayos secos. El resplandor ciego del mediodía altísimo indicaba que, en cualquier momento, una centella, un latigazo de fuego podía fulminar a cualquiera de los dos.

—Tío, yo tengo mi compañera... —los ojos del muchacho se perdían en la direccion imprecisa del monte; su voz sonaba mojada.

—No te preocupes, mi hijo. Mañana me voy hacia el lado de tu casa; le voy a ver en tu nombre. Si necesita algo me ha de encontrar sin falta.

El muchacho no dijo nada, fijó una mirada de gratitud en la cara ancha del hombre. De repente le vino el olor fresco de la muchacha, la memoria de su piel tostada, del panal que guarda entre las piernas. No podía ser... Desde el fondo de la tierra habría de volver hecho avispa o labio o viento para estar cerca de ella. Pero el tío tenía razón; el día del último San Juan, al levantarse, no había visto su cara en el espejo...

—¿Qué le hacés decir a tu mamá? Yo mismo tengo que ir a contarle.

—Y... nada... más que memoria. Que cuide de mi hijo; no va a tener padre, pero ha de tener dos madres.

—¿Cuánto falta para el nacimiento?

—Como tres meses.

La mañana del último San Juan su cara no estaba en el espejo cuando se miró para peinarse. Eso no era buena señal. Entonces lo había atribuido a la resaca de la noche anterior, la noche en que, después del baile, la hizo su compañera a aquella muchacha con olor a pasto de la amanecida. De golpe entendía todo.

—Mi hijo va a tener mi cara...—dijo como hablando consigo mismo... aunque yo no llegue a conocerle— agregó dolido.

—Tu papá hubiera estado contento. Su semilla no va a morir... el hombre levantó los ojos y se encontró con la vista interrogativa del muchacho, en cuyo fondo brillaba una brizna de esperanza, quizá un ruego. Impasible sostuvo la mirada; sus manos acariciaron el arma que estaba bajo su brazo izquierdo como un niño dormido. Su voz sonó gutural.

—Mi hijo, nadie muere en la víspera...

El sol se había ladeado un tanto y comenzaba a proyectar dos sombras enanas; dos agujeros en el suelo sangriento, calcinado por el solazo. Los silencios eran otros agujeros sin fondo en la tierra de ese mediodía sin fronteras. El norte, borrado por el resol ciego existía sólo en la memoria musical de las cigarras.

El muchacho pensó en el poco tiempo que había vivido con su compañera, en lo joven que era ella; le dolió imaginarla en brazos de otro..., pero si él no sería sino un montón de huesos, una raíz oscura, un puñado de tierra rojiza en el verano. Pensó en el coágulo de vida que ella llevaba en el vientre.

—¿Qué ha de ser de mi compañera? Si por lo menos pudiera conocer a mi hijo... el muchacho volvía a hablar como si estuviese pensando en voz alta.

—Te ha de parecer, como vos a tu padre. Cuando la sangre es de uno, la cara y el porte se heredan.

El muchacho vio de nuevo la escena de los títeres; el muñeco que saltaba como un potro tenía su propio rostro. "Misterios de la vida, pasión y muerte...", decía el Pa'í Cristóbal con su voz ligeramente nasal.

La luz se había vuelto casi roja, quemaba; el reverbero se levantaba como el humo espeso del incendio. El hombre miró a su sobrino con dulzura; levantó lentamente la mano izquierda, que tenía apoyada en el arma, y la depositó con firmeza en el hombro derecho del muchacho. Descubrió en su mirada el intenso deseo de vivir.

—...Un hijo es el agua que alimenta el río de la sangre... la corriente sigue...—su voz era lenta, cariñosa. Sus ojos se perdían de nuevo en la lejanía, hacia el incendio de las cigarras en las islas zozobrantes en el resol. Con la misma lentitud con que había depositado, retiró la mano del hombro y torció apenas la cara.

—A formar...—gritó con su voz firme.

Se oyó un ruido de pasos precipitados, de armas que chocan, de cerrojos. Del norte indeciso hacia el lado del monte, donde irían inminentemente, el hombre volvió los ojos a la cara del adolescente; sus miradas se cruzaron, se confundieron, se hicieron una sola pasta.

—¡Y ahora, tío...!

—Mi hijo... no te preocupes... la muerte es sólo un momentito...

## LUIS ARTURO RAMOS
(Minatitlán, Veracruz, México, 1947)


L A riqueza narrativa de la obra del escritor mexicano ha sido unánimemente reconocida por la crítica latinoamericana. Su variedad, novedosa elaboración y diestro manejo de recursos técnicos le han significado dos distinciones importantes; en 1980 su novela *Violeta-Perú* recibe el Premio de Narrativa INBA y en 1988 su novela *Éste era un gato* gana el Premio Latinoamericano de Ficción. Luis Arturo Ramos ha destacado en la novela, el cuento y el ensayo. Su primera colección de cuentos, *Siete veces el sueño,* aparece en 1976 en San Antonio, Texas; se trata de una modesta edición que incluye los cuentos "Foto-click", "Penélope", "Cristóbal Colón", "Estela escucha voces en los roperos", "Bungalow", "Siete veces el sueño" y "El espectador". Son las colecciones, *Del tiempo y otros lugares* y *Los viejos asesinos,* publicadas en 1979 y 1981, las que lo dan a conocer como un cuentista renombrado; además, el año que se publica *Del tiempo y otros lugares* aparece su exitosa novela *Violeta-Perú.*

Ramos se ha destacado asimismo en el ensayo; su libro *Melomanías: la ritualización del universo dedicado al escritor mexicano Vicente Melo Ripoll* recibe el Premio de Ensayo Literario José Revueltas en 1989. Los cuentos de Luis Arturo Ramos se han dado a conocer en varias antologías, entre las cuales destacan *Quince cuentistas* (1974); *Jaula de palabras* (1980); *El cuento policial mexicano* (1982); *Itinerario inicial: la joven narrativa de México* (1985); *Narrativa hispanoamericana 1816-1981* (1985).

Además del cuento seleccionado, especial mención merecen los relatos "El visitante" y "Cartas para Julia" incluidos en *Los viejos asesinos*. La cuentística de Ramos tiene la propiedad de trabajar la imagen a través de un esencialismo de la expresión, una modalidad compacta que luego se va expandiendo en la lectura. Un ejemplo bien logrado de este aspecto es el cuento "Cristóbal Colón", publicado en las colecciones *Siete veces el sueño* y *Del tiempo y otros lugares*. El magnífico relato de Ramos se enfoca en el descubrimiento del Nuevo Mundo, motivo de gran atractivo en el arte contemporáneo y que el escritor mexicano logra revitalizar en una visita a los contornos alucinantes de la Historia a través de una vertiente narrativa que —desenvuelta en un espacio textual mínimo— bucea con gran poder imaginativo en la mitología de orden social que despertó la empresa de Colón así como en la visión frenética del propio descubridor.

Luis Arturo Ramos estudió Letras en la Universidad Veracruzana, donde se graduó en 1976. Ha sido docente de cursos ofrecidos por la Universidad Nacional Autónoma de México, La Universidad de Missouri, y la Universidad Veracruzana. En esta última institución ha realizado asimismo una intensa labor editorial como director ejecutivo de esa Casa de Publicaciones, director de la conocida revista *La Palabra y el Hombre*, director de Asuntos Culturales y Jefe de Publicaciones. En 1972 obtuvo una beca del Centro Mexicano de Escritores y actualmente es profesor en el Departamento de Idiomas y Lingüística de la Universidad de Texas-El Paso.

# CRISTÓBAL COLÓN

CRISTÓBAL Colón mira la placa verdosa y reverberante que se dilata alrededor del bajel. Sus ojos alucinados por la espera rebotan entre el acero del mar y la mica transparente del cielo. Los marineros han dado en decir que tiene la mirada triste de los locos. Mientras, el sol lanza rayos amarillos que se multiplican hasta el infinito en la superficie apretada del océano.

Cristóbal Colón abandona la proa de la nave para encararse con los ojos de los marineros. Docenas de rostros enmarcados por barbas grises, sucias ya por el polvo del mar. El suave bamboleo de las carabelas, el chirriar del maderamen y un sol de fierro oxidado entorpece cuerpos y pensamientos. No hay viento: las velas penden de los mástiles, fláccidas como pellejos de anciano.

No existe nada más allá del mascarón de proa, a no ser otra placa verdosa más extensa y solemne que ésta que ahora mira. Un mar que se eterniza en su pasividad, que parece va a romperse en mil fragmentos agudos de tan liso. La idea de las Indias legendaria pierde vitalidad en su cerebro. Dónde el olor de las especies, dónde los pájaros extraños que imitan las voces de los hombres. Nada, sólo el oscilar pesado de las naves y el sudor de ajo que sala los cuerpos y despelleja los labios.

Una agitación callada, sorda, bulle en la cubierta: un rumor escondido, insinuante, merodea por el bajel. Luego se agiganta, cobra fuerza, pugna por romper el apretado nudo verde que forman millones de gotas al acoplarse en torno al navío.

104

De pronto, sin que nadie lo esperase, aquel rumor secreto converge en una esquina para que todo se rompa en un grito.

—¿A dónde nos lleva, Almirante?

La pregunta se agiganta en la inmensidad que los rodea hasta cobrar la fuerza de una maldición.

—¿A dónde nos lleva, Almirante?

Los marineros recuperan el movimiento y bullen por la cubierta: primero con un andar pausado, inseguro: después, conscientes otra vez de su condición humana, se agitan y vociferan furiosos. Golpean con furia las duelas[1] de cubierta y provocan con su golpeteo un ritmo más obsesionante y monótono que el del mismo mar con el barco enquistado en el lomo.

En las otras naves se han percatado de lo que sucede; docenas de rostros azorados se asoman por la borda tratando de anular la distancia: se comunican a gritos desde uno a otro barco. Entonces el viento, quizás provocado por la ira de los marineros, ondula las velas y los cabellos de los hombres. El mar pierde el barniz brillante que todo reflejaba y se oscurece y riza. Abre grandes tajos en el agua y muestra la entraña negra de sangre coagulada.

Los marineros callan. Miran al viento romper la quietud de espejo del océano. El Almirante sonríe, de pie, en el puente. Sabe que al menos por el momento su sueño sigue intacto, impertérrito en su cabeza.

.......................................................................................................

Las tres carabelas punzan el horizonte. Resbalan por el océano suavemente para descubrir nuevos trechos de mar conforme avanzan.

En los toneles donde se almacena el agua dulce, una nata viscosa y verde tiembla al menor movimiento. Los marineros vomitan plastas negras y miran sirenas y serpientes detrás de las olas. Un mundo grotesco y ficticio rodea las naves, siembra crueles espejismos en los ojos de los navegantes que los incitan a beber el agua salobre del mar.

---

[1] *duelas:* en México, las tablas del suelo.

En los momentos de lucidez recuerdan la patria y hablan del regreso. Lloran como niños al no poder conformar en sus mentes los rostros más queridos, al no lograr emitir las palabras que les enseñaron sus madres, Están a punto de olvidar sus nombres, sus queridas, el motivo que los llevó a meterse en el mar.

Otra vez golpean la baranda de las naves, nuevamente insultan al Almirante llamándolo loco. Cristóbal Colón les pide tiempo: les exige tiempo en el único lugar donde no existe. Pero los marineros, enajenados por la misma imagen repetida hasta la saciedad, lo acorralan en la última esquina del barco.

Entonces Colón (dicen los libros de Historia), señala un punto dentro del mar y dice: "Ahí está... Esa mancha verde que se extiende encima del horizonte es lo que buscamos."

Los marineros miran también la mancha lejana que cambia de color constantemente. Aúllan entusiasmados ante la imagen que crece y se dilata hasta abarcar todo un extremo del mar.

Las tres carabelas fondean frente a la costa. Cristóbal Colón señala con la mano las cosas que descubre: "Miren los árboles, las fieras. Los pájaros verdes que comprenden el lenguaje de los hombres... Las casas de oro, los nativos que se visten con plumas."

Pero Cristóbal Colón sabe que están varados, quizás para siempre, en medio del océano: rodeados por una placa verdosa de mar y de cielo. Y si para sus compañeros, algunos muertos ya, han transcurrido más de cinco siglos en el tiempo, Cristóbal Colón sabe que se trata de un segundo, de un solo segundo de espejismo.

# CARMEN NARANJO
(Cartago, Costa Rica, 1931)

L A notable obra creativa de la escritora costarricense ha sido distinguida con premios literarios en varias ocasiones y reconocida por la crítica a nivel internacional. La narrativa de Carmen Naranjo se sitúa con movilidad en la dinámica social para remover la tranquilidad de las convenciones; alejándose de conciliaciones, remece los grandes bloques de aceptación institucional. En este intento, su obra no se conforma con el estilo de la acción representativa; en lugar de retrato, propone más bien una anticipación lúcida del potencial sociocultural, de su dialéctica enriquecedora. Por ello, en algunos de sus cuentos parece que se está en el umbral de lo fantástico cuando en verdad se trata de un corte profundo en la opacidad de estereotipos y normas sociales.

El cuento "Simbiosis del encuentro" se incluyó en la colección *Ondina*. Aquí, invertir el rol de lo femenino y lo masculino a través de dos personajes armados por esa invención "rara e "imprevista" de la literatura, abre el pozo de las preguntas, el punto de lo irresuelto con el estilo inquietante de una narradora sobresaliente.

Carmen Naranjo se graduó en la Universidad de Costa Rica, ha sido ministra de Cultura, embajadora de su país en Israel y directora de la conocida Casa Editorial EDUCA, cargo en el que ha desempeñado un rol clave en la difusión de la literatura centroamericana.

## SIMBIOSIS DEL ENCUENTRO

N o s amamos. Mi nombre es Ana. El de él es Manuel. No nos conocimos casualmente. Alguien le habló a Manuel de mí. De esa extraña forma de vivir que siempre he tenido. Que si me gustan los gatos callejeros, que si sueño con un mundo distinto, si la noche me abre los ojos y me embellece, si hablo poco unas veces y otras nadie me calla, si me embriago con caras expresivas y hago novelas de monólogos interminables. Ese mismo alguien me habló de Manuel de sus fracasos amorosos, su soledad, su pensar neurótico en la profundidad de lo corriente, esa enfermedad constante que lo debilitaba por ser un sensible patológico. Después ese alguien concertó un encuentro casual.

Llegué de primera. Esa maldita puntualidad, que me hace sentir abundante.

Supe que había llegado. Reconocí su voz y esa forma de saludar con un hola alegre. No era de ésos que abrazan sin fuerza y dan palmadas en la espalda, frías, inexpresivas, o se acercan a las mejillas con un sonoro beso lejano.

Cuando creí que debía terminar la reunión, me fui sin verlo, sin hablarle. Me despedí del grupo cercano, con el que hablé, entre otras cosas, de recetas culinarias y de la forma en que se aprovecha el perfil de las piedras abisinias. Alguien me gritó cerca de la puerta: ¿cómo te podés ir cuando apenas se está poniendo bonito? Le contesté sin verlo, tengo otra cosa que hacer y que gocen como locos y adiós. Me dio gusto llevarme mi leyenda de aguafiestas y comprobar por los comentarios que ni siquiera lo había conocido, a pesar de los preparativos. Te lo presentaré y sé que ambos harán nido, es una cosa fácil de presentir.

Ya en la calle me respiré libre. Qué gusto da el respirar libre. Sentí que era mejor el monólogo al diálogo, el sentimiento a la sensación, el escoger al ser escogido. Casi en la esquina, su brazo me detuvo. Se me escapaba, pero vine por usted y no quiero perderla. ¿Nos podemos tomar un café?

Su voz fue imperativa y convincente. No dejó alternativa. En la cafetería, sentados uno al frente del otro, nuestros pies tropezaron y sentí esa energía cautivante, estaba lista, definitivamente lista. Vi su boca y no supe medir distancia entre palabra y beso. Me besó con olor de café y de cigarrillo. Lo besé hasta que la mesa estorbó mi cintura.

Nos fuimos con las manos unidas, paso y beso, hasta mi apartamento. Nos quedamos ahí toda la semana, sin distinguir el día y la noche, hasta que nos molestaron las migajas en las sábanas, el olor de las latas de atún y la necesidad de contestar el teléfono, que al principio no oíamos pero que se convirtió al final en una obsesión de sobresaltos.

Te quise y te quiero, Manuel, debés comprenderlo. Claro que las cosas cambiaron por el efecto natural de las variaciones concertinas, que también son parte de las relaciones humanas. Todos los conciertos acaban y quedan en la memoria.

Fuimos reduciéndonos a los fines de semana. Al principio gloriosos como si hubiéramos ayunado largo tiempo. Después más cotidianos y menos continuos, por último casi imperceptibles por lo planeados y esa pregunta qué pensás vamos a hacer sábado y domingo.

Agotamos todo, la sorpresa, la violación, la seducción, la comedia, el fingir situaciones, los celos, el suponer que había otro, el traer realmente al otro.

Recordás de lo que hablamos. Hablamos siempre de nosotros, de los sinceros que éramos, de lo felices y afortunados, de nuestras sensibilidades encontradas, distintos a los otros, necesitábamos un mundo especial, y de que en asuntos políticos nadie nos entendía porque aún creemos en que la utopía es realizable si nos proponemos los cambios necesarios. En literatura lo raro por imprevisto nos atraía con locura.

Un día una amiga me preguntó sobre el color de los ojos de Manuel. Con rapidez contesté que azules, un hermoso azul ingenuo, sensitivo y firme. Después dudé. A veces medio verdes, el azul de tanto ver montañas se enverdece un poco. Me encontré con la realidad de que no sabía el color de sus ojos. Nunca lo había visto ojo a ojo, las caricias nos perdieron en un mundo de humedad.

En ese tiempo discutíamos quién daba más. Yo dije que con el aporte del apartamento amueblado, el alquiler, luz y teléfono, ya era suficiente para garantizar mi independencia y libertad. El aseguró que entre la comida, el vodka, los cigarrillos, la gasolina y las extras de comer fuera, sólo disponía de unos centavos que se me van en propinas. Esto no puede ser, nunca he vivido más mal. Con casa gratis, mujer gratis y charla gratis. ¡Qué clase de hombre hipoteca he adquirido! Bendito sea Dios y su arte de repartir regalos. En los sorteos, sólo me gano las desgracias.

Me dijiste que no conozco la austeridad ni la economía, que era esencialmente derrochadora. Realmente no sé del camino al ahorro, ése que domina los esfínteres y da el producto sobrante de rumiar lo ya digerido. Es el fruto de la enseñanza que pretende duplicar la energía de lo que no se siembra ni cosecha.

Vaya discusión que armamos. Entonces te vi claramente. Tus ojos sobre mis ojos. Los tuyos sobre los míos. No sé por cuanto nos estuvimos mirando con fijeza y curiosidad. Descubrí el color: amarillo sucio, que todo lo refleja y cambia, con furias de miradas locas y una honda frialdad que hiela cuanto ve. Exceso de detalles, un detallista completo, hasta en eso del ahorro y de la censura al despilfarro. Nos seguimos mirando y en los ojos había como un desfile: dulzura, asombro, reproche, resentimiento. Fue el último acto de amor entre nosotros. Cuando nos dejamos de mirar, así de fijo y tenso, estábamos temblando, sudorosos, el orgasmo había pasado.

Recobré la voz para decir que nos habíamos sumergido en insignificancias. El pidió perdón, no volverá a pasar, hoy fue mi día de mala leche. Decidimos separamos una semana, después todo iba a ser diferente, porque la ausencia y echarnos de menos dan verdaderas dimensiones a la relación humana. Llegó a la semana con su valija y ropa sucia, con cara de goma y mal aliento. Se sintió mal y le hice falta. No pude mentir ni decir la verdad, por eso callé.

Nos hicimos rincones. Cada uno en su espacio, igual a los animales que miden sus fuerzas.

Oí en la noche sus vómitos. Todo le caía mal. Se le antojaban ciruelas y pedacitos de ciruelas medio digeridas adornaron la tapa del excusado y el lavatorio. Lo mismo le pasó con guayabas, cubaces, frijoles fritos, tortillas con queso, macarrones a la boloñesa y pizzas de cuanta cosa cabía en la pasta.

Fui detestando sus detalles, el exceso de ellos, la parquedad de algunos, lo amanerado de otros, lo femenino de varios.

Estaba delgado, por lo que se fue asombrando de cómo le crecían los pechos y se le abultaba el vientre. A los seis meses tenía, el pobre Manuel de mis confusiones, el cuerpo más horrible que se puede concebir en un hombre: una barriga casi puntiaguda, unos pechos enormes y caídos, un andar despacio y cansado, un doblar la espalda para esconderse. Las náuseas seguían interrumpiendo desayunos, almuerzos, comidas, conversaciones.

Propuse la visita al médico. El pobre no quería salir, ni trabajar, sólo se dio por tejer y tejer incansablemente. Tejía bufandas y suéteres, porque debido a su baja presión temblaba y temblaba, sin que nada lo calentara.

Lo aguanté más allá de la repugnancia que me daba su aspecto, ademanes, detalles y conversaciones que volvían a lo mismo: me estoy muriendo, ya no sirvo para nada, éste es el caso de una senilidad precoz. Quiso probar el sexo, pero no pude resistirlo. Al comenzar a toquetearme, le quité las manos de encima, le dije que me daba asco y empecé a vomitar yo también.

Cuando fuimos al médico, después de examinarlo desnudo y oír sobre su vientre, exprimir los pechos y ver el derrame de agua, nos preguntó si éramos transvertistas. Le dije que no, aun no habíamos llegado a eso. Entonces repuso: el niño está bien, nacerá en diciembre, se le hará cesárea y si me dan la exclusiva para un trabajo científico no les cobraré honorarios.

¿Yo? ¿Madre de un hijo de Manuel? ¿O padre de un hijo de él? Eso no podía ser posible. Ambos coincidíamos en que no, porque además de inaudito, era ridículo, patéticamente ridículo, seríamos la burla de conocidos y desconocidos. Propusimos de común acuerdo un aborto. El médico dijo que sería un suicidio de parte de Manuel y un asesinato en cuanto al niño, y de ambos sería yo responsable, la sobreviviente. Al fin y al cabo un niño no se hace solo, yo tenía invertida una buena parte.

Pedimos tiempo para pensar.

Revisamos actos, partes, posiciones, actitudes, juegos. Y nada que explicara lo inaudito. ¿Brujería? Quizás, siempre queda la duda aunque no se crea. Lo seguro cada vez más fuerte: aquel orgasmo de miradas con que nos desnudamos, la verdad nos llegó y jugó algún horrible ente diabólico un enredo de papeles tradicionales sobre la simple y automática división sexual.

Después de cavilar hasta el infinito y consultar una biblioteca sobre casos raros y hechos increíbles, que nos hizo eruditos en esas materias y no nos aclaró nada, decidimos viajar por tierra al país vecino y ahí convertirnos en la curiosidad de un pueblo extraño.

Cómo se quejó durante el viaje, cómo molestó, no cabía en ninguna parte con sus ya a punto nueve meses. Si lo detestaba desde antes, en esos momentos quería neciamente que desapareciera. Estuve tentada a abrir la puerta y tirarlo en un tramo solitario de la carretera.

Al final llegamos. Lo dejé en el portón del hospital y que se arreglara como mejor pudiera. Al día siguiente me presenté en la hilera de visitas. Me acerqué de mala gana al salón de maternidad. Pregunté por Manuel, sí Manuel el fenómeno. Nadie supo darme razón de él. En el hospital nunca se había atendido a un hombre embarazado. Lo busqué por todas partes, en la morgue, en el cementerio, en los hoteles, en las casas de pensión, en las clínicas privadas, en las cantinas. Me desesperé, al fin y al cabo era mi hijo. Ese mi hijo me salió con voz ronca. Empecé a sentir el peso de un bigote mientras hablaba. Visité parteras, curanderos, brujos. Nada. Me convencí de que había robado a mi hijo. Esto lo decía como el bajo de la ópera, mientras me pesaban barbas movidas por el viento.

Regresé a mi apartamento con todas las características de un padre estafado. La soledad se presentó espesa, porque me sentía trunca, alguien andaba por alguna parte con algo muy mío. La soledad se me hizo dura, igual que mi cutis, tan azotado por esa navajilla, y que ya exigía dos afeitadas diarias.

# GUILLERMO SAMPERIO
## (México, D. F., 1948)


EXCELENTE narrador y un verdadero renovador del cuento cuya eficacia en el género fuera destacada por escritores como Juan Rulfo, Álvaro Mutis y Edmundo Valadés. Activísimo además en la labor artística de su país como crítico de arte, director de talleres literarios y en los cargos de Vicepresidente de la Asociación de Escritores de México y Director de Literatura del Instituto Nacional de Bellas Artes. La energía creativa del escritor mexicano se ha concentrado en el género del cuento con una producción abundante y destacada que lo ha hecho merecedor del primer Premio del Concurso el Museo del Chopo en 1975 por su cuento "Bodegón", incluido en *Antología personal* (1971-1990) *Ellos habitaban un cuento*. (Xalapa, México: Universidad Veracruzana, 1990, pp. 177-198). En el mismo año fue finalista del Concurso Nacional de Cuento en México; en 1977 es galardonado con el Premio Casa de las Américas, también ese año recibe el premio concedido por la revista *La Palabra y el Hombre* en México.

En 1988 recibe el Premio Nacional de Periodismo Literario en cuento por *Cuaderno imaginario*, libro que integra toda la experiencia de la escritura, traspasando la idea del cuento como género literario. En esta obra los vasos comunicantes de la prosa son el atrevimiento artístico, el ludismo, el autoenfrentamiento autorial, el tono burlón, el desbordamiento imaginativo, y el naturalismo de matiz humorístico. El dominio de Samperio en esta expresión literaria le ha permitido dirigirse a lo cuentístico con entera libertad en el

114

abordaje estilístico y con gran diversidad en la visitación de los mundos recreados en su obra. Además de la selección que incluimos aquí, destacan en su producción los cuentos "La señorita Green", "El hombre de la penumbra", "Cuando el tacto toma la palabra", "Bodegón", "Datos biológicos", "Si viene o se va".

El relato "Ella habitaba un cuento" se publicó en 1986 en el volumen *Gente de la ciudad* y se incluyó luego en *Antología personal (1971-1990)*. El cuento gira sobre los procesos configuradores de lo imaginario y el resultado de su articulación artística a través de un original viaje por los procesos de la imaginación y de la escritura realizado con un fino tratamiento de lo sorpresivo, componente al cual Samperio le otorga un acertado y decisivo valor funcional en la narración.

# ELLA HABITABA UN CUENTO

*a Femando Ferreira de Loanda*

Cuando creemos soñar y estamos despiertos,
sentimos *un vértigo en la razón*
Silvina Ocampo y Adolfo Bioy Casares

D U R A N T E las primeras horas de la noche, el escritor
Guillermo Segovia dio una charla en la Escuela de Bachilleres, en Iztapalapa. Los alumnos de Estética, a cargo del
joven poeta Israel Castellanos, quedaron contentos por la
detallada intervención de Segovia. El profesor Castellanos
no dudó agradecer y elogiar ante ellos el trabajo del confe-
rencista. Quien estuvo más a gusto fue el mismo Segovia,
pues si bien antes de empezar experimentó cierto nerviosismo, en el momento de exponer las notas que había preparado con dos días de anticipación, sus palabras surgieron
firmes y ágiles. Cuando un muchacho preguntó sobre la elaboración de personajes a partir de gente real, Guillermo
Segovia lamentó para sí que la emoción y la confianza que
lo embargaban no hubieran aparecido ante público especia-
lizado. Tal idea vanidosa no impidió que gustara de cierto
vértigo por la palabra creativa y aguda, ese espacio donde
lo teórico y sus ejemplos fluyen en un discurso denso y al
mismo tiempo sencillo. Dejó que las frases se enlazaran sin
tener demasiada conciencia de ellas; la trama de vocablos
producía una obvia dinámica, independiente del expositor.
   Guillermo Segovia acababa de cumplir treinta y cuatro
años; tenía escritos tres libros de cuentos, una novela y una

serie de artículos periodísticos publicados en el país y en el extranjero, especialmente en París, donde cursó la carrera de letras. Había vuelto a México seis años antes del día de su charla en Bachilleres, casado con Elena, una joven investigadora colombiana, con quien tenía dos hijos. A su regreso, el escritor comenzó a trabajar en un periódico, mientras su esposa lo hacía en la Universidad Nacional Autónoma de México. Rentaban una casita en el antiguo Coyoacán y vivían cómodamente.

Ya en el camino hacia su casa, manejando un *VW* modelo '82, Guillermo no podía recordar varios pasajes del final de su charla. Pero no le molestaba demasiado; su memoria solía meterlo en esporádicas lagunas. Además, iba entusiasmado a causa de un fragmento que sí recordaba y que podría utilizar para escribir un cuento. Se refería a esa juguetona comparación que había hecho entre un arquitecto y un escritor. "Desde el punto de vista de la creatividad, el diseño de una casa-habitación se encuentra invariablemente en el espacio de lo ficticio; cuando los albañiles empiezan a construirla, estamos ya ante la realización de lo ficticio. Una vez terminada, el propietario habitará su casa y la ficción del arquitecto. Ampliando mi razonamiento, podemos afirmar que las ciudades son ficciones de la literatura; a ello se debe que a ésta la consideren un arte. El arquitecto que habita una casa que proyectó y edificó es uno de los pocos hombres que tienen la posibilidad de habitar su fantasía. Por su lado, el escritor es artífice de la palabra, diseña historias y frases, para que el lector habite el texto. Una casa y un cuento deben ser sólidos, funcionales, necesarios, perdurables. En un relato, la movilidad necesita fluidez, por decirlo así, de la sala a la cocina, o de las recámaras al baño. Nada de columnas ni paredes inútiles. Las distintas secciones del cuento o de la casa deben ser indispensables y creadas con precisión. Se escribe literatura y se construyen hogares para que el hombre los habite sin dificultades."

"Habitar el texto" iba pensando Guillermo mientras su automóvil se desplazaba en la noche de la avenida Iztapalapa. Solamente tenía puesta la atención en los semáforos, sin observar el panorama árido de aquella zona de la ciudad. Ni cuando el tránsito se intensificó hacia la Calzada de la Viga, se enteró del cambio de rumbo. "Habitar el texto", insistía, a pesar de sus lagunas mentales. La idea de habitar los vocablos lo maravillaba; quería escribir de pronto un cuento sobre esa idea. Imaginando la forma de abordarlo, pensó que intentaría evitar soluciones literarias sobre temas similares. Al azar, se dijo que una mujer sería el personaje indicado. De manera brumosa intuía a una mujer habitando una historia creada por él. "Ella habitaba el texto" fue la primera transformación. "Aquí ya estoy en el terreno del cuento; la frase misma es literaria, suena bien".

Recordó varias mujeres, cercanas y distantes, pero ninguna respondía a su deseo. Retrocedió y comenzó por imaginar la actividad de ella. Creó un pequeño catálogo de profesiones y oficios, orientándose al final hacia las actrices. Se preguntó sobre las razones de esta elección en lo que su automóvil se alejaba de la colonia Country Club y se dirigía hacia Miguel Ángel de Quevedo para cruzar el puente de Tlalpan. Dejó jugar a su pensamiento en la búsqueda de una respuesta o de una justificación. "De alguna manera los actores habitan el texto. Viven al personaje que les tocó representar y también viven en el texto; no encarnan a persona alguna. En el teatro habitan la literatura durante un tiempo breve. En el cine, momentos de ellos perduran con tendencia al infinito. Los dramaturgos han escrito obras de teatro para acercarse al antiguo sueño del escritor de ficción: que seres humanos habiten sus textos. Que la creación artística pase de la zona de lo imaginario a la de la realidad. En el caso de mi tema el movimiento es inverso: que la realidad viaje hacia lo imaginario".

El automóvil de Guillermo Segovia dio vuelta sobre Felipe Carrillo Puerto, adelantó una cuadra y giró hacia Alberto Zamora; treinta metros más adelante, se detuvo. Mientras apagaba el motor, decidió que la mujer de su relato sería una joven actriz que él admiraba, por sus actuaciones y su peculiar belleza. Además, la actriz tenía cierto parecido con la pintora Frida Kahlo, quien se retrataba en los sueños de sus cuadros, otra forma de habitar las propias ficciones. Aunque Segovia no titulaba sus cuentos antes de redactarlos, en esta ocasión tuvo ganas de hacerlo. Ella habitaba un cuento sería el nombre del relato; el de la mujer, el mismo que llevaba la actriz en la realidad: Ofelia.

Guillermo bajó del *VW*, entró a su casa; atravesando hacia la izquierda una sala no muy grande, llegó al estudio. Una habitación pequeña cuyas paredes tenían libreros de piso a techo. Encendió la luz, del estuche sacó la máquina de escribir, la puso sobre el escritorio, situado hacia el fondo, junto a una ventana, a través de la que se veían algunas plantas de un jardincito. Prendió la radio de su aparato de sonido y sintonizó *Radio Universidad*. Cuando abría el primer cajón del escritorio, Elena apareció en el umbral de la puerta.

—¿Cómo te fue? —dijo caminando hacia él.

—Bien —respondió Guillermo acercándose a ella. Se besaron; Segovia le acarició el cabello y las caderas. Se besaron nuevamente y, al separarse, Elena insistió.

—¿Cómo respondió la gente?

—Con interés. Me di cuenta de que los muchachos habían leído mis cuentos. Eso se lo debo a Castellanos... durante la plática salió un tema interesante —explicó, yendo hacia el escritorio.

—Los niños se acaban de dormir...estaba leyendo un poco... ¿no vas a cenar?

—No... prefiero ponerme a escribir...

—Bueno. Te espero en la recámara.

Elena salió soplando un beso sobre la palma de sus manos orientándolo hacia su esposo. Guillenno Segovia se acomodó frente a la máquina de escribir; del cajón que había dejado abierto, sacó varias hojas en blanco e introdujo la primera. Puso el título y comenzó a escribir.


Ella habitaba un cuento


Aquel día la ola de frío arreció en la ciudad. Hacia las once de la noche, más o menos, cayó una especie de neblina, ocasionada por la baja temperatura y el esmog. La oscuridad era más profunda que de costumbre y enrarecía hasta los sitios de mayor luminosidad. Las viejas calles del centro de Coyoacán parecían sumidas en una época de varios siglos atrás. La misma luz de arbotantes y automóviles era sombría; penetraba de manera débil aquel antiguo espacio. Pocas personas, vestidas con abrigos o suéteres gruesos y bufandas, caminaban pegándose a las paredes, en actitud de apaciguar el frío. Semejaban siluetas de otro tiempo, como si en este Coyoacán emergiera un Coyoacán pretérito y la gente se hubiera equivocado de centuria, dirigiéndose a lugares que nunca hallaría. De espaldas a la Plaza Hidalgo, por la estrecha avenida Francisco Sosa, caminaba Ofelia. Su cuerpo delgado vestía pantalones grises de paño y un grueso suéter negro que por su holgura parecía estar colgado sobre los hombros. Una bufanda violeta rodeaba el largo cuello de la mujer. La piel blanca de su rostro era una tenue luz que sobresalía desde el cabello oscuro que se balanceaba rozando sus hombros. Las pisadas de sus botas negras apenas resonaban en las baldosas de piedra.

Aunque no atinaba a saber desde dónde, Ofelia presintió que la observaban. En la esquina de Francisco Sosa y Ave María se detuvo en lo que un automóvil giraba a la derecha. Aprovechó ese instante para voltear hacia atrás, suponiendo descubrir a la persona que la miraba. Sólo vio a una pareja de ancianos que salía de un portón y se encaminaba hacia la Plaza. Antes de cruzar la calle, se sintió desprotegida; luego, experimentó un leve escalofrío. Pensó que quizá hubiera sido mejor que alguien la viniera siguiendo. Echó a andar nuevamente segura de que, no obstante la soledad, la noche observaba sus movimientos. Le vino cierto temor y, de manera instintiva, apresuró el paso. Se frotó las manos, miró hacia los árboles que tenía delante y luego al fondo de la avenida que se esfumaba en el ambiente neblinoso. "Hubiera sido mejor que me trajeran", se lamentó casi para cruzar Ayuntamiento.

Minutos antes había estado en las viejas instalaciones del Centro de Arte Dramático, presenciando el ensayo general de una obra de la Edad Media. Al finalizar el ensayo y después de salir a la calle, una de las actrices le ofreció llevarla;

Ofelia inventó que tenía que visitar a una amiga que vivía exactamente a la vuelta, sobre Francisco Sosa. La verdad era que el ambiente gris y extraño de Coyoacán le había provocado ganas de caminar; además, para ella el paisaje neblinoso continuaba la escenograffa de la obra y le traía a la memoria su estancia en Inglaterra. Se despidió y empezó a caminar, mientras los demás abordaban distintos autos.

La impresión de ser observada la percibió ya sobre la avenida. Ahora, al notar que nada concreto le sucedía, no halló motivos profundos para el miedo. El fenómeno debería tener una explicación que por el momento se le escapaba. Esta idea la reconfortó y, un poco más animada, sopló vaho sobre sus manos con el fin de calentárselas. Sin embargo, esta repentina tranquilidad ahondó sus posibilidades perceptivas. Eran seguramente unos ojos que pretendían entrar en ella; ojos cuya función parecía más bien el tacto.

Muy bien, le era imposible desembarazarse de la vivencia, pero al menos deseaba comprender. ¿Se trataba de sentimientos nuevos y por lo mismo sin definición posible? ¿Qué fin perseguía ese mirar? Pocas veces había tenido problemas con ideas persecutorias; aceptaba cierta inseguridad debido a la violencia del Distrito Federal Se movía con precaución; ahora, que sí estaba exponiéndose, nadie la amenazaba. Las gentes de los pocos autos que pasaban a su lado no se interesaban en ella. Entonces, recordó los espacios intensamente luminosos en el escenario, cuando las luces de los espots[1] le impiden ver al público, quien a su vez tiene puesta la mirada en ella. Sabe que una multitud de ojos se encuentra en la penumbra, moviéndose al ritmo que ella exige; suma de ojos, gran ojo embozado, ojo gigante apoyado en su cuerpo. Pretendiendo alentarse con este recuerdo, Ofelia se dijo que tal vez se tratara de la memoria de la piel, ajena a su mente; en ese brumoso paisaje, quizá volvía a su cuerpo y lo iba poseyendo paulatinamente. Ojo-red, ojo-ámbito, gran ojo acercándose a ella, ojo creciendo; Ofelia quiso sacudirse la sensación agitando

[1] *espots:* focos, reflectores.

la cabeza. El esfuerzo, ella lo entendía, fue inútil; ya sin fuerzas, se abandonó a la fatalidad y sintió sumergirse en una noche ciega. Caminó en un espacio de pronto apagado, perdiendo ubicuidad, todavía con la débil certeza de que no se encontraba ante ningún peligro.

Al doblar en el callejón de su casa, sintió que el ojo enorme se encontraba ya sobre sus cabellos, su rostro, su bufanda, su suéter; sus pantalones. Se detuvo y le vino una especie de vértigo semejante al que se experimenta en los sueños en que la persona flota sin encontrar apoyo ni forma de bajar. Ofelia sabía que estaba a unos cuantos metros de su casa, en Coyoacán, en su ciudad, sobre la Tierra, pero al mismo tiempo no podía evitar la sensación del sueño, ese vértigo a final de cuentas agradable porque el soñador en el fondo entiende que no corre peligro y lanza su cuerpo a la oscuridad como un zepelín que descenderá cuando venga la vigilia. Ofelia siguió parada en el callejón, intentando entender; en voz baja se dijo: "No es un desmayo ni un problema psíquico. Esto no viene de mí, es algo ajeno a mí, fuera de mi control." Se movió lentamente hacia la pared y recargó la espalda. La sensación se hizo más densa en su delgado cuerpo, como si la niebla del callejón se hubiera posado en ella. "Ya no es que me estén observando; es algo más poderoso." Se llevó una mano a la frente e introdujo sus largos dedos entre el cabello una y otra vez; sobresaltada, comprendiendo el hecho de un solo golpe, se dijo: "Estoy dentro del ojo." Bajó el brazo con lentitud y, siguiendo la idea de sus últimas palabras, continuó: "Me encuentro en el interior de la mirada. Habito un mirar. Estoy formando parte de una manera de ver. Algo me impulsa a caminar; la niebla ha bajado y sus listones brumosos cuelgan hacia las ventanas. Soy una silueta salida de un tiempo pretérito pegándome a las paredes. Me llamo Ofelia y estoy abriendo el portón de madera de mi casa. Entro, a mi derecha aparece en sombras chinescas el jardín, de entre las plantas surge Paloma dando saltos festivos. Su blanca pelambre parece una mota oval de algodón que fuera flotando en la oscuridad. Me lanza unos débiles ladridos, se acerca a mis piernas, se frota contra mis pantorrillas;

luego se para en dos patas invitándome a jugar. La acaricio y la pongo a un lado con delicadeza; gruñe lastimeramente, pero yo camino ya entre mis plantas por el sendero de piedras de río. La luz del recibidor está encendida; abro la puerta, la cierro. Deseo algo de comer y me dirijo hacia la cocina. Me detengo y me veo obligada a volver sobre mis pasos, sigo de largo hacia la sala. Prendo una lámpara de pie, abro la cantina, agarro una copa y una botella de coñac. Sin cerrar la puerta de la cantina, me sirvo y, al tomar el primer trago, me doy cuenta de que el deseo por alimentarme persiste, pero el sabor del coñac me cautiva y, en mi contra, renuncio a la comida. Cuando llevo la copa a mis labios por segunda vez, aparece Plácida, me hace un saludo respetuoso y me pregunta que si no se me ofrece nada. Le pido que vaya a dormir, explicándole que mañana tenemos que madrugar. Plácida se despide inclinando un poco la cabeza, y yo termino de beber mi licor. Entre mis dedos llevo la botella y la copa; con la mano libre apago la lámpara y, a oscuras, atravieso la sala y subo las escaleras. La puerta de mi recámara está abierta y entro. Enciendo la luz, me dirijo hacia mi mesa de noche. Sobre ella pongo la botella y la copa. Me siento en la banquita, abro el cajón, saco mi libreta de apuntes, una pluma fuente, y comienzo a escribir lo que me está sucediendo."

Sé muy bien que aún habito la mirada. Escucho los sonidos que se gestan en su profundidad, similares al rumor de la ciudad que sube a lo alto de la Torre Latinoamericana. He tenido que moverme con calma y precisión. El temor se está disipando; me siento sorprendida, sin desesperación. Ahora, de repente, estoy molesta, enojada; necesito escribir que protesto. Sí, protesto, señores. ¡Protesto! Hombres del mundo, protesto. Escribo que habito, escribo que el malestar se ha ido de mí; detengo la escritura. Me serví licor y me tomé la copa de un solo trago. Me gusta mucho mi vieja pluma *Montblanc*, tiene buen punto. Mi cuerpo está caliente, arden mis mejillas. Pienso que no puedo dejar de vivir dos espacios; la avenida Francisco Sosa, que ahora la siento muy lejos de mí, es dos caminos, un sólo gran ojo.

En las calles de este viejo Coyoacán que quiero tanto existe otro Coyoacán; yo venía atravesando dos Coyoacanes, a través de dos noches, entre la doble neblina. En este momento de visiones vertiginosas, como yo, hay gente que habita ambos Coyoacanes; Coyoacanes que coinciden perfectamente uno en el otro, ni abajo ni arriba, una sola entraña y dos espacios. Alguien, quizá un hombre, en este mismo instante escribe las mismas palabras que avanzan en mi cuaderno de notas. Estas mismas palabras. Dejo de escribir; me tomé otra copa. Me siento un poco ebria; estoy contenta. Como si hubiera mucha luz en mi habitación. Paloma ladra hacia dos lunas invisibles. Me viene el impulso de escribir que a lo mejor el hombre se llama Guillermo y es una persona de barba, nariz recta, larga. Podría ser Guillermo Segovia, el escritor, quien al mismo tiempo vive a otro Guillermo Segovia. Guillermo Segovia en Guillermo Samperio, cada uno dentro del otro, un mismo cuerpo. Insisto en que se me ocurre pensar que escribe en su máquina exactamente lo que yo escribo, palabra sobre palabra, un solo discurso y dos espacios. Guillermo escribe un cuento demasiado pretencioso; el personaje central podría llamarse como yo. Escribo que escribe un relato donde yo habito. Ya es más de media noche y el escritor Guillermo Segovia se siente cansado. Detiene la escritura, se mesa la barba, se enrosca el bigote; se levanta, estira los brazos y, mientras los baja, sale del estudio. Sube hacia las habitaciones del primer piso. Se asoma a su recámara y ve que su esposa se encuentra dormida, con un libro abierto sobre el regazo. Se acerca a ella, la besa en una mejilla, retira el libro y lo pone sobre el buró;[2] antes de salir, le deja una última mirada a la mujer. Cuando desciende las escaleras, aunque no atina a saber desde dónde, presiente que lo observan. Se detiene y voltea pensando que su hijo menor anda levantado, pero no hay nadie. "A lo mejor me sugestioné con el cuento", piensa buscando una causa. Termina de bajar y la sensación de ser observado se le profundiza. Este cambio lo inquieta porque entiende que el paso

---

[2] *buró*: en México, mesita de noche, velador.

siguiente es saber que no es visto, sino que habita una mirada. Que se encuentra formando parte de una manera de ver. Parado al pie de las escaleras, piensa: "Esa mirada podría pertenecerle a Ofelia. "Por mi lado en lo que escribo con mi bonita *Montblanc*, siento que voy deshabitando la historia de Guillermo Segovia. Y él no puede disimular que mi texto podría llamarse algo así como *Guillermo habitaba un cuento*; ahora escribo que Segovia, poseído ya por el miedo, va hacia su estudio en tanto que yo voy habitando sólo un Coyoacán, mientras él habita paulatinamente dos, tres, varios Coyoacanes. Guillermo toma las quince cuartillas que ha escrito, un cuento a medio escribir, plagado de errores; agarra su encendedor, lo acciona y acerca la flama a la esquina de las hojas y comienzan a arder. Observa cómo se levanta el fuego desde su relato titulado prematuramente *Ella habitaba un cuento*. Echa el manuscrito semicarbonizado al pequeño bote de basura, creyendo que cuando termine de quemarse cesará la "sugestión". Pero, ahora escucha los sonidos que se gestan en las profundidades de mi atento mirar, semejantes al rumor de la ciudad que sube a lo alto de la Torre Latinoamericana. Ve brotar el humo del basurero sin que disminuya su temor. Quiere ir con su esposa para que lo reconforte, pero intuye que de nada serviría. De pie en el centro del estudio, Guillermo no encuentra qué hacer. Sabe que habita su casa y otras casas, aunque no las registre. Camina hacia su escritorio, toma asiento ante su máquina de escribir, abre el segundo cajón. Dominado por la urgencia de que se frene su desintegración, sin saber precisamente qué o a quién matar, saca la vieja Colt 38 que heredó del abuelo. Se levanta, camina hacia la puerta; lleva en alto el arma. Mientras cruza la sala en la oscuridad, siente que está a punto de perder la conciencia, aun guardando la idea del momento en que vive. Finalmente, en ese estado turbio y angustiante, sube de nuevo al primer piso. La pieza del fondo se quedó encendida; hacia allá se dirige.

Al detenerse en el quicio de la puerta, no logra reconocer la habitación; sus ojos no pueden informarle de lo que ven aunque vean. Desde su dedo índice comienza a fluir la

existencia fría del metal; identifica el gatillo y las cachas.
Una luz pálida aparece en el fondo de su percepción, devol-
viéndole los elementos de su circunstancia. Distingue bul-
tos, sombras de una realidad; mira su brazo extendido y
levanta la vista. Frente a él, sentada en una simpática banquita, lo observa una mujer. Segovia baja el brazo con lentitud y deja caer la Colt, la cual produce un sonido sordo en
la alfombra. La mujer se pone en pie e intenta sonreír desde
sus labios delgados. Cuando Guillermo entiende que no se
encuentra ante ningún peligro, su miedo disminuye, dejándole una huella entumecida en el cuerpo. Sin meditarlo,
decide avanzar; con el movimiento de sus piernas, al fin,
llega a la lucidez. Se detiene junto a mí; en silencio, aceptando nuestra fatalidad, me toma la mano y yo lo permito.

## ENRIQUILLO SÁNCHEZ
### (Santo Domingo, República Dominicana 1947)

P O E T A y narrador premiado en ambos géneros. Sus primeras creaciones en el cuento corresponden a la segunda mitad de los años sesenta, época en que sus relatos "El mismo rostro (flor de los sepulcros)" y "Epicentro de la bruma" aparecen en la antología *Narradores dominicanos*, editada por Aída Cartagena en 1969. El libro de poesía de Sánchez, *Pájaro dentro de la lluvia*, fue distinguido en 1983 con el Premio Nacional de Poesía y su poemario "Sheriff (c)on ice cream soda" de 1983 recibió el Premio Latinoamericano de Poesía Rubén Darío 1985. El cuento "El mismo rostro (flor de los sepulcros)" ofrece la distintiva técnica de un montaje escénico narrativo cuya efectiva comunicación ocurre en la totalización del lenguaje poético y la transmisión multifocal de la visión trágica.

Enriquillo Sánchez se graduó de la Universidad Autónoma de Santo Domingo con una licenciatura en letras. Ha sido docente e investigador de la Universidad Autónoma de Santo Domingo y director de la revista *¡Ahora!*

# EL MISMO ROSTRO
## (FLOR DE LOS SEPULCROS)

A - 1. No podía ver cómo la tierra se le desprendía del cuerpo. No podía penetrar íntegramente esa sensación de tierra dormida sobre su cuerpo. Estrujó la manta polvorienta y estrujó el párpado de los ojos pastosos, empapados por un rocío que limitaba la presencia del rocío. Tallos de hierba sobre el cráneo de grama rebelde. La voz del moreno amaneció en el campamento. "Sólo veinte hombres". La voz morena del jurisconsulto citadino levantó en hombros al campamento. Había pasado la noche tratando de evitarla, por los hombres. La evitaba, pero el café prieto se la hacía estallar. Extendió la mirada fríamente al través de la sabana de polvo. Sintió en el hombro la mano del mulato gigante, y la mirada que se le unía. Comprendió. Comprendían. Y la mirada profundizó en la interminable sabana de piedras polvorientas.

B-1. Ahora yo podría estar en otro sitio. Me despierto y es lo mismo que me viene a la cabeza. Anoche. Ahora la cabeza me arde. El desayuno de los niños. No habrá mucho para el desayuno. Era necesario que se comprara todo ayer. Soy culpable. Después el ron, el romo, como dicen. Soy culpable, porque no lo debí permitir. Nunca lo debí permitir. Fueron al colmado[1] y sólo compraron ron. Soy culpable porque era Sábado Santo. ¿Cómo es posible que un Sábado Santo? Yo creo poco en eso por todo lo que he

---

[1] *colmado:* tienda de comestibles; tienda de vinos al por menor.

oído. Pero de cualquier manera. Oye cómo estornuda ese muchacho. Entonces fue cuando repicaron Gloria. Es decir, que repicaron las campanas. Parecía un canto sobre la ciudad. Estaban repicando las campanas y era muy bonito si el ron no repicara. Y ellos repicaron. También quisieron hacer bulla, "porque eso no es más que bulla, aunque suene bonito". Y también hicieron bulla. Y yo también me reí cuando cogieron el tubo y el tanque de oxígeno que repicaba como las campanas. Repicando gloria. Y yo también pensé que podía explotar. El tanque es como un cilindro que brilla. Resulta que se fue. Se iría esta mañana. Y seguirá. Es él quien se puede perjudicar. Estos niños me dan pena. Es él quien se puede perjudicar.

C-1. Fue como un brinco salvaje. El comandante espoleó al caballo de aire y las patas rozaron con la tierra. El monte rugía, y los disparos. El óvalo centelleante centralizó el combate. Y regresó. El machete se alzó tremendo sobre los rostros rubios: se alzaba, caía. Machetes de ráfagas en el espacio de acción sobre esos rostros rubios, pálidos, ausentes, que parecían perdidos entre las patas invisibles. El comandante sembró una inmensa carcajada en la planicie sucia. Y otro brinco salvaje. Y otra ráfaga de machetes. Y su gente lo miraba y los miraba y entró en la batalla, aunque conocían lo innecesario. Hasta que los rubios se unieron en un solo grito hondo, y el comandante se unió al viento que surca las colinas pardas.

A-2. "La traición la lleva el cobarde en el alma. Es como el alacrán cuando el miedo lo empuja, y traiciona. Los disparos llovieron apretados, pero los hombres a sueldo no disparan con amor. Para disparar con amor habría que nacerle a la patria. La herida en la ingle me consume el muslo, el cuerpo, no la soporto físicamente; la soportaré con la idea, el ideal no conoce heridas que posterguen. Nos cayeron por sorpresa. Diez metros más adelante y la primera victoria estaría escrita. Esta no es la primera derrota, pero es una derrota definitiva para nosotros como individuos que sólo tendremos una alternativa. Los disparos silban contra las piedras de este Sur bendito y seco. Nuestra brigada se mantuvo serena. Héroes de la libertad aniquilada, héroes que pelearon como hombres, hombro a hombro, y que casi se ríen de las caras de asombro de esos baturros españoles que no comprendían cómo la Brigada del Sur se fajaba estando virtualmente prisionera..."

B - 2 . El azul se reflejaba en los rostros, se esparcía en la enramada atardecida, aglomerada para el juicio.

También el silencio aglomeró la sala cuando el fiscal golpeó la mesa y lanzó su expresión agria sobre todas las expresiones amalgamadas. Un silencio pesado.

Había dicho todo lo que ardía en la garganta, con su voz que temblaba por la herida en la ingle, y con el brazo tembloroso que fustigaba la fisura del fiscal. Había dicho que él era el único culpable, y que únicamente él merecía la pena capital como respuesta al crimen de entregarse a la única causa honesta del siglo, que esos veinte hombres eran inocentes, que los había conquistado, que los había comprometido, que la República había requerido ya una vez la sangre de su gente y que no vacilaría en ofrendar ahora su propia sangre para evitar el sacrificio de esos veinte hombres, y el fiscal le quitó la palabra, y él le recordó que hablaba como abogado defensor, y el fiscal tuvo que aceptar con un rictus de infierno dantesco, y continuó hablando con la voz hinchada, y las caras apretadas que se concentraron sobre el herido que parecía despreciarlo con todas sus fibras, con todo su aliento, y entonces dijo que como fiscal podía hacer lo que quisiera, porque su sentencia estaba decidida aun antes del juicio, pero que como persona debía respetarlo, y debía tener presente aquella oportunidad probablemente olvidada por su mente de colaborador, que debía hacer un esfuerzo y recordar si albergaba el más pálido concepto de dignidad, y no abusar de la paciencia de un hombre herido, "el hombre que lo salvó en otro juicio de la acusación de asesinato, Magistrado Domingo Lazala... "

C - 2 . "Yo también iba a pararme para decir que yo estaba ahí porque me había dado la gana, pero se me traba la lengua, yo vine porque me dio la gana y estoy listo para morir con el General; el General venía en la silla cargada, con la cabeza metida en la Biblia que le pidió al Teniente; ahora que este solecito me está dando en la cara no me puedo quitar de los ojos al General; al General que apoyaba su brazo en Gabino, y llevaba su Biblia en las manos, al General cuando comenzó a leer tan bajito que casi no se oía, y cuando terminó y dijo más alto esa frase que no puedo olvidar ahora que voy a morir, *Tibi soli peccavi,* ahora que voy a morir, *et malum coram te feci,* el solecito ya se está inflando sobre mi frente.

A - 3 . Sólo pienso en lo que puede suceder, y por eso me duele. El mundo y la vida se han puesto duros. No sé con qué se podría comparar la vida, comparar el mundo. Tal vez con algo triste. Con algo raro. Con algo doloroso. No sé con qué se podría comparar la alegría. Tal vez con el sol. Soy muy simple. Es por él que lo siento. Y por los muchachos. He sufrido. Hemos sufrido mucho. Puede que algo busque a todo el mundo. Puede que ese algo. No me explico por qué se me ocurre. Puede que ese algo sea como un eructo gigante. ¡Oh, Dios mío!, como un eructo gigante. Lo buscan. No se debió ir. Lo pueden matar. Lo pueden matar. Y además los muchachos. Y yo. Yo, que estoy tan solo.

B - 3 . Estará en cualquier sitio. Estará en el interior del país. Lo andarán buscando. Irán a un río. Hará mucho sol. Es decir, que el río también brillará. Él se irá corriente abajo con una botella en las manos. Cuando esté solo aparecerán los hombres. Se mirarán. Comprenderán que es un momento difícil. Seguirá caminando con el sol en los ojos, en la frente. Sentirá que lleva siempre la botella en las manos. Se irá debajo de unos árboles en el río, con la botella. Los hombres entrarán al río. Se reconocerán. Reconocerá que todo está perdido. Pensará en mí. En los muchachos. Pensará en todos los que hemos sufrido. Sentirá.

Pensará en nosotros. Sentirá cómo le entra el primer disparo. Le dará en el muslo. Y se zambullirá. Tratará de nadar. Nadará corriente abajo. Nadará hasta. Los hombres repetirán los disparos. La botella se le irá de las manos. Y el ron se mezclará con el agua.

C-3. Sus ojos dentro del agua dejarán de comprender y será como si todo se hiciera negro dentro del agua, porque ya el agua no estará azul ni negra, sino roja, que es el mismo color de la sangre. Llevará plomo en las entrañas. Plomo peor que el que llevaremos nosotros ahora que ha muerto. ¿Por qué pienso en su muerte? ¿Por qué, ahora, veo su cuerpo gris y frío, desfigurado por la mirada perdida en el agua, y los agujeros del plomo? ¿Por qué vi su cuerpo, y por qué vi a los hombres correr por la colina del río? ¿Por qué lloro? Lo enterrarán. No lo enterraremos. No lo enterrarán. Regresarán y se llevarán su cuerpo, su cadáver. Y en una fosa desconocida entrará para siempre con el traje de baño mojado. Yo le regalé ese traje de baño de cuadritos rojos y amarillos, y él decía que no le gustaba porque era muy llamativo y sólo se lo ponía cuando iba al interior, y ahora que tiene un rasgado del disparo en el intestino le gustará menos. No controlo las lágrimas. No debo llorar. Ni debo suspirar por un muerto de esa manera. Pero no lo veré nunca ni lo verán los niños.

A-4. Han dicho que el comandante es como el agua del río, que siempre corre. La aldea tiene una piedra-piedra a la entrada. Una piedra-luna, porque los rayos revientan en ella. Han dicho que nació de la tierra negra. Han dicho que el comandante vivió de aire. Han dicho que vivió lechos infinitos. Han dicho que así vive desde que los hombres rubios llegaron a la aldea, a la región.

Mientras la región estuvo tranquila. Los hombres agachados sorben a tragos un café ardiente. Han dicho que ahora vive de plomo, de machetes en ráfagas, de relinchos infinitos. Han dicho que así vive desde que los hombres rubios llegaron a la aldea, a la región.

B-4. La voz le sabía a sangre. Caminó hacia el claro claro y los hombres le siguieron. Se sacudió el polvo. Los observaba como buscando algo en las miradas. Dejó que la madrugada le entrara por los poros. Lentamente se quitó las botas de goma repletas de hierbas. Y extendió los pies bermejos. La expectación ganó la rueda de hombres en torno al comandante. Limpió el machete con el muslo. Hizo un ademán de garganta, y se contuvo. Respiró y habló.

"Todo se ha complicado mucho. Cuando las cosas se complican los hombres también se complican. Y las cosas que hacen los hombres se complican también."

C-4. El rubio miraba con el azul, pero miraba negro. Un sudor pastoso le daba al rostro de máscara. Con palabras diferentes decidió la hora de la comida. Y decidió que luego sería hora de los fusiles. "Cuando se está peleando se come y se pelea al mismo tiempo", dijo. Y en su lengua mecánica habló con el subalterno mientras comía. Tenía comida en la boca. Tenía expresiones precisas para explicarle lo que iba a suceder. Lo que tenía que suceder. "Amárrenlo a un árbol. Déjenlo en el árbol un rato largo. Al anochecer le tiran tantos balazos como balas se producen en los Estados. Y enséñenle el cuerpo sin vida a la gente de la aldea".

A-5. Pidió una bandera y se la echó encima, dudando entre rechazar o aspirar el aroma verde. Se sentaron todos a su alrededor: los veinte hombres. El pelotón español se preparaba para el fusilamiento. Los futuros fusilados se despedían de la bandera y del General. La tropa tomó posiciones. El murmullo tomó el paraje por asalto. Aparecieron machetes que brillaban por el sol. Apuntaron. Veintiún rostros fijos esperando. La primera descarga. La segunda. Los heridos revolcados en la tierra. Todos heridos. La tropa se abalanzó sobre el tumulto de heridos al ritmo de un tumulto de gritos. Los machetes capearon el fragante pajonal humano, y los veinte hombres esquivaban cada machetazo con cada miembro, porque ya el hombre de la

frase grabada en los ojos había visto cómo el Teniente le
rompía el pecho al General Francisco del Rosario Sánchez.

B - 5. Recuerdo la novela en la que hablan de la gente
"que aprieta el tubo del dentrífico por debajo". Lo acabo
de apretar por debajo. Siempre se cae un poquito de pasta
en el lavamanos. Siempre pienso que una cucaracha se
subió anoche en el cepillo. Y hasta que puso huevos. Y que
yo me los trago y que me nacen en la barriga miles de cucarachas. Es una pena que se haya vuelto loca. Se la llevaron.
Las cucarachas. Es una pena por esos niños desamparados.
¡El carro! Cada vez que oigo el frenazo tan agudo de un
carro me quedo esperando el golpe. El golpe no avisa, el
golpe no avisó, el golpe avisa: ella mató a su esposo.

C - 5. Han dicho que lo amarraron a un árbol. Han dicho
que el rubio de mirada negra ordenó un diluvio de disparos. Han dicho que ese mismo rubio con la misma mirada
negra, lanzó la ametralladora contra el comandante. Han
dicho que el cuerpo rodó por la aldea, por las aldeas. Por la
región de colinas pardas y de piedras-piedras el cuerpo
arrastrado del comandante. Han dicho todo eso. Han dicho
que lo vieron muerto. Que estuvo muerto el comandante
nacido de la tierra negra. Y entonces han dicho con luz en
los párpados, entonces con la voz sabrosa han dicho que se
sacudió de la muerte y se sacudió del plomo y de los machetes en ráfagas y de los relinchos infinitos para vivir otra vez
de brisa y de flores. Han dicho todo eso. Dicen todo eso.
Han dicho todo eso y repiten todo eso con un murmullo de
voces interminables, porque el comandante señala con un
brazo de titán moreno el sendero de los senderos y de los
disparos que llueven como lluvia y de las miradas rojas
para los hombres de mirada azul con mirada negra como lo
hacen en todas partes, en todo el planeta, los hombres de
nombre  Liborio.

# MARCO ANTONIO RODRÍGUEZ

## (Quito, Ecuador, 1941)

N A R R A D O R y ensayista de reconocida trayectoria en las letras ecuatorianas. La excelente cuentística del escritor quiteño ha gozado de una merecida atención de la crítica y del público; todos sus libros de cuento se han reeditado continuamente: doce ediciones de *Cuentos del rincón* (1972), catorce ediciones de *Un delfín y la luna* (1985), seis ediciones de *Jaula* (1991). El más exitoso de ellos ha sido *Historia de un intruso* (1976), del cual se han publicado veinte ediciones, dándose a conocer además en Barcelona en 1978. La misma colección es distinguida en 1976 con el Premio al Mejor Libro en Castellano de la Feria Internacional de Leipzig. La publicación en 1994 de su antología *Cuentos*, a cargo de la editorial Círculo de Lectores, logra difundir su obra en el mundo hispano con una prosa que no se deja adivinar fácilmente, puesta en los contornos de cosmogonías diversas, "delfín y luna" como sugiere uno de los textos del autor.

Marco Antonio Rodríguez —graduado en Derecho y Filosofía y Letras— ejerce en la actualidad como abogado al tiempo que se dedica a la docencia en la Facultad de Comunicación de la Universidad Central. Además de la distinción mencionada anteriormente, su obra *Un delfín y la luna* recibe el Premio José Mejía Lequerica en Ecuador y el Premio Podestá en Madrid. El cuento "La grieta", incluido en la colección *Historia de un intruso*, se entrega con libre escritura a un impactante recorrido en las escisiones de la conciencia, espacios y temporalidades.

# LA GRIETA

B E T O estuvo allí. De repente. Frente a mí. Sin que pueda precisar de dónde salió, pues como siempre, mi cuarto estaba herméticamente cerrado por fuera desde que lo ordenó papá por culpa de Santiago. Aunque si presiono mi memoria, creo verle surgiendo de la esquina noroeste de mi alcoba, en medio de una luz evanescente, como en esas mediocridades con lámparas maravillosas que pasaban en el cinematógrafo de las monjas.

Lo cierto es que Beto se injertó en mi vida. Y yo me acostumbré a su presencia llegándole a querer más que a todo el mundo, quizás porque nunca, ni remotamente, pensé que iba a perderle como perdí a Santiago.

Para salir al colegio tomaba mis precauciones. Bien le instalaba en la gaveta de mis recuerdos escolares —a la cual sólo yo tenía acceso—, bien entre mi ropa planchada que por estarlo no era revisada o bien la adhería a cualquier ranura de mis muebles.

Al principio, lo que más me fascinó de Beto fue su insólita pacencia y sus inexhaustos recursos miméticos. Apenas se movía del sitio donde le dejaba, y podía ocurrírseme encargarle en el espejo de mi peinadora, que él se adecuaba de inmediato, disolviéndose en su circunstancial albergue de agua retenida. Estas dos virtudes de Beto, a más de facilitar mis rutinarios movimientos, acrecentaba hasta puntos insufribles la admiración que sentí por él desde el primer día.

Como no corría ningún riesgo, cumplía tranquilamente mis deberes familiares, asistiendo normalmente a las comidas

136

y a uno que otro paseo que en los fines de semana organizaban mis padres.

Pero mi sueño dorado era encerrarme en mi pieza, tomar a Beto y juguetear hasta altas horas de la noche. Beto se amoldó a mis caprichos, a mis tiránicos caprichos, para ser exacta. Había noches que no le permitía pegar los ojos o que le sobresaltaba con bromas de mal gusto, el momento menos pensado, por el único hecho de que a mí se me quitaba el sueño y quería engolosinarme con él.

Una temporada Beto me preocupó. Ninguno de los alimentos que le llevaba le complacía. Más aún, al ver la comida, disponía una cara de asco que fulminaba a quien quiera. Consideré inicialmente que su actitud se debía a exceso de delicadeza de su parte y, durante varios días, al rato de las comidas, salía de la alcoba discretamente, dejándole los platos servidos, para ver si así se animaba. Mis intentos fueron vanos. Decidí entonces resentirme con Beto. Le hablaba igual que papá o mamá a uno de mis hermanos menores cuando no comían. Le amenacé con eliminarle de mi vida. Pero él ignoró mi buena voluntad. Ante esta actitud, me recluí en el convencimiento de su inmortalidad y por tanto, siendo su vida lo único que realmente me interesaba, no volví a fastidiarle con eso de las comidas. Sin embargo, juzgo que el muy taimado, a mis espaldas, se daba sus opíparos banquetes, ya que, cada día, descubría algún faltante entre mis pertenencias: un trozo de cuaderno o de lápiz, flecos de los cubrecamas o la luz de mi recámara incluso, que de tanto ser absorbida por Beto, se fue debilitando inexorablemente hasta quedar como la de un candelabro que a duras penas disipa las tinieblas de un funeral de mala muerte.

Claro que seguía queriendo a mis padres —también a mamá no obstante su traición—, a mis hermanos, a mis abuelos. Cierto que mis compañeras eran la mar de simpáticas y que todavía me fascinaban los Beatles y Jim Stevenson y Tony Richardson, pero desde que conocí a Beto, viví pendiente de sus grandes ojos verdes insondables, extraños.

Digo que Beto no era travieso. Pero a partir de esa noche, verdaderamente me trastornó con sus diabluras.

Convirtió a mi dormitorio en un desastre. Regaba los cosméticos. Destripaba las fajas ortopédicas. Cercenaba los libros y las mantas. Más me demoraba yo en arreglar mis cosas, que él en alborotarlas. Lo que me martirizaba no era tanto sus picardías, sino la idea de su descubrimiento inminente por alguien de casa, en razón de las zarabandas[1] que armaba.

Pensar que todo sucedió por lo de mamá y Santiago. Después de asistir a su cochino encuentro, perdí mi voluntad de vivir. Subí desfalleciente, pero resuelta a suprimirme. Beto me salvó. Poco a poco fue instándome a razonar cuestiones objetivas que quizás por la ofuscación las rezagué en mi mente. Me llenó de consuelo. Besó mi pelo. Mis ojos abrasados por el despecho. Mis temblorosos y enormes mofletes de morsa.

Al día siguiente, al regresar del colegio, verifiqué su primera bribonada. Le busqué en donde le había colocado por la mañana, no estaba. Beto, le imploré, no te hagas. Beto, Beto, dónde estás. Y le inquirí en los lugares de siempre. Beto. Después en los espacios más increíbles. Beto, Beto, Beto, lamenté anonadada por el espanto. Beto, me arrodillé sin poder caminar, no es justo, no puedo más. Y en efecto, iba a morirme. Entonces apareció Beto sonriente, y sonriente me condujo a la cama, perdiéndome desde esa ocasión el respeto.

Todas las noches subía a mi lecho y tocaba mi boca, despacio, como si estuviera dibujándola, desdibujándola luego y comenzando a dibujarla nuevamente. Luego el cuello. Todos los poros de mi cuello. Después mis senos. Me miraba de cerca, y respirábamos confundidos y yo luchaba tibiamente con él, mordiéndole suavemente y llegando con mi lengua a arrancar de su terrible silencio un jadeo inevitable.

Comprendo muy bien mamá que tú necesitas. Eres bastante joven y hermosa todavía. Que mi padre es un viejo inservible. Pero por qué mamá, por qué él, por qué necesariamente él. Si tú sabes que anda conmigo y que es demasiado joven para ti. Además, que es el único mamá, el único

[1] *zarabandas:* jaleo, bullicio.

que ha tolerado a tu "tonelito", a tu "flancito de corazón"
a tu "tortita de miel". Cuando Maricela me lo dijo, no quise
admitirlo. Que tú y Alberto, bueno, se entiende, pero Santiago mamá, Santiago... ¿Sabes?... El otro día se acercó en
el colegio y trató de convencerme que no había sido él el de
la noche pasada. Imagínate, como si además de ser pan-
zuda y atocinada como un oso, fuera una estúpida como tú.

Esa noche tocaron el timbre frenéticamente. Por eso me
levanté. Era Santiago. Estaba ebrio. Arrimado al portón
central. Mami no quería abrir. Era sábado y no estaban las
empleadas. Al fin, Santiago venció la resistencia de mamá.
Forcejearon en la sala. Santiago desgarró la camisa de dormir de mami y la tumbó en un sofá. Allí se quedaron largo
tiempo quietos. Opino que una eternidad. Besándose. Con
los brazos de mami enroscados en la espalda de Santiago.
Reaccioné en los brazos de papá. Me quedó mirando con
la mirada más ridícula que he visto en mi vida. Mirando.
Con esa su estoica y paralítica dignidad, desde su obligada
mansedumbre de inválido. Había estado leyendo una biografía de Bismarck. Me la quiso prestar.

Santiago: sé que soy gorda insufrible, una bola de grasa
rodante, un "Scania" con un poco de sesos y sentimientos.
Pero te amo Santiago, no importa lo que nos hayas hecho a
todos. Amo todo lo tuyo. El tajo bronco y tortuoso que
atraviesa tu ojo izquierdo, tu barba clara, tus camperas[2] grises y tus suéteres de cuello alto. Y hasta tu asquerosa costumbre de escupir frecuentemente por el túnel que hace el
diente que te falta.
Cada mañana vienen a torturarme. Entran y salen hombres y mujeres de blanco. No les basta con haberme inmo-
vilizado y rapado mi cabeza. Mi piel está cubierta de
cicatrices repugnantes y de hernias en las venas.
Me acribillan a preguntas y a pinchazos. Vienen, clavan
sus agujas. Tiran del émbolo de la jeringa para así verificar
si aspira sangre (si no es así —he aprendido— quiere decir

---

[2] *camperas:* chaquetas.

que la aguja no ha dado con la vena). La sangre no aparece. Retiran la aguja. Apuntan otra vez. La vena se escabulle. Lastiman mis brazos, mis pies, mis ingles. Sangro. Los practicantes lanzan juramentos. Vuelven a la contienda. Así, hasta el cansancio. Destrozan mis sienes con impactos eléctricos. Me preguntan. Hieren mis oídos con melopeas inauditas. Me desvisten. Me bañan atadas las manos en agua hervida. Secan mis miembros con fricciones tan enérgicas que destrozan mi cuerpo. Me plantan de nuevo ese desabrido camisón. Hurgan mi cerebro. Me dan de comer en la boca. Abandonan este cubil y siguen espiando mis reacciones desde un ojo secreto que tiene la puerta. Apagan las luces. Por fin, estoy en paz. Saco a Beto que vino conmigo.

Tus ojos se desprenden de ti Beto. Verde jade. Verde mar. Verde soledad. Verde. Verde. Y su agua aceituna se desliza por mi cuerpo. Se empoza en mi vientre —luna grande en el río—. Corre por mis piernas —toscos mástiles salvados del naufragio—. Amotina los pliegues de mi sexo sin reparar en su fealdad. Y penetra en los obscuros recintos de mis entrañas con una gran cantidad de peces, de burbujas vivas, de gráciles helechos fragantes. Beto, Beto, Santiago. Beto, Santiagooo...

# MARCO ANTONIO DE LA PARRA
## (Santiago, Chile, 1952)

E S C R I T O R de reconocida trayectoria en la escena literaria chilena. El fuerte y logrado acento innovador de su
teatro y narrativa le han permitido asimismo darse a conocer exitosamente en el extranjero donde su obra teatral ha
sido presentada en escenarios alemanes, argentinos, españoles, estadounidenses, y su producción narrativa y dramática enfocada en diversos congresos internacionales.
Reconocimiento que ha llegado junto con el otorgamiento
de distinciones tales como el Premio TOLA en Nueva
York en 1979, el Premio del Círculo de Críticos de Arte en
1987, el Premio Ornitorrinco el mismo año y el Premio
Apes en 1989. Hacia los primeros años de la década de los
ochenta Marco Antonio de la Parra puede ya visualizar
retrospectivamente el éxito de su primera producción teatral, cuestión que le lleva a reexaminar su compromiso con
el oficio de escritor; su obra crece, madura, se diversifica,
aparecen dos de sus novelas y un volumen de cuentos.
Marco Antonio de la Parra realizó sus estudios universitarios en la Facultad de Medicina de la Universidad de Chile,
especializándose en psiquiatría. A fines de los años ochenta
es nombrado Agregado Cultural de Chile en España, cargo
que desempeña hasta agosto de 1993. Actualmente reside
en Santiago de Chile.

La obra narrativa y teatral de De La Parra participa
desde sus comienzos de los rasgos de un arte posmoderno
asumido sin vacilaciones, con risueña libertad y dispuesto a
deshacerse incluso de las caracterizaciones susceptibles de

141

fijar una estética determinada. En este sentido podríamos afirmar que su escritura se encuentra a sí misma cuando abraza la irreverencia; establecer un lenguaje narrativo es fijarlo, asaltarlo. En cambio, provoca el encuentro con la dimensión transformadora del arte.

El cuento "Gotán (canto del macho cabrío)" pertenece a la colección *Sueño eróticos/amores imposibles*. En el prefacio de esta publicación, el autor ofrece un significativo comentario sobre el carácter del discurso que informa los procesos de sus narraciones: "he tratado de demostrar que para mí la palabra es erotismo puro, victoria sobre la muerte, excitación incontrolable; que contar cuentos... es otra perversión gozosa; que el amor es el encuentro del cuerpo y el verbo" (Santiago, Chile: Las Ediciones del Ornitorrinco, 1986, p. 6). Esa nueva expresión corpoverbal —transferencia recíproca de escritura y erotismo— es aprovechada en el cuento "Gotán" para visitar los mitos de la cultura musical popular y de sus ídolos encarnados aquí en el tango y la época gardeliana. El lenguaje del cuento es devorado por el ritmo milonguero, la mirada teatral de Gardel, la sensualidad de la noche arrabalera, las letras de las canciones, la ficción del espectáculo y la conciencia de la actuación.

La fortaleza y originalidad narrativas de Marco Antonio de la Parra colocan su obra a la vanguardia de las realizaciones artísticas de fines de siglo.

# GOTÁN
## (CANTO DEL MACHO CABRÍO)

*(no tengo la culpa de que*
*no conozcas al maestro, de que*
*no hayas visto tango bar, de*
*que no sepas la letra de*
*"cafetín de buenos aires", de*
*que no entiendas este cuento)*

*la copa de alcohol hasta el final* y ahí mis manos mar-
móreas acuarianas montan sus dedos uñicomidos sobre la
perilla[1] de la puerta del cuarto donde me visto descanso
relajo, la cierran y van ordenando la hélice blandengue
negra que es mi corbata. tengo esa horadada garganta
bañada en mal pisco[2] y voy jugueteando con una recién
abierta cerveza que entibio torpemente. reloj dice que a
punto de tres madrugada show. tú vienes bajando como por
plaza italia,[3] el auto está lleno y se te ríen en la oreja. yo
voy sentándome. los músicos afilan su instrumental. capellán mete la cabeza bajo el chorro de agua. stop la borrachera. pelo hacia atrás, peineta & brillantina. me mueve los
dedos pianistas desde lejos. mientras aguardo tu predesti-
nado aterrizaje coloco mi cuerpo codos mesa vacía. mis
dedales afirmando humita[4] pasadona[5] y haciendo bailar el

---

[1] *perilla:* pomo.
[2] *pisco:* aguardiente.
[3] *plaza Italia:* cerca del centro de Santiago, Chile.
[4] *humita:* en Chile, corbata de lazo o moño; pajarita.
[5] *pasadona:* añeja, marchita.

vaso. la voz aguardentosa del animador comienza a establecer la tenue telaraña cabaretera: señoras y señores (tú
& yo no todavía), muy buenas náits estas son las cálidas
tibias atroces voluptuosas noches etílicas de la buát (la voz
se eleva como un globo, estoy mareado, miro a lety rivera
quedar detenida como un barco anclado balanceándose
frente al micrófono, pone su boquita de gallina poto...[6]
"quémame los ojos si es preciso vida"). pero no me pidas
que te ame en cuanto te veo *che madam que parlás en fran-
ces,* clarita, atrás, tan bacana[7] que das miedo. tan arregladita, tu cuerpo es un cruzarse de imágenes que no agarro
todavía, que en medio del bolero han abierto la brecha en
la oscuridad boitera, entreabres la cortina y pum, te miro,
muñequita brava, y ahí justo comienzo a premaldecirte, a
inventarte una lenta historia trunca, a conocerte siempre
despidiéndome. masoquismo del milonguero.[8] inaugura-
ción del teleteatro, papusa.[9] tabernita rasca[10] en que te
implantas, paloma descendida en el fondo del volcán:
te vas a quemar, pintosa, porque ya se estableció un puente
mirador y hay años de sobra por delante y el accidente es
certero y ojo, que la película recién comienza ahora:
cuando cruzas entre las mesas con tu grupo y yo dejo instalarse la bandada de pájaros de alcohol en mi dimensión
interna y estoy primera mesa mirando al groserote humo-
rista que tenemos, captando tu presencia de rompehielos,
y no puedo evitarlo y te miro. *tal vez te provoque risa
verme tirado a tus pies* pero atenta. cierto que no es mi sonrisa el triángulo brilloso descolgado del ala del sombrero,
tan gacho,[11] tan oscurojos, tan rompecomposturas, pero
mira como te instalas en mi esqueleto y *del fondo de mi
copa tu imagen* comienza a obsesionarme. costumbre

---

[6] *poto:* vulgarismo; trasero.

[7] *bacana:* arrogante, superior.

[8] *milonguero:* cantante o bailarín de milongas. La milonga es un
canto y baile popular en Argentina. Por extensión, milonguero significa también, juerguista, parrandero.

[9] *papusa:* mujer bonita, atractiva.

[10] *rasca:* de mala clase, ordinaria.

[11] *gacho:* sombrero de ala doblada hacia abajo.

caraja[12] de arrastrarme a ilusiones dudosas, de mirarte a los
ojos ebriamente, de sacudir la niebla con la mano. (me
encantaría asesinarte). te estoy mirando y apenas logro tu
sintonía. eres muchos, tantos; eres la fiesta que no resultó y
que frenó los autos frente al farol victoria street y le sonrió
al portero jubilado que los mira y les entreabre la puerta y
tu mano (tu mano) la cortina y zape caradura que la brecha
y la partida. mi giro de cabeza. tu mirada. (la palabra ya la
tengo enmarañada en filigranas que no aguanto y la memoria me la recortó el alcohol de uva). tu boca lanza su risa de
vidrio molido. se sientan botellas largas flacas tu cabeza
pende como un globo en la nariz de una circofoca. qué bien
te ves, berretín[13] cojudo.[14] tan lejana. despiertas un grito
que tapa el estampido de alcohol que silencia mi laringe.
(abriría tus defensas e instalaría en ti una tibia bomba de
tiempo). *porque ves que estoy triste y cantar ya no puedo* y
no puedo decirle eso al spíquer[15] ni que mejor nos vamos a
la cresta con mi anunciación porque ahora tiró mi nombre
dentro del parlante y me tiene aquí frente al micrófono
extendido boquiabierto y yo cufifo[16] ilusionado con mi
smoking demasiado brillante, mis zapatos de charol ave-
riado y tú que recién me ubicas. pelo mañosamente brilloso, ojos que se van descolgando por mis mejillas y una
sensación de puro curda[17] entre las piernas. claudio varela,
tango singer,[18] extirpa el bichófono[19] del pedestal (lo coge
como un pájaro herido, un arma cargada, un seno joven, un
falo despierto) y larga calefona[20] la voz. a ti se te arranca
una ahogada carcajada de ardilla. *mano a mano.* por mi
tonta manera de mirarte me entierras un huracán de dientes relucientes y detienes mi embriagarme. (desgarraría tu

[12] *caraja:* vulgarismo; maldita.
[13] *berretín:* capicho.
[14] *cojudo:* vulgarismo; idiota, tonto.
[15] *spíquer:* del inglés *speaker*; animador.
[16] *cufifo:* ebrio.
[17] *curda:* borracho.
[18] *singer:* cantante.
[19] *bichófono:* micrófono
[20] *calefona:* calentona.

interna cautela con un cálido cuchillo líquido). y ahí atájame
mañosa, que un odio de muchos pies crece por mi espalda y
voy haciendo lo mismo de siempre cada vez que enarbolo
ese súbito deslumbramiento (te ubicas sola, diseco la sala,
coloco un bandoneón[21] en tu memoria, me vuelvo una imagen en un diario que no lees porque no has nacido, estoy en
el recuerdo de tus padres, vengo a ti desde atrás, ancestral
canchero[22] matador y tú me ves, seguro que me ves). *acaricia mi ensueño* tu idea loca de rompe olas, de tajamar maldito, me descompone el timbre tu presencia elegante, obliga
mi voz gardelosa acercarse ahí a tu orilla, a tu bikini cuerpo
recostado en el tapiz plástico del auto con tus manos en
atenta retaguardia y el cartridge te crea pegajosas nieblas
importadas. desenredarse, muchachita, saca tus ojos ingenuos seductores y cortarla. ¿oíste? señorita última fila grupo
aburrido que lleva trae amigas finas aquí avda. matta town y
crean en mí un gesto irritado estilete en ristre y me hace
odiar la distancia inexorable, el tango que no logras comprender, mi nombre te da risa: claudio varela, nuevo valor
del arrabal. morocho[23] jetón que ahora se sube frente a su
burlesco montón de chaquetas azules cruzadas, volantín
demasiado viejo para elevarse, canturreo que para vos (peli-
larga brevicintura) es sólo un indispensable cambio de dial.
pelotudo[24] superhombre de smoking, imagen del bronce que
se ríe de nosotros, de nuestro burdo chiste inentendible, de
nuestra aburrida travesura de mirarnos, rompo todo y
punto. mejor, chiquita, así que venía saludo y descenso y me
voy hacia el fondo y algo diablos te sucede. me topo contigo
en el espacio límite entre puertas y cortinas, al final de mi
cigarrillo. entre la calle horrorosamente oscura y la boite sór-
didamente tinieblas. arrugas ceño, papusa ojirroja, y me das
pena. una cara gardeliana se me instala sobre la borrachera.

—¿qué le pasa señorita? —me sale una voz galán película antigua repetida en la tele.

---

[21] *bandoneón:* especie de acordeón.
[22] *canchero:* experto, fanfarrón.
[23] *morocho:* de piel oscura.
[24] *pelotudo:* vulgarismo; idiota, necio.

—nada, no te preocupes— tuteas con un desparpajo ganado lejos de aquí, de allá más o menos. te sigo y descubro tu soledad bajo la noche, *esperas coqueta bajo la quieta luz polillenta de un farol* .

¿quiere un taxi? qué amable el otario[25] que te planta una sonrisa plácida. buen bolsa[26] inocente humilde coloquial.

—no se va a poder ir a pie-te digo-aquí asaltan-hago un gesto, con el canto de los dedos me degüello- y no va a encontrar así no más un taxi.

te das vuelta y me miras. qué raros nos vemos. ganster y modelo. humphrey bogart y una bailarina de música libre.[27]

—si quiere puede usar el teléfono adentro.

vacilas. tu abrigo velamen en reposo. delgada, apenas adivino tus caderas y tu busto es un misterio suave por probarse.

—¿me muestras dónde?—y te dejo pasar, entramos de nuevo. la orquesta masacra un mambo. tus amigos afilan una tomaterá[28] que parará en un pudahuel desayuno.[29] pero te ven y un ojiclaro me mira con bronca. puerta roñosa y desaparecemos tras la zona de camarines. miras extrañada, te imaginabas pasillos con puertas con estrellitas y espejos coronados de ampolletas. cientos de watts en órbita a la vanidad. te ubico el fono sobre un cajón de pílseners.[30] marcas. *el malevaje extraño me mira sin comprender.* capellán me estira un cigarrillo, curiosón. ¿quién es la gaviota que se paró en el nido de las víboras? lo echo con un gesto, me larga un guiño mal hecho, se imagina un coito inevitable como un gol de penal. pero no, ella es el ángel que se ríe de nosotros, de nuestro aspecto de espectros tocando un tango ultramanoseado, haciendo el amor con una mujer demasiado vieja.

---

[25] *otario:* bobo, tonto de capirote.

[26] *bolsa:* variante de bolsudo; torpe, tonto.

[27] *música libre:* programa de televisión chileno en los setenta.

[28] *tomatera:* juerga, borrachera.

[29] *pudahuel desayuno:* dícese de la costumbre de esa época de ciertos jóvenes de terminar la trasnochada desayunando en el aeropuerto entonces llamado Pudahuel.

[30] *pílseners:* cervezas.

—está ocupado —suena tierna tu voz, tu mirada es tristona y me pides que te acompañe un rato. te guío a mi hueco. desilusión. un banderín del colo[31] y un espejo con un recorte de una mona[32] pilucha[33] obra de tito toledo, el rey del mambo. te traigo un trago —no bebo— dulcinocente. —yo tampoco— mentiroso cinicón, me merezco un palo. te invito a la boite.

—no, me peleé con ellos y no quiero...

—qué le pasó, cuénteme—ojo a la cara de confidente.

—o sea, tú estarás acostumbrado a esas cosas, pero yo...

—tu silabeo torpe, brusco, desmembrado. hablas como si besaras.

—no le gustan estas cosas —canchero el macho.

—es que no...—un gesto no muy definido, te llevas el puño hasta el mentón, bebes. simulas que.

y ahí te digo que no importa, que adivino; se me ablanda la piedra que oculto en mi mano empuñada. sueno mundano pero te temo. te veo huyendo de tus sátiros amigos, miedosa, corres a mis brazos protectores, con un tango conjurado los detengo, en un enroscarse de la cuncuna[34] los amontono bajo una mesa de cabaret, sus dedos se cortan con los vasos. apestan. la sangre se mezcla con el alcohol a medio digerir. imaginería del tanguista. permíteme hacerte una pregunta: ¿por qué aceptas volver a la sala y sentarte en mi mesa y beber el pisco que reinvito?

*y ahora, bebe conmigo y si se empaña de vez en cuando mi voz al cantar* es por tu culpa, muñeca filosa que te atraviesas en mi pecho con pretensiones de estoque y fino desangrarse. tenlo claro, lo que nos sucede es un accidente, una catástrofe diminuta en tu orden y mi equilibrio que nos mueve de la órbita, del esquema que tenemos. mírame bien a las pupilas y date cuenta, gataza, que tengo años de trote bien compactos milongueados y que mi lucidez no es puro argumento, sino un amargo viejo, con edad de patriarca,

---

[31] *colo:* Colo Colo, equipo de fútbol chileno.
[32] *mona:* dibujo o fotografía de una mujer.
[33] *pilucha:* desnuda.
[34] *cuncuna:* en Chile, oruga.

instalado como estatua tras de mi esternón. estáte atenta, no mastiques, yo te odio, ratita blanca, no quería que estuvieras aquí cuando canté, no quiero tu grupo de buen lustre invadiendo mi medio pelo ambiente,[35] mi forma torpe de ganarme la vida, mis burguesías anticuadas que no quieren ceder a las tuyas recién traídas de extranja.[36] somos un choque, un combate a muerte entre tu tentación y tu cultura, entre las instrucciones sobre la desconfianza a mi aspecto malevoso, engrupidor,[37] gran gañán que te sorprende coqueta con quien no debes. así que mejor basta y manda todo por la borda (vuelve a tu arbolito de pascua, a tu puerta cerrada, a tu silencioso frotar de muslos, a tu temor terrible a tu vecino de asiento en el bus de cada día) porque la marea sube y mira, nos hemos puesto a conversar y tito paladea un bolero del cincuentitantos y me preguntas cosas y te adivino ingenua hasta en lo mala que tienes. ten cuidado, que tu piel se vuelve asequible, que me estás mirando mucho, que tu mano se deje esconder en mi dedaje y un hervir suave nos viene traspasando en tu conversa (me pone nervioso tu pronunciar desganado, tu sonrisa chiclera, tu mirada vaga que se fija). cuidado con mi idioma, mi pelo glostorado,[38] mis manos blancas susodichas que no entiendes y tu pensar que son *desengaños por una cabeza* porque no aceptas mi manera de hablar, mi manera de manejar las eses, mi ausencia de acento. te duele mi mirada segura, mi contraste con las mesas de cubierta plástica, de botellas a medias. de muslos portadores de agarrones que nada hacen con el gesto con que atrapo tu cuello, con mi adivinar tus debilidades: cuando te entiendo, cuando soy cortés, cuando me muevo como el gardel del film que cambiaste de canal.

—¿te gusta el tango? —jaque, perengana bonita.

—no—autogol, dominadora portátil.

---

[35] *medio pelo ambiente:* de clase baja.
[36] *extranja:* del extranjero.
[37] *engrupidor:* engañador, embaucador.
[38] *glostorado:* viene de *glostor,* marca de un fijador de pelo y brillantina. El pelo glostorado es el que ha utilizado este producto.

(por qué no transamos, por qué no rompemos todo bien trizado, por qué no nos conocimos de cabeza, por que no tienes una fotografía mía en tu cartera, por qué no eres greta garbo, por qué hoy se te ocurre enterrarte al final de mi garganta),

*tu silueta fue el anzuelo donde yo me fui a ensartar*, pero no me arrepiento, pajarita, pues me miras toda piantada[39] tan tiema que me asustas. deducción: como no me entiendes has decidido encariñarte. tu coqueteo repta hábil, tu manera parentesca de fumar, tu forma de manejar el fuego líquido y sorprenderme. tú, a medias vampiresa y monja, ni yo tan negro ni tú tan blanca. tantas cosas cercanas, universales puntos de contacto. pero desconoces aún mis razones que no suelto: mis estudios en el pedagógico,[40] mis lecturas de girondo,[41] de lautremont, de vallejo, no el arquero sino el poeta, mis gritos botados en las calles, mis asesinatos matinales, mis rasgos obsesivos fácilmente descifrables, mi amarga lucidez, mi pesimismo de oro, mi difícil visión de la neblina tras los vicios que, como tú, te juro, no comprendo, ven más cerca, óyeme, hagamos un novelón; tú vienes allá tras la pureza y tomas mi cuerpo apantanado, roído por la morfina, el ajenjo y la cerveza (huelo a orines de perros, a salivazos beodos, a hemorragias clandestinas), y me iluminas a fuerza de pellizcones espaldares, de mordiscos en los hombros, de golpes en los muslos, de moretones en el cuello. ven, arcángel de miérdisima cresta, extráeme de un tango fango que no me pertenece, que nada tiene que ver con esta angosta línea en el mapa, con mi fraseo inútil delante del micrófono evocando una música sacada de roperos, de recortes deshojados, de discos 78, de radios que la empleada enciende en tu casa con esa nostalgia barata congénita que nos regaló la metro goldwyn mayer y que tú disfrazas con la música para mascar que te han dispuesto, olvidadora. equivalente exacto de

[39] *piantada:* en este contexto, chalada, locamente enamorada.

[40] *pedagógico:* refiere al Instituto Pedagógico de la Universidad de Chile.

[41] *girondo:* Oliverio Girondo, escritor vanguardista argentino.

la época que yo pongo en la orquesta, pero con una diferencia: mi inactualidad, pebeta,[42] mi edad escasa y mi no ir
contigo y no usar tus terribles señales de seducción, tus
mojigaterías de doble filo; carajo, el tango se me arranca
por la piel, mi canturreo lleno de hembras perversas y
machos inocentes dolidos bebedores. yo podría estar con
vos, podríamos quebrar toda esta estúpida relación artifi-
cial, podríamos ir a gastar todo mi capital en un hotel de
lujo con paredes de espejos y hacer todo lo no supuesto, lo
que te indicaron distante, lo que te declararon imposible y
verte de espaldas el techo reflejada con ese nacer y morir
en un vuelo rasante de águilas en cortejo y tus nalgas rosadas encabritarse en atrevimientos de confianza que te cos-
tará tanto asumir cuando te toque, porque, mírame bien
cuando te hablo. sabemos bien que nuestro bote nació hundido y otro será el dueño del río en que navegues, porque
yo soy un tiempo pasado esperando una identidad propia
así como esta patria flaca que tenemos, sin rostro privado,
siempre mascarotas importadas, ni siquiera un absoluto,
siempre falsos lugares comunes invocados, como los tangos, como vos y yo (mirá el acento arrabalero), como toda
la carcajada que nos mira, como tus ojazos que se asom-
bran de este cuento, de tu mano escarbando sobre mi línea
de la vida, de mi voz que te doma, que te empapa, que te
arrasa como un bólido, como un volcán que estalla, una
olla hirviendo que se vuelca, un grito tanto tiempo contenido. pero ahora, coqueta distraída, algo voy a proponerte:
*bailemos, que no vea en tus pupilas ni una sombra* furtiva de
distancia. ven, señorita extrafina, que capellán se larga un
tango y aquí yo te voy a injertar anales de milonga. ¿reco-
nociste *fumando espero? el placer genial* de levantarte de la
mesa entre la vista de todos los demonios, de ver resbalar
el abrigo de tus hombros como una mano lívida recién
muerta, de sentirte aceptando el deslizarse de los dedos
sobre tu espalda *y al devaneo, gozar con más deseo cuando
tus ojos veo* levantarse hacia los míos, redondearse cervati-
llos y dejar que yo te estreche, que te lleve a mi estatura.

---

[42] *pebeta:* mujer joven; muchacha, piba.

somos del mismo tamaño, como en el lecho y tu cuerpo ya no eres tú, arrojaste lejos tus maletas llenas de historias y temores; eres la hembra y yo tu pareja. vamos haciendo ochos, ten, vuélvete cisne, pega tu cadera, dame ese fuego por encenderse, ese cautiverio prenupcial, esa adivinanza no resuelta, nudo ciego, pececito de tierra, gran enamorada del vidrio de tu ventana. cogida en mi andanada, me desbocas en un jadeo que empaña tu mirar, tu cabeza caída como un brazo anémico, te doblas goma mujer como una vara. inventemos giros, déjame ser el mejor bailarín del mundo, deja la bufanda blanca envolver mi cuello, deja abrirse tu falda en el costado y la liga amenazante y el escote se te inflame. beguén[43] del diablo, te has sacado los zapatos, te entregas, bailas extraterrena. has inventado el tango, gardel es tu hermano, mis pies son los dueños del cabaret. trompo, gotán,[44] enredo, gavión[45] y garaba[46] en un espiral de otra historia haciendo un amor de mentira, una fotonovela leída en una peluquería de barrio, un bolero que ni yo cantaré, una confesion que sólo intentarás en sueños. hacemos el amor en público, ya no bailamos; palpo en mi muslo tu matriz y en tu vientre se ha instalado, inquieto, mi sexo. no me rechazas, giramos y te estrechas como una ventosa, como un molusco intentas quemarme. pulpos bailarines. tienes manos en tu ombligo, en tu costado, en tu pierna hábil intrusa. mira mis gestos de mandamás, de dueño del mundo, te atrapo, te consigo y siento tus brazos frágiles volverse firmes armazones de acero inoxidable. es un vuelo que nunca has tenido, un animal desconocido el que te abraza y una sensación deseada la que te impregna, no preguntes como te adivino, como traduzco la forma en que tu aliento expele mariposas ebrias y como traspaso tus secretos. no sabes qué hacer con quién te exija mujer, temes la presencia innata del instinto que se acerca preciso,

---

43  *beguén:* capricho (amoroso); ilusión.
44  *gotán:* tango escrito al revés. Se suele oír en Argentina, "vamos a escuchar un gotán ".
45  *gavión:* galán; burlador, seductor.
46  *garaba:* mujer joven.

lentamente como un avioncito de papel. escúchame,
gorrión de criadero, tu mente traza con nosotros un argumento maligno, quieres que seamos esos ángeles de celu-
loide que se enredan desnudos entre jadeos seis bandas
sonido estereofónico, extirpas de tu sentir la imagen de los
espejos raspados, de los manteles picados, de mi aliento
vinoso. pero no hay tal posibilidad (vuelve a la tierra, melo-
dramita bailante), decididamente yo no soy marlon brando
y a ti mostrar el ombligo te produce indigestión. yo no te
amo más que en supuestos y tú sólo me temes desde lejos.
sólo aquí en el tango que termina somos entidades puras,
hembra & macho, y *tras la batalla en que el amor estalla* nos
venimos abajo como una cuerda cortada, es inútil no reco-
nocernos (son los últimos compases), esquivarnos (el ban-
donéon toca el suelo, tu mano no debe apretarme),
eludirnos (tan tán) y por lo demás el tango finaliza y bye
cuasi beso mejilla labio huidizo tibieza que se escapa y
punto.

y ahora *ten cuidado mariposa de los sentidos amores,*
porque recién en la bajada notas que se fueron tus amigos
(yo los veía rabillojo durante el baile) y ahí se quedó el ojiclaro broncamirador y en el segundo que nos detenemos
recobramos el espacio entre nosotros. brota tu jumper, tus
lecturas de horóscopos, tu álbum de familia, certidumbre
de años luz de distancia, de mi novia y de tu coqueteo, de
ser yo opaco y tú solar a medias, de que mi voz sea un ofidio y la tuya un pez dorado, de mi sangre inflamable y tus
mejillas arreboladas. ahí captamos la mirada de tu acompañante, en ese brillo asustadizo que empapó tus pupilas: ése
que no amas, que acaso estimas, que te pretende despacio,
que esperaba una seducción planificada y que ahora espera
los despojos que arrojen los vencedores. pero aquí no hay
ninguna victoria. te vas con el agujero que te regalo y un
sueño erótico que rescatarás de la memoria algunos años
después, cuando la piel otra vez se te vuelva apache con un
macho tan cercano, pero ahora pero. estás con el esperante
y te veo hablar con él (lejos entre mesas botellas vasos
gente carambolas de vidrios dientes pintados labios rojos)
y parece que te vas, haces ademán de mirarme, de venir,

y él te detiene, de un tirón te deshaces y caminas, como las nubes desde la costa, te acercas.

—me voy —dices y empiezan a hacerme señas, porque tengo que subir otra vez.

—hasta luego —protocolar, recuperado, frío.

—me observas, me miras a los ojos, un pájaro se te muere en plena boca. sólo recién captas la niebla

—adiós —me apretas el antebrazo como si fueras de la barra.

te vas. desapareces. delgada premujer que me enturbias la copa. mirá paica[47] que sos posta.[48] este super maula[49] le arrugaste la cuchara como un bandoneón.

y ahí comienzo mi caída en picada. nosotros: gol offside, pelota en el palo, escena censurada, jugada ilegítima, cheque falso, permiso cancelado. tigresa, te fuiste, me atascaste la jornada y me desmadejaste la virilidad engominada plantado delante del babófono cantando mi último tema de la noche, encrespándome entero en el fraseo, como un gato en celo, un león herido, un lobo hambriento, me vuelvo el mismísimo maestro del tango, carajo gardel, sonrisa atravesada bajo el gacho conteniendo *embozada una lágrima asomada* insostenible, subiendo al avion en medellín el día trágico / 24 / memorable / de junio / triste / de 1935 /, elevándome viejo avión estallando apenas despegando, en frente de sus propios adoradores estupefactos atónitos turulatos rajados de lado a lado escondiendo entre las manos la cara y dejando llorar esa misma impotencia que me viene cuando martillo la última palabra y me callo y me voy al piano tras el vaso lleno y lo dejo penetrarme en mi sonrisa blindada sólo horadable por el sexo y la muerte, tú y carlitos, todos mis tangos, comienza el mambo y miro a capellán pensando en ti, grela[50] maleva percanta[51] en mi

---

[47] *paica:* mujer, "pebeta"; muchacha.

[48] *posta:* perfecta, magnífica, lo óptimo. Expresa admiración, en este caso, por la mujer hermosa.

[49] *maula:* fulero, engañador.

[50] *grela:* en lunfardo significa mujer.

[51] *percanta:* querida, amante. Los términos *percanta* y *grela* se encuentran en la letra de varios tangos.

esquema trizado, mi corbata deshecha, y digo sin hablar
que me voy, que ese fue el gotán postrero, que me paguen
y chaíto. así que navego hasta mi pieza y mientras suelto el
papillón[52] ebrio de mi cuello y mientras me saco los charo-
les y mientras dejo irse la brillantina por el desagüe y le
dedico un puñal al morocho del abasto, sólo un pensamiento me baila entre ceja y ceja: no sé tu nombre, bacana,
no sé como te llamas.

así que salgo por la puerta trasera destapando una pisco
botella y montando esa risa envenenada que me obse-
quiaste y adentro están tocando "esta noche me emborra-
cho" y me brota una carcajada terrible de luna. y bebo. y
me río con las comisuras hacia abajo. y mucho. y te pienso.
papusa. (tan tán).

[52] *papillón:* mariposa; en este caso refiere a la corbata de moño
o lazo (pajarita).

## RAÚL PÉREZ TORRES
(Quito, Ecuador, 1941)


L A excelente obra narrativa del escritor ecuatoriano ha recibido dos prestigiosas distinciones, el Premio Juan Rulfo en 1994, otorgado en Francia, y el Premio Julio Cortázar en 1995, otorgado en España. Galardones significativos que le reportan una enorme visibilidad internacional a su obra y que con justicia reconocen una sólida producción cuentística que se da a conocer a principios de los setenta con la colección *Da llevando*. Desde entonces, Raúl Pérez Torres ha publicado diez libros de cuentos, una novela y un poemario. Con anterioridad a los premios mencionados había recibido otras distinciones importantes en Hispanoamérica: el Premio Nacional de Cuento en 1976, el Premio Único José de la Cuadra en 1977, el Premio Casa de las Américas en 1980 y el Premio Nacional José Mejía Lequerica en 1980.

En sus años formativos, Pérez Torres participa en el grupo Tzántzico, movimiento originado en Ecuador, de incitantes propuestas sobre la consecución de un arte nuevo. En la década de los sesenta, se incorpora a las actividades del Frente Cultural y de su revista *La Bufanda del Sol*, buscando decisivamente en la condición subversiva de toda verdadera renovación literaria y consignando al mismo tiempo la idea de un fuerte registro histórico y de compromiso social; línea en la que también se encontrarían Iván Egüez, Abdón Ubidia, Marco Antonio Rodríguez, Pablo Barriga, Jorge Dávila y otros escritores ecuatorianos coetáneos del autor de *Musiquero joven, musiquero viejo*.

El cuento es el género al que Raúl Pérez le ha dedicado

mayor atención, incluyendo su pasional interés por abordar la esencia de lo cuentístico. Con un bello comentario poético en su ensayo "El oficio de escritor", Raúl Pérez parece dejarnos más cerca de ese misterioso entorno del relato: "El cuento es muchas cosas, pero ninguna de las que dice la teoría literaria; el cuento es una garrapata que nos camina en el corazón, en los intestinos, es la manera desdichada que tenemos de afianzar la melancolía de un instante. Contiene la duración de una lágrima, de un beso, de una bala. Es la mala pasada que nos hace la memoria, el hijo legítimo del recuerdo que ha dejado la huella, es sacarse el escarabajo de la espalda, es como el bolsillo del payaso o el sombrero del mago, o la cartera de la mujer amada, donde siempre cabe algo que te sorprenderá. El cuento es un rayo, un deslumbramiento, una flecha encendida en la noche, una flecha que parte rauda hacia el corazón de la inteligencia. En el cuento pretendemos atrapar el espacio y el tiempo de un solo manotazo, en una cohesión donde cada palabra tiene el deber de ser inteligente, cada final una descarga eléctrica, buscando lo que buscaba Eliot, la plenitud de la fórmula verbal" (*Revista Iberoamericana* 54.144-145 [1988]: 974-975).

La obra de Pérez Torres ha sido traducida al francés, holandés y griego. En 1995 publica *Sólo cenizas hallarás*. El cuento que sigue —excepcional pieza que responde a su idea de espacio narrativo convertido en rayo y flecha encendida en la noche— fue incluido en las obras *Micaela y otros cuentos* (1976) y *Ana la pelota humana* (1978).

## LA EXPATRIADA

S O N las tres de la mañana y siento una ligera pesadez en los ojos. A mi alrededor se teje una telaraña de colores fantásticos. Hay risas, guitarras y uno que otro grito destemplado. Ella anda por ahí, acurrucada en algún sitio obscuro, tapando huecos, besándose con alguien o atormentándose las uñas, desamparada a pesar de su rica experiencia, de su rostro de pájaro caído en un tarro de miel, obligándose a recapacitar, a reconciliarse con los sitios más urgentes de su cuerpo, observando a todos uno por uno, analizando y destruyendo, quizá mirándome y pensando que en mi camiseta hay una vida desolada, que mi actitud es de resguardo, de alerta, que en mi cuello se dibujan netamente las ganas de irme para adentro, y luego mirando a Carmen, riéndose de esos pases de baile abrumadores, para poner después sus ojos en Manolo, acariciándolo, besándolo de lejos, recordando que se va, que la vida es una alegría con harapos, entonces yo debo acercarme, tomar su rostro y trasmitirle un poco ésto que voy sintiendo, esta urgencia de ampararla y acapararla.

Ella toma el trago rencorosa pero luego se anima y su sonrisa me permite preguntarle en qué piensa. Vaga su mirada por un rato, luego la reposa en mí y dice alargando las palabras como para que no se acaben: "cuando uno ha pensado finalmente que ha encontrado un nuevo compañero, éste se marcha, los anteriores quedaron muertos, torturados, encarcelados, ausentes también ellos, con ausencia perenne y yo con un pasaporte marcado y expedido para deambular legalmente por todos los dolores".

La voy calmando de la única manera que ella puede ser calmada, con mi silencio y una idea nostálgica va creciendo en mí como una planta, una idea donde la parte más undívaga[1] me asegura que no me acostaría con ella jamás, que la infinita ternura que me produce su abatimiento rompería la línea sensual y casi lógica de esta relación que se va dando entre vasos de ron, amigos que se ausentan y rincones obscuros.

"Tengo unas ganas locas de besar a todo el mundo" me dice, echando tierra sobre mis evocaciones y luego mirándome y acusándome: "la gente no sabe ser besada, la gente cuando es besada toma posiciones". Luego termina su trago con delectación y se dirige donde Manolo que yace recostado junto a la caleñita, lo levanta con sus manos y al instante son un solo cuerpo apretujado entregándose los besos como claves, como flores.

La caleñita se une a ellos y de ese todo se desprende una armonía que viene del centro del mundo, un amor que los une y los desata, los desgarra y los rehabilita, una armonía de saliva y lágrimas. Me desprendo de esa onda magnetizante y voy a cambiar el disco, luego los tragos hacen el resto al momento en que acuesto mi oído en la voz de Violeta Parra adormeciéndome por mucho tiempo hasta que nuevamente su figura se entrelaza con una bruma espesa de recién nacido. La expatriada viene serena, preponderante, recuperada, la quedo mirando y le hago un sitio a mi lado, se sienta, dueña de su actitud, dueña del mundo, prende un cigarrillo pero empieza a fumar con verdadera angustia. "Y tú", me dice sin mirarme, "y tú por favor deja a un lado esos ojos entornados, lo que más me molesta es que todos son unos donjuanes de parroquia, el amor es una cosa concreta, tú le gustáis a una persona, amáis lo que él hace, te place estar a su lado, platicarle cosas, amarrarte a su balsa, luego viene el resto, y el resto nunca se sabe lo que es, o un tiro en la cabeza o una pastilla anticonceptiva". Entonces yo no sé dónde poner los ojos y prefiero tirarlos así, al vacío, sin rescatar imágenes, andando solos como

---

[1] *undívaga:* ondulante, como las olas.

dos locos pasivos. Su perfume lleno de ondas tristes, desolado, me llega en bocanadas humeantes, recuesta su cabeza en mis rodillas y permanece así largo tiempo. El disco se repite varias veces; yo, incapaz de moverme, con horror de voltear el florero, ese cristal de cuarzo que yace casi líquidamente entre mis piernas. Me pongo a pensar en pajaritos, en tarros de pintura, voy haciendo un collage enfermizo con retazos de sueño, imágenes caóticas, plumas y fusiles. Mi silencio es solamente esas ganas de vivirla a plenitud, de gozar esa niñez y esa vejez que descansa plácidamente en mi cuerpo, dolida de tanto amor, de tanto trajín. Se incorpora y me dice tenuemente que cambie el disco. Oculta su rostro. Lo sabía, está llorando. La acerco hacia mí y beso su boca; se brinda como una paloma herida, sauce que cae, ola absorbida por la orilla. Yo casi asustado miro pasar estupefacto al domingo anterior, cuando al despedirnos me dijo: "siempre se necesita una persona que se quede atrás de nuestros pensamientos". La beso desesperadamente, ella un hueco profundo, hondo, llena de algas y mariposas, su lengua su garganta. Amanecía.

Estábamos cansados, con las bocas dolidas, rodeados de una espesa nube de humo; decidimos salir a caminar un poco. El viento la rejuveneció, acomodó sus cabellos y desacomodó su blusa. La calle olía a pan fresco. "Recuerdo", dijo alelada, "cuando allá, por las noches nos penetraba el olor de la clandestinidad como una inyección de nardos".

Tomados de la mano bajamos hacia el café del Sol, ella pide café y tostadas, yo un vaso de mineral; me mira como si no me reconociera, y yo escalofriado pienso en lo que se va acabando sin remedio, sin proceso, dislocadamente, con ese sabor amargo, mágico, de las cosas fatales, de lo que no lo puedes retener, ni urgir, ni repetir, únicamente recordar para que la desdicha sea más consecuente. "Y ahora qué", me dice limpiándose la boca. Dos o tres personas toman su desayuno, un obrero a quien le brilla el cabello extrañamente, parece haber salido de una pecera, una viejita junta migas de pan y se las lleva a la boca, un niño se refriega los ojos insistentemente y nosotros con una pregunta que es campana en el aire: "¿y ahora qué?".

Tomo sus manos y para llenar el vacío le digo que tengo sueño, ella me mira en silencio y luego apretándome los dedos me contesta: "no podemos darle ningún chance a la muerte".

Salimos. Por allá, en una pensión (cuadros de mujeres desnudas en las paredes y techos altos) el amor nos recibe como a dos locos sueltos. Lo hacemos casi con rencor, tratando de dañarnos, tal vez de dejar huellas, de humillar hasta el último las astutas corazonadas de felicidad.

Sigue amaneciendo.

Hay una jungla. Yo soy una jungla recorrida por animales feroces, pisoteada por animales feroces, carcomida por raíces profundas. También se oyen tambores por todas partes. Quisiera por lo menos tratar de organizar su insomnio, pero ella mira fijamente el tumbado[2] poco a poco va atravesando la jungla.

Ahora sus ojos extraviados en el destierro amarillo del techo...

---

[2] *tumbado:* en Ecuador, el techo raso.

## MEMPO GIARDINELLI
(Resistencia, Chaco, Argentina, 1947)

A D E M Á S de seis novelas, Mempo Giardinelli ha publicado cuatro libros de cuentos y una compilación de su cuentística, género en el que ha sobresalido por la temeridad de las perspectivas narrativas posmodernas que escoge para su escritura. Su predilección por el cuento se registra además en la publicación del ensayo *Así se escribe un cuento* en 1992 así como en el hecho de haber fundado y dirigido la revista *Puro Cuento* entre 1986 y 1992. La obra de Giardinelli ha sido traducida al alemán, portugués, holandés, italiano y francés. Sus novelas y colecciones de cuentos han sido ampliamente reseñadas.

A la colección *El castigo de Dios* pertenece "Meheres come moras esperando", extraordinario texto de la narrativa breve que muestra el gran talento artístico de Giardinelli. El cuento reúne ese requisito del arte compuesto de lo más medular, pero lleno de tensión y multiplicidad de sentidos. Dos personajes —Meheres y Griselda Lucuix— intersectan miradas, excitación, espasmos y placer en el espacio de un distanciamiento en el que el verdadero actuante es el desborde de la imaginación. Giardinelli retoma inventivamente la tradición moderna de lo tensivo en el cuento, insertándola además en la complejidad de novedosos modos estéticos posmodernos. El resultado es altamente renovador. En el cuento queda trazado un espacio imaginario de las delicias: dos líneas convergen, llamadas por el desplazamiento del contento; en la verticalidad de la mirada se aloja el cruce de la satisfacción, la realización de que todo goce no es sino una extensión de la imaginación, la cual llega también al lector, *voyeur* de la escritura.

Mempo Giardinelli realizó estudios de leyes y literatura en Argentina. En 1976 —cuando recién se iniciaba la actividad literaria del escritor con una novela cuya circulación se prohibía en Argentina— se ve obligado a exiliarse en México debido a las persecuciones impuestas por el gobierno dictatorial de su país. Permanece alrededor de diez años en México, país en el que estudia en el Instituto Nacional de Bellas Artes, se gana la vida en el periodismo, se dedica temporalmente a la docencia y se desarrolla toda la primera etapa de su quehacer creativo. Sus publicaciones se dan a conocer ampliamente en México y el resto de Hispanoamérica, difundiéndose también en centros literarios europeos y norteamericanos. En 1983 recibe en México el Premio Nacional de Novela por su obra *Luna caliente*.

## MEHERES COME MORAS,
## ESPERANDO

M E H E R E S está en el patio, subido a la profusa morera,
y mastica una fruta cada tanto. Lo hace distraídamente, y
piensa que el invierno sigue teniendo cara de verano.
Hacen veintidós grados a la sombra, calcula, y la siesta es
tentadora. De hecho, la ciudad duerme y todo está tranquilo. Dora ronca en el dormitorio, los chicos están en la
escuela, y él está esperando.

Hay un muro de ladrillos, de dos metros de alto, que
separa ambas propiedades. Desde la horqueta en la que está
sentado, en la esquina de su patio, puede ver el muro desde
arriba (y dos hileras paralelas de hormigas que recorren la
parte superior) y también domina el patio vecino. En los
dos hay ropas tendidas. En el de los Lucuix hay, además,
hacia el otro extremo, un gallinero alambrado y adentro
media docena de ponedoras, un gallo viejo que se llama
Pocho y unos pocos pollitos extrañamente silenciosos. Meheres come otra mora mientras compara las dos casas, que son
gemelas y cuyas partes traseras observa equidistante. La
de los Lucuix está más descascarada que la suya. El la pintó
hace cuatro años; los Lucuix hace como diez o doce. Si ahora
hiciéramos un gallinero, también sería más nuevo. Piensa. Y
piensa que el Doctor Lucuix, farmacéutico diplomado (como
gusta presentarse) es un avaro y un imbécil. O no: un imbécil
y un avaro. ¿O no? ¿En qué orden? Y come otra mora porque está esperando.

Una avispa negra y culona zumba cerca de Meheres. En
cuanto la advierte, se le eriza la piel. Son terribles, las

cabichuí. Malas como la envidia militante de alguna gente. Piensa. A Dora, sin ir muy lejos, una de éstas le hizo un moretón así que le duró dos semanas. Recuerda. Hasta hubo que llevarla al hospital.

Se queda quieto, como en rigor mortis, y se pregunta cómo será estar muerto. La cabichuí sobrevuela su cabeza; siente no sólo el zumbido sino hasta la brisita que produce. Bicho jodido, piensa Meheres. Como ofendida, la avispa se desvía bruscamente y se dirige a una mora gorda que cuelga de una rama de más arriba. La sobrevuela, hace un par de giros locos y después se aleja. Se apaga el zumbido y Meheres vuelve a respirar, aunque sigue tenso. La tensión parece que disminuirá lentamente, pero eso no sucede porque Meheres ve a través de la ventana del comedor de los Lucuix el paso silencioso, para él furtivo, de Griselda Lucuix.

Meheres observa, desde su atalaya, la ventana de la cocina, pero no distingue a Griselda. O sea que no se ha dirigido a la cocina. Pero tampoco la ve retornar al comedor. Ni está tras la puerta que hay en medio de las dos ventanas. Mira entonces hacia las ventanas con la puerta en el medio que tiene su propia casa y confirma que no hay nadie. Los chicos de Lucuix también están en la escuela, con los suyos. Y Dora duerme en el dormitorio que es idéntico al dormitorio en el que duerme el Doctor Lucuix, farmacéutico diplomado. Entonces arranca otra mora y se la lleva a la boca, sin dejar de vigilar ambas casas, mientras piensa que ya son las dos y media de la tarde y enseguida va a empezar lo que está esperando.

Y empieza: Griselda Lucuix abre de par en par la ventana del comedor, e incluso desliza hacia un costado la tela metálica antimoscas. Se queda ahí, mirando hacia algún punto del cielo, con la barbilla levemente alzada, como hacen las directoras de escuelas en los actos celebratorios, y empieza a desprenderse los botones de la blusa blanca.

Meheres primero pestañea, cuando ve que ella abre la ventana, y luego se dispone a hacer su parte. Lo que Meheres ve es sólo el torso de Griselda Lucuix; desde donde está, en la horqueta, la ve exactamente de la cintura hacia arriba. El la recorre con su mirada mientras ella se abre la blusa, y siente que su excitación crece sostenidamente. Ella no lo mira, aunque obviamente sabe que él está allí, en el árbol, y precisamente el no mirar al hombre sino hacia el cielo infinito es lo que la excita y le brinda, de paso, una expresión mezcla de ausencia y ternura como se ve en las Madonnas con Niño de Leonardo. Meheres se palpa la entrepierna, siente cómo se le endurecen los músculos, y luego abre la bragueta y extrae su pene, que agarra con firmeza con la mano derecha.

Griselda Lucuix, a todo esto, se saca la blusa y se quita también el corpiño y entonces es como si le explotaran los pechos magníficos, grandes de modo que sólo manos enormes podrían apresarlos, blandos por haber dado vida y salud pero aún firmes porque ella es joven y sólo un poco regordeta. Se acaricia los pechos y entorna los párpados y entreabre la boca, porque está gozando imaginariamente. Hasta que de pronto abre los ojos, como asustada, y entonces busca a Meheres con la vista y lo encuentra en el sitio en el que indudablemente debía encontrarlo. Meheres está acariciándose el sexo con suaves y rítmicos movimientos de su mano, respirando por la boca entreabierta y reseca por el deseo, y en los ojos tiene una rara expresión que combina el éxtasis con la frustración, el amor con el dolor.

La expresión de Griselda Lucuix cuando encuentra la mirada de él luego de un segundo, pasa del susto a la ternura, del miedo a la urgencia. Ahora cada una de sus manos agarra un pecho por la base. Los aprieta con movimientos circulares hacia arriba, los dedos índices rozan los pezones y su excitación crece. Sus ojos, que son del color de la miel, se vuelven más acuosos y cristalinos, y lanzan destellos; son como ojos que hablaran y no de cualquier cosa sino de amor, y de amor preñado de deseo. Griselda Lucuix siente, en lo profundo, que en ese preciso momento se está entregando al hombre que ama. No cierra los ojos pero es como si lo hiciera porque su imaginación traspasa a Meheres, quien con expresión estólida y aparentemente vacía acelera el meneo de su mano. El placer llegará en segundos; el dolor también. Y para ella habrá como una explosión interior cuando vea el placer en los espasmos de

Meheres, quien de pronto empieza a eyacular, todo él un temblor, abriendo la boca, desesperado, y mirando los ojos color miel de Griselda Lucuix, que lo mira con los ojos más húmedos aún y siente que todo su cuerpo también tiembla, también espasmódico, porque mientras con la mano derecha se acaricia los pechos con más y más energía, su mano izquierda (que Meheres no ve) gira enloquecida haciendo círculos milimétricos sobre su pubis. Y así, acezantes y convulsos, los dos alcanzan sus respectivos orgasmos a un mismo tiempo, sin dejar de mirarse con miradas intensas, acuosas, desgarrantes.

Después se quedan un rato así, y todavía se miran cuando se recomponen, despaciosamente. Se les normaliza la respiración, él sacude su sexo y al cabo lo guarda dentro del pantalón, mientras ella detiene el frotamiento de sus pechos, los reacomoda dentro del corpiño, se pone la blusa y abrocha despacito todos los botones, uno por uno.

Es imposible precisar exactamente cuándo se separan sus miradas. Pero sucede en el instante en que se interrumpe la intensa conversación que han sostenido, en el momento en que se separan como se separan los amantes, que posiblemente es el momento en que Griselda Lucuix corre la tela metálica sobre el deslizador del alféizar de la ventana, o el momento en que Meheres toma una mora de una rama alta y se la lleva, distraídamente, a la boca.

## ANA MARÍA DEL RÍO
(Santiago, Chile, 1948)

L A narradora chilena comienza su obra en la década de los setenta, pero no es hasta 1985 que publica su primer libro, la colección de cuentos *Entreparéntesis*. Los años setenta habían sido productivos, sin embargo, en términos del espacio que necesita una escritura para reconocer la dirección de su expresividad y encontrar una modalidad personal. Cuatro novelas, publicadas en el lapso de tan sólo siete años, siguen a la aparición de su libro de cuentos. Las tres primeras obtienen importantes premios, asegurándole al exitoso inicio de la escritora, un público amplio y atento a su producción literaria. Su primera novela, *Óxido de Carmen*, recibe el Premio María Luisa Bombal; la siguiente novela, *Tiempo que ladra*, fue ganadora del Premio Letras de Oro (1989-1990), auspiciado por la University of Miami; en 1990 su tercera novela *De golpe, Amalia en el umbral*, fue galardonada con el Premio de Novela Andrés Bello. La obra cuentística de Ana María del Río ha sido premiada en Chile y en Argentina.

El cuento "Supermercado" pertenece a la colección *Entreparéntesis*. Uno de los aspectos estimulantes de la narrativa de Ana María del Río reside en la llaneza con que introduce al lector en el suceder cotidiano, creando ese difícil simulacro de que la narración ha escapado a su literaturización. Intentar este logro como propósito, resultaría probablemente un esfuerzo evasivo y frustrante; su alcance en la obra de la escritora chilena responde más bien a la naturalidad con que se opera narrativamente y sobre todo

168

a la seguridad en el manejo de los elementos que regulan lo literario. El conocimiento verdadero de sus personajes es afrontado con esa espontaneidad que omite la metáfora sólo para que ésta resurja con mayor fuerza en el examen crítico de lo institucional: la familia, el matrimonio, la sociedad.

En el texto que sigue, rápidas imágenes buscan la presencia del vínculo en el mundo del supermercado al que ya no se quiere pertenecer; son visiones que se esfuman con la misma celeridad con que aparecen. Queda el recurso de abrir los paréntesis del pasado para iluminar la intensidad de una relación; dispositivo breve que debe cerrarse para volver al espacio que contiene sólo "coleteos mecánicos de sobrevivir" en este cuento de singular factura estilística.

Ana María del Río Correa, graduada de la Universidad Católica de Chile con estudios en literatura, obtuvo su Maestría en literatura hispanoamericana en la Rice University, Houston, Texas, y el doctorado en la University of Pittsburgh en Pennsylvania. Después de residir cinco años en los Estados Unidos entre 1987 y 1991, regresa a Chile. Actualmente es profesora de literatura en la Universidad de Tarapacá, Arica y dirige, en el Departamento de Extensión de la misma universidad, el Taller Literario Amauta.

# SUPERMERCADO

E R A día de supermercado. Uno despierta con el yugo de
la idea y la va asimilando durante el resto de la jornada,
agachando la cerviz ante lo inevitable, subsistir, a lo largo
del día frente a la máquina, rondando las esquinas de los
escritorios, instalada en la médula del cansancio que
declina los hombros.

(Fugaz viene a mi mente un tiempo en que parece que no
éramos de la misma carne que ahora, en que estos coleteos
mecánicos de sobrevivir, como el del supermercado, eran
objeto de una algazara injustificada, tonta, pienso, y endu-
rezco los labios rompiendo una carta en mil pedazos. Era
una alegría palpitante que esperaba al salir del trabajo, sigo
pensando, y nos oíamos latir el deseo a través de la ropa, en
ese entonces tú amabas el barroco y la salsa curry por sobre
todas las cosas y yo tenía sabor a salsa curry, decías, y me
apretabas en los pasillos de conservas bajo el alero indig-
nado de señoras metodistas que también tenían que comprar sus víveres, como todo ser.)

Entonces, voy, brusca. Entro empujando las manillas
rojas y sin mirar, alargo la palma hacia las gelatinas de la
izquierda. Hoy no miraré las ofertas que chorrean tinta roja
a la entrada. Garfios, las manos van tomando lo debido, lo
que debe ser, porque así es la cosa y no hay más, las cuatro
bolsas de arroz, dos de azúcar, hoy no azúcar flor, nadie
viene, no surgirá jamás el piscosauer[1] peripuesto ni sonrisa

---

[1] *piscosauer:* cóctel de pisco (aguardiente), limón, azúcar y
clara de huevo.

de bienvenida. (Me han estampado la lista de comestibles
con fuego entre las cejas.)

(Un día, no olvidaré que estábamos comiendo empana-
ditas fritas, traiciones engatusantes, me dijiste que te ibas.
Cometí la imperdonable ingenuidad de abrir los ojos al
lanzazo, sonreír y/o preguntar que sí, que cuándo, que
adónde, qué bien ahora, que podíamos darnos el lujo. Ahí
me aclaraste que te ibas solo.)

Galerías de cajas en pirámide inapelable atacan mi conciencia a tres colores, a izquierda y derecha, duras aristas
de cajas y cajas de té, inconmutables cadáveres de azúcar
por todas partes. Frente a frente, llego a las herméticas cel-
dillas celestes donde acechan los huevos quebrados de sangre duramente amarilla. Por qué será que hay que venir al
supermercado.

(Me aclaraste que te ibas porque sí, y como yo, a gritos,
goteando el pelo en el ascensor, agarrándote los botones de
las mangas, una razón, una sola razón, me dijiste que te ibas
por mi manera de cerrar las puertas.)

No importa, digo, pliego la boca, enyeso la sonrisa y
empujo el carro entre caderas y bocas de niños que chu-
pan cosas dulces. (¿Qué tendrá mi manera de cerrar las
puertas?)

De pronto, por esa insistencia en levantar cabeza, por
esa tozudez de querer mirar al horizonte de los pasillos, en
calcular cuánto me falta, ahí donde el cielo falso se junta
con la vitrina de las carnes, te veo.

Estás a lo lejos, pero es tu nuca y será tu nariz si te vuelves. Mi carro se incrusta en otro: sonreímos de molestia a
molestia. El desenlace de fierros dura siglos. Un niño
minúsculo chupa la manilla y mira concentrado.

Allá estás, un poco más desteñido de lo que te pienso,
algo más erguido de lo que te recuerdo, hasta acá me llega
el olor de tu algo para después de afeitarse. Pero caminas
por los laberintos con ademanes cumbre de brillante com-
prador y tu carro se manipula fácil, casual, tan pero tan distinto a los de los habitantes de la tarde, sumergidos en las
acequias de cosas. Sobresales. Lo has hecho siempre. Será
una profesión, pienso, pero me lleno de orgullo cuando te

veo, exquisitamente ajeno a todo este movimiento de guatas[2] y caderas y alientos.

De pronto desapareces entre cremas o latas de piña gruesa; trato de seguirte, cuello ansioso, abatidor, pero te pierdes. Necesito acercarme y decirte unas cuantas cosas acerca de la responsabilidad, hablarte seriamente de la cuenta del gas, que sigue subiendo aunque lavemos con agua fría, no sabemos qué pasa, pero algo tienes que hacer, no te puedes quedar así, como mirando palomas, antes no tenías esos labios volados, y cavo en el recuerdo de tus dedos hurgándome las orejas en plena oscuridad. No voy a llorar.

Ya no estás. Enfilo aterrada hacia los licores de pechos impávidos. Surge el terror navegado entre las cabezas que no son tú. Me acosan los colores furiosos de los insecticidas verde muerte. De pronto sale como una babosa el pensamiento de que quizás me hayas visto, de que estás escondido en cualquier pasillo para darme una sorpresa y yo me redondearé en lágrimas y comerás conmigo y te haré el piscosauer como a ti te gusta.

(Los domingos aquellos estábamos tan solos.)

No. No me has visto. (Es imposible ese tipo de encuentros en Almac[3] los viernes por la tarde.)

El frenesí de saber, de tocarte, de olerte, se cierne como pesada red. Retrocedo, choco, doy vuelta con el carro en el aire, un niño aplaude, paso rozando el alma de las pirámides de duraznos oferta; tú decías que eran huevos falsos. A lo lejos, por la mierda siempre a lo lejos, tus hombros, creo que son tus hombros, el inicio de tu oreja y luego bolsas, icebergs de detergentes y el micrófono aullando la suerte increíble que constituye el pasar por la célula de la limpieza cuando está tocando la campanilla, porque ahí sí que es lo grande, señor, señora, detergente gratis de por vida (la fila de pechos comentando.)

Mi cuello vuela sobre el abrigo. Te veo, veinte, treinta cabezas más allá, definitivamente fuera de la célula de lim-

---

[2] *guatas:* barrigas.
[3] *Almac:* nombre del supermercado.

pieza, sí, eres tú, ahí está ese mismo gesto de pescarte la barbilla, como si pensaras en cosas bellísimas, vas hacia la derecha, me aterro, directo hacia la Caja Express, debí suponer
que no me veías, debí suponer que nunca te complicarías la
vida por más de seis unidades, y tantas veces que me he
preguntado cómo te las arreglarás para vivir solo y si harás
la cama antes o después de llegar, ni teléfono tengo, para
rastrearte.

De un tirón sobrehumano logro arrancar los alambres de
mi carro que quedan tripas al aire, la otra figura vocifera
enardecida, es que no sabe dónde está su derecha, no no sé.
Doy vuelta cajas de arroz escogido, jamás me detendré a
recogerlas. Mi paso es loco, en esta carrera se me va la vida,
no sé tu dirección, ni siquiera sé qué auto tienes ahora, ni si
conservas la costumbre de poner adelantado el despertador
para poder dormir un poco más, has desaparecido expresa-
mente, alejándote en círculos concéntricos, cada vez más
corteses las frases de la mañana, una amable conocida, saco
todas las uñas de la desesperación: te encontraré, aquí vas
pillado, te encontraré por lo que has comprado, por lo que
tienes en tu carro. Te conozco y sé que te dejas seducir por
los pollos deshuesados y si la última crema dental te sonríe
desde un uniforme de promotora, tú la comprarás inevitable, de lleno en el ping-pong de las sonrisas. Me armo de
codazos y avanzo por entre las galletas.

Allá estás. No, no eras. Voy en medio de tu ser que no se
deja (que nunca se ha dejado) tu ser azulmarino que desaparece en cuanto cambio de pasillo. Me precipito hacia los
carros que esperan en la Caja Express: son incontables,
todos compran seis unidades hoy día, debes estar por llegar. Vuelo hacia las cajas, a pesar de la maligna resistencia
de las ruedas delanteras de mi carro. No estás. Miro, punzeteo[4] los rincones. (Antes era el miedo gozoso de encon-
trarte en la pieza oscura.)

Pero he descubierto tu carro. Amarrada al fierro rojo de
las manillas tu inconfundible bufanda, aquella que te quise

---

[4] *punzeteo: punzo;* en este contexto significa investigo, clavo la
mirada.

hacer cambiar mil veces, está sucia, bótala[4] te he dicho que no te la voy a lavar porque se apelmaza, y te la ponías como un banderín de guerra, silbando, ahí está, llena de inviernos exasperados, los dos mirando una chimenea que debería estar para que todo fuera perfecto, pero no estaba ni era perfecto, no se sabía qué era peor, si el silencio o las palabras, quieres agua, pásame la sal (y tú, mirando con voracidad de golondrina por las ventanas de la casa).

Entonces, miro. Tu carro. Reluce ahí la calidez oscura de la gruesa botella de Viejo Roble, de piel suave como la cosecha 1976; un rosetón de encurtidos con la bailarina de Jaén, que campanillea su burla. Y luego, una tras otra, las cajitas de madera de los quesos franceses tapiándome los ojos, las lágrimas, el cauce ácido de las lágrimas. Entre los estuches exactos de *petit bouchées* y repollitos de bruselas preparados, alcanzo a distinguir una risa de champagne y una botella de miniatura de cognac napoleón, con la cabeza de Napoleón en semirrisa, semimazazo. Ahí estarán los brioches descascarándose de apetito, los labios brillantes de deseo y de lasitud, el calor, los labios se expanden después de la comida, entre dos velas tal vez, Vivaldi machacando y el mantel de mi mamá entrelazándoles las manos.

Es otoño.

[5] *bótala:* botar; tírala a la basura.

# MANUEL RAMOS OTERO
(Manatí, Puerto Rico, 1948 - Río Piedras, Puerto Rico, 1990)


E s uno de los escritores más destacados en la literatura puertorriqueña publicada en los setenta y ochenta. La poderosa expresividad de su obra narrativa y poética le permitió además darse a conocer en el extranjero. Su obra *La novelabingo* es una sorprendente experiencia textual posvanguardista. La cuentística de Ramos Otero recibió el Premio Ateneo Puertorriqueño en el Festival Anual de las Artes. El conocimiento íntimo de los aspectos técnicos del cuento, la singular concepción de lo narrativo, y la extraordinaria captación poética del lenguaje confluyen en la escritura de Manuel Ramos Otero, confiriéndole nuevas dimensiones tanto a la estética de este género como al específico potencial de su plasmación.

El cuento "La última plena que bailó Luberza" —espléndida narración dedicada a la textura del cuerpo y la muerte, la degradación y la trascendencia— es uno de los seis relatos incluidos en el libro *El cuento de la mujer del mar*. La última colección que publicó Ramos Otero, *Página en blanco y stacatto*, contiene cinco cuentos de novísima realización. La obra del escritor puertorriqueño marca una de las más significativas renovaciones en el curso de la literatura posmoderna producida en la América Hispana.

Manuel Ramos Otero ejerció la docencia universitaria en Nueva York, ciudad en la que residió alrededor de veinte años. Murió a la edad de cuarenta y dos años en Río Piedras, Puerto Rico.

# LA ÚLTIMA PLENA[1]
## QUE BAILÓ LUBERZA

**6:13 A.M.**

Vengo a comprar el reino de los cielos para cuando me muera (con la pierna derecha cruzada sobre la pierna izquierda la pierna de Frau Luberza detrás de las redes de la media con costura cuyos diseños de lirios y lotos con luto se enredan desde el talón y suben por la pantorrilla de suaves arcos; con la mano izquierda se afloja el zapato liberando el pie deforme con huesos puntiagudos; la mano regresa y abre la botonadura dorada del bolso negro de falla drapeada[2] y con los dedos afilados como cuchillos abriendo costuritas invisibles en el viento engancha la chequera de gamuza entre dos uñas rojas color hígado de múcaro[3] protégeme de todo mal Santa Lucrecia va diciéndose Frau Luberza mientras la pluma de oro va dibujando cifras sobre el papel) y el Monseñor dirá si el precio del reino de los cielos ha subido desde nuestra última conversación en la sacristía (los cachetes brillosos del Monseñor se estiran lo más que la dignidad sacerdotal permite y descubren una cordillera de dientes acaramelados con manchitas de musgo trepando por tapias de

---

[1] *plena:* baile popular en Puerto Rico.

[2] *de falla drapeada:* tipo de tela en forma de pliegues. *Falla* es una tela de textura brillante. *Drapeada* (del inglés *drape*) significa doblada, formando pliegues.

[3] *múcaro:* especie de búho que habita en Puerto Rico, donde el término múcaro se usa también para referirse a una persona fea o a una persona que sólo sale de noche.

marfil; el Monseñor apresura el vuelo celestial de una de sus
manitas de cinco dedos rechonchos y rosados y atrapa la hoja
de papel rectangular que luego deposita sobre su pesado
escritorio de caoba oscura, el Monseñor se desespejuela y
coloca su hocico arrugado frente a los lentes sudados y sopla
un chorro de aliento que nubla los cristales con su perfume
de ron añejo y obligan al Monseñor a inclinar su torso de
ballena embalsamada y tomar uno de los pliegues de su fal-
deta negra para desempañar los espejuelos que cubren
nuevamente sus ojitos de zancudo[4] en la penumbra de la
madrugada tropical; el Monseñor levanta el pergamino de
su suerte y lo enfoca con proyección trasera dejando que la
bombilla de su lamparita de mesa descubra enigmáticas
odaliscas africanas y culebras con piernas de ninfas heléni-
cas grabadas en la superficie del cheque satinado color
madreperla timbrado con el nombre Frau Luberza Oppenheimer en letras de laca negra) y el Monseñor debe saber
que ésta será mi última oferta para comprar el reino de los
cielos (Frau Luberza endereza sus jorobas y abre el abanico de nácar y encaje Chantilly con que traza figuras simé-
tricas al aire que ponen nervioso al Monseñor que quiere
adivinar muecas de desafío de: ¡Tú maldita pecadora
Luberza a ti no hay padrenuestro que te salve del mangle[5]
asqueroso de tu vida? de: ¡Tú Luberza de los mil demonios
del fango ni tu dinero ni tus gangarrias[6] de dama elegante
pueden tapar la peste de tu sudor de azufre negra bando-
lera puta arrabalera a ti no te toca ni el pedazo de cielo pol-
voriento sobre San Antón!) y sepa el Monseñor que todo el
respeto que le ofrece esta sierva devota que si usté no
me lo vende me lo vende Unity que si usté no me lo vende me
lo venden los Defensores de la Fe que si usté no me lo
vende me lo venden los Testigos de Jehová que si usté no
me lo vende me lo venden los Presbiterianos o los Metodistas que si usté no me lo vende me lo venden los Alelu-
yas que si usté no me lo vende salgo de inmediato por esa

[4] *zancudo:* mosquito.
[5] *mangle:* pantano.
[6] *gangarrias:* modos, aspavientos.

puerta y tomo mi limusina y me voy con mi chequera hasta
la Sinagoga (Frau Luberza toma el bastón de marfil con
mango de ónix labrado cuyos enrejillados confusos revelan
un nido de víboras con lenguas viperinas de rubíes, golpea
el piso, se vuelve perpendicular y amenazadora, su risa victoriosa vibra en el silencio sordo de su cara cubierta por un
espeso velo negro que desciende con austeridad germánica
de la pamela de terciopelo prieto arrugando apenas las
volátiles alforzas de la túnica de encaje de Alençon; el
Monseñor inmutable como un buitre de la llanura con
mirada de Inquisición Española examina minuciosamente
el prismático cheque de Frau Luberza, relee las cifras con
estilo de Acto de Contrición y las transforma en palabras
monologadas: ¡Medio millón! dice el Monseñor y se incorpora tan feliz como Moisés al encontrarse los Diez Manda-
mientos en el monte; el bastón sostiene el diminuto cuerpo
de Frau Luberza mientras el Monseñor inclina su cabeza
como si fuera un Atlas de biblioteca y busca el cielo, las
nubes, los querubines blancos en el plafón de la habitación;
Frau Luberza se persigna; el Monseñor dibuja una cruz
gaudiana en el espacio y bendice a Frau Luberza mientras
susurra detrás de una lágrima cristiana y solitaria: ¡Qué
Dios, te lo pague! Frau Luberza le da la espalda, se sueña
ya lavandera de los pies de la Virgen María con esencia de
pachulí, cojea hasta la puerta y arrastra su bastón cortando
una zanja en los maderos del piso de la habitación, antes de
abrir la puerta, Frau Luberza se detiene)... y espero que
perdone el Monseñor que no pueda mandarle a la Eduvi-
ges esta noche pero ya se la tenía prometida al Alcalde, el
Monseñor sabrá apreciar los numerosos favores de la Providencia, una morenita quinceañera que me acaba de llegar desde Ciudad Trujillo. ¡Buen día tenga el Monseñor!

9:53 A.M.
La limusina negra de Frau Luberza se desliza sigilosa
como una canoa por las calles anchas y grises de la ciudad.
El sol la soba tibiamente. Cuando la limusina de Frau
Luberza Oppenheimer pasa por las calles de Ponce va
pisando charcos de la única lluvia que ha caído en tres

meses calurosos y queda salpicada de diminutos arcoiris que Frau Luberza llama meao de magos (cuídame San Judas Tadeo protector de los desvalidos como yo) y piensa que el meao de magos puede que sea o muy bien puede que no sea de buena suerte y por eso es necesario que la limusina vaya con cuidado indiferente a los viejos caserones de madera con balcones que le dan la vuelta o la media vuelta balaustrados en caoba café retinto (la caoba café retinto tiene el mismo aroma del café colado por Mamá María que Dios me la tenga en la Gloria bendícemela Orula que cuando venga tu santo te pondré tremendo altar) o tejidos enrejillados de metal pintados de plata. Las ventanillas de cristal ahumado de la limusina de Frau Luberza no permiten que los que caminan por la calle vean que Frau Luberza, recostada contra los interiores blanco perla de piel y moaré, parece la Viuda Negra de los arácnidos (ese parado frente al Parque de Bombas se parece al difunto Meñón; ese otro sentado en el banco de la plaza se parece al difunto Gastón; ese otro recostado sobre la puerta del Comité Pipiolo[7] se parece al difunto Franciscolo; ese guardia palito se parece al difunto Víctor Virgilio; hoy nadie se me parece al Licenciado) ni tampoco pueden ver que sus quelíceros[8] no son quelíceros sino los alfileres que inmovilizan su sombrero y hacen que Frau Luberza sea más sensitiva a los ruidos de la calle o los ruidos del recuerdo mientras escucha la Messe C-dur op. 86 de Ludwig Van (Beethoven llegaba hasta los recogedores de café desde las madrugadas del caserón de los Oppenheimer donde Mamá María le espantaba las moscas a la señora por el día y por la noche le espantaba el marido a la señora y se acostaba con el señor como su madre se había acostado con el señor de entonces y había espantado moscas con inmensos abanicos de paja) ni mucho menos pueden ver que el tupido velo negro que cubre el rostro de Frau Luberza la protege de una mosca hembra que vuela dentro de la limusina. Entonces la limusina se estaciona en una calle sin salida y

[7] *pipiolo:* el PIP es el Partido Independentista Puertorriqueño.
[8] *quelíceros:* pinzas de arañas.

Frau Luberza se baja de la limusina se arrastra solitaria con su bastón y golpea con la punta de metal la puerta desvencijada de un ranchón de madera leprosa que aún sirve de casa. Alguien observa detrás de las persianas y después abre la puerta y Frau Luberza sube un escalón y entra y la puerta vuele a cerrarse (Anoche tuve un sueño y por eso vengo para que me digas lo que quiere decir todo eso, Esmeralda... mira que por primera vez veo colores en el sueño después de haber estado soñando por más de siete décadas en blanco y negro. Desde que me levanté bien de madrugada me arrodillé frente a mi altar y le fui rezando a todos uno por uno para que no se enojen y después digan que Frau Luberza tiene favoritos... pero nada pudieron decirme. Mira Esmeralda, se me aparecen setenta y dos puercos degollados y yo voy de momento dentro de un carro de bueyes que va por la carretera y cuando llego a donde se supone que estuviera el barrio de San Antón lo que hay es una pista de baile interminable con el piso todo en losetas blancas y losetas negras acabadas de brillar por Mamá María que se va montada en el mismo carro de bueyes y desaparece y yo me quedo sola y quisiera moverme pero no puedo y entonces me doy cuenta que estoy desnuda como Eva y cuando trato de correr por la carretera la carretera se borra y lo único que puede verse de norte a sur y de este a oeste es la pista de baile y entonces va creciendo un ruido de maracas lejanas y de cueros sudados y entonces reconozco que están tocando aquella plena que me tocaban en San Antón y que llamaban la Plena de Luberza pero no me atrevo a bailar desnuda y así como caídos del cielo veo unos tacos de terciopelo negro de aquellos con el roto en el dedo grande y el talón al descubierto con un broche de rhinestones[9] y en el momento en que me acabo de poner los tacos y la plena está encandilá[10] me despierto. ¿Qué quiere decir todo eso Esmeralda? No me digas que hoy los espíritus no se comunican porque te parto el bastón en la palangana... y que me perdone San Cristóbal protector

---

[9] *rhinestones:* (anglicismo); joya de fantasía, imitación.
[10] *encandilá:* cobrando vida, intensidad.

de los caminantes que nadie mejor que él sabe lo que Luberza ha caminado, Esmeralda, cada día se te atrasa más el trance...), y cuando la puerta vuelve a abrirse el sol del cenit achicharra las membranas de Frau Luberza y quema los órganos que segregan la babita arquitectónica de la tela de araña.

2:30 P.M.

Que dice la Calandria que acaban de llegar las muchachas que usted mandó a buscar a San Juan y dice la Calandria que mejor avanza para que les eche un vistazo porque a ella se le hace muy difícil decidirse por ninguna de ellas que una parece que padece de paludismo que y que porque tiene la piel amarillosa pero muy bien podría ser que la hepatitis se la come por dentro porque si usted la viera los ojos como los tiene figúrese que la clara de huevo del ojo la tiene que parece yema de huevo del país y además en una que enganchó las piernas en la banqueta de la barra se le vieron los muslos crucificados por pinchazos de aguja y dice la Calandria que hay otra que se la pasa tosiendo todo el tiempo y que ella cree que mejor la mandamos a la Unidad para que le hagan la prueba de la tuberculina que es mejor precaver que tener que remediar y dice la Calandria que hay una patiflaca larguísima que ya se encariñó con ella y la rebautizó la Vitola porque y que se le parece a aquella cómica feísima que se defendía sola y la Calandria parece que está segura que usted la va a poner a trabajar con nosotras porque dice la Calandria que lo único que le hace falta al Frau Luberza's Dancing Hall es un poquito de humor que si al fin y al cabo nosotras somos como samaritanas que somos como mares donde los hombres ahogan sus penas pues que las ahoguen con humor y dice la Calandria que hasta le está dando vuelta a una idea que aquí entre nosotras fue idea mía y no de la Calandria pero una tiene que callarse porque al fin y al cabo la Calandria es la jefa ahora que usted decidió dedicarse nada más que a los affairs[11] administrativos y yo no estoy de acuerdo con su retiro Frau Luberza porque aunque su nombramiento de la

[11] *affairs:* asuntos.

Calandria como directriz fue muy acertado la Calandria no
le llega a usted ni más arriba del talón lo que se necesita
para administrar un negocio de esta naturaleza es cabeza
de negocios y mucha diplomacia y codearse con gente de
clase de la misma manera que usted se codea Frau Luberza
no todo el mundo puede andarse de bracete con médicos
abogados políticos y jueces de gran envergadura social y
por eso a mí me parece que si la Calandria se decide por
esta idea mía de convertir el Frau Luberza's Dancing Hall
en un cabaret de espectáculos a la medianoche una idea
mía que me parece muy citadina Frau Luberza's Dancing
Hall presenta esta noche solamente a Mr. Pimpo[12] y a
Mr. Eric no veo por qué Ponce no pueda tener lo mismo
que San Juan un show de gran ciudad pues como le iba
diciendo Frau Luberza si la Calandria hace lo que le digo el
Frau Luberza's Dancing Hall seguirá siendo el mismo
negocio de caché ya le pedí a la Calandria que si lo hace
que me deje ser la maestra de ceremonias y la Calandria me
dijo que lo pensaría y le juro que me dieron ganas de tor-
cerle el pescuezo porque la Calandria sabe cómo darse
importancia y mantenerse en su sitio con las empleadas y
por primera vez Frau Luberza me sentí que yo no era parte
del Frau Luberza's Dancing Hall sino que era eso una mera
empleada yo que he dedicado los últimos cinco años de mi
vida al negocio pero por otro lado yo quiero millones a la
Calandria esa puta se da a querer con todo el mundo ayer
nada más fue de compras y me trajo un par de pestañas
postizas que me hacían tanta falta y me  dijo toma Miseria
aquí te traje un regalito para que te des cuenta que yo no
soy tan hija de la gran puta como tú crees y entonces me dio
un beso en cada cachete y se me fue el coraje pero después
me di cuenta cuando estaba sola frente al espejo  que la
Calandria es una manipuladora de las emociones de una
pero una se queda tan indecisa porque la puta es bien orde-
nada y con ella no hay tu tía que valga con las putas impera
el mismo orden militar impuesto por usted Frau Luberza y

---

[12] *Mr. Pimpo:* la palabra inglesa *pimp* significa proxeneta, el
hombre que trafica con  prostitutas.

nadie pierde el tiempo ni el del negocio que prácticamente
son los mismos con pendejadas de gallo bolo[13] hay orden
Frau Luberza y la Calandria sabe cómo resolver los problemas en un abrir y cerrar de ojos menos ahora que la
Calandria dice que vaya para que usted dé la decisión final
sobre las muchachas que usted le encargó a su socio de San
Juan don Fabrizio Mussolini y que ya llegaron y son
catorce y por eso es que a la Calandria se le hace tan difícil
y yo creo que se le está formando tremendo lío en la barra
porque esas catorce son capitalinas o por lo menos se
desenvuelven como las de allá yo diría que las catorce tienen experiencia de trabajo en San Juan que de todas ellas
sólo tres tenían mucha suerte una mujerota preciosa que se
apoda la Mirtelina y se la pasa con los ojos cerrados
tocando dos maracas y meneando suavemente las caderas y
otras dos que parece que son amigas porque se la han
pasado cuchicheando desde que llegaron una es rubia oxi-
genada y viene desde Pinar del Río la otra es una trigueña
con el pelo negro azuloso que la llaman Juana Peña de las
restantes pueden seleccionarse unas cuantas para rellenar
el panorama con sus excentricidades individuales pero
varias de ellas no llenan los requisitos impuestos por usted
Frau Luberza y por eso mejor avanza antes de que el negocio se contamine con material de segunda o de tercera. No
me deja ni tomar la siesta este maldito calor de por la tarde.
Me pueden exprimir como una china. Aunque quieran que
me exprima como una ciruela. ¡Maldita sea! No me dejan
conciliar el sueño de por la tarde. Ya mismo esta jodía loca
me va a tumbar la puerta. No tengo ánimos ni para decirle
que entre. Ya entró como Pedro por su casa con otro
recado de la Calandria. Que dice la Calandria que vaya a
ponerle el sello a los perniles fresquecitos. Estoy mareada.
Mejor cierro los ojos. Acabo de ver visiones o se me nubla
la vista pero me pareció que Mamá María estaba parada al
lado de la cama abanicándome con el abanico de paja.
¡Qué calor insoportable! Si la Miseria se diera cuenta de mi
sofocación y me diera unos pasesitos de Agua Florida. Esta

---

[13] *bolo:* en las Antillas, se llama así al ave sin cola.

loca me lee el pensamiento. No tengo ni que abrir la boca y ya está haciendo lo que quiero. Le tengo cariño a la loca. Ahora me está quitando los zapatos y las medias y me soba las piernas con Agua Florida. Y ahora la Miseria va y prende el abanico de aspas de madera. ¡Qué fresco tan maravilloso! Que la Calandria dice que. Me está quitando este vestido negro que lo único que me quité para acostarme fue el sombrero. Miseria trata de tomar el bastón que siempre llevo a todos lados pero soy mucho más rápida que Miseria y le agarro la mano hasta que Miseria entiende que el bastón se queda conmigo en la cama. Ahora me está frotando el cuerpo con más Agua Florida. Me quita las pantallas[14] de acerina,[15] las pulseras de oro, las sortijas. Abro los ojos y veo que Miseria las guarda en el joyero. Que dice la Calandria que. Finalmente me quita la peluca y me seca el pelo empapado de sudor con una toalla olorosa a jabón Maja. Miseria encuentra un sobre amarillo en la cama y lo guarda en la mesita de noche: ¡otra orden de la Corte Suprema del carajo viejo acusando a Frau Luberza Oppenheimer, conocida según los cabrones como Luberza la Negra, de ser la propietaria de un antro de perdición o casa de lenocinio! Que dice la Calandria que. Me busco el directorio de teléfonos influyentes y llamo al juez que se las buscaba con la Meche o llamo al juez que se las arregla con la Polilla todos los jueves por la tarde y en un dos por tres que ellos abran su librito de teléfonos influyentes y hagan sus llamaditas y armen su buen chanchullo antes de que Frau Luberza se decida a armar el suyo y otra orden de la Corte Suprema que se va por el inodoro. Que dice la Calandria que. Que haga lo que le dé la gana porque el Frau Luberza's Dancing Hall ya se maneja solo. Que dice la Calandria que. Entre la Calandria y la Miseria van a mantener el negocio en pie porque el mes que viene salgo en gira para África a conocer la tierra de mis antepasados, aunque a orgullo lo tengo que soy de San Antón. Que dice la Calandria que. Y antes de marcharme tengo que arreglar

---

[14] *pantallas:* abanicos de mano.
[15] *de acerina:* de cera.

el asunto de las acciones del cemento para que quede claro
que el difunto me dejó esas acciones en su testamento y
ahora se la quieren proteger con lo del buen nombre de la
familia. Y que no me hagan gritar muy alto porque mucho
sabe Frau Luberza y por eso mucho tiene. Que si me da la
gana digo todo lo que me pertenece de la destilería y verán
cómo se le acomodan los mojones en orden alfabético de
abolengos. Si la Miseria me apagara el radio. La Miseria
me apaga el radio y así no escucho más el sufrimiento de la
Mona Marti con su adolorida Mamá Dolores; esa mona no
sabe el palo que trepa. Que la Calandria dice que avance
para que dé la decisión final de las muchachas acabadas de
llegar de San Juan. Miseria ayuda a incorporarme. Me
maquilla el rostro sin dejar de hablar un momento. Me reju-
venece y hace que los setenta y dos años de Frau Luberza
parezcan los cuarenta y cinco años de una mujer madura
por la experiencia de la vida. Miseria me pone la peluca de
cabellos ondulados. Miseria me peina. Miseria me pone la
batola negra de chiffón y satín. Miseria me calza con las
sandalias de taco con la mona de peluche. Miseria me para
y aprueba que ya me parezco a Frau Luberza. Miseria abre
la puerta y pienso que le tengo cariño a la loca, que casi es
una hija para mí, que todas sus paterías[16] sofisticadas son
maquinaciones de mujer, que a lo mejor esa loca debiera
tener un pedacito de mi herencia.

6:43 P.M.
   Cielo azul gris plomo. Luna llena. Harapos nebulosos
sobre la luna. Olor a lluvia pero no ha llovido. Ciudad de
polvo. Cielo del horizonte no es azul gris plomo. Es rosa. Con
violeta y fuccia. Con anaranjado y magenta. Con un poquito
de azul turquesa pálido. La perra sarnosa cabizbaja camina
sobre la verja de bloques de cemento. Se sienta y el rabo
pelado valsea el viento. Grita porque se le murió el perro. Se
lo encontraron muerto en la carretera. Tres días muerto.
Inflado. La perra vio cuando explotó. Grita desesperada.

---

[16] *paterías:* patería es una adulación o halago interesado que se
hace a alguien; "hacer la pelotilla".

Desde la habitación de Frau Luberza se oye el grito de la
perra. Lo oye la cama de pilares de caoba que Frau Luberza
compró con todos los muebles de la casa a la viuda del
difunto Ambrosio cuando la viuda los puso en pública
subasta y la viuda lo juró frente a la estatua de yeso de la Virgen de la Caridad del Cobre que no se moriría hasta que
primero la viera muerta a Frau Luberza: pero Frau
Luberza estaba protegida por el sandunguero de Ochún[17] y
le ofrecía ron, miel de abeja y guineos[18] rompeculo. La
perra sarnosa grita con histerismo de cantante de ópera.
Desde la habitación de Frau Luberza se oye el grito de la
perra. Lo oye el escritorio de palo de rosa que le trajo Sig-
frido Alfredo, que en paz descanse, desde *Vienna,* después
de haberse negado a regresar a los brazos de Frau Luberza
y haberse casado en Venezuela, después de haber llevado
prendidos sobre el corazón los escapularios de Santa Bárbara: pero Frau Luberza se vistió de rojo por todo un mes
y le rezó en ñáñigo[19] a Changó[20] le sacrificó siete gallos de
pelea y le ofreció manzanas y maíz y todas las botellas que
Changó quería de Marqués de Riscal. La sarnosa llora
como lloran las amantes. Desde la habitación de Frau
Luberza se oye el aullido de la perra. Lo oye el sombrero pra
prá, que es lo único que Frau Luberza conserva del americano Lowell con el que se casó un miércoles de ceniza después que el americano la vio bailar la Plena de Luberza en el
barrio de San Antón, antes de que Luberza llorara lágrimas de sangre porque el americano la abandonó y lo único
que le dejó fue el sombrero pra prá sobre la almohada,
antes de que Luberza conociera al Licenciado de San Juan,

---

[17] *Ochún:* variante de *Oshún;* divinidad yoruba. Es una de las
deidades de la religión *santería.* Es la diosa del amor, la sexualidad
y la belleza. Se le invoca en cuestiones de amor.

[18] *guineos:* plátanos.

[19] *ñañigo:* código de esa secta. Originalmente, ñáñigo es una persona afiliada a la sociedad secreta formada por los negros en Cuba.

[20] *Changó:* variante de *Shangó;* deidad africana invocada en las
religiones santeras. Es el dios de los truenos. Las tormentas y rayos
de Changó traen purificación.

quien perdido en la llamarada de los encantos de Luberza
le prestó el dinero para que abriera su primer bar, antes de
que el negocio llamado Mrs. Lowell's Place fuera incen-
diado por un competidor celoso la madrugada del día de la
Virgen de la Merced: pero Frau Luberza colgó la bandera
blanca de la paz en las cenizas humeantes, batió cien claras
de huevos del país, guayó[21] cincuenta cocos secos, y le construyó un altar de merengue y dulce de coco a Obatalá, y al
poco tiempo Frau Luberza inauguró el Mrs. Lowell's Cave
el mismo día que cortaron a Elena. La perra sarnosa aúlla
como una mujer que ha perdido su hijo. Desde la habitación de Frau Luberza se oye el lamento madre de la perra.
Lo oye el retrato de Joselino Luberza donde se descubre la
misma sonrisa triste de Frau Luberza, los mismos ojos
dando volteretas atormentadas y románticas, donde Joselino Luberza recostado sobre una tela metálica que se la
hace pasar por verja de pencas de palma tiene las manos en
los bolsillos del pantalón que le baila y parece que dice las
ganas que tengo de largarme de todo esto si pudiera mandar el oficio de albañil al carajo si pudiera si pudiera si
pudiera a mí no me salva ni el Niño de Praga: pero a Frau
Luberza la salva de vez en cuando Eleguá[22] y le pone ron a
Eleguá, y si tiene pesadillas feas y piensa que le echaron
maldeojo y se pone vengativa le pone ron a Eleguá que
es macho y la comprende. La perra sarnosa está a punto
de desgarrarse con su propio grito. Desde la habitación de
Frau Luberza se oye el suicidio de la perra sarnosa. Lo oye
el libro forrado en cuero de padrote,[23] grabado a mano con
una aguja de fuego está escrito en la portada el nombre

[21] *guayó*: de *guayar*, rallar.
[22] *Eleguá*: variante de *Elegguá*, una de las divinidades principales
de la tradición Yoruba. En el contexto afrocaribeño se asocia a la
religión *santería*, la cual cuenta con siete *orishas* o dioses: Elegguá,
Obatala, Oloddumare, Oshún, Oya, Yemalla, Shangó. Elegguá es el
dios de los caminos. Su invocación ayuda a sanar a una persona; además actúa como mensajero entre los hombres y los demás *orishas*.
Para los *santeros,* Elegguá protege la casa de peligros.
[23] *padrote*: caballo semental.

Frau Luberza, por el primer hombre que la llamó Frau
Luberza un día que caminaba uniformada y triste por los
pasillos húmedos del Colegio de las Madres de Ponce y
soñaba con llamarse sor Luberza: en ese libro está la vida
de Luberza Oppenheimer reunida en ratos cortos, en minutos fugaces, en nombres que han robado las caras de sus
dueños y se pasean campantes por el libro donde nunca se
nombra el nombre del hombre que le regaló el libro, que
fue el mismo que le tatuó el muslo con Frau Luberza un día
colegial a la hora del recreo y Luberza se creyó que el
amor. Ése es el libro donde Frau Luberza se escribe todos
los días de Dios cuando han pasado las seis y media de la
tarde.

9:19 P.M.

Puede que el embarque de Taiwan sea de mejor calidad
y  mucho más te creo a ti que nunca le has jugado sucio a
Frau Luberza porque tú sabes mejor que tenderle una
trampa a Frau Luberza pero a mí no me interesa el embarque de Taiwan a menos que sea con el precio del embarque
de Bolivia según habíamos acordado por lo cual si tienes un
embarque de Taiwan esperando en el aeropuerto y ahora
no te atreves a dar la cara y pretendes que Frau Luberza no
sólo te compre un embarque del cual no tenía noticia
alguna a un precio del que tampoco tenía noticia alguna
sino que te facilite el recibo del embarque de Taiwan y que
porque yo y que tengo contactos con la aduana y puede
que sea cierto como puede que no lo sea pero eso no es
lo que importa lo que importa es que tú te crees que estás
bregando con una vieja chocha que no sabe lo que tiene
entre las aletas y ahí te equivocas porque Frau Luberza es
veterana entre las lobas con colmillos de vampiro y tendría
que ser tremenda pendeja para comprarte un cargamento
al precio que tú demandas y que te lo tenga esta noche de
madrugada en dinero contante y sonante y tienes que ser
morón para pensar que Frau Luberza anda con tanto *cash*[24]
en la bolsa... pero es que tú no entiendes que lo que ocurre

---

[24]  *cash:* dinero en efectivo, al contado.

además es que no voy a pagar el precio que tú pides aunque esté pura y aunque tú y yo sepamos que puedo salir del cargamento en dos semanas... no me da la gana de que te salgas con la tuya y mándame a los matones cuando tú quieras que se necesita tener mucho cojón para atreverse con Frau Luberza Oppenheimer... que ni tú ni ese gobierno de pacotilla pueden con Frau Luberza que si me hubiese dado la gana hubiese sido hasta senadora y hubiese exterminado a los matones pila de mierda como tú pero no tengo que ser senadora sino leona de rabo a cabo para enseñarte que ningún macho es más macho que Frau Luberza... no hay perdón que valga con Frau Luberza el que la caga la paga... ya no me interesa el cargamento ni aunque le bajes otro cuarto al precio... claro que yo conozco la calidad del material de Taiwan pero a mí la calidad no me importa tanto como el precio de adquisición y si el material de Bolivia también es bueno y además es barato pues mejor el de Bolivia que el de Taiwan... yo estoy segura que lo que dices es cierto y que los compradores preferirán el de Taiwan al de Bolivia y el que tiene muchas ganas paga hasta los precios del de Taiwan pero como yo no soy quien me la meto y sí quien la vendo yo prefiero el de Bolivia aunque a ti el de Taiwan te hiciera ver las cosas que siempre habías querido ver en tu vida y el de Bolivia te dejara como si cheque... lo tuyo es comunismo chico me estás ofreciendo mercancía que no me interesa y sigues machaca que machaca sobre el asunto de que la de Taiwan es pura y la de Bolivia la cortaron esos indios tramposos que después que le enseñamos el negocio se quieren quedar con todas las ganancias... puedes venir esta noche cuando quieras que todavía no caes en la lista negra del Frau Luberza's Dancing Hall... no si no es para que te ofendas que por aquí todas sabemos que eres blanco lo de la lista negra lo decía por si te da por armar un lío en el negocio de Frau Luberza o si te da por violar alguna de las reglas de Frau Luberza o si sigues siendo tan testarudo que te crees que vas a venir esta noche para convencerme del asunto de Taiwan o si piensas que se puede chantajear a Frau Luberza que se puede amedrentar a Frau Luberza que todavía no ha

nacido un gallo de pelea en esta tierra de machos aguajeros[25] que pueda enterrarle las espuelas a Frau Luberza. (No
sabe si lo de la llamada telefónica fue primero que lo de la
pesadilla o si lo de la pesadilla fue primero que lo de la llamada telefónica. Colgó el receptor blanco del teléfono y se
quedó como sumida en un sopor de insecto entre los almohadones de plumas de ganso y entonces soñó de nuevo con
el barrio de San Antón:

> En el barrio de San Antón
> el mismo día que nació este son
> nació la negra más orgullosa
> Luberza llaman por vanidosa
> a la más hermosa de San Antón.

...no sabe si soñó lo de los violines antes de la llamada o
después de la llamada, violines blancos y un violoncelo
negro que rasgaban la Plena de Luberza mientras Luberza
como llevada por el viento era conducida por setenta y dos
arlequines con trajes de líneas negras sobre fondo blanco o
serían líneas blancas sobre fondo negro hasta el barrio de
San Antón que estaba allí donde siempre había estado pero
cuyas casas y calles ahora eran pulidas superficies de espejos que multiplicaban las zapatillas negras de ballet con las
que Frau Luberza inspiraba increíbles jetées[26] y todavía en
el aire oía los tambores y cornetas del Circo de los Hermanos Marcos que venía a buscar a Luberza para que volara
el trapecio rnientras Luberza caía sobre el barrio de los
espejos y descubría que detrás estaba el infierno. Entonces
la despertó el timbre blanco del teléfono.

11:50 P.M.
Paso por los pasillos por los que siempre paso. Distante se
escucha la música. Distante está la risa de los clientes y los
silencios de las muchachas: distante están las palabras rojas
de las muchachas y los ronquidos sordos de los clientes.

---

[25] *aguajeros:* fanfarrones.
[26] *jetées:* pasos de ballet.

Cada una tiene su precio. Cada una sabe lo que vale. La Polilla es de $35. La Cocolía de $15. La Dominicana de $25. India de $45. La Pitusa de $10 porque a la Pitusa juzgo que de puta le quedan cinco años y eso es estirando el tiempo porque alguno que otro parroquiano ha protestado ya el precio de la Pitusa y ahorita mismo la puta será de $5; peor para la Pitusa que para hacer lo que hace ahora tendrá que trabajar el doble de clientes y peor aún porque de a $5 lo que se lleva es la mierda de los hombres. La Meche vale $60 con los amigos y $90 con los primerizos pero la Meche es clase *premium*[27] el mejor ejemplo de su oficio; si me lo preguntan las muchachas que se ven un poco perdidas porque todavía no agarran pie como el maví[28] yo les digo que imiten a la Meche que calidad como la suya vienen de mil en ciento y que esa puta está bien parada con clientes para la vejez. La Calandria también: mucha clase: la crica[29] de acero: el cuerpo firme: una artista de la vida: $90 cuando quiera. Pero la Calandria ya no los necesita desde que administra el Frau Luberza's Dancing Hall. Retiro a los 38 años requete bien conservados. Ahora el camino a seguir es cultivando amigos influyentes. Hombres de negocio que no han tenido tiempo para distrutar los placeres de la vida. Esposos dedicados a la santa madre de sus hijos que es frígida y no quiere darle lo que podría encontrar en una mujer como la Calandria. Después que se vaya puliendo con la experiencia del trabajo entonces la dejo que se encargue también de los cuartitos. (Todo lo piensa Frau Luberza. Pasa por los pasillos por donde siempre pasa Frau Luberza. Arrastra el bastón Frau Luberza. Camina tortugosa Frau Luberza. Primero cuenta los cuartitos Frau Luberza. Cuenta veinte cuartitos Frau Luberza. Como barracas de soldados:

---

[27] *premium:* del inglés; usado como adjetivo, significa de primera, de calidad excepcional.

[28] *todavía no agarran pie como el maví:* que todavía no fermenta. *Maví* es variante de *mabí*, árbol cuya corteza de sabor amargo sirve para preparar la bebida de este nombre. *Agarrar pie* es fermentar.

[29] *crica:* vulgarismo; sexo de la mujer.

piensa Frau Luberza. La noche es buena con 20 cuartitos...
ocupados a la vez y veinte muchachas cuyo aliento corre
aprisa y veinte hombres a los que no se les para el alma
piensa Frau Luberza mientras pega el oído sobre una de las
veinte puertas del negocio de Frau Luberza.) Ésa es la respiración de Mirtelina jadeando mientras le maman las tetas
grandes de la Mirtelina y ella como si fuera una vaca orde-
ñada con las ubres gordas y carnosas gime y muge y entie-
rra las patas en el lodo muge muge muge y resopla y se
le pone la chocha[30] lapachosa.[31] (Todo lo siente Frau Luberza. Pasa por los pasillos por donde siempre pasa Frau
Luberza. Es casi la medianoche de Frau Luberza. Noche
que pasa como pasa Frau Luberza. Se viste con el cuerpo
de la Mirtelina Frau Luberza. Se desviste de la Mirteline
Frau Luberza. Por eso siente Frau Luberza. La Mirtelina es
buena para el negocio de Frau Luberza. Y pega el oído
sobre la puerta de la cubana de Pinar del Río y todo lo
siente Frau Luberza.) La Cubana está abriendo las patas y
tiene el bollo[32] grande con los pendejos rojizos pero la
Cubana ni se inmuta mientras siente la lengua roto adentro
hurgando los pellejos violáceos y se viene la Cubana y
vuelve a venirse la Cubana y siente golpes en el clítoris y en
las caderas y en la barriga y en las costillas y en las tetas
puntiagudas y en los pezones duros por el mordisco doloroso y entonces se babea la Cubana y vuelve a venirse en
los dedos de uñas recortadas que la penetran. (Todo lo
siente Frau Luberza. Pasa por los pasillos por donde siempre pasa Frau Luberza. El corazón le late como órgano de
iglesia a Frau Luberza. No aprueba los métodos de la
de Pinar del Río Frau Luberza. Se endurece Frau Luberza.
Se reseca Frau Luberza. Quiere romper la puerta con su
bastón Frau Luberza y quiere meterle el bastón en enema
a la de Pinar del Río y quiere sacarle sangre Frau Luberza.
Recapacita Frau Luberza. Se arrastra Frau Luberza. Pasa por
los pasillos perdidos Frau Luberza. Pisa por las pisadas

---

[30] *chocha:* vulgarismo; sexo de la mujer
[31] *lapachosa:* mojada.
[32] *bollo:* vulgarismo; sexo de la mujer.

pecaminosas Frau Luberza. La Mariamagdalena era una
santa piensa Frau Luberza. Pasea por las paredes sus ojos
Frau Luberza. Se apresura Frau Luberza. Posa el oído
sobre la puerta de la Providencia Frau Luberza. Todo lo
sabe Frau Luberza.) Ahora se pone boca bajo la Providencia haciendo lo que le dije que si le duele demasiado
por el frente que se vire de espaldas que al fin y al cabo
eso le gusta a la mayoría de los hombres. Se arrodilla en el
colchón con los brazos reposando en el espaldar de la
cama de lata y lo siente entrando mojadito resbaloso
entrando sin que se acabe largo como la esperanza de un
pobre y lo siente duro como la goma volviéndose más
duro adentro mientras se le van estirando los pellejos del
culo. Siente que se asfixia y retrocede pero no se le sale
por completo y entra y sale y entra y sale y le falta el aire y
por eso los gritillos sofocados de la Providencia que tiene
que aprender de alguna manera a pagarme con horas
de trabajo todo lo que he hecho por ella. Que de alguna
forma me tiene que devolver el techo que le he dado. La
ropa y la comida. Aunque no puedo pagarle por ser menor
de edad. Y hasta la mando a la escuela pública. (Todo lo
teme Frau Luberza. Oye un ruido en el cuartito de la Providencia Frau Luberza. Retrocede Frau Luberza. Se
queda parada en la sombra Frau Luberza. Ve cuando
se abre la puerta de la Providencia y sale el hombre y
espera mirando el reloj colgado en la pared que pasen los
diez minutos de receso de la Providencia y aguarda que la
Miseria mande pronto el próximo cliente de la Providencia porque si no va y lo busca ella misma como que su
nombre es Frau Luberza. Pasa por los pasillos que siempre pasa Frau Luberza. Lleva una capa sobre los hombros para que me proteja del sereno cuando llegue el sereno
piensa Frau Luberza. Todo lo teme Frau Luberza.) Las
veinte palanganas las voy a donar al Museo de Ponce
cuando me muera. Distante está mi risa. Paso por los pasillos por los que siempre paso. La una en punto y sereno.
Piso los pasillos que siempre piso. Para ser puta sólo se
necesita un cuartito, una cama, un jarro de agua y una
palangana de porcelana.

1:59 A.M.

Perdona nuestras deudas así como nosotros perdonamos a nuestros deudores que no quiero soñar que yo no quiero que no quiero soñar que yo me muero que no quiero saber cómo me muero yo no quiero morir yo no quiero soñar ni soñarme que me muero que la noche tiene gracias luminosas que lo sé que me voy a morir dentro de poco que lo sé como era en un principio y siempre por los siglos que me voy a morir que me quedan segundos de vida que hay cuatro hombres con la sombra blanca que han surgido en la noche calurosa y murmuran entre ellos el nombre de Luberza uno la llama Luberza uno la llama Frau Luberza uno la llama Luberza Oppenheimer uno la llama Luberza la Negra uno le dice al otro y el otro sonríe pero nadie los ve porque se quedan siempre en la oscuridad uno le dice al otro síguueme y así se van siguiendo uno a otro hasta llegar a cuatro porque son cuatro hombres cuya sombra es blanca y eso es todo lo que puede verse de ellos la sombra de cada hombre es ese hombre y como son cuatro sombras son cuatro hombres uno le dice dame la cuchilla y el otro se la da yo pecador me confieso a Dios Todopoderoso y con la cuchilla la mete por la cerradura de la puerta y no pregunta ya y el otro dice sí oh Dios mío con todo mi corazón me pesa haberte ofendido aborrezco todos mis pecados por el miedo de perder el cielo y merecer el infierno me voy quemando en el fuego eterno que yo sé que me muero que me quedan fragmentos de respiración que ya se escucha poco a poco la muerte cuyo sonido lo culebrea el viento que caen las paredes que voy volando que los hombres parecen como hechos de humo machos de polvo machos grises como la víspera de la muerte machos transparentes como asesinos de bruma que uno camina contra las paredes que para mí cayeron y los otros le siguen y van dejando pisadas de luz en las cenizas nuestras más nuestras sin yoses blandos uno le pisa los talones al otro y al otro y al otro y uno se ha quedado sin los talones pisados y sacan las armas hermosas que tratan de sentir el humo de las manos cada pistola tiene dos balas hermosas uno introduce el índice en el ojal del gatillo y los otros también uno pregunta dormirá

y el otro le dice qué importa uno pregunta a quién le toca y
el otro le dice a todos Ave María Purísima sin pecado concebida que no quiero morirme todavía y por ahí viene la
muerte que la siento que son cuatro machos de humo que
se van acercando con la muerte inevitable a la vuelta de la
esquina en este momento todo se resuelve o nada ocurrió
la sensación de haberme preparado para ella que acechante
me busca con sus cuatro disfraces de humaredas todos mis
caminos conducen hasta ella tienen cuatro antifaces y uno
le dice abre la puerta y el otro le responde aguarda uno le
dice todos a la vez y el otro le contesta uno detrás de otro
han venido a matarme cuatro machos de humo aguardan
por matarme ellos van tiñendo de neblina la víspera de la
muerte de un momento a otro uno patea la puerta y entra
apunta la pistola dispara mi corazón palpita el hombro
derecho el otro apunta la pistola dispara rompe tres costillas el otro apunta dispara inunda de sangre la garganta el
otro apunta dispara vacía los pulmones me quedo sin aire
uno dispara remata el corazón espera otro dispara desgarra
la barriga soy cada coágulo ahumado otro dispara tritura el
seno derecho espera otro dispara rompiendo las heridas
que aún tenían vida y los cuatro machos grises de la víspera
de la muerte vuelven a caminar bajo la noche calurosa
abrazados en el humo besándose en la niebla.

## MYRIAM BUSTOS ARRATIA
(Santiago, Chile, 1933)

L A obra literaria de Myriam Bustos Arratia ha sido distinguida con premios en Chile, Venezuela, Guatemala y Costa
Rica. A fines de los años setenta aparecen sus primeras
publicaciones, dedicadas principalmente al cuento, género
en el que su narrativa es sobresaliente. Las colecciones *Del
Mapocho y del Virilla* (1981) y *Reiterándome* (1988) figuran
entre los libros destacados del cuento hispanoamericano de
esa década. La escritura de Myriam Bustos propone el
encantamiento de la inmersión metafórica, un recorrido en
las operaciones mutantes del signo lingüístico, desde donde
cobra verdadero sentido el encuentro con el arte. La escritura es visitación del magma significacional del lenguaje y
seducción de la imagen, uno de los tantos aspectos del
cuento seleccionado, perteneciente al libro *Reiterándome*.

"Metáflora" juega con el exceso barroco de universos florales y de semánticas metafóricas, movimiento voluptuoso de
erotismos, nutridos por un espacio excesivo de colores, tona-
lidades, aromas, contornos, exotismos, fusión de formas y
deleites nocturnos. Es el modo sensual en que la naturaleza
y el hombre pueden converger en un solo reino, en una tex-
tualidad de integraciones así como en una pintura de límites
imprecisos, trazada por una escritura fascinante y el magnífico
conocimiento del arte del cuento de Myriam Bustos Arratia.

Myriam Bustos Arratia cursó sus estudios universitarios
en Chile y en España. Actualmente vive en Costa Rica,
país del que se hizo ciudadana y en el que ejerce la docencia universitaria.

196

# METÁFLORA

D E S D E  su niñez el hombre se sintió profundamente
atraído por ellas. Cuando pequeño, las merodeaba en las
páginas con ilustraciones de las revistas; y cada vez que le
era posible sustraerse al ojo y al regaño de los adultos,
hacía recortes de sus imágenes impresas y las escondía
entre otras alhajas por las que sus padres y hermanos carecían de interés. Cuando hallábase en soledad, las introdu-
cía entre los folios de sus textos escolares y se encerraba en
el cuarto de baño a contemplarlas. O se iba al fondo del jardín penumbroso y, subrepticio entre los árboles, las exami-
naba con circunloquios, una por una, redundante y en
todos sus pormenores reservados.

Cada vez que una nueva figura iba a sumarse a las que ate-
soraba, el hecho le ofrecía excusas para pasarles revista a
todas nuevamente. Rosas, violetas, azucenas, lilas, dalias,
chinas hallábanse ya en su colección a los ocho años tarta-
mudos e inquietos, sensitivos y fisgones. De todas estaturas
y en diferentes ediciones. Las predilectas eran las de colores,
por cierto, pero no siempre lograba conseguirlas. A falta de
ellas, cualquier imagen en blanco y negro, o en sepia y
blanco, o en magenta, sustraída de alguna publicación perió-
dica era, al menos, una posibilidad de examinar y admirar
otra versión del polícromo e inagotable tema petálico.

Cuando descubrió que muchas tarjetas postales reproducían guarias, pastoras[1] y hasta la flor del cafeto, empezó a
destinar a su adquisición el dinero que le entregaban sus

---

[1] *pastoras:* planta de la *Pascua* o *Navidad,* de flor vistosa y alegre.

padres. Entonces pensó que el sitio adecuado para mantenerlas preciosas y brillantes era un álbum, y se dio a la tarea de reunir plata para comprar uno grande, con muchas páginas, y fino. Al poco tiempo pudo adquirirlo. Con indisimulable alegría y emoción casi dolorosa, comenzó a colocarlas allí hasta que lo completó. Mas no le gustaba tener que someterse siempre al ordenamiento que les había asignado, cada vez que mirábalas de nuevo. Además, acomodadas las postales en uno de esos libros, las otras, las que eran de papel delgado, opaco, de diferentes calidades y de tamaños y aspectos distintos, desmerecían. Se le antojaba que destinarles un buen sitio a unas y mantener las restantes en mala forma, era discriminar injustamente (*apartheid* vegetal, descubrió, en rememoraciones de la adolescencia). Tal sensación lo mortificaba y le traía con insistencia el recuerdo de los angustiosos remordimientos experimentados en los albores de su vida, cuando olvidaba en el patio los juguetes de menos valor y la lluvia los arruinaba, mientras los otros, los de fina calidad —el tren eléctrico con veinticuatro estaciones esparcidas entre montañas, volcanes, lagos y espesuras selváticas, por ejemplo, eran cuidadosamente devueltos a sus cajas por él mismo antes de irse a la cama.

Por otra parte, resultábale muy placentero darles a sus flores una forma de organización que pudiese variarse según el impulso del ánima. Le gustaba proponerse, en algunas ocasiones, dedicarse con exclusividad a las rosas. O sólo a las guarias. O nada más que a las pastoras. O únicamente a las violetas. O bien, de manera excluyente, a las flores rosadas, de cualquier género, especie, familia, orden, clase, tribu, subtribu, división o reino al que pertenecieran. O en forma estricta, a las de color lila. O a las blancas, eliminando todo otro color. En fin, esos criterios electivos —e incluso taxonómicos— le impedían obedecerlos, si algunos de los grabados se hallaban prisioneros y fijos en un álbum. Los sacó todos de allí, por lo tanto, y así pudo permitirse el gozo de esparcirlos en una mesa, o sobre su cama, en fila, una vez escogido el "punto de vista" de turno.

—Hoy les corresponde su exhibición a las de color anaranjado —se ordenaba—. Y entonces iba buscando entre

cuantas tenían esa característica y las alineaba en el sitio
escogido esa vez para erigir la "galería". Ciertos estados de
ánimo lo compelían a abandonar toda práctica de horizon-
talidad o verticalidad en la disposición. Por lo tanto,
armaba un *collage* que le hacía posible montar escenas en
que tomaban parte flores pertenecientes a grabados distintos. La azucena abrazaba a la rosa. La guaria cogía de la mano
a una clavelina delgada y sumisa. Distintas florecillas de
cafeto hacían ronda para aplaudir a un par de petunias
que danzaban. O a dos orquídeas que se entregaban a dulces abrazos caulinares.[2] O a una fogosa Bryonia dioica que
intentaba aprisionar a una delicada e indefensa gardenia
con sus delgados pero poderosos zarcillos. O a un malévolo
e intruso Phallus impudicus —colado en la colección con
quién sabe qué propósito desconocido hasta del dueño—
que se solazaba hostigando con su vergonzosa testa enre-
jada a una fina Gliricidia sepium. En un ángulo de la expo-
sición, un enhiesto y discordante Arum italicum, ocultando
ante las demás plantas golosas su potente espádice en la
protectora bráctea amarillenta que lo envolvía, efectuaba
toda clase de ladinos vaivenes para aproximarse a una tentadora y distraída retama limonada y ahíta de amarillo.

A veces se autoerigía señor de un jardín botánico de lujo.
En otras ocasiones, era el orgulloso y culto dueño de un
museo floral.

Como buen individuo que escogió una afición responsablemente, se dio a la tarea de conocer de manera científica
a los objetos de su amor e interés, sobre los que deseaba
hallarse tan enterado como el más entendido de los expertos. Pues se sabe que casi la totalidad de lo cognoscible se
halla registrado en los libros, a la compra de los que pudieran hacerlo sabio en botánica y floricultura destinó, ya adolescente ojeroso y estilizado, cuanto pecunio llegaba a sus
manos, que no era escaso, dada la holgadísima situación
económica de sus progenitores.

En este período de su vida, ya no prestaba atención a las

---

[2] *caulinares:* de *caulinario;* órgano vegetal que nace en el tallo o
se inserta en él.

ilustraciones florales aparecidas en revistas comunes. La grosera calidad del papel y de la impresión le parecía factor que restaba belleza al contenido e inhibía los efectos de la contemplación. Ya había eliminado, entonces, los recortes que fueron tesoro en su edad infantil, por otra parte absolutamente gastados y borrosos por el fisgoneo visual y dactilar. Como tenía el dinero necesario, prefería menoscabar en número las piezas de su polícroma y abigarrada colección, a cambio de mejorar la calidad. Se suscribió secretamente a unas publicaciones periódicas extranjeras que presentaban la ventaja del lustre y grosor de las satinadas hojas, además de que en ellas las protagonistas de sus sueños aparecían en escenarios adecuados, vistosos y atractivos, insólitos por lo general, valorizados doblemente sus ya incitantes detalles naturales por la iluminación certera e intencionada, por el *close up* impactante, por el enfoque atrevido, muchas veces representando escenas audaces; o tiernas, como las que él les había inventado a las de sus años primeros. Esperaba con expectación el día en que debía llegarle la revista que se editaba en uno de los países escandinavos.

Aunque su pasión floral era un hecho principalísimo en su vida, no quiso —precisamente para que pudiera continuar siendo una pasión y no se extinguiera nunca— dedicarse de manera profesional a su ejercicio. Es decir, se negó a ganarse el sustento con ella, a ser botánico asalariado, floricultor o dueño de una floristería en donde —¡qué congoja!— tuviera que aprisionar a esas delicadas preseas en canastillos o ramos que dañaran sus frágiles cuerpos y los troncharan. Así, cuando terminó sus estudios de bachillerato, optó por afanarse en negocios productivos y destinó el tiempo libre a la recreación de aprender más sobre flores, y a visitar sitios privados en que éstas se mostraban en todas sus variedades, esplendidez e intimidad.

El hombre había vivido siempre en grandes y lujosas residencias con terrazas que su madre —amiga obsesiva del color verde— cubría con toda suerte de plantas áfloras. Hojas pinnatinervias, palmatinervias, paralelinervias, rectinervias,

curvinervias emergían con lujurioso lustre de las jardineras
en que estaban plantadas las matas; hojas que se insertaban
de maneras distintas en el tallo: en rosetas, tetrásticas, esparcidas, imbricadas, verticiladas, decusadas, connatas; hojas
modificadas, en algunos casos, en forma de zarcillos, de brácteas, de estípulas, de filodios, de ascidios; hojas de limbo
pinnatipartido, pinnatisecto, palmatipartido, palmatisecto,
trifoliado, compuesto paripinnado o imparapinnado; hojas
con borde liso, aserrado, festoneado, lobulado, partido;
hojas con el extremo del limbo acuminado, apiculado,
mucronado, emarginado; hojas redon-deadas, ovales, oblon-
gas, espatuladas, reniformes, lanceoladas, aciculares. Hojas,
hojas y más hojas. El hombre se sentía enfermo entre
aluviones de verde que se erguían al través de las matas
colgadas o trepadoras de los muros, o reptantes por el suelo.
Ansiaba, por sobre todo, colores, morfologías bellas, exó-
ticas y múltiples que pudieran interceptar el follaje y
animarlo de luz y texturas distintas; de corolas gametopé-
talas, dialipétalas, gibosas, infundibulares, liguladas, papi-
lionadas, personadas, rotáceas, espolonadas; de periantios
campanulados, urseolados, subglobosos, encapuchados,
espolonados, bilabiados, cruciformes, tubulares, unguicula-
dos; de estambres haplostemonos, didelfos, monodelfos,
petalostemonos, polidelfos, singenésicos, antipétalos, anti-
sépalos, criptánteros, diplostemonos, epipétalos, exertos,
didinamos, fasciculados; de pistilos formados por uno o por
varios carpelos. Deseaba, en fin, flores amórficas, haplo-
morfas, actinomórficas, pleomórficas, estereomórficas,
zigomórficas, hipóginas. Flores, por último, conglomera-
das, incorporadas en inflorescencias racimosas y cimosas,
con cimas escorpioides, helicoides.

Lo extraño era, sin embargo, que el hombre nunca
hubiera querido decorar sus habitaciones nocturnas —ya
entrado en la edad adulta— con alguna flor verdadera, que
habría dado satisfacción a su sensualidad visual y embellecido el ambiente, además de traer regocijo a otros sentidos
y a su corazón delicado. La verdad era que él, cuando se
hallaba junto a una pizpireta camelia, una tintineante cam-
pánula o una erguida y presuntuosa cala verdaderas, se

sentía siempre defraudado. Y hasta incómodo. Todas carecían, en versión natural, del brillo, la perfección y la docilidad que las caracterizaban en las imágenes que las reproducían de manera plana. Además, el hombre era alérgico, de modo que los perfumes desprendidos por estas bellezas, ciertos jugos ingratos que secretaban y algunas pátinas de fino polvo que se adherían a sus pétalos, estambres y pistilos, le resultaban molestísimos y hasta repulsivos. Lo ponían enfermo, casi siempre. Había descubierto, además, que, por lo general, tras el exterior espléndido que mostraban, había un trasfondo repugnante que poníase en evidencia demasiado pronto: tras veinticuatro o cuarenta y ocho horas de estar sumergidas en la liquidez de una delicada ánfora, se marchitaban, hedían y exhibíanse en toda su miseria mustia y putrefacta. De modo, pues, que tales personitas, tan amables a la vista si de gracia y belleza están dotadas, resultan mil veces mejores reproducidas, nada más, fijadas en papel satinado y policromo que muestre tan sólo su magnífica morfología; su gracilidad de posturas; sus abigarrados tonos, matices, tintas, visos y gradaciones; sus iridiscencias; sus palpables, acariciables superficies ora frágiles, ora firmes, ora alfombradas, sedosas, apisonadas. Sí, todo eso y no el basto material de que están construidos los cuerpos físicos perecibles.

Ni una sola flor natural hubo, en consecuencia, nunca, en el cuarto de las noches del hombre que guardaba engavetadas revistas y reproducciones fotográficas de los ejemplares más bellos y complacientes de las necesidades vitales de ciudadanos estetas, alérgicos y perfeccionistas.

Claro que el hombre —como cualquiera de sus congéneres— no estaba libre de tentaciones ni de caídas. Sucedió, entonces, que un día en que paseaba por un camino próximo a la casa de un amigo en la que disfrutaba de unos días de holganza, se encontró frente a frente con una pequeña finca que era un minúsculo paraíso de flores nyctagináceas. Las había por miles, y el hombre penetró allí levantando unas tablas que impedían la entrada a extraños, subyugado por la hermosura del lugar, inconcebiblemente bello y único, dado que se trataba —hecho sorprendente— de una sola mata que se extendía y se extendía cubriéndolo todo, de flores y más flores. Y porque la mata era única, las flores constituían, también, todas, representantes de aquellas delicadas bouganvilleas de color blanco prácticamente inexistentes, que resaltaban y anulaban, casi, el verdor brillante de las hojas con sus brácteas nervudas, opalinas se diría, ocultando el tesoro de las tres florecillas diminutas a las que protegían.

El hombre no recordaba tener bouganvilleas blancas en sus completísimas colecciones planas. Inclinado como era a la variedad y al refinamiento, sentía especial atracción por esta familia de flores, entre las que había moradas, rojas, anaranjadas, rosadas, en todos los tonos imaginables. Pero no se había encontrado jamás una blanca. Las bouganvilleas, para mayor encanto —las naturales, se entiende—, les llevaban ventaja a otras flores, porque su espléndida belleza no se echaba a perder con emanaciones desagradables. Inodoras eran, como él lo había comprobado más de alguna vez en ciertas aventurillas florales que se permitía con moradas y rojas, especialmente.

Fue tan honda la sacudida visual que le produjeron las níveas brácteas, que hasta se concedió el atrevimiento de acariciarlas. Y ellas aceptaron humildemente el deslizarse de sus dedos amorosos y cálidos en sus seudo pétalos delicados. El hombre captó, incluso, cierto encorvamiento de tallos y temblor de hojas y retraerse de espinas, al rozar con suavidad los pistilos.

Empezó a frecuentar cada tarde la finca solitaria y olvidó por completo sus revistas y los otros entretenimientos oculares con que antes embellecía su vida. Allí, en la quietud y paz del lugar, no sólo se solazaba con la espléndida envergadura de la mata, sino que hasta entabló real amistad con ella. El hombre hablaba y las florecillas extendían sus oídos acaracolados y despejaban sus miraderos diminutos en señal de sincero interés y real atención. El hombre se explayaba acerca de sus puntos de vista sobre la vida y percibía que era comprendido y aceptado. Cuando captó que era, además, amado, hizo los trámites necesarios y adquirió la finca con su preciosa y única nyctaginácea de inmaculadas bouganvilleas. Allí se construyó en seguida una pequeña casita de madera y piedra y se dispuso a vivir su felicidad y a cuidar hasta el más ínfimo botoncillo de la planta que había logrado vencer sus reticencias ante las flores vivas.

Pero así como el hombre —dada su condición de normal— había sido derrotado por la belleza y la novedad de una mata blanca, cariñosa y comprensiva, resultó ser igualmente parecido a sus congéneres en la tendencia de éstos al hastío y al cambio. Aunque mucho amaba a su bouganvillea sin mácula ni afeites, cuando el tiempo se encargó de saciar su necesidad de afecto puro y de contacto desinteresado de una flor sin pretensiones, conoció, en una de sus salidas al campo, a una bouganvillea glabra magnífica y gamuzada. De color morado y exótica irresistible, le recordó con inusitada vehemencia su juvenil atracción por este matiz excitante y aterciopelado, siempre unido a una voluptuosidad que, desde hacía mucho tiempo, hallábase aletargada entre tanta blancura opalescente. La recién conocida se mostró tan insinuante con él, que lo enredó en la incurvación de su tallo generado por nutricio cambium,[3] y en las abundantes ramificaciones laterales que de él nacían, entre inofensivas y soslayables espinas. Acercóle entonces sus suavísimas brácteas en actitud a cuyo deleite el hombre no pudo sustraerse. Ese día sucumbió a los morados encantos y regresó donde su blanca dueña mohíno, cariacontecido, un poco enfermo, incluso. Para colmo de remordimientos, ella lo atendió tan solícita como siempre, y lo abrigó con sus tibias pero siempre frescas hojas, y lo acarició delicadamente con sus finas y casi traslúcidas brácteas. Pero el hombre notó, pesaroso, que las demostraciones de amor otrora placenteras, esta vez las recibía como

[3] *cambium:* líquido viscoso de las platas; constituye el tejido de éstas.

algo tierno, grato, mas no arrobador y embriagante, tal fueran en otra época.

Pese a que la contrición restaba mucho solaz a sus citas vespertinas con Glabra, cada día reuníase con ella, quien se revelaba —como la flor hialina que cuidaba de su hogar— afectuosa, bella, sólo que mucho más atractiva y vital. Tanto había empezado a amarlo también la de color morado, que le propuso con toda sencillez que la llevara a su jardín, donde compartiría la tierra que posibilitaba el crecimiento y la belleza de la blanca también de sus amores.

Entonces el hombre —que además de normal era bueno y sincero— habló con su bouganvillea nevada y trató de explicarle la situación sin herirla. La infeliz mata derramó muchas lágrimas como gotas pluviales que sirvieron para que a sus pies crecieran con mayor impulso toda clase de yerbillas, musgos y hongos. Pero como también era una flor de alma blanca y comprensiva, respondió al hombre que en la finca había lugar para Glabra, y tierra para nutrirla, y aire para que respirara, y sol para abrigarla cuando soplaran los nortes decembrinos preparatorios del enervante florecimiento veraniego. El hombre llegó al día siguiente muy de mañana con Glabra, algo descompuesta por el viaje, y abriendo un hueco que pudiera recibir holgadamente sus raíces, la depositó a la par de Nívea.

Las dos nyctagináceas se entendían admirablemente y hasta comenzaron a quererse, porque se sentían enlazadas por su común amor al hombre. Compartían sin egoísmos todos los minerales del suelo y los abonos que el amo colocaba a sus pies para que crecieran sanas y vigorosas. Ambas alargaban sus ramas y suavizaban las puntas de sus espinas cuando él se aproximaba, y las dos también lo mimaban con sus hojas y le extendían sus fingidos pétalos para que los palpara y besara.

El hombre se sentía en el edén que jamás imaginó. El orgullo se apoderaba de él cuando otros igualmente aficionados a la floricultura le comentaban lo afortunado que era. En nuestros vergeles —se quejaban— nunca se han entendido dos matas. Menos aún si son de la misma familia. Siempre hay una que anhela dominar y que le hace la vida imposible a la otra y, por lo tanto, al cultivador.

Al comienzo, el hombre estaba seguro de constituir la magnífica excepción que confirma la regla, y de que en su finca no iba a producirse jamás tal problema. Sin embargo, para su desdicha, también el tiempo encargóse de demostrarle que lo común termina por imponerse en forma inexorable. Mientras la bouganvillea blanca seguía prodigándose en ternezas, afecto y actitudes nobles, a la morada estábansele desarrollando ansias imperialistas. —¿Por qué —le decía Glabra— tengo que compartirte con una rival que ya no despierta tu anhelo? ¿Por qué debemos tenerla siempre como espectadora de nuestras caricias, si no la necesitamos verdaderamente? ¿Es que te inspira compasión? ¿Es que te sientes obligado? ¿Por qué otros hombres, en tu mismo caso, abandonan a la flor de su pasado, y se quedan nada más que con la de su presente?

El hombre padecía mucho con el comportamiento despiadado de Glabra, que estaba pagando tan mal la generosidad de Nívea. Pero no era capaz de ponerla en su sitio, porque mientras Nívea se había arrinconado en el jardín y allí permanecía descuidada con sus propias flores y melancólica, Glabra resplandecía en color, gracilidad, esbeltez, iniciativas y excitantes planes de diversión coloreadora de la vida. A las seis de la tarde, Nívea cerraba sus bráecteas y aflojaba sus hojas, empequeñeciéndose y empenumbrándose, incluso; Glabra, en cambio, que surgía del sueño muy avanzada la mañana, a la hora crepuscular y de la irrupción vivificante para ella de luz producida por los humanos, brillaba, se ponía más frondosa, fresca, locuaz y acariciadora con sus empolvados oropeles morados y sus venas bien nutridas de la savia que la desganada Nívea no extraía de la tierra. Entonces el hombre ni se acordaba de la aletargada nyctaginácea de sus antiguos desvaríos, y sumíase en vegetal borrachera a la par de la cálida y vividora Glabra magnífica.

Nívea intentó sobreponerse a su congoja entregándose a toda suerte de actividades durante el día, mientras el hombre iba a trabajar y Glabra hacía esfuerzos por superar el agotamiento provocado por los excesos de su jolgorio nocturno. Entabló, entonces, amistad con la familia Compositae de asteráceas formada por margaritas y crisantemos que crecían en la finca vecina, y hacia los que empezó a alargar sus ramas para poder comunicarse mejor. Casi todas las margaritas adultas estaban legalmente unidas a un crisantemo con el que compartían su sitio en el césped. Con una de estas parejas, Nívea fue concretando lentamente una amistad profunda y, por cierto, no exenta de confidencias sobre su infortunio con el hombre. —Vos tenés que dejar a ese hijoeputa malagradecido— le recomendaba Margarita—. Sos joven y podés reconstruir tu vida a la par de quien sepa valorarte mejor. Dejalo que se marche con esa intrusa a la que nunca debiste darle entrada en tu casa. Y olvidalo. ¡Olvidalo ya! —El crisantemo, por su parte —que se identificaba con el hombre en que también estaba algo cansadillo con el estilo conyugal de Margarita, y sentía gran admiración por esa fina y conglomerada vecina sufriente— llegaba a erizar sus delgados pétalos colochos[4] de tinte anaranjado cuando ella curvaba su tallo hacia el sitio en que él apoyaba sus fuertes raíces y lo hacía depositario de sus congojas. Crisantemo anhelaba con vehemencia el momento en que Margarita chismeaba con sus amigas, para ofrecerle algún consuelo a la doliente y quebrantada Nívea, quien, con la inocencia de la novata en esta clase de desventuras, le explicaba que antes, cuando Glabra no cohabitaba con ellos, el hombre le proporcionaba día a día el agua necesaria para su desarrollo. Ella, entonces, la extraía del suelo con los pelos absorbentes de su raíz, pequeñas prolongaciones de ésta cuyas células poseían una membrana delgada y porosa y que permitían el paso del líquido y de las sales minerales en él disueltas. Así, esta savia bruta acuosa que el hombre le destinaba ascendía hasta las hojas, donde se evaporaba una parte y el resto transformábase en la savia elaborada que le era necesaria para estar lozana, bella y vital. —Pero ahora que él ha olvidado completamente sus deberes —explicaba a Crisantemo—,

[4] *colochos:* rizados.

muero de hambre y de sed. Estoy deshidratada por la transpiración que me consume el escaso líquido que tenía ahorrado, y me desgasto en esfuerzos por alargar mis raíces para que consigan mayor longitud y puedan alcanzar las capas más hondas y profundas del suelo, en pos del agua que él me niega y que no logro reponer.

Crisantemo opinaba que era necio aniquilarse en agotamientos subterráneos, si había otros medios más próximos, sencillos y placenteros de obtener solución: —Todos nosotros tenemos un amo que nos riega y nos cuida. Nos sobra el agua, te lo aseguro. Estamos, además, libres de hojas secas y de pestes. Somos limpios, confiables, sanos. Podés acercarte aquí y beber todo lo que querás. Oí, oí: esta noche, cuando Margarita y las otras estén dormidas, yo puedo calmar tu sed...

La infortunada Nívea se dejó convencer por las intencionadas ternezas del experto Crisantemo, y recibió, una noche, el anhelado elemento hídrico que le permitió sentirse menos deprimida. Poco a poco fue recuperándose física y psicológicamente, cambio que, si bien no percibió el hombre, captó a la perfección la perspicaz Glabra, quien vio en esto la oportunidad para lograr fines largo tiempo acariciados. —¿Te has dado cuenta de lo distinta y rejuvenecida que se ve Nívea? Si yo estuviera en tu lugar, la observaría...

Tanto le habló al hombre, que éste comenzó a espiar a la otra nyctaginácea, y la descubrió, una tarde, lustrando su follaje como para una fiesta. Nívea cogía una de sus ramas y trataba de dirigirla en determinada y exótica dirección. En seguida, acomodaba sus flores, ordenaba sus brácteas y mostraba una actitud ostensible de importantes preparativos. El hombre la acechaba por la ventana de su dormitorio oscuro, de modo que podía verlo todo sin ser descubierto. Tanscurrido un rato, vio cómo Nívea desaparecía casi, irguiéndose para traspasar el muro e ir a caer toda ramas al jardín vecino. El hombre cogió sus anteojos de larga vista y ajustó las lentes. Sus ojos no podían creer lo que estaban presenciando: Nívea anudada en voluptuosas caricias con un macizo y petulante Chrysanthemum morifolium, de la altanera y numerosísima familia Compositae o Asteraceae, una de las más extensas, con cerca de novecientos géneros y veinte mil especies de distribución cosmopolita, dividida nada menos que en once tribus, a la séptima de las cuales —las anthemideae— pertenecía el mechudo aquel al que en su vida le prestó atención cuando pasaba frente a la finca cuyas matricarias, artenusas y margaritas invadíanlo todo con sus muchas flores apretadas en una sola cabeza, jamás tan bellas y delicadas como las suyas dos nyctagináceas, desde luego.

El hombre, entonces, fue preso de ciega cólera. Nívea era una putilla ingrata y despreciable. Una hipócrita. Una adúltera. Una destructora de parejas establecidas, para colmo, desafiante del importantísimo orden social y moral, puesto que nadie ignoraba la existencia allí de hogares bien constituidos, donde cada margarita, artenusa o matricaria era legítima compañera de los altaneros dicotiledóneos de capítulos homogéneos, corola actinomorfa en sus flores centrales y escamas del involucro con los bordes membranosos. Tenía razón Glabra, que de seguro la había sorprendido con el tipo aquel, oriundo del Japón, conocidísimo por su presencia infaltable en los días de difuntos, individuo fatuo y vanidoso —tal vez ensoberbecido por sus lígulas abundantes y arrolladas en los extremos, tal si viniera recién salido del salón de belleza—. No le bastaba, claro, con su recatada esposa a la que los muchachillos siempre querían arrancarle pétalos sin saber que estaban despojándola, en realidad, de toda una flor ligular de las veintenas que se apretaban en una sola cabeza alrededor de las flores del disco que complicaban todavía más su estructura. No le bastaba, al rufián aquel, con la recatada margarita que le había hecho ofrenda incondicional de la cabezuela o capítulo que era toda ella, aunque menuda y aparentemente simple, y merodeaba, entonces, amparado en la negrura de la noche, en jardines ajenos, para introducirse en otra familia ya consolidada, además de extraña a su condición funeraria.

Decidió, sin embargo, no interrumpir a la pareja deshonesta en sus sombrías y pecaminosas actividades. Buscaría otra forma de castigo para Nívea. Esa noche ni siquiera se acercó a Glabra. Su ánimo no estaba para placeres. Tomó doble dosis de un somnífero y se entregó al olvido en sueño profundo y largo del que no despertó sino hasta el mediodía siguiente, para ver a Nívea muy pudorosa e hipócrita entre su follaje y sus flores ahora más espléndidas que nunca, y a Glabra atisbándolo cómplice, triunfante y malévola, dándole los buenos días en una forma que le pareció desagradable. De todas maneras —puesto que su determinación estaba tomada—, llegó hasta ella sin mirar a Nívea —erguida a la par—, y le dijo: —Arreglá tu valija, porque saldremos de viaje—. Y empezó a cavar con firmeza, pero cuidando de no herir ninguno de los finos pelos absorbentes de sus raíces, en el sitio en que estaba adherida al suelo.

Aunque a Glabra no le gustó un cambio tan repentino y drástico que la expondría, si no a bronconeumonía, tal vez a dificultades de adaptación, se mostró conforme e incluso entusiasta, mientras Nívea no acertaba a comprender lo que estaba sucediendo. —¿Vas a llevarme también? —preguntó tímidamente al hombre—. —No —dijo éste sin mirarla—. Usted puede quedarse con el crisantemo con que me ha traicionado—. Nívea sintió que el precio de sus bien hidratados días anteriores era demasiado alto. Ella amaba al hombre y por Crisantemo experimentaba tan sólo amistad y gratitud —combinadas con atracción, es claro—. Dejame que te explique —pidió al hombre. —No hay explicación que valga— dijo éste.

Fue así, entonces, como Nívea quedó abandonada en la finca en que había sido tan feliz en otros tiempos.

El hombre decidió llevarse a Glabra al apartamento que mantenía en la ciudad. Allí la instaló para embellecer una terraza en medio del zacate[5] y optó por permanecer largo tiempo ausente de la finca, adonde envió un cuidador.

Nívea estaba socavada por la tristeza. Desde que el hombre partió con Glabra, se le quitaron los deseos de alimentarse y de respirar. En vano la llamaban las margaritas y las matricarias contiguas. En vano Crisantemo intentaba

---

[5] *zacate:* hierba.

convencerla de que continuaran, ahora más libres, sus encuentros bajo las estrellas. Nívea no quería vivir. Lentamente fueron secándose sus hojas, desprendiéndose sus brácteas y retorciéndose y descascarándose el tronco y cayéndose las ramas y hasta las espinas que de él nacían. Crisantemo, cansado de luchar por ganarse a una nyctaginácea que demostró ser histérica, sentimental y anticuada, había dejado de asediarla. Las margaritas y las matricarias —que eran jovencillas y enemigas de dramas y lágrimas— se habían apartado, también, de ella. El cuidador estaba sorprendido de ver morir a una mata a la que había cuidado como era su deber. Algún bichillo subterráneo, tal vez. Aunque quién ha entendido jamás a una mata y sus dolencias y reacciones a veces tan insólitas. No un hombre, de seguro.

El hombre, en la ciudad, estrechaba sus vínculos con la bella Glabra, que estaba dichosísima de haber triunfado sobre el descolorido e insípido amor que Nívea podía ofrecer a su dueño. Ambos disfrutaban de su cariño y de los goces que dispensa la vida, y no pensaban retornar a esa finca tan quieta adonde Nívea volvería, de seguro, a interponerse con su lánguida y desmayada presencia.

Los meses fueron calmando la pasión del hombre por Glabra, que, finalmente, demostró ser tan monótona, tan igual, tan poco novedosa, tan carente de variaciones y de creatividad en su repertorio erótico cómo habíase mostrado la modesta y tranquila Nívea. Llegó, en consecuencia, el día en que el hombre dejó de prestarle atención. La única diferencia con Nívea fue que, mientras ésta se sumió sin decir palabra en su desdicha, Glabra le hacía la vida imposible. Cuando no intentaba seducirlo echándole encima sus ramas y hostigándolo con sus hojas y sus brácteas, lo increpaba con llantos, escándalo y reconvenciones que sólo despertaban la indignación del hombre, ya bastante desesperado. Aburrido con la conducta de la desdeñada flor, optó por encerrarse con llave en su cuarto y dejarla dar gritos y golpear los vidrios de la terraza en inútil afán de que le abriera la puerta y fuera a acompañarla o le permitiera introducir alguna de sus ramas en la alcoba. El hombre ponía oídos sordos. Cuando lo enloquecían los reclamos, salía a la calle y pasaba la noche afuera. Recordaba, entonces, con obsesiva insistencia, la conducta asaz distinta de Nívea. Y hasta pensaba que había sido injusto e inhumano con ella. Veía, ahora, en Nívea, una posibilidad de solución, de retorno a un pasado que no era tan malo como un día se le antojó.

Tomó, entonces, la decisión de ir a verla. De intentar recuperarla. Y de pedirle perdón, si era necesario. Sólo que, cuando entró en la finca y no vio a Nívea por ningún lado, y cuando por boca del cuidador supo que la desventurada bouganvillea había fallecido hacía semanas y confundido su cuerpo ya deshecho con la tierra ahora árida y mísera, comprendió que había sido traicionado por su inestable y exigente temperamento.

No lloró el hombre. No maldijo al cielo ni a su suerte. Lamentó, eso sí, las incomprensibles y esclavizantes exigencias de exclusividad sentimental de las flores de materia orgánica. Y decidió, de una vez y para siempre, refugiarse de nuevo entre las bellas acacias, fucsias, petunias, chinas, guarias, pastoras, dalias, asclepias y otras morbideces y suavidades inmovilizadas —con sus finos colores, perfectas formas y nulas demandas— en fotografías artísticas y en las páginas de las por él torpemente abandonadas revistas extranjeras.

## ROSARIO FERRÉ
(Ponce, Puerto Rico, 1942)


N A R R A D O R A, ensayista y poeta de destacada actualidad en las letras hispanoamericanas; se da a conocer a mediados de la década de los setenta con la publicación del libro de cuentos *Papeles de Pandora*. La producción cuentística de la escritora puertorriqueña señala nuevos rumbos narrativos que participan del dúctil uso de la construcción paródica y del manejo de la ironía como modo de escudriñamiento sociocultural. La escritura de Ferré conquista el movimiento poético del lenguaje narrativo combinándolo además con una festiva y epigramática naturaleza literaria cuya mordacidad es eficaz y singular en la demolición de mitos y convenciones sociales. El pasado se registra en su obra para desenmascarar diversos estratos de formas y mentalidades retrógradas que a través de diversos camuflajes siguen perviviendo en el presente de la autora.

Deleita la obra de Ferré por la fruición de la escritura, fundada desde el descubrimiento de la imagen, lo cual invita la acción conjunta de un poder y de un desenfreno que desafía el proceder lógico como vía de acceso al arte. A la colección *Papeles de Pandora* pertenece "Maquinolandera", cuento que accede al alma de una cultura violentada. Desde una celda se revisa la historia clausurada de esa cultura, el sentido continuo de huida y apartamiento, impuesto por la incomprensión. La tensión del relato pertenece a la conquista percusiva del lenguaje. Soñar es sonear, provocar el son. La boa es la boca, unificación de la naturaleza y el cuerpo. La injusticia no es declamada por el razonamiento, sino vivida a través del lenguaje mismo, de sus cadencias y tonos que anuncian un modo de ser y percibir. En esa nueva incorporación expresiva, el texto experimenta la diferencia.

# MAQUINOLANDERA[1]

N O S O T R O S , los maquinolanderos, somos los que somos, señores, venimos, los maquinolanderos, en nuestra maquiná. Nosotros, los chumalacateros[2] del señor,

[1] *Maquinolandera:* título de una canción de salsa de los años sesenta del cantante popular Ismael Rivera. La palabra —usada entre la población africana que trabajaba en la caña de azúcar— se refiere a la locomotora a vapor que se utilizaba en la caña.

[2] *chumalacateros: chumalacatera,* palabra que aparece en la canción "Maquinolandera". Es onomatopéyica —chu chu—, el ruido de la locomotora o maquinolandera. Anotamos a continuación la letra de esta canción:

### MAQUINOLANDERA

*Chumalacatera, chumalacatera,*
*chumalacatera, chumalacatera,*
*dímelo*

*Chumalacatera, maquinolandera*
*Chumalacatera, maquinolandera*
*Chumalacatera, maquinolandera*
*Chumalacatera, maquinolandera*

*Maquinita, nita holandera ya se*
   *armó la choricera*
*maquinita me lleva*
*Maquiná, maquiná, maquiná,*
   *maquiná*
*en mi maquinita holandera*
*que me da gozadera*

*Chumalacatera, maquinolandera*
*Chumalacatera, maquinolandera*
*Chumalacatera, maquinolandera*
*Chumalacatera, maquinolandera*

*Malacatera, tera, tera*
*mi maquinita holandera.*
*Caballeros se armó la choricera*
*mi maquinita me lleva*
*chumalacatera, chumalacatera,*
   *chumacalatera*
*que es mi maquinita holandera*
*la que me da gozadera.*
*Ecuahey. Sabroso.*
*Maquinolandera (coro)*

215

ecuahey,[3] venimos hoy aquí, señores, a vaticinarlos, a pro-
fetizarlos el día de San Juan. Nosotros, los vates de San Cle-
mente, los profetas del mondongo[4] encocorado[5] de los
cueros de los congos, nosotros los gozaderos, los bendeci-
dos, los perseguidos por los agentes de la ley, venimos a
divinarlos, llegamos a lucimbrarlos,[6] venimos a lunizarlos
hasta hacerlos dar a luz. Maquinitamelleva, gritamos, melle-
velagozadera, soneamos, seformólachoricera,[7] bombeamos,
bajo el mando de Ismael. Nosotros los condenados, los jus-
meados por los jocicos jediondos, los jedidos por las jetas
joseadoras de los agentes de la ley. Nosotros, los cucarachea-
dos por los escondrijos, los evacuados por los canales de
los arrabales donde nos solemos estar. Nosotros, Ray,
Roberto, Willi y Eddi, Dios los cría y ellos se juntan, bajo el

---

*Maquinita holandera yo me voy*
*a vacilar*
*mi maquinita me lleva.*
*Maquiná, maquiná, maquiná,*
*maquiná, maquiná, maquiná,*
*maquiná*
*que es mi maquinita holandera*
*la que me da gozadera ¡que va!*
*Maquinolandera (coro)*
*Maquinolandera*
*yo, yo me voy a vacilar*
*y yo me llevo a Chabela*
*Chumalacatera, chumalacatera,*
*chumalacatera.*
*Maquiná, maquiná, maquiná.*
*Mi maquinita holandera. Oye.*
*Fuera.*

*Ecuahey. Sabroso.*
*Maquiná, que maquiná, que*
*maquiná, que maquiná, que*
*maquiná, que maquiná, que*
*me lleve la gozadera.*
*Yo me llevo a Chabela.*
*Maquinita holandera*
*te va dar gozadera*
*Yo me voy a vacilar, mi maqui-*
*nita me lleva.*
*Sacudé*
*Maquinolandera, maquinolan-*
*dera, maquinolandera.*
*Chumalacatera, chumalacatera,*
*chumalacatera.*
*Sacudé.*

[3] *ecuahey:* exclamación enfática usada por Ismael Rivera en sus
canciones para mantener la continuidad musical, sobre todo
cuando hay un momento muerto.

[4] *mondongo:* guiso preparado con los menudos de la res o cerdo.

[5] *encocorado:* fastidiado. *Encocorar* es fastidiar, molestar con
exceso, irritarse.

[6] *lucimbrarlos:* alumbrar y dar a luz.

[7] *seformólachoricera:* se formó la fiesta callejera.

mando de Ismael. Ismael el bendito porque Dios lo escucha,
tiende su lomo frente a él y le dice pégame, pégame duro mi
amor, que rico suena mi tambor. Ismael bongocero[8] dale
que dale y tumba que tumba, pegándole al cuero de Dios.
Ismael Nazareno, el cristo negro del pueblo, clavado a la
cruz de Celia con largos clavos de plata, haciéndolos revol-
verse, haciéndolos retorcerse, haciéndolos rebelarse con
alta fidelidá. Maquinitamelleva, gritamos, maquinitolandera, tumbeamos, chumalacatera, bombeamos, bajo el
mando de Ismael. Ismael el llamado nos llama, señores,
Ismael nos junta, nosotros, los cazadores de ballenas blancas preñadas por Dios. Nosotros los ajusticiados, los soneros songorosos de los sones del sollozo, pegándole a los
bongoses con manos de sangrasa, con caños de cañones féti-
dos por el fandango del muladar. Nosotros, los sonsacados
de prisión por obra y gracia de la cruz divina de Celia,[9]
la diosa del ritmo, la agitadora, la Químbaracúmbaraquímbambá,[10] meando desde el fondo de su garganta el melao[11]
ardiente de su voz para purificarnos, para latigarnos con
la furia destorcida de los intestinos de Dios. Nosotros, los
chumalacateros, maquinistas carboneros de este último
holocausto en que todo ha por fin de estallar, venimos hoy
aquí, señores, a hacerlos venirse a todos, a hacerlos rebelarse, a hacerlos revirarse, en nuestra maquiná.

Me quedo inmóvil sobre el piso de mi celda y las escucho, puedo vagamente escucharlas, pongo mi oído sobre las
losas y las oigo cantando, bailando, envueltas en el vaho

---

[8] *bongocero:* el que toca el bongó en la orquesta o conjunto
musical.

[9] *Celia:* referencia a la cantante afrocubana Celia Cruz.

[10] *Químbaracúmbaraquímbambá:* proviene de una canción de
Celia Cruz. Se trata sólo de un juego rítmico, percusivo, de origen
africano. Fue muy popular e hizo la canción inmortal entre los
amantes de la salsa. La aliteración del grupo *mb* en esta expresión,
es típica de todo africanismo. Las referencias a lo africano y a la
música popular afro se encuentran a través de todo el cuento.

[11] *melao:* jarabe (sirope) espeso y de color oscuro hecho de caña
de azúcar; es muy popular donde se cosecha la caña y reside la
población africana.

rítmico de mi respiración, en esa humedad tibia que me crece alrededor del rostro desde el cabello a la barba haciéndome invulnerable, surgiéndome de ese tufo invisible en el calor que siempre me precede, anunciándome, preparando el aire que he de atravesar segundos más tarde para afirmar mi existencia, para asegurarme de que todavía vivo, de que todavía puedo insuflar mi aliento dentro de sus bocas de otra manera cerradas para siempre, adheridas por esa podredumbre hacia adentro que suele ser el comienzo, el principio, oculto y secreto, de toda descomposición. No tengo prisa. La calma me nieva desde la frente y me blanquea la barba, me algodona la curva blanda de la boca. No tengo prisa. Cierro los ojos y las veo atravesando celda por celda las galerías de los años que he pasado aquí, sepultado vivo en las Tumbas pero siempre soñando, soneando, improvisando mi retorno al mundo en cuerpo y alma, en nota y palabra, buscando con serenidad la frase exacta, la superficie precisa que separe mi rostro del vacío. Definiéndomelo en la oscuridad con las yemas de los dedos para saber dónde comienza, de dónde nace ese espacio que ocupo brotándome hacia adentro, palpándomelo una y otra vez para reconocerme, para escucharme Ismael hijo de la sirvienta doñamargotrivera maquinitolandera que componía canciones en casa del amo rico, para escucharme el confinado de la tenia grande que todo lo devora por la soledad del vientre, el encalabozado en solitaria por los siglos de los siglos.

Todavía no sé dónde, cuándo, aprisionadas en medio de cuál compás, entreparadas, orgullosas y rígidas, entre las cuerdas de acero de cuál pauta quedarán pronunciadas, fijadas para siempre en la inmovilidad de cuál oración todavía dispersa, colocadas en esa secuencia que sólo yo podré adivinar, precedidas por palabras todavía ignoradas pero reinando entre ellas, perniabiertas y obscenas, vomitando de cuajo toda la vida que cantan por la boca, absolutamente seguras de su poder. Desde ahora puedo decir que desconozco el orden y que no me importa, me tienen sin cuidado la coherencia y el sentido. No sé si mamá la traerá con ella, cantándola tranquila por las cuestas recostadas de la Calle Calma, o si la traerá consigo Celia, cargándola desde el Levante. No sé si olfatearé su tufo por entre las axilas de xilantrillo de Ruz, o si percibiré de golpe su presencia en el fragor infernal de los socos[12] de Lhuz. No sé si esperaré su triunfo ante el espectáculo giratorio de Yris, ante ese escándalo de su carne vale girando a cien revoluciones por minuto por el Madison Square Garden, o si lo vislumbraré por las carnestolendas de su fama, encendiendo a las muchedumbres en Alaska. No sé si entenderé por primera vez su sentido en la hermenéutica de sus nalgas, repicando alegremente por entre los tambores del Congo, o si sentiré por fin su calor ante esa sereta[13] que cae, flameando, desde Puerto Rico al mundo, en una aureola de fuego por sus espaldas.

Rodeado por las paredes de mi celda, no existe para mí otro espacio que el que ocupo, he olvidado el paso del tiempo. Nada se interrumpe, nada comienza, nada termina. Sólo me importa inventarla, o lo que es igual, encontrarla. Perseguir día a día su rastro como el de una fiera en celo, ese trazo grasiento que va quedando untado a su paso por la tierra, ser testigo suyo a cada feroz encuentro con el amor, o lo que es lo mismo, con la muerte, percibir a distancia el hedor de aquellos que han dejado de amarla y que ahora será necesario exterminar, de aquellos que insisten en olvidarla porque desean seguir inviolados, cauterizados todos los esfínteres pero moribundos goteando gota a gota la podre por los abismos de adentro.

Ahora Ray va a la cabeza, Ray nos dirige, los dragones relampagueándole muslo arriba por las costuras de los pantalones, lentejueleándole mar de llamas por las espaldas de la chaqueta, nos indica el camino con la trompeta, se ha puesto un dedo sobre los labios para indicarnos cautela, nos obliga a arrodillarnos dentro de las zarzas para ocultarnos, cardos de hierro nos desgarran canillas, cadillos[14] de

[12] *socos:* piernas fuertes, gruesas.
[13] *sereta:* pelo, melena. Más adelante "Aureola de fuego" refiere al color rojizo del pelo de la bailarina Iris Chacón.
[14] *cadillos:* planta pequeña que crece en la maleza cuya semilla se pega fuertemente a la ropa o a la piel; tiene espinas y es difícil de despegar.

acero nos adhieren los codos, desviándonos encorvados para internarnos por los senderos enmohecidos, infernándonos por la maleza, separando con brazos abrasados las ramas erizadas de cobos[15] humeantes, de jaibas[16] de azufre para poder pasar. Yris, Ruz y Lhusesita se nos han adelantado, veo sus huellas por el lodo adolorido. Esperan, pacientes, sabiendo que llegaremos a su lado, se han dejado llevar mansamente hasta la orilla de la playa. Daniel, Santo Dios, Santo Fuerte, Santo Inmortal, las acompaña, Daniel, líbranos Señor, ahora y siempre, de todo mal, va el primero, moviendo inquieto sus hombros de toromata[17] de lado a lado para abrirles trocha por entre la chatarra mohosa, adentrándose frente a ellas por entre la selva de metal humeante, manchándose indiferente el traje de hilo blanco con la sangre enmohecida de los troncos, hinchando ante sus ojos su pecho de anacobero[18] para darles valor, para embravecerlas ante la presencia de esa arca sagrada donde duerme la anaconda de su voz, donde se revuelve, todavía tranquila, la guanabacoa[19] carnosa que le sale a mordidas suaves cuando canta por la boca.

Enciendo la radio y escucho la misma voz de siempre, describiendo árboles que abortan frutas y manantiales que despeñan espuma de nitrato de plata desde lo alto de los montes. Abrumado por las repeticiones aburridas he comenzado a verla desnuda, sentada sobre la tarima recién pintada de blanco, la boca abierta como si fuese a cantar. El aire huele a dientes quemados y a uñas chamuscadas dice la voz, mientras voy observándole detenidamente el cuerpo pero no alcanzo a verle la cara, se la esconde continuamente entre las manos, se la enjaula en una celda de

---

[15] *cobos:* caracoles grandes.

[16] *jaibas:* cangrejos. Imágenes que refieren a un ambiente contaminado.

[17] *toromata:* letra de una canción de salsa de Celia Cruz.

[18] *anacobero:* nombre que se dio a sí mismo Daniel Santos, cantante popular de tangos y boleros.

[19] *guanabacoa:* ciudad de Cuba. En este contexto puede ser también una referencia general a lo taino.

uñas sangrientas. Un chorro de sevenup la baña súbitamente
frío, goteándole la quijada en el aire como un sexo rasurado
con blueblade. El mar agita olas de helio y las playas aletean
de peces muertos, repite la voz. Las gotas han comenzado a
salpicarle el cuello, rodeándoselo de una gola de moscas
gelatinosas y resbaladizas, el semenup salpicándole ahora los
hombros desnudos que espeta en el aire con desafío, salpicándole los pechos compactos de hielo pulverizado en bolsas
de goma. La tierra se desmadra de sus entrañas, se derrite en
toneladas de vísceras por los costados humeantes de los
montes. La voz es ahora un zumbido que rebota de las paredes de mi celda y me perfora los oídos, me hace verla más
claramente, el semenup escurriéndosele por el vientre ace-
zante de pulmón de vaca, grosera y hermosa a la vez.

Roberto se nos ha adelantado, nos ha sacado gavela. [20]
Nos hace comprender que es imprescindible llegar rápidamente a la playa, nos abre el camino derritiendo la maleza
de metal con el lanzallamas de su flauta. Las llaves plateadas se hunden bajo sus dedos para chorrear fuego sobre
los chasis desarrajados, sobre los caparazones volcados
de los carros, destripados de asientos y cristales, sobre los carburadores carbonizados que no nos dejan pasar. La proce-
sión nos alcanzará pronto, podemos verla ya reflejada al
revés en las peras negras de los lentes de Roberto, adivi-
namos su cercanía en la ondulación apremiante de su
cuerpo, en los pálpitos violentos de su camisa de satén de
berenjena. Ellos llegarán primero, podemos verlos desde
aquí arrastrando con desgano la tarima de tablas recién
pintadas donde tomará lugar el espectáculo, el escenario
donde ellas cantarán más tarde para distraerlos. Bambo-
leando sobre los hombros la imagen de yeso de la Virgen al
vaivén bembeteado [21] del cura español, comboyando, baboyando [22] a la fuerza el Virgen, Virgen María, Madre de Dios,

[20] *sacado gavela:* sacar ventaja. También existe la expresión
"suéltale gavela", que significa dale soga o libertad.
[21] *bembeteado:* moviendo la bemba (africanismo que significa
labios). Bembetear es hablar mucho.
[22] *comboyando, baboyando:* arrastrando.

subiendo y bajando las lomas de *vinyl* verde, el camino chicloso emplegostándose[23] a las suelas de los zapatos. Nosotros, los chumalacateros del Señor, somos los que somos, señores, los vemos, vienen por el camino, de lejos los divisamos, vestidos de aluminio, calzados de zahorras[24] y cubiertos de sarro. Salen de sus casas, nada los asusta, nada los arredra, como son las cosas, señores, como son las cosas, se acercan al mar. Se notan inquietos, removiendo los hombros por debajo de los capacetes de hierro, olisqueando el paraje con máscaras de hocico de perro, escudriñando, sospechosos, los vahos de monóxido de carbono que tendrán que atravesar antes de llegar a la playa. Empecinados en ver el mar como si fueran a verse el alma, empeñados en verlo retorcerse por entre las rocas de hierro, hediendo, humeando, hirviendo, hasta el confín del cielo. Ocultos por la maleza podemos verlos pasar por entre las filas de los agentes, por entre los viciosos de la fuerza de choque, por entre los narcotizantes y los estupefacientes, los armados de telescopio y retrovisor. Sabemos que todos los caminos estarán clausurados, atestados de escuadrones cargando metralletas, las cinturas frutecidas de granadas polvorientas, los cascos empujados hacia atrás como bolas de ojos en blanco.

Me levanto del piso y me tiendo sobre el camastro, cierro los ojos y sonrío. Recorro con la memoria los seis pasos norte cinco sur que constituyen el perímetro de mi mundo y me siento contento. No tengo prisa. La calma me nieva desde la frente y me blanquea las manos. Examino despacio las cuentas del rosario de hierro que cuelga a la cabecera de mi cama. Respiro el perfume de las varas de azucena que se han ido doblando, marchitas y en desorden, frente al retrato de mamá. Lo aspiro deliberadamente y lo entremezclo al del pitillo que siempre me perfuma los labios, al de esa grilla[25] azul que me ilumina los ojos, me los empolva de

---

[23] *emplegostándose:* pegándose. Un "emplegoste" es una masa de cosas que están mezcladas entre sí sin que se pueda separarlas.

[24] *zahorras: zahorra,* del latín *saburra,* lastre. Los trabajadores (los chalamacateros) vienen llenos de piedrecilla, arena y suciedad.

[25] *grilla:* muchacha joven y apuesta.

cenizas dulces, me los espacia de distancias deliciosas. Los tallos se sumergen en el agua descompuesta como astillas atravesando un ojo turbio. Dejo que el perfume que las flores muertas y asebadas[26] rezuman en su honor me adormezca, me enmarañe las pestañas del sueño. La azucena es una flor que sale, pienso, los capullos se agrupan unos junto a otros como dedos de lagarto tierno. Algún día sabré cuál es, cómo es, algún día habré terminado de inventarla. Aspiro el perfume azuloso y logro comenzar a pensarla de nuevo, quebrando con deleite las azucenas marchitas por lo más delgado del tallo como si le quebrara a ella las coyunturas frágiles, acariciando las largas varas verdes de sus huesos que se retuercen furibundas bajo mis manos, cubierta toda de estrellitas podridas y de guantecitos muertos, contemplándola florecida al fin, sembrado todo su cuerpo por los orgasmos de la muerte.

Sabíamos que sería difícil pero no imposible, señores, nosotros, los maquinolanderos, lo habíamos planeado todo tan minuciosamente, habíamos aceitado todos los cilindros, todas las turbinas, todos los gatillos de nuestra maquiná. Espueleábamos las poleas, girábamos las correas, ensayábamos una y otra vez las figuras que habríamos de ejecutar. Sabíamos que habían colocado nuestros retratos dentro de las tazas de todos los orinales públicos, sobre las puertas carcomidas de todas las iglesias, sobre los fuselajes fugaces de todas las guaguas,[27] en los paños de cal viva con que habían calafateado toda la ciudad. Sabíamos que rostros prehensores nos acechaban, ojos olfativos nos rastreaban, rotenes de *rotorooter*[28] los rotaban, nos impulsaban vertiginosamente a actuar.

Ahora vemos a Willi que ha tomado el mando, la barba le brilla de *brillopad* caliente alrededor del rostro, lo arropa de pronto en filamentos de fuego porque el sol se la prende, es el mismo sol de siempre, incrustado en el cobalto sin nubes pero Willi lo desafía el primero, levanta las palmas para

---

[26] *asebadas:* que tienen sebo.

[27] *guaguas:* autobuses.

[28] *rotorooter:* plomero, fontanero. Es parte de la aliteración del sonido r en la serie rastreaban, rotenes, rotaban.

enseñárnoslas, esas palmas benditas con que le pega a las congas, tumbeando, quinteando[29] haciéndonos bailar la segui-
dora bajo el emborujo[30] de sus manos, seguirlo hasta
arrastrarnos junto a él sobre la arena candente, metiéndo-
nos corazones a cada golpe pequeños odres de odio un poco
arriba a la izquierda por todo el cuerpo donde conecto
conecta viene la bola para *home* el puño puñeta de los
agentes en nuestra carne indefensa, haciéndonos recordar
la baba caliente de los lobos que nos salpica, que nos ha sal-
picado en tasajo durante siglos. Nosotros, los maquinolanderos, Ray, Roberto Willi y Eddi, los soneros songorosos
de los sones del sollozo en medio de la noche huyendo, en
medio del miedo huyendo, en medio del huye huitinila
huye huyendo, los nietos del gran becerro los becerrillos
mordiendo molinetes de talones blandos en medio de la
oscuridad huyendo, haciéndonos recordar las persecuciones
pasadas, entasadas, hacinadas unas sobre otras hasta desem-
bocar en ésta, en la montería mayor de nuestro son montuno,
en la cacería carnívora de nuestro canto, en este hacernos
cundir como la verdolaga por entre el ramaje del mangle.

Cierro una vez más los ojos y los abro, parpadeo sólo de
hora en hora, como los lagartos. El humo de las azucenas me
sube por el pecho, me invade en una marea cada vez más
lenta, me sale en grumos perfumados por la boca. Ahora
puedo ver sus rostros frente a mí, ondulantes y translúcidos,
reflejados en el agua que se va aquietando, asentándose
hasta el fondo como el sedimento de un sueño. Veo el limo
crecerles al fondo de los ojos y darles una frescura imprevista en las cuencas de la mirada, las bocas de las trompetas me miran verticales desde el fondo, todavía opacas y

---

[29] *quinteando:* tocando el quinto. En los instrumentos de percusión como congas, panderetas, etc., el tamborcito más pequeño de
los dos se llama el "quinto".

[30] *emborujo:* se refiere al conguero que mueve las manos tan de
prisa que apenas se le distinguen y no se sabe si bajan o suben, si
las mueve en círculos o en golpes rectos. En Puerto Rico, *emborujo* significa confundir, enredar. Por ejemplo en la frase: "Juan
forma unos emborujos que no se sabe la hora que es." (Unos enre-
dos, líos, embrollos.)

manchadas de verdín. Casi puedo sumergir la mano en el agua y tocar con las puntas de los dedos el trombón de Ray, la flauta de Roberto, los tambores de Eddi, los timbales de Willi, los bongoses que siempre llevan con ellos para cuando yo regrese, para cuando me les una en un día cualquiera en cualquier cafetín y me les siente a su lado. Permanezco absolutamente inerte sobre el camastro, los ojos cerrados, las manos y los pies colgando por los bordes como peces muertos para hacerlos surgir con más fuerza, escoltándolas de lado y lado por entre las zarzas. Yris, Ruz y Lhusesita, quizá también Celia y mamá, caminando tranquilas junto a ellos, sin saber sobre las espaldas de cuál de ellas llegará montado el ángel, en cuál de sus rostros acabaré por beberme boca abajo el aliento, en el fondo de cuáles ojos acabaré por encontrarla al fin. Sarnoso y realengo, por las huellas de cada una de ellas persigo su rastro, olisqueándolo sanguinolento por las calles de La Perla, por los riscos de latones del Wipeout por donde pasan tumbeando, quinteando, saltando felices de Barrio Obrero a la Quince un paso é, hasta la zona turística. Me quedo inmóvil, hundido en el fondo de la sábana como en el vientre de un banco de niebla. Yris, Ruz y Lhusesita esperan, pacientes, rezan aves a la Virgen, se peinan unas a otras, se untan una gotita de perfume detrás del lóbulo, beben una copita de licor, aguardan la orden de subir a la tarima para dar su show.

Willi se descubrió el primero, saltó enloquecido por las congas fuera del mangle. Ahora se ha derrumbado, se arruga frente a nosotros en un viroteo de viruta, se carboniza ante nuestros ojos en bonzo anaranjado orlado de luto, empedrado arribabajo de carbunclos. Los cueros de las congas saltan a su alrededor en chicharrones dorados, un agente apagó el lanzallamas apretando el botón con el índice. El altoparlante recita tranquilo Virgen, Virgen María, Madre de Dios, las flores plásticas de los flamboyanes[31] humean pétalos

---

[31] *flamboyanes:* árbol grande, parecido a la acacia, que florece una vez al año con hermosos colores anaranjados y rojos, manchando así la estepa verde. Pintar un flamboyán devino una suerte de género favorito.

aceitosos y flexibles, las ramas de neón de las playeras eléctricas encienden y apagan racimos de uvas multicolores, el viento remueve hojas de goma estampadas a presión. Una línea de azul intenso forma un recuadro alrededor del estrado, aquí y allá una placa dorada, una esquirla de visera, un botón de uniforme destella al sol. Al centro, una masa gris removiendo la arena, un tintineo de cadenas, unos ojos cautelosos espiando las zarzas.

Ahora es Eddi el que nos dirige, Eddi detonando la batería de los timbales mientras va pasando entre nosotros, ofreciéndonos a cada uno una lata de sevenup levantándola a contrasol y borboteándonos el chorro de almíbar gélido contra los dientes, derramándonoslo por la barbilla, por los resquicios cosquillosos de la boca. Es Eddi el que nos hace calcular la distancia que nos separa de la capa de molletes [32] muslos moflers frenos tapabocinas volantes latas latitas latones inscritas please don't litter dispose of properly [33] que arropa totalmente la playa y cubre los pies descalzos, los zapatacones de acero de los enfilados alrededor.

Nos sonreímos. Nadie ha notado nada, nadie se ha dado cuenta. Olfateando nuestra música han comenzado a bailar, la salsa ha comenzado a humedecerles las entrepiernas. Eddi galvaniza las bombas de la batería, Roberto blande feliz el lanzallamas de la flauta, Ray levanta la trompeta al nivel de sus ojos listo para disparar. Nos pusimos las gafas de sol para ver mejor dentro de la ventisca de arena que levantaban las plantas pateadoras de los pies sonrosados, los jinquetazos [34] de las caderas, la melcocha de los cuerpos que por allá jumea basculeaban [35] frente a nosotros meneando su salazón. Atentos y perniabiertos los agentes se apostaban a ambos lados del estrado para observarlos, sus sonrisas de cera rancia derritiéndoseles por las comisuras de la boca.

---

[32] *molletes:* antebrazos.

[33] *please don't litter dispose of properly:* no tire la basura.

[34] *jinquetazos:* golpes.

[35] *basculeaban:* se movían sin perder el equilibrio. La báscula es un instrumento para pesar. La referencia más directa es la del movimiento acompasado de las nalgas.

Aspiro profundamente el humo de las azucenas, el perfume de la estrella azul que llevo hincada a los labios. Ahora es necesario recordarlo todo, las mechas de cordón de zapato dentro de las bombas, el filo amolado de las bayonetas dentro de las trompetas, el combustible más potente filtrado dentro de las flautas. Es necesario que los asista en todos los preparativos, oírlos, contentos, fundiendo los fuelles de sus instrumentos por los ranchones de Trastalleres[36] saltando del tingo al tango[37] por los tinglados del Tíbiritábara[38] mientras van ensayando, preparándose en los asaltos menores, en el incendio de alguna refinería pequeña, en la explosión de alguna fábrica de productos químicos o de afeites de mujer. Es necesario que los vea claramente y camine a su lado, los acompañe cuando entierran a los muertos de Tokio,[39] vaya con ellos a curarles los chancros a las putas del muelle, les siga los pasos a las que abortan con gancho por los tugurios de tursi.[40] Es necesario que yo también sea reverente, me arrodille frente a las cueras[41] desnudas de los bares y deje que me ensangrienten la cara, me la estrujen contra sus sexos empolvados de escarcha, ayudarlas a colocarse amorosamente una hoja de jen en la palma de la mano, oculta en el fondo del pliegue de la vida, enseñarlas a hacer sus cruces de amor sobre las espaldas de los marines para grabar así de antemano nuestro pacto con sangre.

La imagen de la Virgen se detuvo por un momento sobre la corriente de cabezas inquietas, se bamboleó por unos segundos, perdido el rumbo, se volcó sobre el piso expirando una nube de yeso por los fragmentos de la boca. Dimos entonces por fin el primer paso, nosotros, los maquinolanderos, en nuestra maquiná. Maquinitamelleva,

---

[36] *Trastalleres:* barrio obrero de San Juan.

[37] *del tingo al tango:* de la *a* a la *z*.

[38] *Tíbiritáraba:* letra de una canción; sugiere algo malicioso, de tono sexual.

[39] Tokio: barrio popular de San Juan.

[40] *tursi:* referencia a Toni (Antonio) Tursi, dueño de prostíbulos en los años sesenta.

[41] *cueras:* prostitutas.

gritamos, maquinitolandera, coreamos, chumalacatera, soneamos, bajo el mando de Ismael. Culatazos silbaban, brazos quebraban, piernas partían, se cerraban de golpe todas las válvulas, todos los cilindros, todas las compuertas de la represión. Hombres y mujeres elevaban al cielo su aullido al verse agredidos por los truculentos, por los treme mundos[42] de cachiporra y espolón. Sabíamos lo que todos sabemos, señores, no sabíamos nada, no había nada nuevo, no sabíamos más. Empuñando garrotes, embragando[43] bastones, los escarabajos golpeaban furiosos a su alrededor. Nosotros reímos, fogueados, calientes, soneamos los sones de nuestras calderas, cantamos felices, los dichos y lemas, bailamos en la jodienda de nuestro ritmo, su sometimiento de siglos, su hambre milenaria de libertad. Entonces vimos como, en medio de nuestra música celestial, se encontraban y se reconocían, se saludaban salseando por los pasadizos empedrados de brillantes de Salsipuedes, trepaban enardecidos por las alturas nevadas del Altoelcabro, bienaventurados, jugaban pelota por los jardines esmaltados de los Bravos de Boston, ilusionados, corcoveaban corceles de paso fino por las praderas cegadoras del Último Relincho, reconciliados, solidarios al fin, se abrazaban en comparsas de amor por los callejones resplandecientes del Honkong. Nosotros, los maquinolanderos, no sabíamos nada, señores, no había nada nuevo, no sabíamos más.

El altoparlante derramaba rezos mezclados a súplicas, a gritos de cabezas rotas rodando por entre las flores plásticas cuando escuchamos por primera vez el borboteo de una voz surgiendo por entre los fragmentos de yeso de la Virgen reventada, una voz que derramaba una salsa gruesa sobre los cráneos abiertos, una salsa olorosa a laurel y a tomillo, a perejil florecido de almendras, una voz sangregorda y lenta, que resollaba por entre las ollas milenarias de guiso de carne prieta, una voz suave,

---

[42] *treme mundos:* que infunden temor; juega, además, con la palabra tremebundos, es decir, aterrador.
[43] *embragando:* blandiendo, empuñando.

borbollando[44] malanga[45] y yautía[46] en lentos latones de
sudor sangriento, que rezongaba por las barbillas descar-
nadas a golpes en gotas de orégano, una voz de ajos carajientos[47] que maldecía dulcemente, quedamente. Era Ruz
que había tomado el mando, era Ruz que abría para
nosotros la boa desmesurada de su boca bajo las orbes
planetarias de sus fosas nasales para respirarnos su paz,
era Ruz que envolvía los anillos de su benevolencia alrededor de todas las macanas, de todas las manoplas, de
todos los puños, era Ruz, rasgando los abismos de terciopelo negro de su voz para darnos tiempo, yo soy yo, cantaba, la Negra de Ponce, La Borrachita, la que se
emborracha en cualquier idioma, abriendo su glotis de
morsa[48] degollada al borde del abismo para distraerlos,
yo soy yo, cantaba apacible, la negra llena de Dios, la que
seno entre los senadores y los amamanto con mi paz, la
que los arrullo por la ensenada honda de mis senos. Yo
soy yo, cantaba, despalillando[49] sobre ellos las venas tiernas de su respiración, exhalándoles encima pulmones perfumados de hojas de tabaco para tranquilizarlos, para
adormecerlos bajo los luceros de las noches tibias de sus
recuerdos del ayer, para arrullarlos en los zafiros deshechos
de su nostalgia, a la sombra de los bastiones de en mi
Viejo San Juan.

Sentada impasible sobre su tarima de sapa monumental
la vimos temblar por todos los flancos de su vientre al sentir los filos de las bayonetas rizándoselos en orlas, la vimos

---

[44] *borbollando:* burbujeando; saliendo atropelladamente *a borbollones*, con fuerza y haciendo burbujas.

[45] *malanga:* tubérculo de mucho almidón.

[46] *yautía:* especie de malanga silvestre y comestible. La planta
es cáustica.

[47] *carajientos:* da énfasis a la idea de maldecir que sigue en la
frase.

[48] *glotis de morsa:* garganta de la morsa (mamífero parecido a la
foca).

[49] *despalillando:* palabra que se refiere al proceso del tabaco. Es
una tarea artesanal en la que se "despalilla" para que no se rompa
la hoja.

abrir cada vez más descarada las zanjas terráqueas de su respiración bajo las hojas de acero que le trinchaban los cachetes, la vimos seguir cantando gracias mundo mientras le esposaban al cuello palancas de nitrato, la vimos elevar la boa apacible de su voz en una última gárgola de amor antes de caer revolcándose desde lo más alto del estrado, envuelta en el tufo de su propia muerte pero bendiciéndonos, encomendándonos a las siete potencias con su eprianlola,[50] con su lolamento, con el sollozo interminable de su lamento borincano.[51]

Ellos creyeron entonces haber ganado la partida, elevaron al cielo su grito de celebración, sacudieron en alto cadenas y metralletas. Se dieron cuenta demasiado tarde de lo que sucedió. La hojalata de las ramas crujía rebotando balas, una lluvia de manoplazos arreciaba a nuestro alrededor cuando la descarga sísmica los elevó desprevenidos por el aire. Escaldados en pleno vuelo como pellejos hervidos quedaron colgando de los árboles, el magma luciferino de su espeso menstruo les salpicó en los ojos y los cegó. Era Lhusesita que había tomado el mando, era Luzferita la que se acercaba trepando en espiral, resbalando sus ojos de jueya[52] por los costados candentes de las pailas, era la Luzbela, la macho de Luzbel el cortejo de Dios, heliogábala[53] carnívora del sol, envergada para siempre por sus llamas, las piernas abiertas en dirección a oriente.

Era la Luz Más Bella, la grifa más engrifada de todas las grifas antillas, Lhusesita la del puño,[54] la del coño en el

---

[50] *eprianlola:* interjección callejera.

[51] *borincano:* variante de borinqueño, borinquén y boriquén. Nombre taino de la isla. Borincano equivale a puertorriqueño. Hay una canción famosa de Rafael Hernández (en los años cincuenta), titulada "Lamento borincano". La canción versa sobre el lamento del jíbaro (campesino) cuando abandona su "tierra" y sale para la ciudad.

[52] *jueya:* cangreja.

[53] *heliogábala:* voracidad en el comer, gula. Usado metafóricamnete aquí como pasión por el sol, la luz.

[54] *Lhusesita la del puño:* posible referencia a Lucecita Benítez, la más conocida y famosa de todas las cantantes independentistas de Puerto Rico. Su voz de soprano es extraordinaria.

carajo, la de los colmillos ajos, la negra más parejera que
parió esta tierra santa, Lhusesita encandilada, la más atada
de amor por su piel amor atada, la desatada de odio contra
la injusticia blanca, Lhusesita la malvada, la mal decida de
siempre por todos los ricos santos, la que rayó la payola[55]
de sus aureolas falsas, la que les rompió la cara con su jeta de
campana, la prieta de la petrina, la de negros calcañares,[56]
la de los negros cantares, la negra de alma más negra clavada al cielo del Ártico, de quien nunca se pudo decir esa
negra de alma blanca, decente y morigerada, Lhusesita de
cristal, la de la horquilla en el alba, la niña más compasiva,
vejada de costa a costa por grosera y ordinaria, Lhusesita
alucinada, la de los pies delicados, perdida por los caminos
por los que pasas cantando, alumbrando las esperanzas de
todos los desamparados, irguiendo tu cuerpo de bestia,
ardiendo tu cuerpo de vesta, azotada, escarlatina, pero ati-
zando los vientos con tu batola de lava.

Espesados por el pasmo, sopesados por el peso de las
nubes de azufre que salían de su boca sin cesar, los escuadrones la rodearon amartillando sus rifles sin atreverse a
ordenarle que callara, paralizados ante aquella santa
satana erguida en dos patas frente a ellos, atormentada por
la *soufrière*[57] de su sufrimiento ante la miseria de los que la
rodeaban, al contemplar sus cuerpos despellejados por el
hambre, el espectáculo de aquella isla donde los habitantes
sobrevivían en tumbas, recluidos a trabajos forzados, extraviados por los laberintos de las refinerías y de las fábricas
donde trabajaban de sol a sol. De pronto comenzó a pasearse
de un extremo a otro de la tarima, barriéndola con la
zarpa de su cola, comenzó a peinarse con arrogancia las largas plumas de sus agallas sacudiéndose la crin de alacrana
fuera de los ojos para ver mejor, para medir mejor la distancia de los cilindros que la querían encañonar. Comenzó

---

[55] *payola:* del inglés *payola.* Dinero que se paga a los disjockeys
para que toquen el disco de un determinado cantante. Por lo tanto,
"rayó la payola" quiere decir que no se sometió a este juego.

[56] *calcañares:* parte inferior al talón.

[57] *soufrière:* azufral.

por fin a cantar, inundando toda la isla con la hemorragia de su voz, regándola con su sangre para que germinara de nuevo, para reverdecerla roja de costado a costado. Vomitando toda la basura del mundo por el vertedero de su voz para purificarla, para purgarla de toda aquella inmundicia en que la habían sumido.

Abro los ojos y observo la claridad del día empalideciendo la ventana, siento el sudor del insomnio ardiéndome todavía sobre los párpados. Me he pasado toda la noche buscándola, tratando inútilmente de encontrarla. Pudo llegar montada sobre las espaldas de mamá, o quizá sobre las de Celia, galopando enfurecida y ciega como suelen arribar los ángeles. Es posible que llegase jineteando sobre el vientre gigantesco de Ruz, o sujetándose a la pelambre irisada de las espaldas de Lhuz,[58] el hermoso cuello mulato, enhiesto, y el cabello que el viento esparce, mueve y desordena. Puede que todavía llegue hasta mí, a horcajadas sobre el lomo de Yris,[59] recargada hacia atrás sobre la grupa de su caballería montada, apostada hacia adelante sobre sus pechos de regimiento, tergiversando frente a mis ojos enloquecidos el fuoco[60] de su cabellera bermeja.

Me levanto del catre y me acerco a la ventana. Desde aquí puedo ver el cuadrilátero calcinado del patio, las cuatro esquinas rígidas como codos exactos. La distancia reconocida durante el ejercicio diario me conforta, me hace distribuir perfectamente centrado el peso de mi cuerpo sobre la planta de los pies, me hace olvidar el balanceo inseguro del miedo. La sombra del muro de la derecha es apenas un fa o un sol sostenido, una barra de tinta negra reconcentrada en el piso, incrustada en ese ángulo preciso donde comienza la tierra sembrada de cemento. Apoyado contra el marco de la ventana he comenzado a sonear[61] de

---

[58] *Lhuz:* los nombres Celia, Ruz, Lhuz son posibles referencias a las cantantes Celia Cruz, Ruth Fernández y Luz (Lucecita) Esther Benítez.

[59] *Iris:* posible referencia a Iris Chacón, *vedette.*

[60] *fuoco:* fuego.

[61] *sonear:* empezar el son, el tipo de canción antillano.

nuevo, sonando, soñando. Cierro los ojos y me dispongo a esperarla, siento una vez más esa paz que me invade cada vez que recorro la distancia esteparia que le separa las sienes, el vértigo reconfortante que me produce asomarme por el embalse de sus mejillas en reposo. He comenzado una vez más a cantarla, a improvisarla a media voz bajo el ojo indulgente del vigilante de turno.

No hay mal que dure cien años, maribelemba,[62] ni cuerpo que lo resista, cantamos, nosotros, los chumalacateros, Dios los cría y ellos se juntan, te digo quesosnegrosejuntan, sabíamos lo que todos sabemos, señores, no sabíamos más. Traigounabomba, coreamos, comounatromba, quinteamos[63] suenasabroso, tumbeamos, bajo el mando de Ismael.[64] Lhusesita parpadeaba cada vez más tenue por la línea del horizonte, empalidecía sobre los cogollos de las palmas, sobre el reflejo cincelado de las bandejas de las bahías. El polvorín de su voz se deshacía inofensivo sobre nuestras cabezas en luces de bengala cuando la vimos irse de boca sobre las cachas[65] de Ruz. Yris la había empujado. Yris había observado su debilitamiento, había advertido la necesidad de un movimiento poderoso que arrastrara a las masas, que las redimiera en carne viva de una vez por todas. Bajando la cabeza, había aceptado humildemente el advenimiento de su momento, la hora temida de su conciliáculo, asistida hasta el altar por las preces de los profetas, por los rezos de los soneros aclamándote La Divina, la grúa de las pencas, la que todo lo levantas, cubierta de palomas blancas como por cartas de amor, requerida y requebrada por todos los que te aman, por todos los que te viven Yris la prometida, la pundonorosamente fiel, la novia, per sécula seculórum, de Kinkong, Papote y Siete Machos. Trepada sobre sus plataformas de

---

[62] *maribelemba:* (de María Belén). Es un juego de palabras de Ismael Rivera en sus canciones en las que se refiere a María Belén y luego alitera rítmicamente con la expresión Maribelemba.

[63] *quinteamos:* tocamos el "quinto", instrumento de percusión.

[64] *Ismael:* el cantante Ismael Rivera.

[65] *cachas:* nalgas.

oro que restallaban al sol se subió de un salto a la tarima y abrió lentamente sus piernas de colosa ante los ojos ateridos de la muchedumbre. Bajo el vértice invertido de su sexo apareció por fin la pirámide del mar. Un viento de sal le silbó súbitamente entre los muslos y, dando un gran taconazo de catorce quilates sobre las tablas, comenzó a bailar.

Enhoyetada[66] sobre los socos[67] de sus tacones giraba por todas partes, sacudiendo su miráculo meticuloso[68] en la cara de los desvanecidos y de los desaguados, alardeando su desnudez de posta humeante hasta hacerlos desesperarse, hasta hacerlos arrancarse capacetes y caretas, vestidos y guantes, hasta hacerlos empuñar metralletas y lanzallamas, rifles y macanas de los que escapaban escurriéndose entre la maleza, esgonzando[69] la cadera y volviéndola a hundir al son de la cachapa,[70] al son de la chacona[71] yo soy la checha, señores, sacúdanse, al son de su último elepé. Explotándolo todo con las calderas de sus caderas para arrasar con todo, para derribarlo todo antes de volver a empezar. Fulminando a los que tratan de detenerla con los fuetes de sus pezones, apresándolos en la tarraya de su melena roja,[72] amenazando con no ponerle tranque jamás a su molino gigante de sandunguera sagrada. El lunar sobre su ojo derecho zumba implacable al ritmo de su voz, al ritmo enloquecedor de su Nolimetángere, de su Nometoques con los dedos salpicados de sangre, los macanazos la rozan cada vez más cerca y nadie se atreve a tocarla, la sangre agrietada cae a su

---

[66] *Enhoyetada:* metida en los zapatos. Modo hiperbólico de referirse a lo que viste y hace esta bailarina.

[67] *socos:* piernas.

[68] *miráculo meticuloso:* juego de palabras que busca reiterar el término "nalgas" de la vedette (Iris Chacón) que baila. Anteriormente aparece el término *conciliáculo.*

[69] *esgonzando:* moviendo la cadera pronunciadamente.

[70] *cachapa:* referencia a lesbianismo.

[71] *chacona:* del baile de la vedette Iris Chacón.

[72] *tarraya de su melena roja: tarraya* es una red de pescar. Iris Chacón bailaba con un velo que se amarraba al pelo y siempre se teñía el pelo de rojo.

alrededor y nadie se atreve a tocarla, le arrojan los perros
encima y nadie se atreve a tocarla, se abalanzan sobre sus
nalgas sagradas ahora ya sangradas y nadie se atreve a
tocarla, lamen chillando la canela prieta de sus jamones
en dulce y nadie se atreve a tocarla, sorben amansados
para siempre el bienmesabe de sus entrepiernas y nadie
se atreve a tocarla, chaconeando[73] las caras de sus enemigos con las valvas de su concha de oro, abollándoles la
frente los cachetes los oídos con los cueros descuajados
de sus odres sonrosados, hundiéndoles para siempre los
ojos despavoridos con los tocones macizos de sus tacos al
ritmo de su canto, al ritmo implacable de su voz incitando
a la revolución.

Por fin ha entrado por las puertas de mi celda como
quien pasa por las puertas de la gloria. El cuerpo helado
erguido ante mí, destellando ira hasta enceguecerme, la
observo, supurándola gota a gota por los ojos como un
veneno mortal, destilándola lentamente por los surcos de
mis mejillas en las lágrimas cristalinas de la yuca,[74] cuaján-
dola en el llanto de los siglos, en los sollozos de todos los des-
castados y de todos los oprimidos, de los destituidos y de los
ajusticiados, de los abandonados para siempre por la esperanza, supurada de sangre por todas las heridas, empanta-
nada de pus, encenegada de semen y enlodada de heces,
parida con terror por entre feces et urinae saca la cara al sol
y escucho su grito:

> Chúmalacateramaquinólandera
> Chúmalacateramaquinólandera
> Chúmalacateramaquinólandera
> Chúmalacatera
> Chúmalacatera
>
> MAQUINÁ

---

[73] *chaconeando:* dejando estupefacto, aturdido con el arte de su
baile y de su cuerpo. "Chaconear" viene a significar, así, el estilo
único de baile y movimiento de la vedette Iris Chacón.

[74] *yuca:* tubérculo que, al abrirlo, segrega un líquido lechoso
que se pone duro como cristal.

## ENRIQUE JARAMILLO LEVI
(Colón, Panamá, 1944)

T R E I N T A años de actividad literaria —desde la publicación del volumen de cuentos *Catalepsia* en 1965— confirman
la sólida presencia narrativa del escritor panameño en las
letras hispanoamericanas en los géneros cuentístico y lírico,
con una producción de seis libros en cada uno de ellos. Jaramillo Levi realiza sus estudios universitarios en Panamá y de
posgrado en Estados Unidos y México. Dirige la revista
panameña *Maga* durante los períodos de 1984-1987 y
1990-1993. Actualmente reside en Querétaro, México, país
al que en realidad, regresa, pues había vivido con anterioridad allí durante doce años. El escritor panameño se ha dedicado al género cuentístico con un sólido conocimiento de la
tradición y de sus coetáneos y un decidido sentido de renovación; lo posmoderno, lo erótico y lo fantástico cobran una
dimensión decididamente personal en su obra.

En el cuento "La sombra" —incluido en la colección *Ahora
que soy él*— la historia de la narración es intervenida por un
halo poético de imágenes en el que se cruzan la visión onírica,
el asedio de fantasías, la implosión erótica, la exigencia de las
duplicaciones, el acercamiento a un centro ya perdido, la destrucción del cuerpo y el desplazamiento hacia el vínculo del
nacimiento. La revelación de la tortura a la que es expuesto
el cuerpo lírico-narrativo nos devuelve violentamente al epi-
sodio de una Historia terrible por la cual la sombra y el dolor
advienen reales, la alucinación y la demencia, alternativas, y
la fantasía de la reincorporación umbilical, un refugio al
temor de la destructividad y desmoronamiento sociales.

## LA SOMBRA

B R O T O plácida, casi lánguidamente de ti, madre, como lirio de las entrañas de un estanque: me recobro desde el misterio y al salir siento que el aire me limpia con aromas dulces los pulmones y que al mismo tiempo recupero, imagen clarísima, tu forma copulando con alguien que no conozco cuando respiro; te dejas penetrar por su delirio, tu entrega se hace aullido y yo continúo encontrándome sin dejar de estar unido a tu centro, hasta que súbitamente algo se rompe y percibo el abandono y una extraña mezcla de odio y añoranza, pero también las ganas de ser yo mismo para siempre; despierto entonces, o creo despertar contento. Echo a un lado las cobijas, me levanto o creo levantarme despacio, como si no fuera más que una sombra habitada que continúa la acción del sueño; tomo mis ropas de la silla, voy vistiéndome, o creo vestirme sin prisa dueño del tiempo; frente al espejo me miro largo rato y sólo dejo de hacerlo cuando tengo la impresión de que me contemplan; surge la confusión, otra vez el miedo que he estado reprimiendo, los planos de la realidad se desubican; tras un mareo, el vértigo me golpea de improviso; por un largo, interminable instante permanezco de pie, con frío; únicamente siento en la piel desnuda como si me zarandearan garras; desde lejos me duelen los testículos, crecen como si estuvieran pasando por un estrecho conducto y al otro lado del embudo se liberaran de una presión insoportable; déjenme ya, grito, ya no más, por favor, y una calma temblorosa empieza a instalarse, se extiende, duele, me hace querer volar nuevamente, por un rato me desplazo, soy nube radioactiva,

237

floto, me disuelvo; otra vez reconozco los confines del cuarto y busco el espejo, me busco, necesito saber si aún estoy aquí, si existo; lo que percibo es una infinita sucesión de techos y azoteas por todas partes; instalado en la cúspide de un insólito rascacielos, asediado por el viento y cinco sombras con zapatos, estoy al borde del abismo; sé que el momento del colapso no demora, si me empujan me recibiría un vacío insondable, y en seguida estoy cayendo hondamente y sigo cayendo una eternidad mientras oigo el estrépito de cristales que se rompen cortándome brazos y cara, he roto la barrera, los límites quedaron en otro sitio, porque estoy del otro lado de aquella frontera plana y dura en donde se habían apropiado hace un momento de mi imagen y me buscan los ojos, los ojos que te recuerdan, madre, en reto incomprensible, absurdo; contemplando la habitación al otro extremo, desde el piso en donde quedé tirado sangrando, otra vez el rojo y sus mareos, el asco llegando a la raíz del vómito, mi voluntad de sobreponerme, lograrlo, nuevamente estar lográndolo, sí, poco a poco; la cama revuelta con sus cobijas sucias, la silla recta sobre la que aún se extienden mis ropas, el espejo mismo reflejando fríamente todos los objetos; si el ángulo se ha invertido y contemplo el cuadro desde afuera, también aquí el silencio empieza de nueva cuenta a rasgarse; se oye como un ronquido tenue, la presencia de un aliento entrecortado; alguien sufre o duerme; o sufre mientras duerme, porque hay angustia, dolor incluso, en esta queja que me llega; algo se ha movido entre las sábanas, se tuerce; veo cómo se asoma una cabeza despeinada, se abren los hinchados ojos, confundidos todavía los gestos; se ha levantado y busca el espejo; ambos vemos detrás de su figura, que es la mía avejentada y torpe, o quizá la del padre que no conocí, la tranquila imagen de un estanque; sentimos una atracción creciente llamándonos; salgo del sitio abstracto que me guarda y me desplazo hacia el cuerpo que continúa mirándose en el espejo; me fundo con él y caminamos hacia el estanque sin hallar obstáculos en el camino; en el agua reposan un lirio y su reflejo; lo veo alzarse buscándome la mano; al sentir el contacto húmedo del tallo lo asimos

dulce, delicadamente, pero éste se parte y la flor gime y
suda sangre, sangre en esta mano compartida que la sujeta;
y muy al fondo, como en un mundo recobrado, donde habíamos dejado los límites del espejo, vemos a una mujer
doblada hacia delante extrayendo de su centro una flor
blanca que se va abriendo en sus manos mientras la poderosa luz que irradia enciende el perfil de cada cosa en el
cuarto y me permite recordar por un brevísimo instante
cómo he tenido que hundirme en la demencia como en un
regazo tierno para poder resistir las torturas a las que he
sido sometido; mi cuerpo, minado por golpes y descargas
eléctricas, es un panal asediado por la muerte; ¡Sésamo,
ábrete!, grito en el último interrogatorio, ¡ábrete y trágame
de una vez y para siempre porque no resisto ya este calva-
rio!; por lo que ahora doy nombres, articulo fechas, des-
cribo incoherentemente lugares; entre sudor abundante y
excrementos les insisto en las mismas respuestas, las que
escuchan ahora complacidos, sonrientes, apenas sugeridos
rostros entre las sombras, sí, claro que sí, por qué no,
madre, muerto de risa invento por fin la esperada conspiración contra la patria, convertido ya en una sola sombra,
agonizante...

## TERESA PORZECANSKI
### (Montevideo, Uruguay, 1945)

TERESA Porzecanski comienza a publicar en la segunda mitad de la década de los sesenta, especialmente en el género cuentístico al que ha contribuido con siete excelentes colecciones que le han dado bastante notoriedad en Hispanoamérica. Su más reciente volumen de relatos (aún inédito y titulado hasta ahora *Felicidades fugaces*) es otra extraordinaria aportación a la cuentística hispanoamericana, con cuentos de fino estilo y amplio poder metafórico como "Nupcias en familia" y "Morir es algo íntimo". La calidad de las publicaciones de Porzecanski ha originado un marcado interés por conocer su narrativa en el extranjero; su novela *Invención de los soles*, que ya cuenta con tres ediciones en español, ha sido traducida al inglés y sus cuentos se han traducido al alemán, francés, holandés e inglés.

Además de la cuentística, ha publicado cuatro espléndidas novelas, de la cuales *Mesías en Montevideo* recibió un premio importante en Uruguay. Su libro *Intacto el corazón* es una incursión tanto en el género de la poesía como en el encuentro de una escritura de integración narrativa y lírica; aspecto que ha permeado la construcción estilística de sus cuentos y que le ha sido reconocido en su país con dos premios a la Mejor Obra de Prosa Poética. Teresa Porzecanski se especializó en antropología y, aparte de su actividad docente en esta disciplina, ha contribuido sistemáticamente a la investigación antropológica y a las áreas de etnografía y etnología con publicaciones de importancia que ya suman ocho sólidos libros.

La sistemática calidad de sus contribuciones literarias y antropológicas a través de dos décadas junto con un nuevo y significativo proyecto de investigación —la finalización de su novela *Perfumes de Cartago*— le permitieron ganar la beca Guggenheim en 1992, meritorio reconocimiento a la distinguida trayectoria de la escritora uruguaya cuya acreditada cuentística ha sido incluida en una treintena de antologías publicadas en Alemania, Argentina, Estados Unidos, Holanda, México, Puerto Rico, Venezuela y Uruguay.

El relato "Historia de locura" pertenece al volumen *Historias para mi abuela* de 1970 y fue luego incluido en *Ciudad Impune* en 1986. El cuento explora en el principio de lo transformacional a través de un personaje refugiado en el aislamiento. La originalísima perspectiva de Teresa Porzecanski rompe la comodidad de la historia de un personaje en particular para indagar con la complejidad de la visión artística en la instancia de la locura como factor modificante, con sus voces de alerta y autoconsciencia.

# HISTORIA DE LOCURA

T A L como la muerte, que crece y triunfa y estalla y define en el dulce temblor, en el compadecerse sin alivio, creció la locura de Rogelio Encina. Solo, un buen día, transitó por nuevos y sombreados sótanos, como un aventurero, a la difusa luz de su discernimiento que, por entonces, habíase ya desgastado en ritmos, sonidos y visiones de la gracia de la vida. Solo, un buen día decidió que el teléfono sonara hasta callarse, que el baño, la pieza toda del hotel, pequeña y ridícula, devolvieran al tiempo su sibilante silencio, que las cartas que la rendija inferior de la puerta le arrimaba una vez a la semana, se juntaran sobre la mesa, allí donde doña Irma las ponía, cada vez que entraba a sacudir el pegajoso moho de encima de los muebles; decidió dejar de comer en lo de Raimundo: no fuera a ser que las partidas de póquer se alargaran y le impidieran presenciar, a solas, el milagro acuciante de la situación.

Rogelio Encina quería cambiar, transformarse, como un insecto que puede resurgir en mil formas, modificarse, impedir que su destino arrasante y probable, le prohibiera confesar nuevas debilidades Lo primero que hizo para reforzar ese intento, fue adquirir un microscopio de segunda mano, hermoso y desvencijado, eslabón aún instituido, hacia los nuevos caminos. Lo instaló en su pieza, junto al pequeño balcón, frente al mar interminable.

Entonces, comenzó una nueva forma de visionar: se quedaba hasta muy tarde mirando cómo los protozoarios se movían, deslumbrado por el teñido viólaceo intenso de los preparados, manipulando las viejas lentes, a veces empañadas por su aliento maloliente. "Se mueven", repetía sin cesar. "No cesan de moverse", repetía, una vez tendido en el hueco del colchón combado justo a la medida de su cuerpo, esperando que el sueño le llegara, por fin, como un olvido. "Se mueven más que yo, carajo." Y luego, algún lejano ladrido le traía reminiscencias confusas que hacían retroceder la vigilia.

Una tarde, encimado, ya, sobre el viejo aparato, comenzó a observar su pulgar, el derecho, iluminado ferozmente, bajo la lente. Parecía una grotesca masa amarillenta, dividida en pequeñas partículas geométricas. Luego, sus otros dedos, fueron sometidos a la prueba y, en el ímpetu por examinarse, hubiera retorcido todo su cuerpo, bajo las iridiscentes luces que la lente refractaba. "Señores", pensó, "soy una construcción". Después de lo cual, un sopor cálido lo envolvió hasta el otro día.

Ése fue el comienzo. Al trascurrir los días, Rogelio comenzó a observar sus pies, postrado en malabarísticas posiciones sobre la mesa, sus largas uñas, negras en el borde y desparejas, el vello sobre los dedos, que semejaba un alambrado tupido y enrevesado. Luego, solía tenderse desnudo sobre la cama, a pesar del frío que la humedad del mar traía en ventoleras, y permanecía quieto, perdida la mirada contra las grietas en el cielo raso. La noche entraba entonces de repente, como un negra invasión por las ventanas, inusitada, henchida, dolorida en el transcurso de las estaciones. La noche entraba, entonces, mientras Rogelio Encina se miraba, engarzada en las horas que luego sumarían miles de días, años.

Fue una de esas noches, en las que el sosiego no era más que una forma de respiración consecuente, en que decidió dar un segundo, leve paso. Adquirió en una tienda enmohecida un anteojo de relativo aumento, y lo dispuso en un soporte, mirando desde el rectángulo constante del balcón hacia el hermoso cielo. Y el despliegue fue más que grande, insólito: sólo debía entonces ubicar a los astros a las horas en las que éstos atisbaban el ceremonioso andar terráqueo. El cielo parecía, entonces, la trascendencia buscada de su cuerpo. "Giran" repetía murmurando, "giran" y la espera de la hora exacta era la cita a la que el instrumento desgastado lo llevaba, día tras día del invierno. "Giran" decía y el movimiento era la manera de concebir un gran universo, insuflado, anexo, que lo esperaría cuando su cuerpo se arrugara, cuando todo, hasta la respiración tranquila y apagada, se fundiera en un largo y estéril vahído.

Fue un domingo, caída ya la tarde, y cuando faltaban algunos minutos para la aparición de Venus, cuando Rogelio Encina recibió la visita del Padre Camilo. Entró con su sobretodo negro, la sotana asomando, y en la mano, desgastado, un pequeño sombrero.

—Qué tal —saludó— Se asombrará de verme.

Rogelio se incorporó; por el balcón abierto entraba, serpenteando, el frío. El anteojo, dispuesto, esperaba, sobre su soporte, el manipular nervioso de los dedos sobre sus pomos herrumbrientos. Rogelio se incorporó con molestia.

—Hace tiempo que no lo veo por la capilla —prosiguió el Padre Camilo, mirando en derredor. Sus gruesos dedos estaban encendidos y agarrotados sobre las alas del sombrero.

Aparecería Venus en media hora, o tal vez en menos tiempo —la exactitud debía ser calculada con instrumentos más precisos que los que él disponía— aparecería Venus, rosado, o tal vez blanco, y con el fulgor inquieto que lo cubría.

—Hace tiempo que no lo veo. Pienso que tal vez se ha alejado por alguna cuestión personal. O tal vez no le ha dado suficiente importancia a su comunicación con el Señor.

Aparecería Venus, desdoblado en luces, sibilante; iluminaría lejanamente el atardecer que se haría, entonces, glorioso, la mesa incolora, las grietas en las esquinas del cuarto. Y el padre Camilo desaparecería como por milagro, es decir, su rostro se transformaría en luz, en lámpara, y la conversación se haría inteligible.

—No sé. No he ido —dijo Rogelio, la mirada fija en el balcón.

—No es posible que un fiel que ha ayudado tanto a nuestra iglesia, se aleje, así, de repente. ¿No cree que esto es también una forma de pecado?

Rogelio contemplaba el rápido atardecer. En un minuto o en dos desaparecería el pálido encenderse del mar, las olas subirían como trepándose por los muros de granito de la rambla y un olor a peces y a arena impregnaría los huecos en la noche.

—No es posible que la fe se pierda de un momento a otro, que todo en un ser se destruya de la noche a la mañana—. El cura movía su cabeza, del microscopio a la cama y de allí a la mesa, y de allí a la cama y de allí nuevamente al microscopio.

Siete campanas sonaron a través de los ladrillos; pronto estuvo con ellos la noche, entera, infranqueable, mientras el Padre Camilo se alejaba, meneando la cabeza, calle abajo, y en el cuarto, desolado, inmutable, Rogelio Encina transcurría, una vez más, por los recientes meandros de su locura.

Así pasaron los últimos días del invierno, y así estalló, dolorosa, la primavera: durante las mañanas el mar relucía movedizo de brisas bajo el claro cielo distante, desparramando iridiscencias por las veredas. Durante las mañanas, Rogelio Encina transitaba por la costa, juntando, como tesoros, desperdicios viejos sobre su carro tambaleante sujeto a dos ruedas de hierro. Lentamente, paseando una nueva y ociosa pereza por el paisaje, una idea vino a él, como vienen sin quererlo, las edades.

"Construiré un templo" —decidió— "un templo hermoso y colorido, que se eleve hacia los astros". Y entonces, fue la arena húmeda y cremosa de la playa la que comenzó a moldearse en geométricas formas, insólitas, irregulares, desparejas. Fue la arena, y cuando ésta no sirvió para guardar la vigencia de las líneas contra las mareas nocturnas, fueron el hierro, el bronce, las herramientas en desuso, encontradas en los basurales, las bases de la construcción que se erigiría. Allí, justo debajo de su balcón permanentemente abierto, Rogelio Encina construyó un templo, quebrado, enrarecido por la alternancia de colores y texturas diferentes, irregular e insólito. Solamente la elevación creciente, cada día más erguida y más firme, contribuía a definirlo como templo: una pasmosa verticalidad ungida desde la calle, casi hasta la altura del balcón, para que desde él, alcanzara la cima, rugosa, despareja, pero accesible.

El día en que el templo pudo llegar a la altura del balcón, Rogelio Encina instaló sobre su cima, en ceremonia grandiosa, irreversible como su afán, una única, cimbreante vela encendida, que se derritió, durante toda una noche, sobre el eslabón más alto de la torre. Entonces, todos los atardeceres, Rogelio pudo asomarse, desde su herida, hasta la cima del templo, y en silencio, arrodillado a su lado, de modo que sus manos pudieran tocarla, alzó su honra, definitiva y sagrada, hacia ese infinito que tanto había buscado.

Ésa fue, por años, su forma de religiosidad, compleja, inescrutable, alborozada, desde el cuarto solitario, desde el balcón abierto hacia las oraciones indescifrables y absolutas.

"Señor todopoderoso. Si Tú quisieras, si todos quisieran que la libertad entrara por la puerta y se sentara y se pudiera hablar con ella de igual a igual, yo podría entonces descansar." "Señor todopoderoso, permítenos que el naufragio sea total, definitivo, que no haya un solo monstruo que nos sobreviva y pueda engendrar otros miles." "Señor, Señor, dinos dónde estás ahora, para que los años se alivien de penurias y corran henchidos, relajados."

Correrían deleitándose por las células de la construcción humana, alternando en ellas estaciones, arrugas, cicatrices y, definitivos, luego, darían paso al último miedo. Así, entonces, Rogelio podría dejar su templo eregido en demanda para que, sólo, de a poco, se desmoronara, y sólo, de a poco, se hiciera gradualmente innecesario, como las innecesarias creencias.

Fue, llegando a los últimos días de luz racional, cuando Rogelio Encina concibió su gran consagración, hacia la redención póstuma. De pie, en su balcón, a la cima del templo, creyó que el momento de la procreación había llegado, como el sublime paso imprescindible para que, definitiva, la luz de los astros lo absorbiera, para que sus células se diluyeran contentas en el seno de aquello que lo rodeaba y que cada día se hacía más enorme y exigente. "Quiero tener un hijo" repetía solitario por las calles, "un hijo que corra por donde yo me alejo". Y el deseo crecía cuanto más se concentraba en él, como una visión que hubiera ido afinándose en detalles, al ser una y otra vez concebida. Palpaba apesadumbrado su vientre liso y blando sin percibir que la vida, allí, se recreara, sin temblar por la tierna expansión del aleteo primero que señalara que se podía, sí, que aún se podía incluir aquí también, dentro del portentoso y consabido límite del cuerpo, la única posible trascendencia, la sola posibilidad de replegarse y verter, desde sí, un producto terminado, embellecido por un desquicio de libertad y de afrenta que no podría nunca compartirse. Pensaba, ya, en una muerte próxima, despavorida y desvariante, cuando una tarde percibió el primer signo de que algo extraño le estaba sucediendo: su vientre había comenzado a hincharse como un globo elástico y móvil por dentro, una sensación de ritmo se agitaba en sus entrañas, irradiando actividad y crecimiento. Supo, entonces, que el momento había llegado y que la espera sólo podía llevarlo a la clarividencia tan deseada. Supo que los días vendrían premeditadamente y todo cambiaría: él mismo y cada una de sus partes podrían entonces salir al exterior, para fundirse, y disolverse, y formar parte de otros cuerpos y otras partes.

La espera comenzó y Rogelio Encina soñaba cada tarde con los diálogos que podría entablar con el ser que allí se debatía, diálogos concisos, incipientes del don de la palabra en los que el  significado habría de transformarse en una última, trivial, maledicencia. "Vendrá" se decía Rogelio, "vendrá y hablaremos; podremos hablar largos años sobre largas cosas, y si no hablar, mirarnos".

Fue el séptimo mes del año el que asistió a ese doloroso parto. Las grietas en el cielo raso, heladas por el aire que el balcón abierto traía en ventoleras, presenciaron, húmedas, la serie de gemidos que, como oraciones, exangües desprendían los labios. Fue el séptimo mes, fue en julio, que el templo llegó a ser innecesario, y una noche Rogelio sintió que su cuerpo se abría, retorcido y purificado, para verter, entre sangres y delirios, el parto de sus propias entrañas. Se estaba dando a luz en el atardecer de invierno, dando a luz a su hijo, que era él mismo, que había venido a remojar su esencia y su imagen en sus propios desechos. Lo vio aparecer entero, pequeño y enrojecido: el ser humano primero que él también había sido apareció ante sus ojos, inundando de luz y de destellos los renegridos huecos de la noche. Lo vio aparecer antes de que el último sueño lo alcanzara, ayudándolo a fallecer tan dulcemente.

## JULIO ESCOTO
### (San Pedro Sula, Honduras, 1944)


L A publicación de las novelas *El general Morazán marcha a batallar desde la muerte* (1992) y *Madrugada* (1993) —dos ambiciosos proyectos narrativos, estupendamente logrados— vienen a dejar establecida la solidez literaria del escritor hondureño así como el interés por conocer más en profundidad su trayectoria artística iniciada en 1967 con la colección de cuentos *Los guerreros de Hibueras*. La realización artística de lo moderno en la obra de Julio Escoto es conseguida con un extraordinario equilibrio entre direcciones de preocupación sociocultural (la identidad, la violencia, la desmesura de lo histórico) y perspectivas de honda expresividad escritural a través de las cuales adquiere mayor energía y novedad la transferencia hacia lo universal.

Además de las dos novelas mencionadas, ilustra esta consecución el libro *La balada del herido pájaro*, colección en la que se encuentra el cuento "Los perros de la sed". Este relato silencia referencias concretas, trabajando en el plano de la insinuación, del fluir de conciencia y de sutiles menciones transhistóricas —"la artillería alemana que ese día ha invadido Polonia"—, con el objeto de provocar una impresión artística sobre el acoso del individuo que sea desplazable en el tiempo y en la que impacte con horror el sin sentido de la destrucción que el hombre puede ejercer sobre su propia especie.

El reconocido narrador y ensayista hondureño recibió su formación intelectual en centros universitarios de su país, Estados Unidos y Costa Rica, ocupando posteriormente

249

cargos docentes y directivos en la Universidad Nacional
Autónoma de Honduras. En Costa Rica asumió la dirección de la conocida Editorial Universitaria Centroamericana y en Honduras la de Director del Centro Editorial.
Después de la publicación de dos libros de cuentos y de su
primera novela *El árbol de los pañuelos*, es distinguido con
una invitación de residencia en el prestigioso International
Writing Program de la Universidad de Iowa. Su obra literaria ha sido galardonada en Honduras y en Alicante,
España, donde recibe en 1983 el Premio Gabriel Miró.

# LOS PERROS DE LA SED

### (SÓLO PARA HIDRÓFOBOS)

—¿*Cómo te llamas?*
—*Pedro Petro del Campo...*
Ve correr las aguas. La luna tiende una raya plateada
desde el recodo visible en que entronca el río hasta muchos
metros adelante donde la copa de los árboles se tiende para
implorar una gota, sobre el cauce. Hay humedad por todas
partes y donde él está sentado puede percibir las hojas
mojadas. Como puntas brillantes, como luciérnagas, como
una perla de miel que se distiende, van desprendiéndose las
gotas de las ramas, para caer con un golpe sordo al suelo.
Son golpes inaudibles, de un tambor natural en miniatura,
pero él los oye. Le resuenan trepidantes en los oídos como
si se los golpearan con un mazo. Tiene extrañamente desa-
rrollados los sentidos esa noche. Su capacidad visual le deja
ver el desove de los peces, el fogonazo del ala lechuzal en
el cielo y los pasos, agigantados, como de cien ejércitos en
marcha, que producen las hormigas. Está incómodo. Tre-
mendamente incómodo sobre el suelo.
—¿*Cuál es tu oficio?*
—*Bachiller. Trabajo en la fábrica de azulones de Duvalier.*
—*Yo no sé para qué diablos siguen haciendo bachilleres
en este país si sólo se dedican a conspirar o a fabricar par-
ches de azulón. Siquiera fabricaran casimires...*
Tiene las manos quemadas y no las mueve. Desea un
cigarro. Los tiene en la bolsa de la camisa, a pocos golpes
nerviosos del cerebro, pero no puede fumar. No puede
moverse. Sólo puede movilizar los ojos, girarlos hacia todas

partes como un dedo en el óleo. Pasa su lengua por los labios amoratados. Le parece estar lamiendo la almohada (¡Dios lo quisiera y todo fuera un sueño!) o algo más duro como un pedazo de pan reseco y viejo. Oye, sobre su cabeza, la plática que quizás entablan dos campesinos cien kilómetros más allá. El murmullo del río, allí abajo, es interminable. Capta incluso la artillería alemana que ese día ha invadido Polonia. Cuando un graznido quiebra el silencio y repercute le parece ver un cuerpo que cae, doblándose, entre golpes de piedra y apretones de liana, al río.

Una estrella fugaz. Pide un deseo. (¡Dios mío que sea un sueño!) La estrella cae al agua, apenas abajo de él, a unos pocos pasos, pasos descendentes como la muerte y se da cuenta que ha sido un cabo de cigarro el que muestra su brasa agonizante mientras se humedece y flota. Lo ve alejarse con la corriente. Desea ser ese pedazo envuelto de tabaco viajero.

—*Bueno, pues. Nos vas a contar todo. ¿Verdad, papaíto?*

—*No sé de qué me hablan. No sé nada... No sé... ¡No sé!*

—*No llorés, hombre, aguantá como macho... Hablá y te soltamos. ¿Quién te dio los papeles?*

—*No sé... Palabrita que no sé... ¡No sé!*

Tiene hambre. Desde ayer no prueba bocado. Desayunó temprano y cogió su bicicleta para dirigirse a la fábrica. Al mediodía, después de marcar su tarjeta en el reloj, lo estaban esperando. Sobre la parrilla de la bicicleta estaban los papeles y él no supo contestar. Recuerda haberse comportado valiente unas dos o tres horas. Luego lloró. Sintió que las lágrimas, sin quererlo, le brotaban, como surge de una fuente el leve escape de agua. Resistió dos horas o tres. Sudó mucho y no pidió clemencia sino hasta que las lágrimas le mojaron los labios abiertos y agrietados por los golpes. Entonces se dio cuenta de que era inútil decir ¡No sé! Inventó una mentira. Se la creyeron, pero al investigarla se dieron cuenta del engaño y quedó maniatado, más que antes. Se desesperó y vino la noche. Lloró, acostado en el suelo, a la par de otros, sin que nadie tratara de consolarlo. Era el más joven del grupo pero nadie se dio cuenta de su inexperiencia. Por lo menos así le pareció. Cuando en la madrugada se pasó los dedos por la cara se dio cuenta de que no estaba soñando (¡Dios mío, que sea un sueño, una borrachera!) y se lamió los labios, así como ahora, para encontrarse una vejiga hinchada y rota. Sintió mayor desesperación y entonces le vino, como sacudida nerviosa, la idea.

—*Sos durito, ¿eh? Pero tenemos tiempo... bastante.*

—*Mi jefe me va a sacar de este...*

—*¿Tu jefe? Él nos llamó. Así es que no hay salida.*

—*No puede ser. Mi trabajo es...*

—*Era. Un sobrino mío comenzó hoy a manejar tu máquina. Así que por eso no te preocupés. Hablá, hombre, te conviene, estás todo hecho leña y vas a acabar como astilla. Mejor hablá...*

En las casas vecinas al barracón alguien mantuvo encendida la radio toda la noche y le costó dormirse. Se despertó acosado por una jauría de perros sedientos que se le metieron en el cuerpo. La batahola se organizó en la garganta. Se pasó la lengua por los labios y sintió duro, como queso añejado. Pensó en Hitler y su proeza, para distraerse un poco. Cuando las noticias sobre la guerra concluyeron, volvió el deseo obstinado de escapar, pero las paredes eran altas. De madera, pero altas, claveteadas, con columnas de cemento en cada esquina y sin rendijas. Al darse vuelta topó con la pared y se le adormeció el codo. Se enteró entonces de su libertad. No tenía amarras. Fumó un momento a oscuras, doliéndole los labios cada vez que trataba de localizar un agujero en el bulto de su boca. Jugueteó un rato con el encendedor y prendió fuego a la idea.

—*Aquí entran las vacas y no salen ni los cascos...*

—*Yo... no sé cómo es eso de los papeles...*

—*Ja. ja..., bermejo..., y como bermejo...*

Eso fue hoy en la mañana. Recordaba la radio, inaudible a veces, por la estática. Sin embargo, ahora oía todo, todo. Incluso los latidos de su corazón eran como un potro desbocado y galopante sobre el brocal de un pozo. La vista abarcó el campo, después del río, mientras la luna esperaba, pacientemente, el desfile de nubes carbonadas. Las manos no. Ésas no servían ya. Estaban quemadas. Ya no

ardían. Al principio, después del fuego de la idea que prendió el fuego, le produjeron una impresión de dolor incon-
cebible. Se las quemó tratando de escapar, de apartar las
tablas encendidas del barracón para buscar, crearse, una
salida. El olor de ropa sucia, sudada, había sido sustituido
por otro de humo, crepitar de madera que se olía y se oía.
Donde había estado durmiendo y donde jugó con el encendedor cayó una viga ardiendo por todas partes. Saltaban los
clavos al rojo vivo y trataba, él, de escapar. Sus compañeros tosían y lloraban. Sólo él manoteaba y daba patadas a
las tablas, esperando que cayeran. Se quemó las manos. Le
dolió mucho. Ahora no. Desearía bajar y meterlas al agua,
pero no podía. Sería delicioso tomar un poco de agua en las
manos y mojarse la cara, lavarse los labios hinchados, la
frente rota. Pero no podía bajar. Bueno, según creía (¡Dios
mío, un sueño, un sueño!) iba a bajar pronto al agua para
lavarse todo el cuerpo. Se dio fuerzas pensando que sólo
sería un momento y que luego, cuando se acostumbrara a
estar bajo el agua y cuando no le hiciera falta respirar, todo
habría pasado. Olió el perfume que la noche se echa
encima como un chal gasoso. Las enredaderas cubrían los
árboles y él las miraba avanzar microscópicamente, abra-
zando los tallos y los troncos. Cuando el sol volviera estarían ocupando un nuevo territorio, como ahora lo hacían
en Europa, en parte mínima gracias a su ayuda. Lejos vio
encenderse una hoguera. Algún campesino que iniciaba sus
labores. La llama parecía apagarse y luego volvía a su
esplendor pasado. Él la miraba. Los otros, no. Los otros dis-
cutían si allí o más arriba, donde no hay casas cerca, que ya
va a amanecer y lo mejor es terminar luego para ir a ver si se
salvaron los papeles del archivo, que si este desgraciado no
hubiera tenido la brillante idea... Pero que no lo iba a contar,
que lo iban a dejar para que durmiera (¡Dios de los cielos, que no sea...!) en el agua. El agua, pensó, que le lavaría las
manos y la cara. La misma que le cayó cuando el barracón
prendía fuego, después de que llegaron los bomberos y enfo-
caron sus mangueras precisamente donde él luchaba porque
el fuego botara la pared, el fuego que él mismo inició después que le quitó el algodón a su encendedor y lo metió en

un agujero de la pared, dándole chispa con el pequeño pedernal. El mismo fuego que vio desde lejos mientras huía y el agua cayendo, no cayendo al agua como ahora será, luego de escapar hacia las afueras de la ciudad y después que lo agarraron de nuevo.

Los perros de la sed le mordieron otra vez la garganta y él trató de escapar. Se movió para evitar la dentellada en el cuello y alguien le ayudó, no muy cortésmente porque fue una patada, pero por lo menos bebería agua, mucha agua, esa misma que se iba acercando con rapidez y que tenía la luna pintada con tinta blanca, hecha de leche de cabra, huyendo de los perros que lo perseguían hasta abajo, dando tumbos por la ladera, tratando de enterrarle los colmillos también en las manos quemadas. Trató de apartarlas pero era inútil, una seguía a la otra porque estaban amarradas como por un eje atravesándole las palmas.

—¿Nos vamos?

—¿No esperamos, para estar seguros?

—¿Para qué, hombre, para qué...? Y aunque saliera... ¿Qué?

## MARCIAL SOUTO
(La Coruña, España, 1947)

NARRADOR argentino, autor de las admirables y novísimas colecciones de cuentos *Para bajar a un pozo de estrellas* (1983) y *Trampas para pesadillas* (1988). La característica central de los relatos de Souto es la inmersión integral en el lenguaje poético: fascinación por ingresar narrativamente en esta zona lograda con naturalidad y fluidez. Del cuento "Nacimiento en los desiertos" nos llega la siguiente apertura lírica: "Los golpes del cambio despiertan la semilla profunda, que se abre y saca su lengua más tierna: con ella sopesa y tamiza los sabores salobres de la noche subterránea, cuenta las vibraciones nuevas que incomodan a los átomos abismales, busca el origen de la conmoción." (En *Trampas para pesadillas*. Buenos Aires; Puntosur, 1988, p. 14.)

Sin recargamientos, el talento narrativo de Souto penetra con profundidad en la "imago" poética, acercándonos a un nuevo estado de excitación sensorial que se traspasa a los personajes en la forma de una fresca expresión de sensualidad hacia la experiencia de la naturaleza y de la vida. En este universo todo se conecta, nada se puede separar de la totalidad como en el crecimiento inverso de los árboles en el cuento "Lobras", seleccionado en esta antología e incluido en la colección *Para bajar a un pozo de estrellas*.

Marcial Souto ha residido en Barcelona, Montevideo y Buenos Aires. Su dedicación a la literatura ha sido paralela a su tarea como traductor, asesor editorial, director de series y compilador de antologías.

256

# LOBRAS

ANSELMO Cortés echó una última mirada a los lobras y entró en la casa.

—Clara, se está repitiendo lo de ayer. Los ruidos y los temblores. No sé qué pasa.

—¿Otra vez? Ahora entiendo por qué se mueven los vasos.

Aquel otoño, cuando se mudaron a Villa García y fueron a vivir en la última casa de la Calle Número Tres, Anselmo y Clara Cortés encontraron el fondo poblado de árboles raquíticos, de ramas desnudas y afiladas.

Más que en árboles, hacían pensar en raíces, y al llegar la primavera los Cortés tuvieron la primera confirmación de que algo raro les pasaba a esas plantas: no se cubrían de hojas ni de flores. Las ramas se hincharon un poco y se volvieron más quebradizas, pero siguieron dando la impresión de raíces. Un día, Clara dijo:

—Anselmo, estoy pensando que el que plantó estos árboles se equivocó y puso las semillas al revés. Las raíces salieron al aire y el árbol se enterró en el suelo.

Con el tiempo se acostumbraron a los árboles y, en broma, empezaron a llamarlos "lobras", pues era evidente que se trataba de alguna variedad de planta que funcionaba al revés.

Desde luego, no comentaban esas ideas con los conocidos del pueblo. Más allá de la valla del fondo, ya en los campos abiertos, los lobras crecían en total libertad. Los había de todos los tamaños, pero los más cercanos eran especialmente grandes. Resultaba un poco raro que nadie pareciese interesado en estudiarlos.

Los Cortés habían tratado de injertar los del fondo con retoños de árboles frutales, pero todos los esfuerzos eran vanos. El retoño invariablemente moría. Para lo único que servían esas plantas, sin duda, era para hacer leña.

—Sí, son raros—dijo el carnicero—. Todavía me acuerdo de cuando empezaron a aparecer, hace más de veinte años. Ahora están en todas partes. He oído, incluso, que del otro lado del río hay bosques enteros.

—Clara —dijo esa noche Anselmo Cortés, cuando ya estaban en la cama—, me tienen preocupado esos árboles. ¿Te imaginas bosques enteros, las raíces para arriba y el tronco, las ramas y el follaje metidos en la tierra?

A la mañana siguiente, un domingo soleado, estaban los dos sentados en el fondo, mirando las plateadas marañas de lobras.

—Sí, Clara, tienen que ser raíces —dijo Anselmo. En ese momento hubo un golpe sordo y un temblor—. Ahí empieza, otra vez.

Los golpes y los temblores continuaron una hora más. No sólo temblaba el suelo, sino las plantas.

—Seguramente son raíces de árboles adultos. Mira eso. Gruesas y robustas. Y esta sensación de falta de aire. ¿Tomarán oxígeno para llevarlo a las ramas, en vez de producirlo? ¿Se alimentarán y se desarrollarán de ese modo? ¿Crecerán hacia el centro de la Tierra, al revés de los demás árboles? ¿Quién y para qué los habrá plantado?

—Nada de eso importa, Anselmo—dijo Clara—. Son simples plantas, y que crezcan hacia donde les dé la gana.

—Pero los golpes. Sólo vienen de los sitios donde hay lobras. Es como si existiera una relación. ¿Tendrá que ver con su crecimiento en algunas épocas del año?

—No lo creo, Anselmo.

—¿Entonces? ¿Será que las puntas chocan contra una de esas capas de roca dura y los troncos se quiebran al no poder crecer más? ¿Qué otra cosa puede ocurrir ahí abajo?

Clara suspiró, tratando en vano de llenarse de oxígeno los pulmones.

—Que los estén cortando, Anselmo.

## ARMANDO ROMERO
### (Cali, Colombia, 1944)

POETA, narrador y ensayista cuyos inicios literarios se asocian al movimiento nadaísta en Colombia. La obra narrativa del escritor colombiano cautiva con un fascinante despertar imaginativo de la escritura, recorrida por la naturalidad de la poesía, la ampliación de lo fantástico y la transparencia visionaria de todas las zonas creativas del hombre, desde la inquietud onírica hasta el estímulo reposado de la naturaleza. Armando Romero residió durante varios años en Venezuela, trasladándose posteriormente a Estados Unidos; se doctoró en la Universidad de Pittsburgh en 1983 con una tesis sobre la producción de la poesía colombiana entre 1940 y 1960. Actualmente es profesor en el Departamento de Lenguas Romances de la Universidad de Cincinnati en Ohio.

El cuento "Versión completa y verídica de la historia de la cacería del Gigante por Croar, Croir, Crour" pertenece al libro *La casa de los vespertilios*, incluyéndose luego en la antología *Una mariposa en la escalera*. En un artículo dedicado a la cuentística colombiana, Eduardo Pachón Padilla señala que los "relatos [de Romero] conforman un mundo de soñadores y muertos, de fantasmas y demonios, a través de un escenario de símbolos y laberintos, siendo claves indispensables para poderlo descifrar" ("El nuevo cuento colombiano. Generación de 1970: nacidos de 1940 a 1954". *Revista Iberoamericana* 50.128-129 [1984]: 887).

Además de las cuatro colecciones aparecidas entre 1975 y 1994 —*El demonio y su mano* (1975), *La casa de*

260

*los vespertilios* (1982), *La esquina del movimiento* (1992), *Una mariposa en la escalera* (1993)—, la cuentística de Romero se ha dado a conocer en Hispanoamérica a través de su publicación en revistas y diarios argentinos, colombianos, mexicanos y venezolanos al tiempo que ha sido incluida en antologías como las de Juan Gustavo Cobo Borda, *Obra en Marcha I* (1976), Eduardo Pachón Padilla, *El cuento colombiano, generación 1970* (1985), Darío Jaramillo Agudelo, *Lecturas amenas* (1986). El poeta chileno Gonzalo Rojas se ha referido a la "construcción aérea y diamantina" de la poesía de Romero, y el escritor cubano Antonio Benítez Rojo a su "novedosa veta narrativa". Iluminadoras observaciones sobre una obra que explora con estremecimiento el encantamiento y la extrañeza de lo real.

## VERSIÓN COMPLETA Y VERÍDICA DE LA HISTORIA DE LA CACERÍA DEL GIGANTE POR CROAR, CROIR, CROUR

*a Nilka*

1

B I E N , esta noche es la cacería del gigante que viene apagando los fuegos de todo el planeta y chupando con sus dientes golosos las plumas de aves y almohadas, que corta las plantas y seca los cactus.

Croar, Croir, Crour, han tomado de un salto sus vestidos claros como la leche, salen por los bosques en su búsqueda.

Pies ardientes chapotean en el barro de las ensenadas creando huecos que una monstruosa Casualidad va taponando en forma de insectos petrificados; pies quemantes golpean las ramas abriéndoles un agujero dulce que luego se cerrará como la boca de una flor en primavera; pies estallantes forman un camino claro para las antenas de ciertos peces que por las noches salen de vagabundeo por los bosques; pies de Croar, Croir, Crour, detrás del gigante que viene apagando los fuegos de todo el planeta.

Hojas grandes, hojas pequeñas. En todas resbala la gotera fresca. Palmas aceradas hasta la cumbre del cielo: los monos golpean el aire con manos blancas y garfios. Bugambilias o trinitarias o enredaderas por entre las ceibas describiendo el hermoso cuerpo del amor de una naturaleza abierta. Y, allí, el palo alto abriéndose verde en paraguas que esconden rostros de mujeres ocupando el espacio con ojos de tormenta grande. La pequeña laguna, escondida dentro de las tiritantes fiestas de larvas que despiden un calor oscuro y opresivo, es el escenario de la elocuente pelea entre el siluro rompeolas y el bacalao rompefrentes: pero esta pelea no alcanza a mover las estáticas aguas de la laguna, mas sólo un enorme hueco de cristal en un costado permite ver su interior: paralizado como el pájaro de una historia. El tronco no es serpiente y, sin embargo, se mueve de vez en cuando cansado de obstruir el paso, de crear reposo de sueños sobre la misma rama, de la tierra que lo absorbe lentamente. Animales de una descripción muy extensa comen ávidamente hongos y setas que crecen entre el cagajón húmedo. Luego se tiende sobre el césped a observar esa transparencia que conservan los objetos y, ellos mismos, son la radiografía moviente de todo el cosmos entrándoles por un solo poro sin mover el pelo que los cubre. Rocas de diferentes tamaños tan pesadas como estrellas enanas pero que se inflan con los gases que produce el aliento de una tierra amarilla. Todos éstos son los bosques que recorren Croar, Croir, Crour, apretando sus pies contra el cinturón de la tierra.

Al gigante lo antecede una calma asombrosa.

Croar definió así el paso del gigante cuando vio sus pies desde la palomera que hay en el tejado:

Croar: Desde la punta de los dedos de sus pies, cuando él los pone lentamente sobre la tierra, la arena o la hierba, todo queda hacia atrás pintado con un color gris ceniza. El gigante es la muerte de todo lo que arde y de todo lo que fuega.

Croir definió así al gigante cuando vio su boca desde el monte que aparece y desaparece frente a la casa:

Croir: Cuando él abre su boca que es el arrullo metálico de una fiesta de colmillos, todas las aves que pasan por los cielos pierden de inmediato sus plumas, y ya no es posible tener almohadas porque éstas también vuelan como fantasmas delirantes; tanto plumas de aves como almohadas van directamente a su garganta y ese estallido blanco es su delicia. El gigante es la muerte de todo lo que vuela y de todo lo que sueña.

Crour definió así al gigante cuando vio sus manos desde la pradera que surge y se sumerge por detrás de la casa:

Crour: Sus manos son negros caminos por donde se mueven en diferentes direcciones lucecitas relámpagos; están coronadas por inmensos anillos repletos de ventanas y avisos; de sus uñas sale un líquido espeso que corroe todo lo que toca; cuando abre sus manos corta las plantas, cuando las cierra seca los cactus. El gigante es la muerte de todo lo que florece y de todo lo que fructifica.

Pero ni Croar, ni Croir, ni Crour, habían visto todavía sus ojos.

2

Ahora los tenemos en el centro de los bosques imitando ligeros sonidos de insectos y pájaros para entenderse mientras saltan desde las ramas hasta los troncos y desde el suelo hasta las hojas. No saben hacia dónde seguir y tiran hacia arriba una Suerte grande como una moneda antigua de piratas, pero una araña que teje y araña sin cesar la retiene en lo alto con sus patas y la envuelve dentro de una tela espejeante. Los mira detenidamente mientras realiza su tarea.

La acción de la araña les permite sacar tres conclusiones: la araña es una ladrona; la Suerte le pertenecía; es allí donde deben esperar. Aunque no están convencidos de que esto sea cierto.

Decididos a ello se extienden sobre el suelo, y como ésta es una noche fulgurante repiten la canción de los caballitos del diablo.

Lo hacen con tal perfección que los caballitos vienen hasta el centro de los bosques para oírse. Se detienen frente a ellos en un éxtasis de zumbidos.

Terminada la canción hay un aplauso traducible en destellos multicolores de colas encendidas.

Los caballitos del diablo preguntan curiosos qué hacen allí a esas horas de la noche, y ellos les responden que han decidido cazar al gigante que apaga los fuegos. Ante esto los caballitos del diablo se miran asombrados y les preguntan:

—Pero... ¿han visto sus ojos?

—¿Los nuestros? —responden preguntando ellos.

—No. Los de él; ¡los del gigante!

—No, no los hemos visto; no pensamos ni siquiera que tuviera ojos.

—Oh, oh, oh! Perdonen, perdonen, pero no los podemos ayudar.

Y los caballitos del diablo se fueron silenciosos por donde habían venido.

Croar, Croir, Crour, se miraron sorprendidos y decidieron bajar una uva de los racimos negros que todavía tenían sobre sus cabezas para poder meditar.

En esto la araña, que aún guarda entre sus hilos la Suerte, se dirige a ellos con voz pastosa para decirles:

—Los comprendo, los comprendo bien. Trataré de ayudarles en lo que pueda salvo que no voy a decirles nada con respecto a los ojos del gigante.

Le dieron las gracias de antemano y le pidieron que dejara caer la Suerte para poder estar seguros de si ése era el sitio donde deberían esperar.

La araña se resistió un poco al principio pero terminó por aceptar. Cortó de un solo tajo con sus poderosas tenazas la tela espejeante que cubría la Suerte y la dejó caer sobre la tierra.

Tendrían que caminar a su encuentro, dijo la Suerte.

Partieron de inmediato. Oh, salto de liana a soga enmohecida, camino de tres que se enrolla en una sola trenza, algarabía de escudo sonoro en trote medieval de caballo, crespones luminosos por entre los arbustos. Oh, la pelea sería dura, Croar, Croir, Crour; oh, el gigante tenía ojos, Croar, Croir, Crour.


3


El primero en sentir la presencia del gigante fue Croar quien como es de suponerse marchaba a la cabeza de los tres por un estrecho sendero que formaban árboles y flores. Se detuvo. Pronto un ruido chirriante comenzó a hacerse

más fuerte, un olor a  cenizas de objetos y seres lo invadió
todo. Se repartieron estratégicamente para comprobar si
estaban demasiado cerca, procurando no quedar al alcance
de sus pies, de su boca ni de sus  manos. Cuando estuvieron
trepados en las copas de los árboles distinguieron un
amplio valle hacia donde el ruido y hedor del gigante se
dirigían. Esperaron allí pacientemente hasta que lo vieron
aparecer con sus pies tornadores de escoria, su boca devo-
radora de plumas, sus manos contra las plantas. El resplandor de las manos con sus luces y ventanas impedía precisar
el rostro. Se movían como aspas de un molino enloquecido
por vientos contrarios. Pero en el centro del valle se detuvo
y se dispuso a descansar sentándose sobre el suelo como un
enorme, enorme monte inmenso.

Decidieron, pues, salir a su encuentro lo más  pronto
posible. Era necesario capturarlo fuera  como fuera. Croar
salió por el centro, mientras Croir ocupaba el lado
izquierdo y Crour el derecho. El valle daba una sensación
mortal de vacío y soledad que contrastaba con el hervidero
de sonidos y objetos que rodeaban al gigante.

Apenas aparecieron, él los vio, o ellos lo sospecharon
así, porque comenzó a moverse en su puesto agitadamente.
Sus manos recobraban el brío de remolinos anteriores y sus
pies pateaban la tierra con ferocidad. Croar, Croir, Crour,
temiendo un choque muy violento no se atrevían a mirar
hacia el cielo donde sus ojos aparecían entre el rebullicio
de las manos. Pero tenían que hacerlo... tarde o temprano.

De pronto sin precisar una orden, los tres miraron al
mismo tiempo en busca de los ojos del gigante. De sus
bocas se escapó un aullido porque al ver los ojos del gigante
vieron los ojos más hermosos que nunca habían visto, los
más  tristes.

Eran unos grandes ojos verdes como esmeraldas que
fueran la petrificación de mares frescos, bahías, ensenadas.
Enormes pestañas los cubrían arrullando viejas palmeras
de trópico de cristal. Cejas como el comienzo de una nube
preciosamente enfurecida. Y estos grandes ojos verdes lloraban continuamente, con lágrimas de miles de colores que
eran grandes goteras que descendían con la suavidad de

pompas de jabón hirviendo en luces que se expanden como el fuego de una conciencia abierta.

—¿Qué hacer? —se preguntaron Croar, Croir, Crour, mientras no salían de su estupor. Tomaron cada uno su respectiva uva negra del racimo que descansaba sobre sus cabezas y comenzaron a meditar.

El gigante los miraba ahora con suma atención y ellos habían bajado la vista para no tener que recurrir de la misma manera que él a las lágrimas. ¿Qué hacer?

4

Crour salió de la meditación colocando un huevo, de apariencia de mármol y compacto sobre la hierba. El huevo dio tres brincos como un frijol vivo y se quedó quieto; luego se partió en ramificaciones progresivas, lentas. Crour extrajo con sus manos algo del interior y tirándolo al aire dijo:

—Siendo cazadores debemos construir una jaula. Por lo tanto la construiré.

Y tomando un designio, una reflexión, una sentencia, un juicio y una razón, los colocó en forma de barrotes. Luego puso un pensamiento como techo y una idea como base. Hecho esto descansó.

Croir miró directamente al cielo, buscó la posición de las estrellas y dijo:

—Siendo cazadores debemos tratar de capturar al gigante. Intentémoslo por primera vez.

Siguiendo a Croir comenzaron a acosar al gigante en una batalla sorda de miradas indirectas. Como espejos que reflejan tres imágenes agrupando diferentes ángulos Croar, Croir, Crour, corrieron por el valle consintiendo que el gigante los siguiera con alelada atención. Pronto consiguieron que todo girara tan velozmente que las estrellas y luceros enloquecidos no sabían en qué lugar estaban. Cuando lo consideraron justo detuvieron la vorágine de los espejos y las miradas y un estruendo en seco se escuchó por todos lados. Pero el gigante seguía en su puesto con sus molinos de luces y sus estallidos de plumas y almohadas. La ceniza avanzaba hacia Croar, Croir, Crour, que se miraron extrañados.

Croar lanzó, sin meditar, sin hablar, la fuerza de los espíritus volátiles que había ido acumulando por días en su interior. Éstos eran multitud de pájaros que prescindían de las plumas y cargaban un espeso pelaje de color violeta nocturno. Ojos no tenían, pero ciegos lanzaban agudos chillidos como murciélagos a fin de orientarse. Miles de formas podían utilizar para combatir a quien se les indicara. Desde chorros radioactivos de corrosión instantánea para metales imposibles, hasta melodías identificables por almas ultrasensibles que sucumbirían ante tanto placer, tanta delicia.

Ya cercanos al gigante, bajo la mirada atenta de Croar, Croir, Crour, a punto de una lucha bestial en el cielo de la noche del valle entre los bosques, los espíritus volátiles dieron marcha atrás y regresaron desobedeciendo todas las órdenes de pelea que Croar les enviaba.

La ceniza continuaba avanzando.

Súbitamente una Necesidad cada vez más creciente los invadió y los tres salieron corriendo por el centro del valle —desafiando los ojos del gigante que llenaban de lágrimas los suyos: riachuelos nacientes iban formando en su carrera— hasta llegar a los pies del gigante. El penetrante olor de todos los olores sacudía sus pulmones.

Pero Croar besó los pies del gigante ante la mirada asustada de éste.

Croir, como un gato de cola esponjada, trepó hasta su boca y allí le dejó su beso ante la mirada pánica del gigante.

Crour, como una mosca zumbante, llegó hasta sus manos y allí abandonó un beso largo y tierno. De adentro del gigante se escapó un grito espeluznante de horror.

Croar, Croir, Crour, regresaron de inmediato a su lugar al borde del valle y desde allí contemplaron la disolución paulatina del gigante en sus propias cenizas y escorias. Una gran montaña se deshacía entre humos y estallidos.

Todo fue silencio al concluir la destrucción del gigante. Croar, Croir, Crour, se acercaron a presenciar el montón de los restos; y así que estaban bien cerca vieron emerger del interior del último rescoldo, una lengua de fuego que comenzó a revolotear y a iluminar el valle por completo.

Entonces Crour, que había traído la jaula en sus manos, la alzó permitiendo que la lengua de fuego pasara por un barrote y saliera por los otros habitando por escasos segundos el interior de la jaula.

5

Con la jaula regresaron Croar, Croir, Crour, cantando la canción de los caballitos del diablo, y la colocaron en la puerta de la casa que está al lado.

Esta madrugada, si ustedes pasan por allí, podrán contemplar la jaula que contiene al gigante que viene apagando los fuegos de todo el planeta y chupando con sus dientes golosos las plumas de aves y almohadas, que corta las plantas y seca los cactus.

# ABDÓN UBIDIA
## (Quito, Ecuador, 1944)

INVENTIVAS posiciones narrativas caracterizan la obra del escritor ecuatoriano, quien ha publicado tres colecciones de cuentos, una novela, y obtenido dos premios nacionales importantes. Su cuentística se conecta a las búsquedas posmodernas de los ochenta, espíritu en el que se genera el título de la extraordinaria colección *Divertinventos*; neologismo que apunta al doble carácter lúdico e imaginativo de la escritura así como a la realización, en el fondo utópica, de lo literario.

El cuento "La historia de los libros comestibles", incluido en el volumen citado, se articula precisamente en esa proyección artística. Con diversión y humor se retorna a la problemática de la literatura en su doble y conflictiva productividad: objetividad mercantil, valor de cambio de una parte, y de otra, su potencial valor de uso como arma decisiva de vanguardia cultural. Confrontación de la literatura como fenómeno social a través de una textura marcadamente humorística y con un tono de conclusión posromántico, asociado, en verdad, al proceder incierto de la condición posmoderna.

## LA HISTORIA
## DE LOS LIBROS COMESTIBLES

E L hambre inventa soluciones desesperadas. Un día a Blüm le pasó lo que a tantos: se cansó de ser pobre. Y en lugar de escribir libros, se puso a fabricarlos. De un día para otro amaneció convertido en editor. Pero —ni su hambre ni su ego podían permitir otra cosa—, editor de libros muy originales: libros comestibles. Sus libros eran comestibles. Las hojas de una pasta parecida a la de las hostias, pero flexible; la tinta no era tinta sino un almíbar oscuro; las tapas de galleta. Así, salvo los coleccionistas y los extravagantes, el lector común, mientras leía su libro, iba —literalmente— devorándolo. O mejor: saboreándolo. Lo asimilaba entonces de una manera más clara y definitiva. Pronto el negocio fue un éxito. Blüm lo promocionaba bien. Sus antiguos afanes literarios le habían servido de maravilla: él mismo escribía las cuñas publicitarias de su empresa. Claro que, a veces, echaba mano de viejas, ya muy lejanas verdades personales a las cuales, mediante el milagro de las relaciones públicas, convertía en verdades colectivas, con nuevos contenidos por cierto. Una de esas cuñas, flamantemente connotadas decía: "AMIGO MÍO, SI USTED LEE UN LIBRO, EL LIBRO PASA A FORMAR PARTE DE USTED, INTENTE SACÁRSELO DE ADENTRO".

Blüm empezó a hacerse rico.

Para renovarse y, sobre todo, para mantener siempre una buena ventaja sobre los inevitables imitadores, ideó nuevas líneas de producción: los libros con sabores —chocolate, vainilla, café, etc.— y también los libros comestibles

271

pero no impresos, cuyas páginas en blanco sólo servían para comérselas; también los "libros no comestibles" que no tuvieron ninguna acogida porque la gente decía que no lograba diferenciarlos de los comunes y corrientes. Por el contrario, los libros con sabores conocieron éxitos memorables. Una enorme novela cuyo tema era la historia de un pez, tenía las páginas impregnadas de su aroma, y otra que refería un largo banquete de unos jueces jubilados, conforme avanzaba el texto, combinaba gustos diferentes: cordero, chancho, pollo, fresas con crema y demás.

En fin, Blüm terminó por hacerse muy, muy rico, y sus relaciones políticas y comerciales crecieron día a día.

Una tarde de invierno —un vaho helado en los cristales de las ventanas y una gran lápida negra en el cielo—, golpeó a su puerta el poeta Gray, antiguo camarada de los tristes tiempos. Blüm lo vio llegar como una mala sombra. Casi sintió pavor cuando lo vio: flaco, pobre, extraviado. No supo qué mismo ocurrió en su interior pero por un segundo le pareció verse a sí mismo, como era años atrás, entrando a ese despacho que por un segundo dejó de ser suyo.

El poeta Gray sin saludarlo murmuró:

—Vengo a venderte una idea.

El corazón de Blüm, ensombrecido de súbito, le repuso: "¿A qué has venido? Ándate. Devuélvete a tu pasado y a tu miseria. Y a tus afanes subversivos. No me dañes el día. Yo ya no soy el de antes. Soy otro. Tengo otras ideas. Otra posición en el mundo. Nada tenemos que hablar". Eso dijo su corazón. Pero en cambio, su boca, vacía y hueca como toda boca, se limitó a decirle:

—Como verás, ideas no me han faltado.

—Entonces me voy. —Fue la sola respuesta del poeta Gray.

Blüm debió aprovechar el aire seco y displicente de Gray. Levantarse de su enorme asiento de cuero, situado detrás del enorme escritorio ejecutivo, tenderle la mano de un adiós definitivo, y decirle: "Sí, lárgate ya. Y no vuelvas nunca más. Aléjate de mí para siempre. Si has persistido en tu vida, acepta los riesgos. Yo debo olvidarte. Eres apenas el residuo de un pasado y de unas ideas que he resuelto olvidar. Yo ya no quiero ni cambiar la vida ni cambiar el mundo, porque la vida y el mundo me han cambiado. Yo elegí. No soy más el poeta de la palabra y de la vida, el profeta de los sueños y de las utopías que jamás se cumplen. Me he convertido en un hombre de mundo. De un mundo mío y concreto que tú amenazas. Ándate ya. No conseguirás nada de mí". Esto debió decirle. Pero su voz le sonó en la garganta con otras palabras muy distintas:

—Espera. Habla.

El poeta Gray habló.

En efecto, se trataba de una idea. En otras circunstancias Blüm se hubiera contrariado. Sus orgullos personales le hubiesen chirriado como ruedecillas mohosas dentro del cerebro. Pero ahora no fue así. Porque en las palabras del poeta Gray descubrió el tardío arribo de un ser derrotado que imploraba por fin un último lugar en ese preciso tren que nunca quiso tomar. El poeta Gray, envejecido, agobiado de deudas, a los cuarenta años de edad quería también iniciarse en el mundo de los negocios. Al menos eso fue lo que pensó Blüm.

Su propuesta era la siguiente: añadir estimulantes a los libros comestibles. Afrodisíacos a las novelas eróticas, alucinógenos a las fantásticas o mágicas, excitantes a las de aventuras, depresivos a las de miedo. Y hasta se podría pensar —dijo— en una nueva serie de obras terapéuticas, por ejemplo una serie de novelas dedicadas a los insomnes que tuviesen las páginas impregnadas de soporíferos. En cuanto al material propiamente literario de esta serie, pues sería fácil conseguirlo: las corrientes verbalistas y retóricas de la literatura que pretenden centrar el interés de los libros no en las historias, los escenarios y los personajes, sino en el puro lenguaje y sus caprichosos juegos, ofrecían abundantes textos muy adecuados para procurarle a cualquiera un sueño apacible y sano.

Cuando Gray acabó de exponer su proyecto, Blüm paladeó, como el dejo de un licor delicado y cálido que acabara de pasar por su garganta, la bella comprobación de que su amigo era ya, desde su fragilidad y su arrepentimiento, uno de los suyos: también él había renunciado al iluso mundo de los valores inasibles, de los propósitos santos, de las invectivas, los marginamientos y las disconformidades radicales. También él había vuelto los ojos hacia los bienes terrenos, hacia las contundentes realidades que sólo el dinero y el poder pueden amparar. Entonces Blüm se dijo para sí: "Este pobre hombre ha venido a tu jardín. Déjalo entrar. Déjalo vagar por sus senderos. Él ha abandonado su hosco monte. Ya no es más la fiera hambrienta que ruge entre la maleza su libertad y su rabia. Doméstico y apacible lo tendrás a tu servicio. Trabajará para ti. Lo utilizarás como quieras. Te vengarás así de quien, durante muchas noches de duda y vigilia, torturó tu mente con lo que supusiste que pudo ser tu otra vida si seguías con tus versos y tus rebeldías inútiles. Déjalo entrar. Será un fantasma cautivo, una sombra lastimera y difusa enredada entre los espinos de tus rosales".

—Está bien —dijo Blüm— Te voy a contratar. Espero que tu proyecto funcione. Tendrás una oficina bien dispuesta y una secretaria joven y complaciente.

De este modo el poeta Gray empezó a trabajar en la empresa de Blüm.

Y aquel hombrecillo con facha de pájaro, brusco, asustadizo, afilado como un pájaro, demostró una eficacia comercial muy grande. Contrató nuevo personal y hasta hizo un seminario interno con la participación de químicos y cocineros, quienes como puede suponerse, se entendieron bien.

Las nuevas ediciones se multiplicaron y Blüm empezó a sospechar que la riqueza era como un remolino que crecía como por arte de magia desde su propio centro, cada vez con mayor ímpetu. Los nuevos libros tuvieron gran demanda. Al decir de las buenas señoras, éstos dejaron de ser un lujo para convertirse en una necesidad. Y hasta se volvió una costumbre en las cenas elegantes el servir como postre deliciosos cuadernillos con versos de poetas trágicos. El añadido químico de los cuadernillos garantizaba, a quienes los consumían, por lo menos una hora de conversación locuaz y hasta inteligente.

Y así pasaron uno, dos, tres años.

En otra tarde de invierno el poeta Gray se acercó a Blüm:

—Vengo a presentarte mi renuncia —dijo.

Blüm, sorprendido, aspiró dos palabras:

—¿Por qué?

Pero en esas dos palabras estaban contenidas muchas otras preguntas. ¿Acaso no consideraba justo su porcentaje? ¿Acaso no gozaba de la suficiente autonomía en su área de trabajo? ¿Su labor no lo hacía feliz? ¿Añoraba su monte y sus inútiles garras de tigre de papel? ¿El pobre se consideraba tan necesario que creía que él, Blüm, le iba a suplicar que no se fuera? ¿Había ahorrado ya lo suficiente como para escapar de las deudas y de la policía al menos durante unos años?

—Eso no te incumbe. Simplemente se acabó. No doy más. Estoy harto. Se acabó —irrumpió el poeta Gray en la súbita introspección de Blüm.

—Está bien, ándate —repuso éste.

—Pero antes quiero lanzar mi libro de poemas. Lo escribí hace tres años. Antes de que...

El poeta Gray se calló con una mueca y un ademán desdeñoso.

—¿Y tú te vas a encargar de la confección, las mezclas y demás?

—Ya lo he hecho. Lo tengo listo. Pero quiero que veas la nómina de invitados.

Blüm repasó la página mecanografiada. En ella constaban los hombres más refinados, elegantes y poderosos del reino: los más grandes bribones de toda su historia. Acompañados, por cierto, de la inevitable cohorte de esbirros y cómplices.

—¿Quieres un gran *finale,* no?

—Tómalo como quieras. Sólo te pido que me garantices que los invitarás.

—Está bien —murmuró Blüm.

El empresario lo miró desde esa fatiga suficiente y prevenida de quienes ya han trajinado mucho por el mundo. Y pensó: "Es cierto que ahora te desconozco. Que tu perfil se ha ido desdibujando poco a poco en mi mente en el tiempo en que has trabajado conmigo. Pero esto que me pides es algo que no esperaba de ti. No alcanzo a entender del todo tus razones. Puede ser que hayas optado por el cinismo y pienses que un acto así beneficiará tu futuro. Puede ser que tu cinismo sea también una provocación. En ese caso yo aceptaré el reto. Estoy en un camino que no tiene fin. Y lo sé bien. Si puedo tender un puente con esas personas, lo tenderé. No me asustan ni siquiera como asociados. Puede ser que tú busques inmiscuirte en esa alianza, pero con otras condiciones, y que de allí provenga tu repentina renuncia a mi empresa. Pero puede ser también otra cosa: alguna locura que por el momento no llego a vislumbrar, algún reclamo loco de tus locos tiempos. Si es así, no me tomarás por sorpresa".

—Está bien —repitió Blüm— pero quiero ver tu obra.

—En este instante se está empastando. Pero te la daré a su debido tiempo.

La víspera de la presentación el poeta Gray le entregó un ejemplar de "Factura" (así se llamaba el libro).

—Léelo, pero no lo pruebes. Es el primer ejemplar y quiero que lo guardes de recuerdo.

Cuando todas las secretarias se fueron, Blüm en la soledad de su oficina repasó las ásperas páginas toscamente armadas que ante sus ojos disgustados parecían ser iguales a las de papel corriente. Tal y como se había imaginado, se trataba de la misma poesía agresiva que el poeta Gray escribía desde hace veinte años. Nada había cambiado en ella. La misma iconoclastia. La misma ira desdeñosa. De pronto reparó en unos versos que resonaron en su cerebro como ecos lejanos "que las palabras quemen/ que las palabras recorran las entrañas como ácidos coléricos/ que las palabras hieran y maten como..." Un sudor untuoso y helado humedeció la frente de Blüm. De un golpe esos versos vinieron a su memoria con la fuerza de un ventarrón. Aquellos versos los había escrito él, Blüm, hacía muchos años.

¿Qué se había propuesto Gray al incluirlos en su poemario?

¿Qué clase de descabellado acto tramaba en la presentación de "Factura"? Las páginas despedían un olor como de tinta fresca.

En esa noche Blüm no pudo dormir. Pero no pensó sólo en el poeta Gray y en su rencor demencial. Pensó sobre todo en sí mismo. En aquel que ya no fue a partir del momento en que decidió renunciar a su otro destino: ese gran fulgor épico que supuestamente iba a ser su vida de gran poeta y de gran rebelde, su vida que ya no fue. A cambio de aquella pasión, fe, locura, o como quiera llamarse, había obtenido muchas cosas del mundo, incluso esa delicada mujer que dormía a su lado. Muchas cosas, sí. Concretas y materiales, sí. Aunque el manantial del agua dorada se le hubiese secado en el corazón.

Sólo muy cerca del alba el odio vino en su auxilio.

Al día siguiente, la ceremonia de presentación comenzó como siempre: himnos y discursos de rigor. Pero apenas el poeta Gray acabó de repartir sus libros, y antes de que nadie los probara, Blüm tomó la palabra. Y dijo:

—Señoras y señores: No probéis esta obra. Hojeadla con cuidado. Vosotros habréis conocido acaso esa novela en la que un monje asesina a otros monjes con las páginas envenenadas de un libro. Pues bien, el autor de "Factura" ha querido envenenaros. Las páginas de su libro están envenenadas. Guardad este poemario como un recuerdo y una advertencia. A último momento he descubierto su plan. Os he salvado la vida. El rencor de este individuo no tiene límites. Nos considera a todos nosotros, los aquí reunidos, responsables de las tristezas de este mundo. Inclusive a mí, que quise ayudarlo. Pero no temáis, la policía se encargará de él. Entre tanto miradlo. Miradlo bien. Mirad cómo empalidece. Sentid el ridículo que él debe sentir. Contemplad su vergüenza. Su miedo también. Ved cómo tiembla. Y este cobarde tuvo pues la osadía de juzgarnos. De declararnos culpables. De condenarnos a una muerte segura.

Luego del alboroto inicial, los concurrentes se retiraron. Y tal como había dicho Blüm, el poeta Gray fue apresado.

Dos semanas más tarde, Blüm recibió la visita del jefe de policía. Robusto, cincuentón, la mirada suficiente y hasta apacible de los que están convencidos de que el mundo es así y nunca de otro modo, el hombre le expuso sus descubrimientos y sospechas.

Mientras el oficial hablaba, Blüm, más allá de entender que toda la historia de los venenos no había sido sólo un equivocado e involuntario invento suyo, una exaltación de su propio cerebro exaltado, entendió también que el poeta Gray era para él no el hombrecillo de carne y hueso que se iba por fin de su empresa, sino el arquetipo contumaz, la mala sombra, el reclamo de un pasado recurrente que a pesar de las repulsas y las buenas razones, nunca acabaría de marcharse de su vida.

—Señor gerente —dijo el oficial— hemos analizado los libros. No contienen ningún veneno. Lo más extraño es que están hechos de papel y tinta. Como cualquier libro. No son comestibles porque han sido confeccionados como cualquier libro. Tampoco de los interrogatorios a Gray hemos logrado nada. Pero yo pienso que si no habla es porque nada tiene que decir. De todos modos, le pido que se entreviste con él. Tal vez usted pueda ayudarnos.

Y así fue como Blüm se encontró en la celda del poeta Gray quien luego de los consabidos interrogatorios parecía un cristo de iglesia amoratado y sanguinolento.

Pero las únicas palabras que éste pronunció, confusas y casi delirantes, fueron:

—Lárgate, lárgate ya.

Blüm no dijo una palabra. Salió. Caminó por las calles. Entró a un café. Pidió un tinto que no tomó. Volvió a pie al sitio en el que había dejado el auto. Ahora se dejó ir por cualquier lado. Y entró en un bar y en otro. Y dio vueltas y vueltas, tantas cuantas fueron necesarias para que la alta noche llegara y su mujer tuviese el suficiente sueño como para no conversarle nada.

Pero no fue a casa. Fue a la oficina. Cerró las persianas para no ver las engañosas luces de la ciudad y se sentó, rodeado de tiniebla, en su sillón de cuero negro. Y no quiso dormir. Y entonces pudo armar el imposible diálogo con el hombre malherido que lo mirara desde un rincón de su celda. Y pudo preguntarle por qué había tramado el acto con esos invitados. Y el hombre le contestó que eran los mismos que él, Blüm, había invitado en otras ocasiones. Y le preguntó por qué había impreso los libros en papel y tinta. Y el otro le contestó que quería que perduraran. Y le preguntó que si había en ello una doble intención. Y el otro le respondió que sí, que la había: de ese modo sus libros entrarían en las casas de esas gentes y sus hijos y sus sirvientes los leerían tal vez, y sentirían asco de sus padres y de sus amos. Y le preguntó que por qué había incluido su poema de juventud. Y el otro le contestó que para que no se perdiese, porque el poema existía aunque ya no tuviera autor. Y le preguntó que si se había imaginado ese terrible equívoco suyo que le había llevado a pensar en que esos libros estuviesen envenenados y a denunciarlo como culpable de un delito falso. Y el otro le respondió que no, que nadie podía imaginar bien las fabulaciones que los viejos miedos construyen en los corazones vacíos. Y le preguntó tantas cosas, tantas, y todas tuvieron una exacta respuesta en lo hondo de su cerebro, mientras la noche discurría lerda y pesada como un fangoso río negro.

Luego vino el día.

Y vinieron otros días.

El poeta Gray salió de la cárcel y se perdió en un difuso y anónimo horizonte, con el estigma de una acusación que nadie aclaró. Blüm continuó asistiendo a su oficina con el mismo horario. En fin, todo pareció volver a su curso natural.

Sin embargo la sensación del vacío siguió creciendo en el corazón de Blüm.

Una noche soñó que la casa que editaba los libros comestibles empezaba a derruirse: las paredes se cuarteaban, los pisos se hundían, las máquinas eran tragadas por grietas abisales.

Era curioso: Blüm, dentro del sueño, miraba todo aquel descalabro como si fuese otro quien lo mirara: con la indiferencia y el desdén con los que el mismo Gray lo hubiese mirado.

# RAMÓN DÍAZ ETEROVIĈ
(Punta Arenas, Chile, 1956)


L A producción cuentística de Ramón Díaz Eteroviĉ alcanza ya más de treinta relatos y tanto el dominio del lenguaje narrativo como el arraigado compromiso de su visión humanista han sido destacados por la crítica. El rostro urbano deviene en la narrativa de Díaz Eteroviĉ el rostro del ser, plano de estupenda realización en su obra delineado por un tono romántico de orientación social con el que se enfocan las formas alienantes y discontinuas de lo moderno. Otro aspecto esencial en la narrativa de Díaz Eteroviĉ es la gravitación del trasfondo social e histórico: marginalidad, violencia, represión, dictadura, perspectiva que incluye la creación de sus novelas adeptas al género de la novela negra en las que reaparece el personaje del detective Heredia. Los cuentos del escritor chileno han sido incluidos en por lo menos diez libros y premiados en varios certámenes. Su novela *Solo en la oscuridad* fue finalista en el Concurso Casa de las Américas en 1988; su poesía fue incluida en el libro *This Same Sky: A Collection of Poems from Around the World* (1992). Fundador de la revistas *Luz Verde Para El Arte*, *La Gota Pura* y *El Gato Sin Botas* y director de la Sociedad de Escritores de Chile entre 1984 y 1990.

"Ese viejo cuento de amar" es el primero de los once cuentos incluidos en la colección del mismo título. La pintura sensual del adolescente, la iniciación sexual, la curiosidad de la aventura, la práctica de la existencia como celebración y azar impulsan en este relato la respuesta desenvuelta de una narración energética aunque penetrada de incertidumbres. Hay la urgencia de vivir y de narrar y ninguna de ellas es detenida por períodos reflexivos, disciplina de la gramática o control de la puntuación. La presencia de un bloque envolvente narrativo y existencial conmina el sentido de apremio, expresionismo y expulsión a que nos lleva la experiencia vertiginosa de un mundo en el que han desaparecido las representaciones sociales esperanzadas, las utopías, las conformaciones totalizantes, y el optimismo por el encuentro de un escenario social ideal.

El expresionismo adolescente con el que fluye el cuento es en el fondo una mirada opaca de su territorio marginal. Por otra parte, el medio impetuoso del narrar no excluye el suceder dialógico de los contextos socioculturales y de formación por los que deben transitar los personajes. Un primer movimiento pendular es el de la inocencia y el desenfreno: la música de los Beatles, Jimi Hendrix y Santana frente (o junto) al alcohol y a la sexualidad. Otro—el más desarrollado en el cuento—es el curso de la dialéctica con que surge el acto de narrar, generado desde la simbiosis entre amor y literatura.

# ESE VIEJO CUENTO DE AMAR

*a Hugo Vera Miranda,*
*en Boedo y San Telmo*

D E S P U É S del horóscopo, de mis colores favoritos y de la posible influencia de la luna, vienen esas preguntas que esperaba y a las que, de no ser por sus ojos tristes, contestaría de inmediato con un sí, ya lo sé, el amor es puro cuento. Pero ella me mira tristísima y detiene por unos instantes la grabadora para decir que la pena es real, y si ha concurrido a la cita es porque ya estaba fijada y la revista es la revista, y lo otro, lo que no tiene nada que ver, pero se le nota en cada gesto, es el deseo de haberse quedado llorando en su departamento, del cual, dos días atrás salió un para mí difuso Ernesto, llevándose un amor de cinco años, su virginidad, los cassettes del Silvio y todas sus camisas, salvo aquella amarilla, horriculenta, que a veces ella usa para dormir. Que cómo, cuándo y de dónde salía eso de inventar historias con la ambición de contar la vida a pedacitos, es una excusa para olvidar el departamento, o sea, ya lo dije, lo otro, y de pasadita, onda peón al paso, me obliga a retroceder en el tiempo —como si el corazón fuera una National Panasonic— y quedar instalado en el café del barrio, acariciando una botella de cerveza tibia, que entraba de mala gana por la boca, pero que era necesario beber porque era lo normal en el proceso de hacerse hombre —macho, decía el Paco Suárez— y la primera curda era un comienzo algo es algo peor es nada, ya que faltaba lo más importante, aquello que cosquilleaba entre las piernas

y se imaginaba cuando mirábamos los muslos de la profesora de castellano o me llevaba a varias compañeras de
curso al sueño de mi pieza, a esa cama que ya no daba más
de tanto Sade y Pitigrilli, leídos ahí, en la camota virgen, y
también a escondidas en los recreos del liceo, o en las clases de educación física del Mono Miranda, que prefería
aceptar una invitación a cervecear, antes que tenernos tro-
tando en el gimnasio, sudando por todas las espinillas esas
ganas tremendas de coger[1] que teníamos, y de las cuales,
unos pocos se habían logrado deshacer donde la tía Lucy,
la Casa de Piedra o, en el mejor de los casos, en la playa
arrastrándose con alguna empleadita del sector, después de
una calentona sesión de cine en el Politeama. Entonces,
ella que está tristona, pero que por sobre todas las cosas es
profesional, me obliga a recordar esa cerveza tibia, al ya
mentado Paco Suárez, al Flaco Avello y su hermano Leo-
poldo, y al Chico Vega, al que insistíamos en llamar el
Chico Verga desde una cura en la que se le ocurrió pasearse
por la Bories con la pichula[2] al aire, gritando que era la más
grande de Punta Arenas, y el cual, en verdad no era muy
amigo nuestro, pero esa tarde y esa noche, era el gancho[3]
preciso para dejarnos caer en una fiestoca donde suponía-
mos habría un lote grande de minas[4] buenas para ir al
boche[5] y una oportunidad así —dijo Suárez— no se la perdía ni el Papa, y por eso, a las nueve en punto, el viejo Ford
42 del Flaco Avello estaba rugiendo frente a mi casa, y
antes que su bocina reiterada alarmara a todas las vecinas
del barrio, me encontré ubicado en el asiento trasero del
auto, acercándome lo más que podía a una rubia tetoncita
que el Chico Verga llevaba abrazadísima, y casi está de
más decirlo, sin ninguna intención de soltar, lo cual no

[1] *coger:* vulgarismo; acto sexual. Se usa con este significado en
el Río de la Plata, México y Venezuela.

[2] *pichula:* vulgarismo; pene. Se usa con este significado en Chile
y Perú.

[3] *gancho:* en Chile, compañero, amigo.

[4] *minas:* mujeres.

[5] *boche:* bochinche; jaleo.

alcanzaba a ser obstáculo para que insistiera en acercarme
un poquito, por eso de las corrientes eléctricas que nunca se
sabe, y porque, "la vida tiene sorpresa, sorpresa tiene la
vida", y eso el Chico Vega, perdón Verga, lo sabía muy
bien, y cuando una frenada brusca del auto empujó a la rubia un poco hacia adelante, aprovechó a decirme: "conviene ir preparado, a la segura" y reafirmó lo dicho con un
agarrón firme a la rucia en la cintura, que no le hizo daño,
pero sí le dio a entender que por su lado las ganas sobra-
ban. Y por el mío, para qué vamos a andar con cosas, las
ganas, requeteganas, crecían con la proximidad de la tetoncita, y la ducha que me había pegado media hora antes se
fue al carajo, y lo veintiúnico[6] que deseaba era llegar
pronto a la fiesta, confiando en que si bien no era Alain
Delon, no estaba tan mal, y a las perdidas algo tendría que
salir agarrando, aunque en la onda de ponernos sinceros
—como ella que me mira tristona y me pide una pausa y una
taza de café que se la cambio por tres dedos de whisky y
algo de hielo— tengo que recordar y reconocer que
durante la primera hora de fiesta me lo pasé escondido en
un rincón, viendo cómo mis amigos tiraban más manos que
Cassius Clay, ignorado por las pocas minas sueltas que no
se entusiasmaban para nada con mi pinta de cartulino[7] a la
legua, la que con un poco de retoque y sin mucho esfuerzo
me habría servido para foto de primera comunión.  Sin
embargo, —y esto para ir abreviando, o como quien dice,
para apurar la causa ya que la cinta sigue corriendo, y ella
a pesar de la pausa y de la tristeza me mira con cara de eso
qué cresta tiene que ver con las preguntas —ésa era mi gran
noche como decía o dice Adamo— que para entonces
estaba de moda, aunque nosotros, los muñecos listos del
setenta, preferíamos "El submarino amarillo" de Los Beatles, algo de Jimi Hendrix y mucho de Santana a toda hora
del día, a pesar de las quejas de las madres que veían llegar
el acabo del mundo vía chascones[8] estéreos —y en un

[6] *veintiúnico:* único
[7] *cartulino:* inocentón; sin experiencia sexual.
[8] *chascones:* con el pelo desarreglado.

momento determinado —frase tipo que no dice nada, pero hace referencia a algún segundo que no se recuerda con precisión— sentí que alguien me hablaba a una cuarta de la boca, y cuando descarté la idea de salir arrancando, pude reconocer a Ester, la dueña de casa, la come cabritos,[9] una casi cuarentona que estaba de morderla por los cuatro costados, y que sin decir agua va, me tomó de los brazos y me hizo girar por la pista de baile, siguiendo una canción de John Lennon, la que en realidad pasaba de largo, porque la Ester me apuntaba segura con sus pechos —violentísimos diría más tarde el Flaco Avello— y algo empezaba a convertirse en un bultito calenturiento y ella que organizaba esas fiestecitas mientras su esposo trabajaba en no sé qué parte lejana, se dio cuenta de la inflamación, y como no estaba para invitaciones a la matinée del domingo, siguió aprisionándome con fuerza, jugando a meter mi bultito cada vez más bultote entre sus piernas buscando ese roce que ya hacía correrme en vivo y en directo, y acariciando con dedos sabios esa parte del cuello que parecía funcionar como interruptor, y que para no andar con subidas por chorro, diré que me anduvieron asustando y tuve que inventar una ida urgente al baño para ver si el bultote pasaba de nuevo a calidad de bultito, con tanta mala suerte que al bajar el cierre, quedé con él en las manos, y minutos más tarde no quedó otra alternativa que aparecer en medio de la fiesta, deslizándome casi por las paredes, sin poder ocultar el percance, aunque creo que nadie se dio cuenta, salvo Ester que me caló al vuelo, y como no estaba para perder su tiempo me dijo, qué te pasa, y a ver qué tan descosido está, y yo te lo arreglo, y sin mayor preámbulo alargó su mano hasta agarrar el bultote y prácticamente agarrándome por ahí, me llevó a su dormitorio donde me enseñó la importancia de no dar puntada sin hilo. Sé que trata de entretenerme, dijo ella un poco menos triste ya que entraba en el segundo trago, pero a Henry Miller me lo pasaron en la Escuela de Periodismo, y lo que interesa es el cuándo y el cómo lo de escribir, y si no es demasiado, qué crees tú

---

[9] *cabritos:* niños; en este contexto, adolescentes.

que pasa con el amor. Para allá voy, le contesté, ya que en eso estaba, y dejando de lado el primer polvo, que debe haber sido algo así como el sonido y la furia (con el permiso de Faulkner) sobrevino el segundo, casi de inmediato, pero onda tómatelo con calma que tenemos tiempo, y ella, experta, generosa, ardiente, medio zafada tal vez, dando cancha, tiro y lado,[10] exigiendo en mitad de todo, ese cuéntame un cuento, que me dejó paralizado, dudando entre seguir el ritmo que sugería el somier o pasarme al bando de Blancanieves. Un cuento, dime un cuento, dime cosas, ahora un cuento por favor, gemía la experta Ester, y yo pensaba ésta qué quiere, no le basta con la acción sino que además necesita un relator deportivo. Uno de camiones, agregó Ester, soplándome el tema al oído, cosa que de repente añoro frente a tanta página en blanco que a uno se le tira encima, y ahí como que fui entendiendo, porque estaba caliente pero no tonto, y se me ocurrió que iba conduciendo uno de esos petroleros gigantescos, cuando en medio de la ruta aparecía la mujer, que por cierto era Ester, y la hacía subir a la cabina y antes de tres kilómetros la tenía entre la espada y la pared, o mejor dicho, entre mi cuerpo y el volante, pasando el acelerador de 80 a 100, y ella, así, así, cuéntame más. Y contarle más era incluir en la historia a un par de autos que se cruzaban frente al camión zigzagueante, con sus conductores estilando puteadas, y al final de una curva la presencia de un radiopatrullas, celosísimo de su deber, obligando a subir de 100 a 120, y ella de nuevo, así, así me gusta, dale más, y yo tratando de saber si debía seguir con el cuento o azotando el colchón. Pero, por si acaso, me las arreglé para continuar en los dos frentes. No por mucho rato, ya que los policías eran veloces, y el bultote también, y cuando la ley estaba por atraparme, la Ester se puso a gritar ¡me voy, me voy!, y a mí me dieron ganas de putearla por dejarme con el camión tan comprometido, pero la realidad era más fuerte que la ficción y comprendí que era momento de regresar al dormitorio y

---

[10] *dando cancha, tiro y lado:* exhibiendo un completo dominio de la situación.

terminar jadeando entre sus pechos violentísimos. Ése fue el principio, le dije a ella, un poco menos tristona que al comienzo, con deseos de reírse y aceptar otro traguito entonador. El principio del amor y literatura. Bueno, si es que se puede llamar amor a los encuentros nocturnos que sobrevinieron, y literatura a las historias que también sobrevinieron, y además sobrevivieron, inevitablemente, porque sin ellas no había encuentros o éstos se frustraban por falta de imaginación, cosa que me hizo aprender que lo primero era tener una buena idea, y después venía el tiempo del perfume, la camisa limpia y de partir a la casa de Ester. La historia de los camiones se repitió un par de veces, y luego fuimos cambiando de estilo y temas. Con ella a horcajadas sobre mí, caía bien una historia de botes, remos y piratas; a sus piernas rodeando mi cuello correspondía una de trenes y ferrocarriles; y si me retenía junto a la puerta de su casa para hacerlo de pie, recurría a una de aviones y vuelos acrobáticos, mezclando el placer de flotar en el aire con el riesgo de caer sobre la alfombra. Las historias se fueron perfeccionando a causa de esa manía que uno tiene de hacerlo cada vez mejor. A veces un cambio de punto de vista o de personajes convertían una vieja historia en algo que Ester sabía apreciar. El monólogo interior poco funcionaba, ya que ella prefería un narrador que todo lo viera, capaz de reproducir con palabras precisas cada cosa que acontecía. Una de un camión conducido por dos hombres la volvía loca y con una de astronautas que llevaban meses en el espacio no pasó nada, tal vez porque la ciencia ficción no es mi género favorito, o porque al otro día llegaba su marido, y eso significaba que una vez más, y por toda una semana, su amor por la literatura quedaba de lado. La literatura era yo, me daban ganas de exclamar lo más absolutista, recordando esas semanas que ocupaba para restablecer energías y pasar a máquina alguna de las historias, con lo cual no sólo mantenía un orden necesario, sino que además me ganaba unos pesacotes[11] vendiéndolas a mis compañeros de curso, que así aprendían que leer es

---

[11] *pesacotes:* pesos.

un vicio solitario, y de paso me embromaban con eso de gritar "Pequeño Dickens" cada vez que me veían aparecer en la sala con unas ojeras del porte de una casa y que ellos atribuían a tantas novelas por encargo que debía escribir, lo que no dejaba de agradarme, ya que entre cuento y cuento, empezaba a entender a esos tipos graves que hablaban del placer de la literatura. ¿Es en serio todo lo que dice? ¿De verdad fue así? pregunta ella, risueña y un tanto entusiasmada con tantas historias de camiones y otros medios de transporte; y luego, un minuto más tarde, no soporta la tentación de soltarse el pelo hasta ese momento sujeto por un moño, cuando le cuento esa increíble, realmente increíble de la Ester absolutamente de ficción y volada, haciendo el amor arriba de un trapecio, con un equipo completo de trapecistas mexicanos, tocando literalmente el cielo de la carpa y de su pieza, en medio de unos gritos que me dejaban al borde del mareo por tanta altura imaginaria y tanto vaivén exquisitamente real, aunque un poco tristón porque ya habíamos conversado que esa noche era la última. Algo así como mi debut y despedida de las pistas circenses, ya que por la mañana regresaba su marido y esa vez para siempre. Para siempre marido y para siempre adiós, por culpa de un traslado en el trabajo, y yo, desesperado, no tanto por ella, sino por la literatura que amenazaba con irse también, a pesar de que si escribiste una vez volverás a hacerlo, según decía Hemingway, sin dejar de tener razón, porque pasaron los días y la ausencia de la experta Ester se suplió con otras frenadas bruscas frente a mi casa, otras fiestecitas de sábado por la noche, y con un vacío que me rodeaba cuando en medio de lo mejor nadie pedía historias, y era necesario esperar el retorno a mi casa para llevarlas a mis cuadernos de liceano, un tanto sentimentalón por lo de las ausencias, y porque en esos mismos días apareció en escena Marta, ya no por entre las piernas, sino que un poco más arriba, y el negocio editorial se fue al suelo, por repetido quizá o porque los tipos del curso habían ido desvaneciendo las ganas cada cual a su manera, y la onda de los trapecios, trenes y demases ya no me la creían y el "Pequeño Dickens" se convirtió en un buen recuerdo de ese tercer año medio. No te creo nada, me dice ella, profesional y risueña, apretando el stop de la grabadora, y le contesto que no me crea nada, y que si lo prefiere, puedo hablar del orfanato en que me dejaron botado[12] a los dos meses, de cómo comía poco y me pegaban por pedir más comida, y más tarde me entregaron a la custodia de un fabricante de ataúdes, y cuando escapé de las manos de ese tipo ruin caí en las de un instructor de pequeños lanzas callejeros, del cual sólo pude librarme con la ayuda de un caballero de mucho dinero. Eso es de Oliver, dijo ella, risueña. Entonces, créeme, le contesté sirviendo otros tragos para los dos. Créeme y cuéntame esa historia con Ernesto, le digo, y ella responde que cree todo, pero lo de Ernesto vendrá más tarde, porque ahora quiere que le cuente un cuento y se desabrocha la blusa, y mientras salimos de mi pieza de trabajo, pienso que el amor es así, y le pregunto si quiere saber cómo me hice novelista, y ella se ríe y dice que bueno, aunque sea puro cuento.

[12] *botado:* abandonado.

## ROBERTO CASTILLO
(Tegucigalpa, Honduras, 1950)

E l sólido aporte del escritor hondureño a la cuentística hispanoamericana ha quedado registrado en notables cuentos como "Subida al cielo", "El hombre que se comieron los papeles" y "Anita, la cazadora de insectos" incluidos en su primer libro *Subida al cielo y otros cuentos* (1980), el cual logra una segunda edición en 1984. También en sus cuentos "Figuras de agradable demencia" y "Después del Iscariote", incluidos en *Figuras de agradable demencia,* así como en "Holocausto sin tiempo en un pueblo lleno de luz", cuento publicado en 1989 en la revista *Imaginación*. El libro de cuentos *Traficante de ángeles* busca la diferencia de la experiencia narrativa de las dos primeras colecciones.

Roberto Castillo llevó a cabo sus estudios universitarios en Costa Rica y reside actualmente en Honduras, donde trabaja como profesor en el Departamento de Filosofía de la Universidad Nacional Autónoma de Honduras. Es miembro del Consejo de Redacción de *Paraninfo*, Revista del Instituto de Ciencias del Hombre Rafael Heliodoro Valle. En los últimos siete años, Castillo se ha dedicado a investigar concienzudamente el desarrollo histórico, político, lingüístico, económico y tecnológico de la ciudad de Tegucigalpa en el siglo XX. El propósito de esta documentación es la elaboración de su segunda novela que, aunque no se define como histórica, registra artísticamente el sustrato antropológico, cultural y lingüístico de la ciudad: "Toda escritura, en sentido literario, es reescritura fantástica. Lo que yo recogeré como dato lo transformaré en personajes y situaciones de la novela. El fin último de mi trabajo apunta hacia la fantasía novelística. No investigo tanto los hechos históricos como las *formas de decir* tejidas sobre esos hechos. Selecciono materiales de cada década y extraigo de ellos la materia viviente que tiene sentido para mi obra" (Correspondencia del autor).

"Subida al cielo" pertenece a la colección del mismo título. El cuento simula el acontecer del viaje fantástico de toda una comunidad hacia el territorio de la utopía con un enfoque narrativo que acentúa la formación y movimiento de un personaje colectivo, referido como el caserío, la gente, las comunidades, el tropel, los campesinos. La simulación del viaje alucinante hacia el cielo y el ánimo de salvación colectiva descubren inevitablemente la orilla de la violencia, los disparos y la muerte. No hay égida. Simulación y realidad, visitadas por el juego grotesco de la esperanza y su destrucción.

# SUBIDA AL CIELO

A Q U E L L A mañana todo el caserío amaneció alborotado porque la gente se quería ir al Cielo. Fue un deseo contenido largo tiempo que estalló hasta entonces. Ya habían venido circulando noticias de que comunidades enteras se habían ido al Cielo, y cada vez quedaba menos gente por los alrededores.

Con la llegada de las noticias empezaron los preparativos del viaje. La gente alistaba viáticos e indumentaria, y cada uno creía que debía ponerse lo mejor. Por eso muchos se vistieron de curas, otros de militares, de hombres de ciudad, y de rancheros adinerados sin dinero. Las mujeres se vestían de matronas o de monjas; otras, más atrevidas, se disfrazaban de indias, con todo el colorido de los trajes típicos. Los niños eran vestidos de ángeles, con las alitas cuidadosamente trabajadas en papel de China. Hubo adultos que quisieron viajar de arcángeles, pero todo el mundo pensaba que para ellos no era conveniente esta indumentaria. Los aludidos replicaron que el viaje al Cielo estaba por encima de observaciones tan pequeñas.

Tratando de vestir a los que faltaban el gentío revolvió todos los armarios y desempolvó la sacristía de la iglesia en busca de trajes dignos, como los que se usaban en las representaciones de Semana Santa. La muchacha más bonita fue vestida con el traje de la Verónica, mientras que los hombres se vestían de centuriones y soldados romanos, lo mismo que de apóstoles y hasta de samaritanos. No hubo obispos porque esos atuendos resultaban caros. El traje de Judas Iscariote no le quiso poner nadie por temor a ser mal visto en el

292

Reino de los Cielos. Tampoco tocó nadie los de la Virgen y el
Señor por creer que sería un atrevimiento imperdonable. Sin
embargo, se sacó un Nazareno que se estaba descascarando
de viejo para que un pobre anciano de la aldea, el único que
se había quedado sin prendas, pudiera irle cargando la cruz y
justificarse como Cirineo. De las casullas, sobrepellices, esto-
las y bonetes, agarró cada quien lo que pudo.

La gente se engalanó con la ropa conseguida y preparó
los viáticos desde la noche anterior. A buena mañana todos
salieron en tropel. Con los vistosos trajes puestos caminaban presurosos y alborotados llevando matates[1] llenos de
provisiones, canastos con pan y semitas,[2] bolsas de totopostes[3] atados de tortillas, jarrillas de barro y de latón, así
como dulces y frutas que los niños comerían por el camino.
Amanecieron alegres y alborotados y en la sola partida no
dejaban de fastidiar a los tres hombres que se disfrazaron
de arcángeles. Enjutos y con los ojos llorosos, los pobres no
podían con las alas pesadas que se habían amarrado a la
espalda. Las arrastraban y se les doblaban entre las burlas
generales que los señalaban como los compañeros de Luzbel, desterrados para siempre del Paraíso.

El tropel iba guiado por los músicos de la aldea que con
un viejo violín de iglesia, dos flautas, algunas chirimías,
cuernos de vaca y el violoncelo de las misas solemnes tocaban una música dulce de la que salían alientos fúnebres que
nadie percibió. Los cohetes y silbadores metían mucho
ruido a lo largo de los dos primeros kilómetros y el sonido
de los tambores llegaba hasta muy lejos.

A nadie se encontraron por los caminos polvorientos porque la gente de esas regiones ya se había ido al Cielo. Vieron ranchos abandonados donde todavía quedaban tizones
encendidos y los sahumerios de espantar a los zancudos
estaban como cuando había gente. Caminaron entre cercas
derribadas y trojas[4] que los animales habían destrozado.

---

[1] *matates:* el matate es una red en forma de bolsa.

[2] *semitas:* especie de bizcochos.

[3] *totopostes:* tortillas de maíz.

[4] *trojas:* variante de *troje* y *troj;* graneros.

Por todos lados estaba la misma desolación y muchos animales domésticos ya se habían vuelto salvajes. No necesitaron preguntar el camino, pues una intuición guía siempre a la gente que marcha decidida al Cielo.

Siguieron después, durante varios días, entre zacatales[5] y barrancos, durmiendo al descampado, bajo el sereno. Las gallinas que dejaban colgando de los árboles por las patas amanecían chorreando el rocío recibido; y, durante la caminata, los cerdos demasiado gordos se morían sofocados en los barrancos. Por pedregales que nadie había transitado continuaron las duras jornadas. Los niños de a pie se herían las plantas con las piedras, dejando un rastro de sangre a lo largo del camino. Los de a caballo iban con la mirada perezosa y la cara tiesa por el calor agobiante y el sol abrasador. Algunos murieron de insolación.

La señal inequívoca de que el Cielo estaba cerca fue la llegada a un gran río cuyo nombre nadie sabía. Llegaron hasta su ribera por la noche y empezaron a vadearlo en la mañana. En la madrugada se levantaron a gozar del agua fresca; aún no aclaraba y se destacaba muy grande la luna en la oscuridad. Fueron metiéndose al agua y se mojaban los cuerpos hombres, mujeres, ancianos y niños, como si siempre se hubieran conocido. Algunos cogieron peces metiendo las manos debajo de las piedras y las ranas croaban entre los juncos, revueltos sus gritos con el ruido de la corriente que se estrellaba contra las rocas. Cuando cruzaron el río todos olían a jabón y los cueros cabelludos a pelo recién lavado.

Anduvieron toda esa mañana y empezaba a caer la tarde cuando los más apurados ya habían subido al Cielo. A medida que caminaban, los del grueso del grupo fueron descubriendo, tirados por el camino, los sombreros viejos llenos de polvo, los disfraces pisoteados que nadie recogía, imágenes de santos adornadas con papelitos de colores, así como restos de cirios que no terminaron de consumirse; y tantas cosas más que quienes habían subido al Cielo ya no necesitaban.

[5] *zacatales:* pastizales.

Llegaron por fin a una gran vía pavimentada. Entre polvorientos y desolados pedruscos que el sol recalentaba asomaron hasta caer sobre ella los que estaban sin ascensión. Por el aspecto parecía que hubieran pasado el conjunto de penalidades que la vida puede ofrecer, y todo por ganar el Cielo. Estaban macilentos y ojerosos, con la cabeza y las manos que casi se les desgajaban del cuerpo. Totalmente cubiertos de polvo, era como si realmente estuvieran hechos de tierra.

Cuando vieron la gran vía pavimentada se acercaron a ella, débiles y alucinados. Se agacharon y pegaron las manos al suelo. Recorrían con ellas, palmo a palmo, el pavimento, apreciando esa materia oscura que viajaba hasta el infinito. Contaban despacio los granos de piedra envueltos en la melcocha de petróleo y otros compuestos. Después se separaron unos de otros, pero siempre tenían las manos pegadas al pavimento. Fueron subiendo al Cielo y no quedó nada, sólo la inmensa línea gris que se perdía en el horizonte y las emanaciones de los que habían subido en cuerpo y alma a los cielos. El camino de los cielos es el más corto para quien se desespera por llegar; y los más, sin desesperaciones estudiadas, son puestos fácilmente sobre la ruta... Y llegan pronto.

Todos habían ascendido al Cielo. Solamente la línea gris del pavimento lo atestiguaba. Y mejor así, pues lo hicieron con modestia, en total silencio y anonimato, sin pompas ni ceremonias.

La tarde moría con los últimos rayos del sol cuando el paraje recibió al último peregrino. Era un señor alto y blanco, de largos cabellos castaños, bigote caído y contextura fuerte. Venía por la carretera conduciendo una enorme motocicleta y tenía el rostro cubierto por la visera negra del casco. No resistió las ganas de subir al Cielo cuando vio las cosas que dejaron tiradas los campesinos: sombreros, machetes, ollas, alforjas, caites,[6] matates, los santos, y todo lo que llevaban. Aceleró la máquina hasta que la aguja del velocímetro llegó al tope, y se sintió

---

[6] *caites:* sandalias toscas de cuero.

terreno todavía. Como su desesperación era muy grande, abrió el tanque de gasolina, sin bajar la velocidad, y le metió fuego con un encendedor. Ascendió entonces al Cielo en un gran estallido y entre humos resplandecientes, convertido en luminaria. El estallido se confundió con los disparos de los soldados —todavía seguían disparando sus armas— que estaban apostados al otro lado de la carretera. En un instante eterno metales retorcidos y pedazos de carne quemada cayeron sobre los cuerpos infortunados y balaceados de los campesinos, los mismos que habían ascendido en cuerpo y alma a los cielos y aguardaban con los ojos volteados a lo largo de la carretera.

# RENATO PRADA OROPEZA
(Potosí, Bolivia, 1937)

L A cuentística de Renato Prada Oropeza sobresale por la utilización de elementos mínimos de composición y la profundidad que alcanzan sus planos. La narrativa del escritor boliviano ha obtenido difusión internacional a través de ediciones aparecidas en España (Planeta, Plaza & Janes) y México. Su obra se ha traducido al francés, alemán, holandés y su novela *Los fundadores del alba* fue publicada en inglés con el título *The Breach* por la conocida casa editorial Doubleday en Nueva York.

El cuento "La tormenta" forma parte del libro *Ya nadie espera al hombre*. Las relaciones entre la naturaleza y las acciones humanas descritas en este cuento están tocadas por un modo narrativo de magnífico vuelo poético y dominio técnico. Asimilada la narración a una pintura en la que se van mezclando diversos colores cargados de símbolos tales como la intensidad de la naturaleza y los movimientos de los personajes, deja de importar la secuencia de los hechos para dar prioridad al retrato expresionista de un espacio en el que se pinta con delicados tonos la inocencia como un estado constantemente amenazado por la destrucción.

Renato Prada Oropeza terminó sus estudios de Bachiller en Humanidades en 1956 y en 1961 obtuvo el título de Profesor de Enseñanza Secundaria en la Normal Superior Católica en Cochabamba, lugar donde ejerció como Profesor de Filosofía entre 1964 y 1969. También dictó cursos en la Facultad de Periodismo de la Universidad Católica

Boliviana. En 1972 obtuvo un doctorado de Filosofía en la Università degli Studi di Roma, Italia y en 1976 un doctorado en Lingüística en la Université Catholique de Belgique, Lovaina, Bélgica. El mismo año se traslada a México, donde es nombrado Investigador en el Centro de Investigaciones Lingüístico-Literarias de la Universidad Veracruzana. En México funda y dirige las revistas *Semiosis* y *Morphé*.

## LA TORMENTA

L o s  pájaros fueron los primeros en aquietarse en sus nidos. Sus trinos se hicieron cada vez más de murmullo hasta que todo se confundió en el adormecido rumor del ocaso. Los rayos del sol fueron retirándose poco a poco del valle, debilitando primero su presencia en un pálido rosa, luego en un violeta mate, para ya no ser lo que eran en el azulgris que se absorbía en las montañas. En los rincones de las cosas no era el día sino un inmediato recuerdo, una promesa irrecusable.

Cuando el agua llega a mi cara, yo no me aparto. El agua la moja, la limpia con su mano suave, de seda. Madre. La niña extiende la mano y la ahueca hasta que la lluvia la llena de agua tibia, clara. No, es imposible que venga porque no puedo hablarle, llamarle con la voz de la boca. El agua me baja por el cuello. La niña tiene el cuerpo empapado. La tela delgada de su vestido se le ciñe a las carnes apenas cargadas de redondeces.

¿Niña? Ven aquí, niña. Su palo da en el suelo. Trac-trac. El palo contra las piedras, gastándose en ellas. Sus ojos buscando la mejor senda. Pasan el palo y los ojos por el río. El palo se moja. La lluvia viene a mí desde el cielo. Tiene que ser la lluvia la que venga, ya que no puede mi madre porque no me escucha, no más. No puede oír mi voz que no sale de mi boca. El hombre cruza el arroyo. La muleta, manejada con nerviosismo, tropieza con las piedras y se instala por algunos segundos en una parte plana, mientras el hombre se detiene y mira a la niña. Tristes ojos. El agua limpia el barro de mi muleta. Contemplo a la niña que lava

299

harapos en el riachuelo. Tus ojos son bellos, niña. Sus piececillos están en el agua. Niña, mírame por un momento.
Tus ojos están aquí, sostenidos en mi vida. Tus piececillos
parecen dos peces puros jugueteando en el río. La niña
levanta la cara y observa al hombre. Los ojos claros del
hombre se desvían y hacen como si siguieran el vuelo de un
ave lenta y danzarina.

El hombre está solo en la colina. Al fondo, en el valle, la vida
se mueve con la apacibilidad de un vuelo de mariposa. De las
chimeneas de los ranchos se elevan columnas celestes de humo
que terminan por enrarecerse y diluirse en el azul del cielo.
El hombre piensa en la pastorcilla; quiere apartarla de su
mente como una preocupación vana, peligrosa.

La niña se para y mira al hombre que se acerca dudando
un poco al hacerlo, rozando apenas la hierba con su muleta.

—Niña, no me huyas.

Las ovejas levantan sus cabezas y permanecen quietas,
sólo sus mandíbulas continúan moviéndose en esa escena
de plomo.

El perro ladra en la noche. Ladra y ladra hasta que su
ladrido se convierte en un espantoso aullido, sostenido en
el aire con angustia y miedo. El padre de la niña no se despierta, rezonga y se revuelca en sus trapos, tirado en el
suelo.

—Vendré esta noche. Tienes que salir.

La lluvia empieza su camino en el cielo y baja a mi
encuentro, con su carrera de alegría. Mi piel la recibe, aunque mi lengua no puede decir nada.

Los cabellos del hombre le caen sobre la frente; son gruesos, lacios, reunidos en gavillas sudorosas; recortan su frente
en trozos irregulares, abruptos. Sus ojos se abren y se cierran con nerviosidad de fiebre, de dolor y espera. Sobre los
ojos se cuelgan dos cejas espesas: la una quebrada en dos por
una cicatriz profunda que se para, en su caída, en el párpado
como una grieta indecisa; la otra, espantada en un remolino de vellos en desorden.

—Yo sé que vives sola, con tu padre.

El perro gruñe y el hombre no se atreve a acercarse más.
El rostro del hombre se refleja en el agua. Tiene los ojos

tristes y cansados como los de los hombres que no cuentan con la ayuda de un amigo y no gozan del refrigerio de un sueño. El cristal que muestra la cara del hombre se quiebra en pedazos vibrátiles. El pie de la muchacha se mueve en el agua.

—Sé que no puedes responderme nada. Di que sí con tu cabecita.

El hombre se para frente a la choza. El frío se cala por sus poros y le hurga los huesos. La oscuridad no le permite distinguir nada a cuatro metros. El perro le ladra furiosamente; surge amenazador y, luego, desaparece en el hueco de la sombra cuando el hombre blande su muleta. Parece una danza fantasmal entre dos seres desesperados, o un duelo terminante del que sólo uno tendrá que salir con vida por la fuerza del destino.

¿Adonde irás, hijo? Saldré simplemente, no puedo dormir. De noche es peligroso: hay perros por todas partes; no distinguirás bien el camino. El trac-trac pasa por el arroyo. El palo se moja, se enloda, se moja. Lo escucho. Me da miedo y no salgo. Mi padre no se despertará por nada del mundo. El hombre cruza el arroyo; su cuerpo tambalea y está a punto de caerse al agua. No es bueno que salgas, hijo mío. Saldré de todos modos. Hace varios días que te veo más enfermo; necesitas dormir. El tropiezo y el ruido del palo contra la piedra llega hasta mí. El hombre se detiene frente a la choza y retrocede porque el perro empieza a ladrar. Creo que llevas el demonio en tu cuerpo, te sale por los ojos. No puedo dormir, eso es todo. El perro gruñe y se le abalanza. El hombre levanta la muleta.

La niña sale de la choza, recoge las ovejas y se dirige al bosque cercano. El perro no viene con ella, ya no vendrá más. El perro gime rascando la puerta. La muchacha abre la puerta y puede oír al frente, subiendo la colina con su trote torpe, al cojo. El perro está tendido a sus plantas, sangrando. La niña se arrodilla en el suelo y abraza a su perro. "¿Para qué?", se pregunta. "¿Por qué te hicieron tanto daño?" El perro gime y cierra los ojos. Es algo que tampoco él puede comprender y que ni siquiera tiene la ventura o desdicha de preguntarse.

El padre de la niña llega de noche. Se mantiene erguido con dificultad por unos momentos frente a la niña; luego, se deja caer al suelo. La niña intenta ayudarle para que se incorpore. No puede con el peso de su padre. El borracho dice palabras sin sentido. El perro mueve su cola y le lame el rostro. El hombre maldice al animal y se queda dormido. La niña va hasta la cama para traerle algunas frazadas con las que cubre el cuerpo de su padre.

"Mataron al perro anoche".

—Hoy traeré uno más grande del pueblo. No llores.

"Me quedaré sola".

Las manos de la niña tiemblan al ir hacia la boca que no puede decir nada.

"Tengo miedo".

El hombre la mira con indiferencia y sale de la casa.

Una gota de lluvia cae sobre el pétalo de la flor. Allí es una estrella, un globo diminuto de luz, algo tan bello y fugaz como la rosa misma, más fugaz que ella.

El hombre camina tras de la niña a grandes trancos. La niña se revuelve a cada instante y apresura su trote. En el bosque no hay nadie. El aire parece haberse condensado. Las ovejas se esparcen por todas partes y la niña no puede agruparlas para seguir corriendo. El cielo está cargándose de nubes oscuras. El golpe sordo de la muleta contra el suelo está cada vez más cerca. La niña ya puede distinguir el gesto de esfuerzo reflejado en el rostro del cojo.

La niña extiende los brazos y tira su cabecita hacia atrás para recibir las gotas gruesas en sus labios.

"Madre".

"Ven. Ven aquí donde la lluvia es más tibia y pura que nunca, donde no hace frío ni hay tormenta."

La gota de lluvia se desliza en la piel del pétalo, corre un poco y se detiene al borde de la hoja color de aurora. Parece un astro dubitativo al borde del vacío.

El hombre apoya su muleta en la roca y se sienta en un pedrón.[1] "Ya no puedo más", se dice. Escudriña el cielo, interrogante y desesperado. Todo es paz y tranquilidad en

---

[1] *pedrón:* pedrejón; roca.

el paisaje. Un ave negra vuela en círculos lentos, monóto-
nos. El hombre la mira sin mayor atención, como se mira
pasar las aguas de un río cuando no se tiene otra cosa
que hacer. El pajarraco sigue en su vuelo hasta que cae vertical hacia la tierra. El hombre puede distinguir, después, la
caída de pequeñas plumas, balanceándose en el aire. El
pajarraco ha emprendido el regreso a su nido con la presa
en sus garras. Luego, todo sigue lo mismo que antes. El cojo
llora en silencio.

La mujer mira al hombre agazapado en la puerta. Se le
acerca.

—¿Dónde has estado? —pregunta furiosa.

—Por ahí —dice el hombre.

—¿Dónde has dejado tu muleta?

El hombre mira a otro lado y se lanza al interior de la
habitación con movimientos fuera del esquema de este
mundo. La mujer corre hacia afuera.

El pétalo de la flor se curva bajo el peso de la gota de
agua. La gota se carga más hacia abajo. Apenas se sostiene
ya en el borde mismo del pétalo. Ahora parece que el
abismo la atrajera.

La mano separa las hojas de las plantas. Al fondo corre
un riachuelo cristalino. La mano se extiende y hace un
esfuerzo mayor para separar las ramas. En el río hay una
niña modulando sonidos ininteligibles que quieren ser una
canción. El hombre adelanta la cara. La niña no lo ve y
empieza a desnudarse. El hombre respira apenas; su mano
extendida se le va cansando; la otra sostiene una muleta
tosca, hecha de ramas irregulares. Un rayo de sol se cuela
por un hueco del follaje y se posa en la mano extendida del
hombre como una tibia mariposa. La niña se baña y ríe en
su chapaleo. El hombre avanza. El gruñido de un perro le
detiene en seco. La niña corre hacia su ropa. El hombre da
media vuelta y sigue su camino. El rayo de luz ha volado
de su mano a la superficie de una hoja seca.

"Ven hacia aquí, hija".

"¿No ves que no puedo?"

La niña extiende la mano al perro que la espera en
medio del sendero.

"¿Entonces estuviste aquí?"

El perro menea su cola y empieza a correr para señalarle el camino.

"Sigue al perro, hija. Iremos a nuestra casa nueva".

"¿Y mi padre?"

La niña se detiene. El perro le ladra incitándole a seguir corriendo.

"Él vendrá después". La madre le coge de la mano

"Estará solo".

El perro va y viene ladrando con alegría. La niña corre a su encuentro.

La gota de agua cae al suelo sacudida por la brisa; se desprende primero con una fatiga de derrota y rompe el aire perdiendo su forma para tornarse más alargada, más elíptica que antes; y toca el suelo; allí es ella misma sólo por un segundo más hasta que se pierde definitivamente en el fango y la hierba.

La mujer llega al bosque. Sigue corriendo por un momento hasta que se detiene dando un alarido. La muleta está tirada al lado del cuerpo desnudo de la niña. Las ovejas se han acercado al lugar y pacen sin comprender nada, sin preocuparse por nada tampoco, como se están erguidos los árboles, como las nubes que pronto volcarán sus gotas sobre el valle no para que siembren y se bañen los hombres sino, simplemente, porque ya no pueden resistir su propio peso de agua.

## RENÉE FERRER
(Asunción, Paraguay, 1944)


P O E T A , narradora y ensayista de activa y destacada presencia en las letras paraguayas. Su poesía recibió en 1982 y en 1984 el Primer Premio Amigos del Arte por las obras *Desde el cañadón de la memoria* y *Sobreviviente*; sus libros de poesía *Peregrino de la eternidad* y *Viaje a destiempo* reciben también distinciones en 1986 y 1989, respectivamente. La obra narrativa de Renée Ferrer ha sido distinguida en el extranjero con la obtención en 1985 del Premio Pola de Lena en Asturias, España; cuatro años más tarde, también en España, su obra se coloca como finalista del conocido Premio Ana María Matute. Los cuentos de Ferrer han sido incluidos en los libros *Premio Instituto Paraguayo de Cultura Hispánica 1984 de cuentos* (1984), *Panorama del cuento paraguayo* (1986), *Anthologie de la nouvelle latino-américaine* (1991); *Narrativa paraguaya (1980-1990)* (1992) y *Antología colección "Cuentos de Autores de la región Guaraní"* (1993). Renée Ferrer de Arréllaga estudió en la Universidad Nacional de Asunción, donde se doctoró en historia en 1981 con la tesis *Núcleo poblacional concepcionero*.
En el cuento "La colección de relojes", perteneciente al libro *La seca y otros cuentos*, puede verse —entre otros logros estéticos— el diestro aprovechamiento que Ferrer hace de lo lírico en la consolidación de un *epos* narrativo evocador, abierto a la multiplicidad de la imagen antes que a la postura descriptiva.

# LA COLECCIÓN DE RELOJES

*A Esther*

A QUELLA era la hora en que se enloquecían los relojes, cuando los rayos del sol caían sin dejar sombra y llegaba a término la mañana. Isabel se levantaba temprano, como antes, cuando vivía en su casa: aquella casa con los pisos oscuros y detestables y los grandes ambientes, donde tres juegos de estilo invitaban a los grupos, que naturalmente se forman en cualquier reunión, a la conversación o la confidencia. Recordaba su piano de cola en un ángulo privilegiado del salón, sonriendo cuando lo abría.

Omar, sentado a oscuras junto al piano, evocó las manos de su mujer sobre el teclado haciendo sonar los acordes hasta que llorasen; sus ojos de un gris acerado con matices verdes no eran grandes, pero sí rasgados y brillaban con gran intensidad en su cara angulosa de blancura alabastrina. Íntimamente Omar se culpó de lo sucedido. En la casa vacía la imagen de su mujer lo perseguía continuamente.

Los movimientos de Isabel tenían una mesura tal que rara vez se la escuchaba llegar. Sólo su voz delataba su presencia que, como sus maneras, era ingenua. Sí, su voz era ingenua y delgada, y aunque al correr de la conversación se notaran en ella múltiples variaciones, persistía detrás un tono quebradizo, como el susurro de un cristal que se disculpa. Cuando se alteraba, sin embargo, sabía ser sarcástica e incisiva y su voz, tan delicada, se convertía en una mano pronta a cruzar la cara de su interlocutor.

Muchas veces Isabel pensó decirle a Omar por qué la

atemorizaban los relojes, pero no se atrevió. No fue difícil callar al principio, porque sólo se amedrentaba cuando daban las doce y era mediodía y se achicharraban las flores en el patio y el perro ladraba de aquel modo prolongado. Entonces se sentía extraña, escapaba del salón y mandaba encerrar al perro con una voz seca y terminante. Sentada en la galería, tras los helechos que colgaban de las vigas exteriores, donde se filtraba el sol para tocarla apenas, aguardaba la llegada de su hijo, presionándose las sienes con los dedos, sin importarle cuán larga pudiera ser la espera. Isabel tenía un solo hijo, y siempre lo esperaba.

Paradójicamente Omar empezó a volver temprano desde que ella faltó. La extrañaba. El buen gusto de Isabel se notaba en la casa, como en su figura, donde nada obedecía al azar.

Isabel siempre se vistió respetando una perfecta unidad cromática: pantalones y blusas de tonos similares, los accesorios haciendo juego, los zapatos y la cartera también, y el armazón de los lentes, y el carmín de los labios, y el esmalte de las uñas e incluso el bolígrafo que cambiaba cada día. Tenía un vestuario variadísimo y nunca se la veía despeinada. Su pelo era una cascada roja y abundante, pero de un rojo suave que no llegaba a lastimar la vista; evocaba más bien a una salvaje gacela en movimiento. Ella sabía qué colores le sentaban y se complacía en usarlos. A veces aparecía toda de gris, o lila, o marrón; de vez en cuando se deleitaba con los contrastes o se dejaba cubrir por los indolentes tornasolados, pero siempre dentro de la gama de tonos que combinaban con su pelo. Detrás de toda esa meticulosa selección resplandecía la dama.

Porque Isabel, por sus maneras, la modulación de su voz y el lenguaje pulido de su conversación, era una dama. Le apasionaban la literatura, la pintura y la música, y además enseñaba en la universidad. Isabel era peculiar por sus contrastes y la inmensa carga de misterio que encerraba la paradoja de su comportamiento. Nunca se terminaba de conocerla, porque así como le encantaba coser o preparar una cena para doce personas con manjares de su propia invención, le fascinaba el griego, la poesía árabe o las múltiples formas de los caracoles alineados en las repisas del baño.

Isabel no sólo gozaba de la belleza, sino también de la razón. Su pasión era llegar al fondo de las cosas, desentrañar las motivaciones recónditas de cada escritor, hasta encontrar la esencia última del verbo. Su mente analítica se complacía en esas cosas; por eso le perturbaba tanto que la atemorizaran los relojes al dar las doce. Propensa a una claridad geométrica, se llenaba de sombras cuando la sacudían las campanadas de los relojes, como si la llamaran todos al mismo tiempo, estirándola hacia ángulos opuestos hasta deshacerla. Sí, era intolerable el momento en que las cosas no tenían sombra y la llamaban los relojes.

Sólo cuando se fue, Omar notó cuán vital había sido su presencia. La buscaba. Se sintió solo entre tantos objetos hermosos: porque las cosas bellas, si bien son una grata compañía, no nos hablan, ni nos consuelan cuando necesitamos afecto, sólo estan ahí, dándose, derramando su plenitud estática ante nuestros ojos, sin comprendernos.

Antes, Isabel siempre estaba sola al mediodía, contemplando las cosas hermosas. Su hijo no volvía hasta las tres de la tarde y su marido casi nunca estaba en la casa. Las obligaciones lo retenían siempre afuera: viajes, interminables reuniones del Consejo, conferencias, cenas. No podía negarse al orden establecido, a las múltiples exigencias de su cargo, si quería seguir ascendiendo y para Omar nada era tan importante en la vida como su carrera. Quería probarse a sí mismo y llegar muy alto. Implacable consigo lo era por reflejo con los demás.

Omar no se conformó fácilmente de la ausencia de Isabel aunque ella, como él casi no estaba, había organizado su vida al margen de su persona. Algunos días se encerraba a pintar y se olvidaba del almuerzo; otros leía hasta terminar un libro, pero casi siempre se sentaba al piano entregándose a la música, a los Nocturnos de Chopin o las dificultosas Fugas de Bach. Perdía entonces el contacto con la realidad, encontrándose de pronto a trasmano del tiempo, dispersa en el espacio, embriagada y plena. En esos momentos Isabel no era ella, sino música fluyendo sobre el frío marfil del teclado.

Las horas se colmaron cuando nació Diego. Vivían entonces en un apartamento cercano al centro, donde volcó la tibieza de su corazón sobre el tibio cuerpecito de su hijo, y puso todo su empeño en ser una madre perfecta. Porque Isabel tenía la manía de hacerlo todo perfectamente. No se toleraba un error, ni una omisión, ni un olvido. Lloraba, sí, naturalmente, cuando estaba sola, pero frente a los demás, y sobre todo ante su marido, mantenía una expresión de felicidad imperturbable, como de continua complacencia.

Omar nunca comprendió el silencio de su mujer. Acaso el gran poder de dominio que Isabel tenía sobre sí misma le impidió decirle a su marido por qué le daban miedo los relojes. Una flaqueza semejante le parecía, seguramente, despreciable. Ese silencio fue un error. Pero Isabel era extraña, misteriosa, desconcertante.

El temor nació después de la mudanza a aquella casa, donde su marido comenzó a coleccionar relojes. En la vida de Isabel la soledad fue tomando cuerpo como un jarabe espeso que se derrama; acaso sin notarlo la fue ganando poco a poco, porque a fuerza de estarlo le empezó a gustar permanecer sola. Si bien la casa nueva le pareció muy grande, le agradó. Llenó de helechos la galería y aquel garaje donde su marido guardaba como reliquia diversos objetos reacondicionados cuidadosamente. A Isabel siempre le deleitó el trémulo verdor de los helechos. Le gustaba recorrer el jardín cuando se aplacaba el calor y el jardinero terminaba el riego del día, aspirar el aroma de sus hojas recién lavadas y el vaho penetrante de la tierra humedecida. Se escapaba así de la penumbra que Omar imponía a la casa con sus exigencias de mantener las persianas cerradas, para conservar el frescor de la noche y sentir la diferencia de temperatura al volver de la calle.

En este lugar no había helechos. Sólo corredores prolongados. No podía esconderse a la sombra de nada. Ni una planta suavizaba la áspera frialdad de las paredes o la arenosa longitud del patio. Aún más que antes aquella vieja inquietud progresaba en su interior. Por lo general Isabel

conservaba la calma, recordando juiciosamente las reco-
mendaciones de la tarde anterior y se comportaba de la
manera conveniente; sólo al filo del mediodía se ponía tensa
y no podía dominarse. Entonces la ganaba el miedo y todo
recomenzaba. No debió callar. El silencio, ese pozo angosto
e interminable que nos traga, borrándonos para nosotros
mismos y para los demás, el silencio la había superado.

Todo era más doloroso ahora que no estaba en la casa,
donde su piano de cola acaso la estuviera esperando. El
lúcido recuerdo de su antigua rutina se le pegaba a la piel y
hacía más penosa la comparación: los primeros años de
matrimonio, Diego, la mudanza. Más tarde las investigaciones literarias, el cuarto donde pintaba, las horas frente al
teclado, las progresivas ausencias. De pronto era mediodía
y se le nublaba la mente. Seres desconocidos aparecían y
desaparecían disgregándole la conciencia y el sol achicha-
rraba las flores y el ladrido del perro sonaba de aquel modo
tan extraño. Después de apaciguada, retomaba sus pensamientos: la sonrisa de Omar saliéndosele de la cara mientras deshacía el paquete. Sus llamadas desde la puerta.
Había traído algo muy especial, porque sabía que le iba a
gustar. Era un reloj cucú con los cuernos de caza entrelazados en la parte superior y unas perdices colgando. No como
los que se venden en los bazares y uno puede conseguir con
facilidad porque están hechos en serie. No, un auténtico
reloj cucú, de aquellos que únicamente quedan algunos
para enriquecer colecciones muy valiosas.

Isabel, sensible como era a los objetos hermosos, quedó
encantada. La decisión sobre el lugar indicado para una
pieza tan antigua se demoró. Finalmente Omar resolvió
que el salón era indiscutiblemente el mejor sitio, aunque el
cucú era un relojito pequeño. Lo colgaron sobre la pared
que enmarcaba al piano, haciendo un ángulo con el comedor. Omar no le dio cuerda ese día. Deseaba revisarlo primero con atención y no permitió que nadie lo tocara. Un
mecanismo tan delicado debe ser manipulado por una sola
persona, una sola debe despertarlo y mantenerle la vida.
Cuando tuviera tiempo revisaría la maquinaria y le daría

cuerda. Isabel se extasiaba ante el reloj mientras tocaba el piano. Deploraba la quietud de las agujas, y aunque deseaba ponerlo en movimiento no se atrevió a contrariar a Omar. El reloj cucú pasó bastante tiempo parado, pese a sus ruegos, a la oculta necesidad de verlo palpitar.

Omar partió a Buenos Aires en viaje oficial sin darle cuerda al reloj. A su vuelta le trajo de regalo a su mujer otro reloj. Ante el arrobado entusiasmo de Isabel, levantó orgulloso la delicada máquina inglesa de un siglo atrás, cuya caja color guinda brillaba intensamente bajo las luces del salón. A ella le gustó ese reloj, aunque no comprendía para qué necesitaban dos, teniendo el cucú en la sala y otro a pila en la cocina. Pero era tan hermoso que ni se lo mencionó a su marido. Por otra parte, las cosas hermosas no necesitan servir para algo, su perfección ejerce de por sí un placer tan gratificante, un apaciguamiento tan completo sobre los temperamentos sensitivos, que justifican ampliamente su existencia. Se quedó feliz.

Pasaron varios meses sin que Omar se diera un minuto de respiro. Isabel insistió en que debían colgar el reloj inglés. Lo quería alejado del cucú, para que luciera, pero su marido prefirió que estuvieran juntos. Ella se quedó contemplando los relojes largo rato. Algo sucedía, si bien no pudo precisar qué; acaso fuera el desacuerdo que había entre ambos: pequeño uno y recargado de adornos ingenuos; de tamaño regular el otro y demasiado aristocrático y solemne. No quedaron del todo mal, sin embargo, frente al piano. Omar se negó a darles cuerda sin antes revisar los mecanismos e Isabel tuvo que esperar.

Finalmente una mañana los controló. El reloj inglés estaba descompuesto y lo envolvió con cuidado para llevarlo a un relojero. Luego, con toda suavidad giró la cuerda del cucú y éste comenzó a latir. Al sesgo de la despedida, le pidió a su mujer que controlara la exactitud de su funcionamiento. Isabel estuvo la mayor parte de la mañana en el salón, con la vista detenida sobre las agujas. El canto del cucú era estridente e incisivo, pero muy preciso. Cuando dio las doce sucedió algo extraño; una quiebra del tiempo. ¿Una mera ilusión? Tuvo un sobresalto y la impresión de que alguien la estaba mirando desde el fondo de la habitación. Se dio vuelta sorprendida de que la empleada hubiera entrado sin llamar, pero no vio a nadie. La sensación persistió sólo un momento; después, se ahondó el silencio.

Los días pasaban como de costumbre, entre las entradas y salidas apresuradas de Omar y las ausencias de Diego, cada vez más ocupado en sus estudios. Isabel se volcó a sus clases de literatura, tratando de borronear las horas vacías. Pintó sus mejores cuadros; se sumergió en curiosas lecturas. Sentarse al piano todas las mañanas se convirtió en su ritual preferido. Entre tanto miraba fijamente los relojes.

Aquel año, cuando estuvieron en Europa, Omar recorrió insólitos lugares en busca de relojes antiguos, y si bien pagó un precio exorbitante, volvieron con una pieza rarísima: un reloj italiano. Ambos sentían una vanidosa satisfacción al considerar los tres relojes como una colección. Las sensaciones extrañas, sin embargo, se repetían. Una presencia indefinida se instalaba en alguna parte del salón cuando daban las doce e inmediatamente después sobrevenía el vacío. La mente de Isabel se detenía por un momento como obedeciendo a algo.

Omar colgó enseguida el nuevo reloj. Sus finas columnas de madera lustrosa realzaban las guardas de flores sobre el vidrio esmerilado: y al fondo, casi perdiéndose en la oscuridad de la caja, el péndulo marcaba el compás con un vaivén abierto e hipnotizador. Omar estaba orgulloso de sus relojes, y sobre todo impaciente por aumentar la colección.

El primer día que el reloj italiano dio las doce, Isabel notó que retrasaba unos minutos, pero como la diferencia se estacionó no le dijo nada a su marido. Este sonó desde entonces un poco después que el cucú, sobre el silencio del inglés.

Aquel fue el día que empezó a tenerle realmente miedo a los relojes. Recordaba esa mañana entregada al piano, interrumpida como desde lejos por los cuartos, las medias y las horas. Nada presagiaba lo que iba a suceder, cuando a las doce en punto, levantó bruscamente las manos del teclado y lanzó un grito, porque alguien le oprimía la garganta con los dedos haciéndole daño. Cuando acudió la empleada todo había pasado y ella le ordenó que buscara una laucha[1] que se había escurrido entre las patas del piano hacia el comedor.

Aquella noche, no bien se sentó frente al espejo le pareció ver en su cuello unas manchas ovaladas y violáceas, sombras quizás de los caireles de la araña encendida. No pudo conciliar el sueño durante horas; las campanadas avanzaban por la escalera cada cuarto de hora, seccionando el tiempo, desde abajo.

Una acrecentada inquietud la oprimió cuando su marido viajó en misión oficial al Uruguay a principios de un mes de octubre, pensando que pudiera traer otro reloj. Desde aquel extraño acontecimiento evitó sentarse al piano, para no verlos. Una intranquilidad espesa deambulaba por la casa. La persecución se repitió.

Cuando Omar volvió, el alivio de verlo entrar sin paquetes se desvaneció pronto. El reloj de pie llegó a la semana siguiente. Por supuesto lo colocaron en el salón, a un costado del piano, como haciendo guardia. Y ella, sin saber por qué no le dijo a Omar que adelantaba unos minutos. A Isabel le gustó ese reloj más que ninguno. Sonaba antes que los demás y le producía una alegría adolescente. Luego todo se repetía dejándola exhausta. En el verde acerado de sus ojos se encendió un brillo misterioso. Silenciados los péndulos, la normalidad se acomodaba nuevamente en el salón y ella recobraba su delicada placidez de porcelana.

A esta altura de la vida, nada le gustaba tanto a Isabel como estar sola. Habituada dolorosamente a prescindir de los que amaba se hizo un mundo de palabras, pinceles y sonidos del cual salía rara vez. No obstante tener más de cuarenta años Isabel parecía un capullo que demoró en florecer. Era imposible develar su edad como no fuera a través de su propia confesión. Hay mujeres que carecen de edad, cuyo cuerpo no sigue el ritmo de la generalidad, y cuando tienen cuarenta parecen haber vivido treinta y tener la sagacidad de los cincuenta. Son las que se embellecen con los años. Isabel era joven, no importa la edad que tuviera.

---

[1] *laucha:* ratón; el término se encuentra en Argentina, Chile, Paraguay y Uruguay.

Las cosas transcurrían como si Isabel no le tuviera miedo a los relojes. Ella seguía preparando cenas para agasajar a los invitados de su marido, colocándose la encantadora sonrisa conveniente, cumpliendo con exquisita perfección su ritual de anfitriona deliciosa. Omar tenía sobrados motivos para estar orgulloso de su mujer. Era una perla. Una perla con un velo nacarado que ocultaba su acurrucado corazón. Omar era obsequioso, siempre lo fue. De donde viniera le traía un regalo: una piel, una joya, un libro, un vestido y, desde hacía un tiempo, relojes. Compró la casa con el secreto propósito de compensar su soledad, de tenerla entretenida, y ella se complacía en ser la dueña. Algo sin embargo subyacía.

La casa de Isabel marchó siempre con la precisión de un mecanismo de reloj. Todo estaba minuciosamente planeado. Ella no tenía que ocuparse de las compras en el supermercado, el menú de cada día, la limpieza de tantas habitaciones o el cuidado del jardín. Tenía quien le hiciera todo eso. Su tiempo siguió siendo suyo, y además de embellecerse, lo empleaba en muchas cosas.

Pero el miedo a los relojes la oprimió cada vez más. Una noche estuvo a punto de contárselo todo a Omar. Dudó. No se atrevía. Y sus conversaciones siguieron diluyéndose como siempre entre las novedades anodinas del despacho, las actividades literarias de ella y las infaltables discusiones sobre Diego.

A Omar no le pasó desapercibida la fijeza de los ojos de su mujer, sus ojeras cada vez más oscuras. Lo malo fue cuando empezó a adelgazar y no pudo dejar las manos quietas en ningún lado. Omar insistió en que viera a un médico. La visita, sin embargo, se pospuso. En los dos meses que pasaron recorriendo el Líbano, las mejillas de Isabel adquirieron nuevamente la transparencia de las uvas maduras. Pero si estaba sola, a las doce del día, una incierta incomodidad le velaba la sonrisa.

Pocos días antes del regreso, hurgando en los estantes de un mercado de baratijas y cosas insólitas, encontraron una verdadera joya oriental. Isabel se sobresaltó, pero no pudo resistir el exótico encanto del reloj. Le pidió a su marido que lo comprara. Había pertenecido a una dinastía, que el vendedor no supo precisar, y en él las horas sonaban como notas de una cítara que se duele del paso del tiempo. A Isabel le fascinó. Cuando dieron las doce, el reloj oriental sonó exactamente al mismo tiempo que el cucú, y mientras ella sentía la mirada penetrante taladrarle la nuca tuvo el irreprimible deseo de desvestirse. Presa de un impulso irracional se desabrochó la blusa, hasta que cayó al vacío, y lanzó un grito, y sintió que se ahogaba y la empleada la sacudió y se la llevó arriba para acostarla en la cama matrimonial.

Cuando Omar llegó a la noche, la empleada se lo contó todo. Tras los ojos sellados por el sedante Isabel escuchó la conversación, como de lejos; tuvo que tolerar los comentarios, las insinuaciones. Sintió con plena lucidez el molesto ajetreo de la mujer alrededor de su cama y el distanciamiento de su marido. En cuanto se repusiera se lo diría. Él tenía que creerle. Pero la alegría que le venía con la primera campanada demoró la confesión. Todo era tan intenso y tan breve: esa cuña de alegría y después, los temores. Tal vez la solución fuera deshacerse de la colección. Sí, tal vez...

Isabel trató de convivir con el múltiple murmullo de los relojes rastrillando el silencio. Aquel año Diego se fue a estudiar al Brasil. Ella esperaba sus cartas con ávida impaciencia. Pero ahora, desde que estaba ahí, no le daban las cartas de Diego. ¿Por qué no le daban las cartas de Diego? Hacía tanto tiempo que dejaron de entregarle las cartas de Diego. Y esa mujer se hacía la tonta y tampoco se las daba a pesar de su insistencia. Era cruel que no le diesen las cartas de Diego.

Cuando empeoró, Omar le prohibió tocar el piano; pensó que la excesiva concentración sobre el teclado era la causa de todo. Pero ella entraba a escondidas y se dejaba ir tras la música hasta que gritaba y acudía la empleada. La consulta al doctor se volvió impostergable El facultativo no encontró ningún desarreglo fisiológico. Solamente le llamó la atención el ensimismamiento en que encontraba a la señora al final de la mañana. El peligro de la depresión era inminente. No se la debía dejar sola.

Isabel cambió mucho. Ya no se sentaba al piano. No podía tolerar la cercanía de los relojes con sus mecanismos en marcha. En la cabeza le latía un multiplicado corazón. Tuvo que dejar las clases en la universidad y casi no leía. Su pelo fue perdiendo aquel brillo salvaje y sus ojos se fueron quedando fríos e imperturbables. Tenía demasiado tiempo libre, y el tiempo cuando está vacío es el peor compañero de una mujer, sobre todo si le tiene miedo a los relojes.

Omar, ajeno a eso, aumentó considerablemente la colección. Por fortuna no todos funcionaban. Consiguió el reloj de un barco, que le producía un mareo intenso y fugaz; otro, de una iglesia destruida, la sumía en un alucinante misticismo. Pero ninguno le daba tanto miedo a Isabel como el reloj que estuvo a la entrada de un burdel de París, porque le provocaba un deseo irresistible de conocer otros hombres.

Una esperanza penetró en su mente cierta vez. Si dejaba la casa al mediodía tal vez pudiera escapar de los relojes. Decidió ir a comer a cualquier parte. Tomó un baño; se pintó las uñas; eligió cuidadosamente un conjunto color violeta; con un pañuelo al tono se anudó el pelo; delineó sus labios cuidadosamente; eligió un perfume penetrante; tras los lentes oscuros subió al auto y arrancó. La mañana estaba deslumbrante.

Mientras el mozo le traía la carta consultó su reloj. Faltaba media hora para las doce. Pidió algo de tomar, ordenó el almuerzo y esperó. Cuando las agujas coincidieron se supo observada desde atrás. Volvió la cabeza y encontró los ojos de un hombre que la miraba con intensidad. Le sonrió. No se sabe qué pasó después, pero Isabel volvió más tranquila. Repitió las salidas. Al día siguiente fue al puerto donde los barcos se mecían sobre el río picado.[2] Al inclinarse desde el pontón para mirar el agua, turbia y espesa por el aceite que flotaba, le dio un vértigo repentino y se hubiera caído a no ser por un marinero que al verla vacilar la detuvo por detrás. Ese incidente la azoró. Pensó en el reloj marino colgado frente al piano en los oscuros compartimentos de una trampa.

---

[2] *picado:* con olas cortas.

Al día siguiente no salió. Era indiscutible que los relojes iban con ella. Las salidas se sucedieron, sin embargo, y los acontecimientos. Alguna vez un encuentro; otras el deseo de entrar a una iglesia y estarse ahí contemplando las imágenes; a veces las caminatas por el parque, contagiada de alegría, bajo la avenida de eucaliptos. Estas insólitas aventuras no seguían un orden riguroso. Cierto día huyó despavorida ante el ataque de alguien que le atenazó la garganta con los dedos y otro, el peor de todos ellos, sintió el deseo irresistible de un hombre, de cualquier hombre, y se metió en un burdel.

Por fin lo comprendió. Todo era inútil. Estuviera donde estuviera la perseguirían los relojes. Apretó el acelerador y al pasar frente a la iglesia de la Encarnación pudo ver sobre la esfera azul las agujas paradas. Frenó bruscamente y se quedó mirándolas. Allí estaba la clave del enigma. Ya tenía la forma de burlar a los relojes. Había que detenerlos, silenciarlos, dejar de darles cuerda.

Una esperanza se instaló en ella poco a poco. A medida que avanzaba la tarde la seguridad de burlar a los relojes se acrecentó. Le pediría a su marido que dejase de darle cuerda a los relojes. Esa noche Omar llegó más temprano de lo acostumbrado. Isabel tenía un brillo penetrante en la mirada. Sin preámbulo alguno le pidió que dejara de darle cuerda a los relojes. Para Omar darle cuerda a esos relojes formaba parte de una ceremoniosa costumbre. Cada quince días se metía en el salón, cerraba la puerta y con una gamuza, especialmente reservada para el efecto, los limpiaba uno a uno por dentro y por fuera; luego hacía girar las llavecitas y la vida de sus relojes estaba asegurada por dos semanas más. Pedirle que dejara de dar cuerda a los relojes era insólito y hasta ridículo. Sobre todo sin darle ninguna explicación. Isabel insistió. Él quiso saber el motivo. Ella sollozó, suplicó, pero no se lo dijo. El pedido degeneró en discusión y terminó en silencio.

Omar no comprendía la actitud de su mujer, por lo general tan criteriosa. Siempre trató de complacerla. Generoso, gentil, demasiado ocupado como estaba, se lo permitió todo. En realidad nunca quiso hijos, pero le dio uno. No puso reparos a las cosas que le gustaban; la liberó de las obligaciones domésticas, salvo cuando traía invitados; le compró el piano de cola, la biblioteca, la casa llena de objetos exóticos, hasta comenzó a coleccionar relojes cuando vio su entusiasmo. Y ahora le pedía que dejara de darles cuerda. Así, simplemente, sin ninguna explicación. Era un capricho demasiado excéntrico para tenerlo en cuenta. No transigió.

¿Cuáles fueron los recónditos motivos de su conducta? Hubiera sido mejor confesarlo todo, pero prefirió el silencio. Al principio no le dio importancia y después la amordazaron los encuentros subrepticios, su conducta inusitada, y aquellos lugares a los que fue arrastrada. Ahora era demasiado tarde. Estaba allí irremediablemente, sin saber aún por qué la llevaban y traían los relojes de un lugar a otro, de una vida a otra, siempre a la misma hora. Ya nada tenía importancia.

Recordó la última vez que se sentó al piano después de mucho tiempo. Su deseo de abstraerse sobre el teclado, de olvidarlo todo, ignorar el murmullo acompasado de los minutos, caminando como escarabajos dentro de sus sienes. Cuando empezó a tocar, la música la rescató de esa pesadilla alucinante, se la llevó lejos, muy lejos, a un tiempo fuera del tiempo; entonces escuchó el primer tono dando las doce y se pobló de alegría; de inmediato la misteriosa mirada se le prendió a la espalda; cayó a ese vacío anterior al deseo de muchos hombres, de ciertos hombres; al misticismo; al mareo; y a los dedos en la garganta cortándole la respiración, y el grito que por fin atrajo a Omar que volvía en ese momento por un motivo fortuito y le separó las manos cuando casi se estaba ahogando y perdió el conocimiento.

Ahora estaba ahí con el mismo miedo a los relojes, pero sin salida. Nada había cambiado en cierta forma, aunque tenía la clave del enigma. Lo más tremendo era esa lucidez que la habitaba, salvo cuando sonaban las doce en los relojes y perdía el control y venían las mujeres de blanco, y los hombres la sujetaban y se la llevaban a aquella pieza vacía donde el sedante la tumbaba hasta el día siguiente.

En la casa donde los helechos derramaban como siempre su trémulo verdor, Omar nunca se olvidaba de darle cuerda a los relojes cada quince días.

## ADOLFO CÁCERES ROMERO
### (Oruro, Bolivia, 1937)


L A producción literaria del escritor boliviano cuenta hast
ahora con seis obras narrativas de estupenda realización. A
*La hora de los ángeles* pertenece el cuento "Los ángeles d
las tinieblas". La desesperanza es un retrato poderoso e
esta narración. Un registro artístico fino y bien conseguid
sobre la impotencia, la desesperación y la angustia en l
relación individuo-gobierno. Cáceres Romero aprovech
magistralmente el poder de la imagen; en el cuento selec
cionado, las calles, la noche y el aire se han llenado con l
respiración del caimán, metáfora de la autoridad abusiva
El terror de los ángeles de las tinieblas lo inunda todo. Ha
miedo en las pisadas de Ranku, hay miedo detrás de la
puertas. Nadie extiende la mano, se sabe de las mancha
rojas que deja el caimán; su poder parece incontestable
Las lágrimas de Ranku serán pronto sangre y el nacimient
del "jisk'allita" otra mancha roja.

Adolfo Cáceres Romero se especializó en literatura e
Montevideo y Madrid, y ejerció posteriormente como pro
fesor de literatura y decano de la Facultad de Humanidade
de la Universidad Mayor de San Simón en Cochabamba
Actualmente es investigador en esa universidad y Directo
del Colegio Nocturno Jesús Lara.

# LOS ÁNGELES DE LAS TINIEBLAS

Pobres mujeres aquellas que en tales días
estén embarazadas o tengan niños de pecho.

Mateo 24.19.

Entonces fueron soltados los cuatro ángeles, para que mataran a la tercera parte de la
gente, pues habían sido preparados precisamente para esa hora, día, mes y año.

El Apocalipsis 9.15.

"VAS a nacer, tienes que nacer, mi jisk'allita" (peque-
ñuelo), avanza la sombra de dos cabezas, bajo ese cielo
nublado de estrellas. "No puedo más", gime la mujer, con
las contracciones que la aturden de rato en rato. La sombra
se divide, y el hombre, sudoroso, deposita a su mujer en el
suelo húmedo del suburbio. Va a decirle que él tampoco
puede, no después de la jornada de trabajo que tuvo, y que
podían haber esperado hasta que amaneciera, pero el
"jisk'allita", su "jisk'allita", ya quiere salir. "Ranku, nos
hubiéramos ido al pueblo", jadea la mujer, como si ella car-
gara todo el peso de esa travesía. Él, con las manos resque-
brajadas por la argamasa de sus días en la ciudad, saca unas
cuantas hojas de coca y se las alcanza a su compañera. Las
contracciones han cesado. En esa pausa, el hombre mide la
distancia que les falta por recorrer. La callejuela lodosa
parpadea en algunos trechos con las pocas bombillas de luz
que le quedan. No falta mucho para llegar a la carretera donde podrán encontrar algún vehículo que los lleve a la

maternidad. "Vamos", dice el hombre, mientras crece el bollo de coca en uno de sus carrillos. "Vamos", pasa el brazo de la mujer por su cuello y la carga, sintiendo otra vez el peso de la noche en sus espaldas. Se hallan como a seis cuadras de la carretera. El toque de queda ha enmudecido hasta a los perros. "Ya, ya", consuela a su mujer que ha empezado a quejarse. Piensa que en su pueblo la mama Engracia les hubiera evitado todas esas molestias; en cambio, la ciudad, inmensa y extraña, sólo requería de su esfuerzo sin ofrecerle otras perspectivas que las de ser un buen albañil. "¡Ayau, mamitay!", la mujer vuelve a estremecerse. Algo tibio le chorrea al hombre por los talones. Se detiene junto a los escombros de una casa en construcción. La mujer se agita e intenta incorporarse, tratando de restañar la sangre que le corre por entre las piernas. "¡Es sangre!", farfulla aterrada. "¿Sangre?", el hombre que, al evidenciar la hemorragia, la hace recostar con los pies arriba. "Ya va a pasar, no te asustes", su gesto tranquilizador. Mira sus manos, viscosas, oscuras, recuerda cómo cargaron el cuerpo sangrante de un trabajador en la última manifestación de repudio al gobierno. La mujer gime por el hijo que puede perder. "Ya, ya, la bolsa ha reventado y nada más", dice él, procurando apaciguarla. "No es sólo eso", la mujer. El hombre suspira, de pie, mientras advierte que la noche también se le revela con el chirrido de los grillos. "¿Crees poder seguir?", pregunta. La mujer, con un leve movimiento de cabeza, le dice que no. Se incorpora y taponea con unos trapos, quedando laxada e inmóvil por un instante. El hombre, no sin temor, le abre un párpado y se topa con la pupila que se vuelve hacia donde él está. "Santusita, ¿qué tienes?", parpadea. "No quiero perder a mi wawa",[1] la mujer, que cierra los ojos para escurrir su amargura. "No pues, no pues, Santusa; nuestro jisk'allita va a estar bien", el hombre, decidido a buscar auxilio. "No te vas a mover de como estás, voy a conseguir un carro", dice, pensando que en la carretera podrá encontrar algún vehículo que los lleve al Hospital. "No te muevas", se echa a correr por esa tortuosa callejuela.

---

[1] *wawa:* bebé.

Sale a la iluminada carretera por la que no transita ningún vehículo. Cerca al puente, donde el río se estira silencioso y verticilado, cree advertir una tranca y la presencia de varios soldados, pero al llegar a ese lugar sólo se encuentra con un montón de basura y unos cuantos perros que husmean los desperdicios. Más allá, la avenida recibe sus pisadas como si estuviera cubierta por una campana de luz que le provocara esa sensación de vacío que percibía, vacío que, de pronto, era cortado por algún disparo o por el tableteo de una metralleta. Al cruzar una esquina, casi a la media cuadra, Ranku vio un camión del ejército. Pensando que ese enorme caimán sería su salvación, se dirigió al grupo armado que lo custodiaba. Algunos soldados reían y fumaban. Varios civiles, con traje de fiesta, salían de una casa con las manos sobre la cabeza.

—¡Alto, quién va! —una voz detuvo el paso confiado de Ranku, el mismo que al instante se vio encañonado por varios fusiles.

—Quiero... que me ayuden —dijo Ranku, indeciso.

—¿Sí? Bien, te vamos a dar un lugar donde dormir —el oficial le hizo una seña para que subiera al camión.

—No, no me entienden...

—¡Carajo! ¿Crees que somos tarados? —el oficial le propinó un puntapié, haciendo que Ranku se desplomara al suelo.

—¡Súbanlo! —gritó.

—¡No, no! —Ranku intentó incorporarse.

—¡Súbanlo, carajo! —tronó el oficial.

Ranku de pronto se sintió suspendido al camión y arrojado a su interior, donde se hallaban unos músicos, cuidando sus instrumentos, junto a una pareja de novios que se abrazaba temerosa, en un rincón.

—No, pues, patroncitos... —suplicó Ranku, gateando.

—¡Quieto, o te vas a arrepentir! —le intimidó un guardia, encañonándolo para que volviera a ubicarse donde estaba. Los civiles se agruparon en torno a los novios como buscando protegerlos.

—¡A la salud de los novios! —el oficial se llevó a los

labios el gollete de una botella de singani[2] y luego invitó a sus soldados hacer lo mismo. En medio de risotadas y sorbos, se vació la botella.

Cuando el camión iba a ponerse en marcha, con los soldados procurando acomodarse en la carrocería, Ranku, ágil como un felino, se precipitó por la portezuela hacia la calle.

—¡Eh, se escapa! —la aturdida voz de alerta.

—¡Dispárenle! —ordenó el oficial, saliendo de la cabina.

—¡Alto!—saltaron cuatro soldados, gatillando sus armas. De ahí en adelante, cuanta sombra se interpusiera en su camino estaría en riesgo de recibir sus disparos. Ranku, trastabillando dobló una esquina y se encontró frente a un parque. Los soldados vociferaban, enardecidos por el alcohol, seguros de que su presa no podría escapar. Su trote golpeaba el vientre de la noche. El camión, por la otra calle, intentaba interceptar a Ranku. Los cuatro soldados se detuvieron frente al parque; cautelosos, se miraron sonrientes, divertidos por la cacería que habían iniciado. Por el lado opuesto, no tardó en aparecer el camión.

—¿Dónde está? —gritó el oficial.

—Debe estar oculto entre las jardineras —respondió uno de soldados, emprendiendo su rastrillaje, con paso de cazador. El reflector del caimán atravesaba los resquicios más oscuros del parque, recorriéndolo palmo a palmo.

—¡Carajo, pelotudos,[3] se ha ido por otra calle! —chilló de pronto el oficial. Los soldados se volvieron y, recién, a la luz del farol de otra esquina, percibieron la silueta de Ranku que corría a todo dar. Los soldados se alegraron, y el camión, maniobrando bruscamente, enfiló por esa calle. Varios soldados se distribuyeron por las calles paralelas para cortarle el paso en cualquier otra esquina.

Ranku, angustiado y sudoroso, hubiese querido volar al infinito arrullo de ese cielo, lejos de la noche que parecía eternizarse en sus zancadas, en su resuello, desintegrado como estaba en los latidos que sacudían sus sienes, su

---

[2]   *singani:* aguardiente de uva.
[3]   *pelotudos:* vulgarismo; imbéciles, idiotas.

pecho sin aire, oyendo en cada esquina la risa de los soldados y el zumbido del caimán que lo seguía, con sus disparos
a cualquier parte, buscando amedrentarlo. Volar, libre al
fin, donde su Santusa tal vez agonizaba, desangrada, con el
hijo vaciado al mundo en un torrente de sangre. Sus pisadas, ráfagas de miedo, cruzaron una esquina, luego, vaci-
lantes, se volvieron para meterse por otra oscura calleja,
pero los soldados ya le salían al frente, emergiendo de las
calles adyacentes. Ranku, pegado a las sombras, empujaba
las puertas que permanecían herméticamente cerradas.
Apenas algún visillo se apartaba, levemente, para ver la
causa del alboroto. Los soldados, indecisos por un instante,
permanecieron en la esquina, tratando de ver si por ahí se
encontraba Ranku. Por fin, dos de ellos continuaron de
largo y los otros dos se quedaron en la esquina, en tanto el
camión chirriaba sus frenos para detenerse en la bocacalle
por donde doblara Ranku. "Tiene que estar por aquí", gesticulaba el oficial. Ranku, bajo el dintel de un ancho portón, alcanzó a percibir un resquicio de luz, en la acera del
frente, donde una cruz verde, semiiluminada, le indicaba
que estaba ante un dispensario.

De un salto cruzó la calle y se puso junto a la puerta.
Sus golpes, nerviosos y desesperados, fueron oídos por los
soldados que se le acercaron por ambos extremos de la
cuadra.

—¡Ábranme, por amor de Dios! —gritó Ranku. Tras la
puerta latía el miedo. "Kuns k'asaski, Ranku." (¿Por qué
lloras, Ranku?), súbitamente la voz del abuelo iluminó su
noche, viéndose Ranku lejos, en otro tiempo y espacio, pas-
tando entre las montañas, junto a su abuelo. Los golpes en
la puerta habían cesado. "Amuki, Ranku, amuki." (Cállate,
Ranku, cállate.) La noche podía más que la luz y recogía la
angustia de ese instante en el surco calloso de los dedos de
Ranku, que ahora recibía un violento culatazo en las espaldas; luego, otro y muchos más, tiñendo de rojo sus lágrimas.
"Jani" (No), dijo Ranku, articulando de mucho tiempo la
dulce lengua de su raza aimara, "Jani naya k'asaskiti" (No,
yo ya no lloro), perdiéndose en el misterio de una apacible
sombra.

## CRISTINA SISCAR
(Buenos Aires, Argentina, 1947)


L o s innovadores cuentos de la narradora argentina se han dado a conocer internacionalmente en varias antologías del relato hispanoamericano entre las que cabe mencionar *Las mujeres del Cono Sur escriben*, editada en Estocolmo en 1984; *Trafalgar Square* editada en Barcelona en 1984; *Nouvelles de nos exils*, publicada en París en 1987; *El muro y la intemperie: el nuevo cuento latinoamericano*, publicada en Estados Unidos en 1989. Dos de sus cuentos fueron premiados en 1987 en el concurso literario "Jorge Luis Borges".

La publicación de las imaginativas colecciones de cuentos *Reescrito en la bruma* (1987), *Lugar de todos los nombres* (1988) y *Los efectos personales* (1994) establece su dedicación y dominio en este género, reconocimiento que llega en 1989 con la obtención de la Beca de Narrativa del Fondo Nacional de las Artes. Actualmente escribe una novela sobre la experiencia del exilio en las últimas décadas, "desterrados de distintas nacionalidades que se cruzan andando por el mundo" (correspondencia de la autora). El cuento "Los viajes de Zenón" se incluyó en el libro *Lugar de todos los nombres*. Fantasía y movimiento son formas y poderes entrelazados en este refrescante y atractivo viaje de lo imaginario propuesto en el cuento de Siscar.

Cristina Siscar estudió Letras, dedicándose luego a la labor docente y periodística. También ha trabajado como traductora de literatura e historietas francesas. Ha residido en Brasil y en Francia; su estadía en París se prolongó seis años, época en que sus artículos literarios aparecen en revistas francesas y se publica la edición bilingüe de su libro de poesía, *Tatuajes*. En 1987 regresa a Buenos Aires, donde vive actualmente; tiene a su cargo la sección de crítica de libros de la revista quincenal *Humor*.

## LOS VIAJES DE ZENÓN

A la sombra del frondoso castaño que resplandece en el recodo del camino, se sentaba Zenón todas las tardes de todos los veranos primaveras. Para viajar. Y los chicos del lugar también viajábamos en los viajes de Zenón.

Aquélla fue la primera vez que anduve en velocípedo. La muchacha vestida de amarillo pedaleaba lentamente hacia mí. Al llegar a la curva, frenó, apoyó el pie derecho en el suelo, se acodó en el manubrio, volvió suavemente la cabeza y se quedó mirando la franja del camino donde apareció un automóvil negro descapotado, rojo el echarpe que rodeaba el cuello de la mujer y flameaba al viento, roja la casaca del hombre que conducía. El coche se acercó roncando, nos dio el perfil en la curva y luego apuró la marcha, llevándose detrás a la muchacha de sombrero amarillo, que por primera vez andaba en automóvil. Dos trazos rojos sobre un destello negro y una manchita de oro quedaron suspendidos donde el camino se pierde, siempre delante de estos ojos que pedalean en el velocípedo de la muchacha como un sol con rayos giratorios.

Empujando los rebaños por el prado, llegábamos hasta el castaño centenario, castaño castaño en otoño invierno. Rodeábamos la blanca barba de Zenón, y nos íbamos por el mundo.

Al principio parecía un nido en la cima de la colina; poco a poco fue haciéndose temblorosa montaña de heno. Dos

328

bueyes tiraban pesadamente de la carreta que tiraba de una mula. En la carreta el heno, una horquilla y un hombrón; montado en la mula venía yo. La mula atada con una cuerda a la carreta, la carreta atada con correas a los bueyes, el hombre atado al heno, a la horquilla, a la mula y a los bueyes. Los bueyes atados al camino que sube y baja por las colinas. El camino atado al serpenteo de bosques, aldeas y plantaciones. Tambaleaban las carnes del hombre en el traqueteo. Apenas me zarandeaba yo encima de la mula: firme en el paso ella, erguido yo en el mirar atado al verde, pardo, rojizo, azul que sube y baja por las colinas. Las campanas de una capilla blanca llamaban al ángelus.

Sentado en una peña, Zenón: la barba espesa ondulaba hasta el suelo, y se erizaba de espinillos, pétalos, polen, hojas secas, estambres, como un imán deslizado por la pendiente de los caminos. Así también nosotros nos adheríamos a los cuentos de Zenón, para rodar por el sendero de su larga barba.

Redonda era la sombra que cayó sobre mí, la enramada y su sombra, las cabras, el camino... Ningún ruido mayor que el zumbido de una abeja, ni brisa que susurrara en el follaje ni silbido ni trinos ni aleteos. Un círculo de sombra que abarcó el silencio y alzó mis ojos. Arriba, una enorme esfera con los colores del arco iris descendía, dulce, misteriosamente, como la luna llena sobre el lago. Cuando posó a mis pies la barquilla que transportaba, se detuvo. Después de asomarme con temor, me trepé confiado: en el fondo del canasto había un niño recién nacido. Entonces el globo se elevó tan alto que todo se volvió abajo más pequeño que el niño. Yo junto al castaño me vi como una espina clavada en una mata de hierba. Sobrevolamos sembrados, selvas, deltas, desiertos, ciudades, montañas y mares. Recién nacido a los aires, semejante al niño que dormía en la barquilla, yo crecía, mientras crecían abajo extensiones de agua, extensiones de fuego, extensiones de nieve. El niño arrullaba sus sueños con un murmullo acompasado; yo, de pie, a merced de las ráfagas del aire, vibraba al compás de su respiración. O al compás de sus sueños. A merced de sus sueños, tal vez.

Veranos inviernos otoños primaveras arremolinados bajo el castaño. No siempre coincidía nuestro arribo con el comienzo del viaje: algunas veces llegábamos cuando ya promediaba, otras cuando estaba por concluir. Y tampoco era raro que nos perdiéramos el final. Porque debíamos salir corriendo detrás de las cabras; porque Zenón había partido sin esperarnos; porque Zenón se interrumpía en cualquier parte del itinerario, para retomarlo más tarde también en cualquier parte. Además, solía ocurrir que un viaje careciera de principio, de medio o de fin.

Los caballos aguzaron las orejas y pararon bruscamente. Yo salté en el pescante, y en el interior del coche rebotaron los ayes de las dos viajeras. No había asaltantes ni indios ni fieras ni obstáculo alguno en el camino. Nada a la vista; ninguna señal de humo en las montañas. Aflojé las riendas y azoté a las bestias empacadas; no se movieron, las orejas rígidas. Las monjitas sacaron las cabezas cubiertas, una por cada lado de la diligencia: ¿un ataque?, ¿un desfiladero?, chillaron por turno. Me bajé con el látigo zumbando; tiré con todas mis fuerzas de las bridas, de las reatas. Las caballerías se mantuvieron firmes, las orejas atentas, los ojos desbordando las anteojeras. Las dos monjitas se asomaron por la misma puerta: ¡endúlcelos!, dijeron y me dieron bombones. Se relamieron los caballos, pero siguieron paralizados. Entonces descargué dos fardos de forraje: ni para oler doblaron el pescuezo. Resoplando, bañado en sudor, subí de nuevo al pescante; con furia enarbolé el rebenque. Pero antes de que yo empezara a oír y las monjitas a balbucear el canto..., el canto..., los caballos se lanzaban a la carrera hacia un álamo solitario, alejado del camino. Escapadas por las ventanillas, las tocas de las monjitas se fueron volando con mi sombrero. Frenamos a un centímetro del árbol, que en vez de hojas tenía pájaros. Una fronda de ruiseñores cantaba incesantemente. Se aflojaron los caballos, pero las orejas permanecieron tiesas. Un árbol de música debe ser perenne. Los ruiseñores no caen como hojas secas de un álamo.

En los primeros tiempos necesitábamos montarnos en las palabras de Zenón, pero llegó un momento en que nos bastaba seguir el trayecto de su mirada para iniciar un viaje. Pasados los años, comprendimos que no había nada mejor que el silencio para realizar un periplo completo a nuestro gusto.

Se recortaron en el azul del horizonte. Los vientos las inflamaban, juntándolas o esparciéndolas. Se habría podido pensar que eran nubes, si no fuera que se mecían en el mar; se hubiera creído que eran veleros, de no ser que flotaban sobre la meseta infinita. Zenón los miró, y salimos a embarcarnos. Anduvimos varios días por la árida planicie, acercándonos o alejándonos según el rumbo de los vientos. Finalmente, agrupados nosotros y arracimadas ellas, logramos alcanzarlas. A la primera mirada de Zenón, los tripulamos y nos hicimos a la mar en el poniente. Luego vimos despuntar el sol y lo seguimos en su recorrido. Cuando volvía a ocultarse delante de nosotros, nos precipitamos empapados en la copa del castaño.

Un día se detuvo en el camino un autobús repleto de turistas que observaban el ir y venir de Zenón, eternamente sentado en la peña. El autobús larguísimo se perdía hacia atrás más allá de la cuesta; desplegándose como un acordeón, zigzagueaba en la curva; volvía a desaparecer adelante, pendiente abajo. Igualmente interminable nos pareció ese tiempo en que miles de prismáticos inmóviles apuntaron a Zenón.

Ahora sólo podré viajar en mis recuerdos, decía él sin mover los labios, pero mirando fijamente los caminos que se dilataban por encima de las ramas del castaño.

Ahí mismo le atamos un hilo, y lo remontamos hasta el cielo. Los flecos de la barba tremolaban, salpicados de fulgores que herían los ojos de Zenón, siempre sentado sobre la peña. Ésa fue la primera vez que viajamos en cometa.

# PEDRO SHIMOSE
(Riberalta, Bolivia, 1940)


E L brío y luminosidad del lenguaje poético de Shimose, activados espontáneamente en el discurso narrativo, remozan el género cuentístico. La obra poética de Shimose lo coloca como una figura de relieve en la lírica boliviana e hispanoamericana; su poesía ha sido antologada en publicaciones en español, francés, inglés, alemán y ha recibido varias distinciones, incluyendo el Premio Casa de las Américas en 1972. El impacto de su obra literaria ha motivado la realización de unas veinticinco entrevistas al autor, publicadas en Bolivia, Colombia, España y Francia. Hasta ahora, el autor ha publicado una obra en el ámbito narrativo; recibe el Premio Nacional de Cuento en La Paz en 1968.

La colección de cuentos *El Coco se llama Drilo* fue publicada dos años después del poemario *Quiero escribir, pero me sale espuma*, aspecto significativo por su participación dentro de una fase en la que la visión de la Historia de Shimose está penetrada de un sentido de cuestionamiento del destino del hombre. La violencia, la incertidumbre, la extrañeza, el destierro, la fragilidad del arte frente a una ominosa realidad social, la impotencia del artista y de su actividad poética para remontar la degradación se reúnen como elementos de esa visión crítica. El cuento "El Coco se llama Drilo" pertenece a la colección de relatos del mismo título. La versión del cuento que presentamos aquí fue preparada por el autor en 1995 para esta antología. Drilo representa la vivencia de la poesía, la desesperanza de su realización en un medio hostil. Es un personaje acosado por los factores de la realidad que le toca vivir. Por ello accede finalmente a asistir al carnaval que detesta; allí las máscaras deben quitarse para traer la herida de la muerte, la desconexión de la temporalidad, la entrada en el "agua de la noche", espacio donde vuelve a flotar la piel cambiante del cocodrilo. La dimensión exterior del tiempo se corresponde en el cuento con la quietud de superficies cromáticas que completan el cuadro de la creación.

Pedro Shimose Kawamura estudió Derecho, Ciencias Políticas y Filosofía y Letras en la Universidad Mayor de San Andrés, La Paz. Fue profesor de literatura en la misma universidad y director del Departamento de Actividades Culturales. Viajó luego a España para estudiar Periodismo en la Facultad de Ciencias de la Información de la Universidad Complutense. En Madrid fue crítico de arte de las publicaciones *Telva* y *Cambio 16*, director de la Colección de Poesía del Instituto de Cooperación Iberoamericana, y director de la Biblioteca Letras del Exilio, de la Editorial Plaza y Janés, puesto en el que editó a autores principales de la literatura hispanoamericana como Cortázar, Roa Bastos, Cabrera Infante, Vallejo, Peri Rossi. Los artículos periodísticos de Pedro Shimose son demasiado numerosos como para citarlos aquí; baste decir que han ocupado las páginas de importantes publicaciones y que cubren un ámbito diverso, desde temas políticos hasta artísticos, incluyendo literatura, pintura y escultura.

# EL COCO SE LLAMA DRILO

Duérmete, niño,
que viene el Coco.

Canción de cuna

—¡D R I L O!

Una voz lo despertó en la dimensión de los humanos.

—¡Te toca mover a vos!

Drilo volvió a este mundo y, sin pensarlo dos veces, movió una torre.

—¡Jaque mate!

Un murmullo de asombro surgió del círculo de mirones que atestaban el bar.

Sus rivales, movidos por la envidia, inventaban historias increíbles. No se le conocían vicios ni amoríos; tampoco parecía interesarle la política y, menos aún, el fútbol. Aunque pregonaba su escepticismo, todos conocían la religión de Drilo: el ajedrez. "El universo es un tablero", decía. Pensaba caballos, soñaba torres, imaginaba alfiles, movía peones, coronaba reyes, defendía reinas...

Creó sistemas impresionantes, pero sus innovaciones no le sobrevivieron. Aquel pueblo padecía de amnesia y reducía la realidad a una chacota interminable. Todo se olvidaba, menos las ofensas. Drilo les caía pesado porque había logrado ser mejor que ellos. Para soportar su soledad, se refugió en sus pensamientos y, sin darse cuenta, se volvió huraño y distraído.

Por las tardes solía tenderse en una hamaca colgada en el alero de su casa; se desperezaba, caminaba cachazudo, con sus brazos cortos, regordetes, y sus manos finas como si nunca hubiese cogido un azadón o un hacha. Iba al salón de billar y echaba partidas a tres bandas hasta que se aburría. Alguien se atrevió a desafiarlo a una mano de damas. Drilo se quitó las gafas ahumadas, lo miró de arriba a abajo y lo castigó, diciéndole:

—Eso es juego de niños.

Vivía de apuestas en aquel pueblo de rudos caimaneros.[1] En varias ocasiones sus enemigos contrataron a expertos profesionales que llegaron echando pecho y se fueron con el rabo entre las piernas.

—Es pan comido —decía Drilo y sonreía, mientras explicaba la apertura Ruy López, la defensa Steitniz el gambito danés— ... y el chambón[2] no supo aprovechar esa chananga[3] que le serví. Cometió el mismo error que le costó el campeonato mundial a Capablanca...

Nadie dudaba de la limpieza de su juego mágico. Nunca se le vio con un libro en la mano y jamás traspasó las fronteras invisibles de la aldea.

—¿Y cómo te las arreglás para saber tanto?

—Ahí está el detalle— respondía Drilo, risueño, y se repantigaba en su sillón de tijeras.

Drilo ensalivaba sus labios, chasqueaba la lengua como relamiéndose de no sé qué manjares suculentos; pedía refresco de carambolas[4] y cerraba los ojos, paladeando el susurro del viento en las palmeras de la plaza. Mientras los demás se perdían en chascarrillos y murmuraciones, Drilo pensaba en ciénagas ignotas, daba coletazos, oía golpes de remo y un haz de luz intensa lo paralizaba en medio de la noche.

—Oí, éste dice que sos ateo.

—No digás huevadas.[5]

—Como nunca se te ve por la iglesia...

—No tiene nada que ver.

---

[1] *caimaneros:* cazadores de caimanes.

[2] *chambón:* torpe en el juego.

[3] *chananga:* regalo, propina, ganancia extra.

[4] *carambolas:* fruto agridulce del árbol llamado carambolo.

[5] *huevadas:* vulgarismo; tonterías, majaderías.

—El padre Tarcisio ha dicho...

—Les apuesto a que ese cura que no me aguanta tres movidas.

Abría su bocaza, se mesaba los bigotes y volvía a los curichales[6] infinitos. El dueño del bar decía que Drilo ponía la mente en blanco para irse derechingo[7] al infierno.

Drilo prefería sumergirse en pesadillas líquidas para resurgir en seguida en el tiempo de los espejos. Allí se reencontraba con un niño pobre, acosado por una parvada de peladitos.[8]

*(¡Caimán, caimán!*
*Las voces resuenan en los recovecos del sueño.*
*Se acerca un profesor alto, flaco, todo vestido de negro:*
*"Niños, el caimán tiene el morro chato; éste, en cambio, tiene el hocico de cocodrilo."*
*Desde entonces lo llamaron Cocodrilo.*
*¡Que viene el Coco! ¡Drilococo!*
*¡Drilo, que viene el Coco!)*

Al acostarlos, las madres asustaban a sus pequeños amenazándolos con llamar a Drilo. A menudo, no se hacía de rogar. Cuando menos lo esperaban, irrumpía en sus sueños y atormentaba a los más traviesos.

Un día corrió una bolada:[9] la partida secreta se había jugado en la imaginación de los aburridos parroquianos. El sacristán juraba que el padre Tarcisio había derrotado a Drilo. Como único comentario a esa partida fantasma, el sacerdote repetía: *Vanitas vanitatum et omnia vanitas.* Y cuando las beatas lo asediaban, el sacerdote sonreía santamente y cambiaba de conversación.

Drilo se evadía chipándose[10] en una maraña de ambigüedades y silencios. "Los santos son inocentes por eso son

---

[6] *curichales:* pantanos, ciénagas, marismas.
[7] *derechingo:* derechito.
[8] *peladitos:* niños, chavales.
[9] *bolada:* suceso, chisme, comentario, cotilleo.
[10] *chipándose:* enredándose, complicándose.

santos", decía Drilo y cerraba los ojos. Nadie supo si aquella famosa partida había sido real o era, acaso, una simple invención de quienes querían humillarlo. El pueblo imaginó, no obstante, que el padre Tarcisio jugaba al ajedrez como los ángeles. "Y como los arcángeles", añadía Drilo con cierto retintín nada irónico.

La última vez que Drilo se vio en apuros fue en vísperas de la cuaresma. Aquel día se levantó chispeando como nunca azules eléctricos de puros nervios. A la legua se veía que había pasado una mala noche. Se asomó por el bar y allí estaba él, sentadito, tomando su sal de fruta, cuando apareció el coronel recién salido de misa. *Memento homo*, con una cruz de ceniza marcada en la frente, *quia pulvis es*, y un misal en la mano, *et in pulverem reverteris*. Sin quitarle los ojos de encima, pidió café cargado. Drilo se hacía el del otro viernes. Cerró los ojos y, maquinalmente, se fue a los pantanos serenísimos.

Del coronel se contaban muchas cosas —unas mejores, otras peores— pero ninguna como aquella que lo pintaba como un trofeo de caza. Todo el pueblo sabía lo de su mujer, pero nadie sabía con quién se la jugaba la linda coronela.

El coronel se acercó a la mesa de Drilo, saludó ceremonioso y lo desafió a una partida de ajedrez. Drilo lo miró con desdén y le espetó una de sus citas latinas.

—*Casus belli coram populo*.

El coronel se quedó tieso, sin saber si aquello era un insulto o un saludo.

—¿Cómo sabés tanto?

—Oyendo se aprende —repuso Drilo sin dejar de mirar al militar que tomaba posiciones frente a él.

Ácido, ardiendo en vinagreras, pidió el tablero y las piezas. Los mosqueteros[11] se fueron agolpando alrededor de los jugadores.

—Hoy no estoy inspirado —dijo Drilo y añadió, mirando al público— pero juego para que no se diga por ahí que soy un gallina, ¿está claro?

Jugó con desgana, como si su mente estuviera en otra

---

[11] *mosqueteros*: curiosos, cotillas.

parte. A las siete de la tarde hicieron tablas. Drilo se levantó, estrechó la mano del coronel y dijo: —*Diem perdidi.* Alzó la voz y se dirigió a los curiosos: — "Nos vemos esta noche en el baile de máscaras".

Sus palabras cayeron como una bomba. Todos sabían que Drilo llevaba una vida recatada y conocían su opinión sobre el carnaval. ("No es más que un pretexto para seguir vagueando y sólo a los locos se les ocurre ponerse una máscara encima de las otras.")

El doctor Pavico le rebatió el primer argumento:

—Usted critica a los que no quieren trabajar, ¿y usted?

—El ajedrez es mi trabajo —repuso Drilo.

Entonces el doctor Zoqui, perdido en un laberinto de botellas de cerveza, entró en el debate con su voz gangosa:

—En cuanto a las mascaritas, déjeme decirle que caretas más, caretas menos, cada cual vive como puede. Sólo a los amargados como usted les molesta que la gente salga por ahí a divertirse.

—Doctor: yo lo respeto a usted más de lo que se merece. Eso dijo y le volvió la espalda.

Drilo carnavaleaba de lo lindo, disfrazado de cocodrilo. En el calor de la mojiganga se sintió realizado. Sus escamas azules emitían destellos verdes como si él fuese él, por primera vez. Armado de placas amarillas, el peto de su armadura resistía los fuertes latidos de su corazón. Las serpentinas se liaban en su cola crestada y una lluvia de confeti caía sobre el gentío.

El saurio baila, torpe, en compañía de una dama de antifaz y dominó azul. A eso de la medianoche y en pleno auge de la fiesta, aturdido por la música intensa, el brincoteo, la bullanga y el alcohol, Drilo se quita la careta hocicona de ojos brotados y colmillos relucientes. Llora como una criatura desconsolada. Todos se preguntan si llora de pena o de alegría. El dueño del bar hizo un comentario ruin:

—Debe de estar en plena digestión —dijo.

Y todos celebraron la ocurrencia.

La dama de azul le susurró algo al oído, lo tomó del brazo y se lo llevó al jardín, al cobijo de los tarumás[12] en sombras.

Se apagan los motores de las embarcaciones; se hunden los remos cautelosos. Un bisbiseo, luego el silencio. De repente, vuelve el estridor de la selva con sus chillidos lejanos y sus aleteos mecánicos. Se encienden las linternas y desde la oscuridad emerge el coronel, se abalanza sobre la dama de azul, le descubre el rostro, se oye una maldición y le dispara a quemarropa.

Drilo oye la algazara. Los caimaneros la emprenden contra él, a machetazos. Alguien lo ase de un brazo y lo voltea. Enrojecen las aguas de la noche y Drilo flota entre nenúfares y caballos muertos, alfiles, torres, peones, reyes y reinas. La sangre corre, incontenible, sobre escaques blancos y negros de un tablero cada vez más evanescente.

---

[12] *tarumás: tarumá* (voz guaraní). Árbol que produce un fruto aceitoso, del tamaño de una ciruela.

## MAROSA DI GIORGIO MÉDICIS
(Salto, Uruguay, 1939)


L A escritura de Marosa di Giorgio es una revelación fundamental de afirmación poética, llamada desde la visión sensual de la naturaleza. Los colores y movimientos del mundo natural armonizan con la maravilla de la infancia, el despertar de la adolescencia o la virtualidad del eros. La lectura de esta singular obra nos transporta hacia la recuperación de una unidad marcada por el desborde sensual con el que aparecen los elementos del universo. En el renacimiento de esa totalidad, el componente más mínimo es susceptible de ser redescubierto por la energía del *epos* poético a través de perspectivismos relacionantes. La diversidad cosmológica es la figura de una expresión accesible en esta obra, deleitada con la inquietud de la palabra, y la sorpresa de la mudanza que guía el principio del mundo natural.

En "Misa final con alitas", de la colección *Misales*, el sentido de sensualidad del verbo se despliega desde la conformación erótica de la naturaleza. El placer es integración, encuentro de lo *uno*, cuyo espectacular encanto reside en el descubrimiento onírico de lo real. Esta visión conjunta de eros, misticismo y fantasía brota con el poderío de la imagen, alerta a la cambiante textura del orden universal.

La obra de la escritora uruguaya ha sido distinguida cuatro veces con el Premio del Ministerio de Cultura de su país. En 1982 se le otorga en Francia el Premio La Flor de Laura, concedido por el Centro Internacional de Estudios sobre Petrarca. El mismo año recibe el Premio de la Sociedad Internacional B-Nai B-Rith, y en 1987 es becada por la

340

Fundación Fullbright. En 1992 gana en Francia una beca al escritor extranjero. La difusión de su obra a nivel internacional se inicia con la traducción al francés en 1994 de su libro *Misales* (*Missels*), realizada por Gabriel Saad. La personal obra de Di Giorgio aporta nuevas zonas de escritura. Una de ellas —respondiendo a su visión unitaria de la naturaleza— anula la diferenciación de género literario, arribando a una prosa que es siempre poesía y a una poesía que —como la misma autora indica— nunca deja de ser novela, empezando ya en su carácter constitutivo, el de ser "la recreación de un mundo" (Renée Scott, "Entrevista con Marosa di Giorgio". *Discurso Literario* 3.2 [1986]: 274).

## MISA FINAL CON ALITAS

S E Ñ O R A  Susana, llamada también Señorazucena, era buena y cuando empezó a quemar en aquella primavera sombría del maizal, —abrían la sandía a cuchillada limpia, la hacían sangrar como a una vaca— la señora dejó de lado su justo andar, su bondad. Tenía pocos años, ninguna regalía.

Miró en su torno, todo tostado, sombrío. A ratos se acostaba en el cedrón con las abejas y el moscón; de noche iba a la cama todavía escolar, donde sin quererlo una noche se había transformado en una señorita, en una señora, con gran desasosiego. Se colmó de pelo sedoso, de ramos de hebras en algunos puntos, siempre los mismos; le salieron frutas picudas al pecho.

No atinó a nada, pintó sus uñas de bermellón, a ratos de azul. En el entorno había algunos machos radiantes, sombríos, de pantalón justo y paso ladrón. Eran bellos, se dijo, qué duda cabía.

—Señora Azucena.

Ella levantó su cara bellísima, hecha con azúcar de almendras, la mirada algo oblicua.

Oyó una lengua roja como una lila, suave, de satín, pero con una púa, que la distraía de las demás cosas del mundo.

—Yo soy Juan, dijo la lengua. Yo soy Juan, señora querida, Azucena.

Ella casi contestó, lo casi único que había aprendido a decir: —Yo voy a la escuela.

Aunque ya no iba.

La lengua decía: —Ahora no irá. Venga para acá.

Era una noche negra, llena de luna. Todas las cosas estaban blancas y negras, adentro y afuera. Y todos dormían ya hacía dos horas o tres.

Se le acostó al lado. Era como un perro grande, inmenso.

—Señora Azucena, sea buena, no grite. Me matarían.

Él tenía puesta una máscara, tal vez para que ella no supiese bien quién era. A lo mejor era el que mataba sandías.

Porque algo creyó reconocer.

Pensó en Ana, su amiga del banco de la escuela. Pensó en Esperanza y en Isabel. ¿Qué dirían si la vieran? En mitad de enero, de noche, y en vez de la muñeca al lado, eso?

El enmascarado hablaba detrás de la máscara.

Le decía: —No le voy a hacer nada. No llore. ¿Ya tuvo, señora, su mes?

Ella contestó con voz inaudible: —Sí, señor, sí, y ya se me fue.

Bien, él la meció, le tomó las tetitas, le puso entre las dos un bolsoncito con clavo de olor. El olor de los clavos la mareó, la adormiló; se acordó de un pastel que había comido hacía mucho.

Levemente anestesiada pasó a ser otro ser.

Él le decía unas cosas muy bellas, pero que daban un miedo horrible. Quedaba colorada, aún anestesiada. Los clavos de olor se desparramaron y le punzaban la espalda.

Él bebió, luego ella trepidó, medio durmiendo entregó y fue deshecha su media de hilo, más íntima, diminuta, celeste.

Saltó por la ventana, se fue por el cedrón.

—Vendré mañana, se oyó a lo lejos, como si una nube hablara.

Ella se sentó.

Estaba asada. Le habían sacado su gema de señorita.

Daba un olor de ámbar, por el sacro orificio salía canela.

La luna con una nube arriba brillaba en la ventana. Recordó la vibración inaudita. ¿Cómo no lo había explicado la maestra?

Una fragancia de miel seguía brotando de su pequeña entrada.

Por la ventana cruzó una cosa. ¿Y eso? ¿Un trapo volando? ¿Una mariposa?

Venía derecho hacia el perfume y la entrada. Ella se reclinó de nuevo. Serían así las cosas. La segunda parte que habría, sería eso? ¿Lo dirigiría aquel que había estado?

Aprontó la carne y los huesos.

Pensó de nuevo en sus antiguas compañeras. ¡Si la viesen así, esta noche!

Un tremendo mariposón; de rara belleza, (no se veía, pero era negro y azul y tenía pintadas cifras en las alas y una calavera), una mariposa estampada, fornida y liviana, se metió en el haz de miel de ella.

Señora Azucena dio un leve grito; ya había aprendido a gritar despacito. El mariposón se aplicó, pero no trabajó, voló, merodeó, y volvió a la cita. Al fin cumplió.

Señora Azucena, al día siguiente, tenía miedo de ir al jardín. Sus padres la encontraron como en un misterio.

Al mes siguiente le buscaban novio, apresuradamente. Ella se negaba. Sin querer, juntaba las piernas.

Yendo por el bosque, por el maizal, por las fresas, pasaban bellos machos de distintas especies que la miraban con ganas.

El que estuvo de noche andaba entre ellos, pero no se sabía cuál era.

Al fin, una mañana se dio a conocer. Le dijo:

—Purísima señora Azucena.

Fui yo quien aquella noche la devoró. Yo la devoré. Venga de nuevo.

Ella se prestó. Arriba de ellos bramaba el maizal, una música como un funeral. Parecía que estaban en una iglesia. Que la sacrificaban por primera vez.

Él se atrevía a más. Ella parecía un santito derribado en el suelo.

Bramaron mucho. Él miraba a través del maíz si no venía el patrón. Ella tendía una mano y tocaba una sandía, cuando no sabía qué hacer, hendida hasta el fin.

Él se separó un instante, pensó en irse, disparar, pero volvió a la labor. Señora Azucena.

Ella le dijo: —Bien, señor, no puedo más.

Y temblaban los ojos opalinos, los senos que parecía iban a dar leche como los higos. —Váyase, ahora, señor.

Espero la otra parte. Mándela, de lejos.

Él quedó absorto.

Pensó si se habría enloquecido.

La señora Azucena proseguía tendida, con los muslos abiertos, el calzoncito rosado puesto a un lado como si fuese su pecado, la boca anhelante, la lengua un poco roja empezaba a titilar.

Él se asustó, se puso detrás de una planta, alta de maíz, con mazorcas, que parecía un militar que lo prendía, que lo iba a encarcelar, que ya lo llevaba preso.

Ahí, entró la mariposa, volvía del infinito.

Plegó las alas, se aplicó, temblaba en el delito.

## RAFAEL ÁNGEL HERRA
### (Alajuela, Costa Rica, 1943)

N A R R A D O R y ensayista de notable presencia en la literatura costarricense de las décadas de los ochenta y de los noventa. Una formación filosófica sólida y un conocimiento amplio del arte y la literatura universales se entrecruzan en el surgimiento de un escritor que ha sabido utilizar original y productivamente una rica variedad de registros en su obra. Intertextos de la mitología clásica, de la psicología, de discursos estéticos y fenomenológicos impulsan la creatividad de Herra a nuevos horizontes y a un encuentro auténtico con el arte. El camino —como el mismo Herra lo ha discutido en su ensayo *Las cosas de este mundo*— puede ser solitario y lleno de incomprensiones frente a los parámetros de lo que constituye una "ideología del gusto" en un período determinado. La fusión de la imagen y el concepto, la fluidez de lo imaginario, la facilidad de transitar y crear zonas fantásticas y una actitud siempre experimental en el tratamiento del lenguaje y del mundo narrativo caracterizan el enfrentamiento de la obra de Herra con las potencialidades liberadoras del arte.

El cuento seleccionado sirve de título a la colección de 1983 que incluye seis relatos breves y uno extenso que es el monólogo de Edipo frente a la Historia. La presencia cíclica de la oscura soberbia del poder en el acontecer de las civilizaciones es convocada nuevamente desde la relectura de un clásico; los riesgos inherentes al cambio de género son superados en la tentativa de Herra con un gran dominio del monólogo y del arte narrativo en general. La plaga de la ciudad, la angustia de sus habitantes, la amenaza constante de la conspiración, la intransigencia del tirano, el sentido generalizado de crisis social, la sombra de la culpabilidad, la presencia de una tragedia inevitable y marcada por los vaticinios, convocan la visión de una Historia en la que sólo cambian las materialidades de los ambientes, pero que mantiene invariablemente el rostro sombrío de quienes intentan dirigirla, confundidos en la soledad del poder.

Rafael Ángel Herra se especializó en filosofía y en estudios clásicos en la Universidad de Costa Rica, doctorándose en 1973 con una tesis sobre Husserl en la Universidad Johannes Gutenberg en Maguncia, Alemania. En 1980 fue profesor visitante en la Universidad de Bamberg, Alemania. Actualmente es catedrático de filosofía en la Universidad de Costa Rica y Director de la *Revista de Filosofía*. En 1995 es nombrado miembro de la Academia Costarricense de la Lengua.

## HABÍA UNA VEZ
## UN TIRANO LLAMADO EDIPO

Hay, pues, que ser zorro para conocer las trampas
y león para espantar a los lobos.

Maquiavelo

Témanme y me basta.

Bonaparte

Les provocaré horror porque no tengo
otra manera de amarlos.

Sartre /Goetz

A mis amigos, justicia y benevolencia;
a mis enemigos, justicia nada más.

Un prócer latinoamericano

L A *Esfinge espera en silencio, apretando las garras contra
el peñasco. Edipo se aproxima; los pies rotos y el bastón le
confieren un imperio extraño, insondable. La Esfinge clava
los ojos espantados en aquel hombre: su arrogancia de
águila es superior a todo, incluso a los monstruos obligados
por el destino a enfrentársele. El enigma que le plantea es
sólo una coartada: quiere vivir un poco más. Vislumbra que
ha llegado la hora de rendir cuentas y de precipitarse contra
las rocas; todo está consumado: en el hijo de Layo resplandece el fuego criminal de los dominadores, y nadie, ni la
Esfinge, es capaz de medir su fuerza.*

*Pero hay otra historia: se cuenta que Edipo, frente al monstruo, quiso poner en práctica la ficción de que era infalible y poderoso como los dioses y que en su pecho ardía el fulgor de aquellos seres en los que los hombres depositan la libertad para que los gobiernen. Al ver al monstruo desgarrado sobre las rocas, Edipo confirmó que había descubierto la primera y la más importante apariencia del Poder. Esta argucia es la máscara del gobernante, la ilusión del señorío en virtud del cual los ciudadanos hacen de aquél un hombre necesario y los esclavos se odian a sí mismos por ser esclavos. Los tebanos lo aceptaron así y Edipo ocupó el trono vacío y poseyó a la reina. Lo que seguía era fácil, y es lo que seguirá después, cuando las águilas piadosas se encolerizan y ponen orden en el caos, como el tirano de Tebas, con el destino, los dioses, las armas y los discursos redentores en las manos.*

*Edipo descubrió que el poder es dudoso y que por ello debía ser doblemente despiadado.*

No bastan las coronas en la frente ni esas lágrimas que bañan las mejillas, los tebanos pasan y me hablan del odio, me abrasan con ojos saltones y corren por todas partes en vez de arrojarse sobre el altar en busca de perdón, no quieren la piedad, ni la benevolencia de mi gobierno, huyen, rezan, claman, llenan el aire de salmodias a fin de vencer el sufrimiento y sólo miran de reojo el altar que edifiqué junto al palacio, abarrotan las callejas de Tebas, gente flaca, gente granujienta, gente de rebeldía, gente insana y llorosa que transpira el odio en vez de acabar con la peste,
la ciudad huele a incienso, Tebas arde, la progenie de Cadmo se precipita en las tinieblas, el pueblo ignora sus deseos, desprecia sus amores y admira celosamente sus odios, huye del poder y lo ronda con vértigo,

el pueblo irrespeta la autoridad y no tolera que mis leyes lo guíen, Tebas va a morir como una ciudad sitiada, sin fortaleza, tengo miedo, la peste llega a todas partes, se apodera del pueblo, de las noches y los días, de las fortalezas que otrora resplandecían en el corazón de cada tebano, y atasca de muertos la vaguada seca del Ismene, Tiresias afirma que una culpa atormenta el corazón de Tebas, en nuestro suelo habita y busca la felicidad el responsable de la peste, el padre de las ratas, el destructor de las cosechas, el usurpador, el usurpador, el usurpador de la tierra cadmea, los pecados son hambrientos y jamás se sacian, amigos míos, en alguna parte se halla el culpable del mal voraz, el sacerdote dice que yo salvé una vez al Reino cuando la Esfinge comehombres exterminaba a los transeúntes tebanos y a los extranjeros que cruzaban los muros,

entonces mostraste el poder de la victoria, Edipo, cuál es la bestia que en la mañana camina con cuatro piernas, con dos a medio día y con tres en la noche, tú respondiste sabiamente, es el hombre que gatea en los albores de la vida, se yergue sobre sus dos piernas a la hora de la plenitud y, al final, poco antes de sucumbir, se apoya en un báculo, esa bestia se llama dominio, poder, reino, dios mortal, primero es cauta y serena, después se eleva a la arrogancia del mediodía y quema, hasta que a la postre y en sus últimas horas, cuando ya es odiosa y demasiado longeva, debe apoyarse en puntales retorcidos y se torna amiga de la muerte, la Esfinge, que sabía el misterio de los hombres, prefirió arrojarse contra las rocas antes de seguir dialogando contigo, así obtuviste la primera victoria, salvaste al pueblo, doblegaste la soberbia de la Esfinge, llenaste el trono vacío de este reino,

tienes que salvarnos de la peste, Edipo, rey Edipo, Creón habla de un pecado y de la obligación de hallar al pecador, al corrupto que agita la estabilidad del reino de Edipo, hallarlo, darle un castigo, acabarlo, hacerlo nada, apagar las brasas de ese infierno, doblegar la insolencia, se hace tarde, alguien sufrirá mucho, yo lo sé, el destino es implacable como un cielo sin nubes, tengo miedo del porvenir, tú no olvidas, Edipo, que Layo, el antiguo rey de esta ciudad, murió asesinado por manos anónimas en la confluencia de cuatro caminos, lo derrotó un criminal sin mucha gloria con el filo de la espada, desde entonces la fuerza traidora del enemigo que anda libre y sin penar su culpa conmovió la paz tebana, fue el principio de un día horrible, esa jornada oscura despertó a la bestia de Tebas en los cuatro caminos cruzados que vieron la muerte del rey, después vino el bochorno de la Esfinge, cadena de escándalo a las puertas de la ciudad, fuego del mediodía, y al final del reto con la Esfinge llegaste tú, Edipo, bañado en el prestigio insondable de la victoria sobre el monstruo de Tebas, y el triunfo te valió el trono de Layo, y el amor de Yocasta, y entonces comenzó la noche más larga del mundo y con la noche la peste, y con la peste la inquietud del pueblo, y con la inquietud el terror de todos los monarcas de la tierra que vislumbran la sedición y el deseo destructor de los vivos, oh Edipo, dime qué sucede, no entiendo nada,

id a vuestros hogares, tranquilos, hijos de Tebas, os digo que yo vencí a la Esfinge y conquisté vuestros corazones y me senté en el trono cadmeo, por las noches me acosa el delirio, pero un sentimiento me dice que os salvaré de la peste y de vuestras inquietudes frente al desorden, el culpable del crimen de Layo conocerá la furia de mi corazón y todo lo que la fuerza del rey es capaz de hacer, súbditos míos, no hay nada en el mundo fuera de mi alcance, tengo miedo, pero un sentimiento me dice que lo puedo todo entre los hombres y tal vez más, pues un día vencí misterios y fui conquistador, pero qué buscáis,

piedad, piedad, furia de la Esfinge, livianos ojos, montaña dulce, el mal se despierta en el olvido, Edipo, estoy muy triste, Edipo, Tebas es una gota de agua, se hunde en el polvo, grita, es un vientre estéril, las ratas la miran con sus ojillos de roca, Tebas sufre, puede reventar, crujir, arrancar las piedras del palacio,

callad, hijos míos, yo os digo que habréis de conservar la calma, el ánimo fuerte, encontraremos al criminal, os lo aseguro como si Layo fuera mi padre, qué extraña ignorancia, los hombres de Tebas son ingenuos como todos los hombres, no saben quién mató a Layo, han olvidado, no quieren admitirlo, acaso lo saben y lo ignoran, les pesa el conocimiento y callan, sufren, olvidan a costa de sufrir, prefieren decir que lo mató el azar, pero no saben que cuando un rey muere es el poder quien lo mata, no saben que en el origen de toda autoridad se esconde un hilo de sangre, ignoran o quieren ignorar que tras el brillo del poder y con el poder y por el poder y antes del poder y siempre y a toda hora y a la hora del poder los dioses hablan un lenguaje misterioso,

pero calla, Edipo, tus palabras atizan la culpa de un pueblo que no ha castigado a los asesinos, nosotros, los tebanos, corazón de Grecia, nos hemos cansado de los asesinos, oh, el silencio divino, qué larga es la noche,
callad, amigos, callad,
los hombres no podemos exigir una respuesta a los dioses, loco estará el hombre si merece llamarse así que lo hiciera y no el dios silencioso,
yo, en cambio, os digo que cuando un dios habla solamente los reyes son capaces de oír su voz y de responder con palabra que no es de hombre sino de rey, cuando un rey muere también muere lo que tiene de hombre, pero el poder permanece y soy yo quien lo perpetúa, el asesinato de un rey es imperdonable en el cielo y en la tierra, el regicida comete violencia contra la condición esencial del orden, viola al guardián de la ley muchas veces en nombre de la ley, ese acto es horrendo, escuchad, el peor de los crímenes será lo último que tolere Edipo, los heraldos andan proclamando que quiero honrar al hombre muerto, es un mandato, quien conozca al asesino de la parte humana de Layo debe arrojarlo a los brazos del estado, el mandato ha de cumplirse, en Tebas reina un orden, esa ley civil que represento y que impongo, la perpetuidad de Layo en mi casa, y digo y proclamo una vez más que ningún hombre en ninguna ciudad será dichoso si está contra la ley y contra mi palabra y mi palabra es justicia porque sí y porque no existe su término contradictorio en ninguna parte, no hay pureza sin mi bendición ni beneplácito que no me corresponda y sin él no brilla el rocío, pero algo me espanta, no sé qué,

algo extraño, sopla un aire triste, hijos míos, he aquí que se aproxima el ciego de Loxias y atraviesa el pórtico con su lazarillo, ven Tiresias, aventúrate a decir algo, tus visiones están al servicio de las causas puras, ven, emplea tus bálsamos para calmar a la canalla, ya sentiste la angustia, ya palpaste el sudor tibio de los niños en cuyo ceño vese la amargura de las almas sin porvenir, luces inquieto, Tiresias, oh Tiresias, parece que has visto cuanto no habías de ver,

he visto, y me callo, oh desdichado rey de Tebas,

pero qué ve un adivino ciego que valga la pena, no es acaso lo que el Poder le dicta que vea,

tienes la transpiración de niño viejo, amargado, oh Edipo, ideas negras se van cerrando a mi paso como un bajel que rompe y vuelve a cerrar el misterio del Ponto,

no comprendo a Tiresias, el silencio y los enigmas esconden temor y orgullo, por qué callas, no has tocado los ojos suplicantes de los niños, si pudieras ver sus ojos tristes, sus ojos grandes, sus labios pálidos, si pudieras, si pudieras, Tiresias, me dices que no he de insistir en nada, te digo que no insistas en nada, te digo que tu fuerza no alcanza para olvidar los ojos de los niños tebanos,

no me explico tu silencio, bastardo adivino, diente de Apolo, me dices que calle y que escuche,

calla, escucha, mira en lo profundo y en las flores marchitas de Tebas, Tiresias, no veo y no comprendo nada, pero es a mí a quien se ha de comprender, no puedo jugar con los malabaristas, tus patrañas no son más que la sombra de una espada, que no alcanzará mi cetro, tú me debes obediencia absoluta, vete, vete al punto, mago de los crédulos, oh, desdichado, algo se arrastra sobre la tierra bajo la noche sin luna, el mal y la ceguera caerán sobre ti,

tu corazón vagará con su soberbia por los caminos de Grecia Edipo, y por esas bárbaras regiones donde no hay seguridad y cualquier cosa puede ocurrir y no hay hombre dichoso pues sólo existe la amargura de los destinos aplastados por los dioses, llevarás sobre tus piernas los restos de un poder quebrantado, y no verás y no podrás ver tu propia miseria, pero qué tramas, adivino rebelde, cómo hablas así a quien contuvo el soplo de la Esfinge y subyugó con su verbo a la

sutil violencia femenina del monstruo, yo soy fuerte, yo
hablé y vencí, yo impuse obediencia a una diosa, el tono de
mi voz es la historia, lo que importa es el reino del mundo,
y cuando me injurias tu voz enloda el orden natural,
algún día te arrojarás a morder el polvo de la verdad,
Edipo, y una maldición se cumplirá hasta el final, siempre
has encontrado las respuestas en tu propia existencia, no
empuñas acaso un bastón porque los pies no te sostienen,
mírate al espejo y verás el semblante de la peste, la figura
inolvidable, tu lujuria, el orgullo de mandar y esa pasión
maldita por el tintineo de las monedas, el placer del sufrimiento y la carne desgarrada,
no puedo seguir escuchándote, ciego de Loxias, quería tu
bendición en mi empresa de gobernar y en la caza de un
asesino que anda suelto, pero la inseguridad nocturna de
tus ojos veló todos los misterios del poder y de la vida, no
eres venerable ni sabio, lo digo yo, el tirano Edipo, eres una
patraña, has querido malversar la esperanza de los redentores proféticos para urdir una conspiración, seguramente
vas de acuerdo con mi cuñado, queréis destronarme, queréis sentar al traidor Creón en el trono de Tebas, tú y
Creón, el mago y el hombre de la misma casa, como si el
poder de la traición y la oscuridad adivina fueran capaces
de abatir el gobierno de las ciudades, el furor de los reyes,
la espada de los guerreros, las torres de los vigías que
no duermen, los lechos afortunados, pero, silencio, ya lo
habéis descubierto, no se llamará dichoso a un hombre si
no ha conocido el poder ni se llamará hombre si no ha obe-
decido, aunque algunos bastardos se alegran de desobede-
cer, ahora entiendo a Creón cuando afirmó que es
imposible conocer el corazón, los criterios, las ideas de un
hombre mientras no esté en altos puestos y entre códigos y
con la potestad de emitir leyes y de hacerlas cumplir, y yo
diré ahora que su corazón se conoce antes y a la hora de
luchar por el poder ya que el hombre que lucha por reinar
en el corazón de los hombres sólo se quiere a sí mismo,
carece de afectos, en vez de amigos tiene súbditos o adver-
sarios, pero un adversario no es humano, es el mal, conspiradores, habéis tramado una farsa, conspiradores, estáis

contra mí, y yo, ingenuo, que os amaba y era pródigo en
benevolencia, malditos, habéis regado voces encargadas de
hablar desdeñosamente de mi gobierno, habéis producido
la confusión, me hacen responsable de la peste, me atribu-
yen la disminución del erario y la sequedad del Ismene,
aseguran que los impuestos van a subir precipitadamente,
anda, mago del demonio, toma tu bastón y aléjate, ve a dormir con los puercos,
te ensucia el crimen, Edipo, oh pasión oscura la de los criminales,
dijiste que había un cielo gris,
vosotros, cerrad la boca,
ay de mí, un ciego ha visto el cielo gris, un cielo intensamente gris, rey ingenuo, el gris más oscuro de las pesadillas
que ha colmado jamás el cielo de Grecia, los pájaros negros
revoloteaban sobre tu bastón mientras la gente se divertía
y aplaudía con el mismo desenfado con que aplaude a los
comediantes,

sí, a quienes hacen escarnio de los reyes,
eso te digo, Edipo, y no puedes rebelarte contra las predicciones, ya es tarde, no tienes otro porvenir,
pero yo te respondo, ciego de Loxias, el futuro pertenece a
los tiranos, tú eres el rebelde, y el rebelde es Creón, pero
basta, soy yo quien va a aplaudir mi propio drama, cuando
me asedian hombres como éste me invade el horror, es mi
único instante de horror, me estremezco, las sombras me
llegan a los huesos, no entiendo, por los dioses no entiendo
a la Esfinge, la noche se queda sin estrellas, pero no, yo soy
todo, me busco en la obediencia de los hombres, entre las
rosas y en los picos de las peñas, oh dioses, tengo miedo,
me cautivo en la soberbia de mi palabra, me asusto como si
en mí hablara una fuerza mayor que la mía, cuando sé que
la mía es inmensa, oh dioses ocultos, deliráis o Tiresias
quiere arrastrarme a la locura y dar el cetro a Creón, ya su
fantasma ha partido, antes de precipitarse contra las rocas,
la Esfinge me relató una fábula, os la voy a repetir aquí:
    *Una vez un águila empollaba huevos de pájaros terres-*
*tres. Los polluelos nacían y entonces el águila soñaba con*

*expulsarlos de su lado, porque los sentía miopes y parlanchines y juzgaba que nunca llegarían a mirar a la distancia como el ave solitaria. Pero se contuvo: el rey de los cielos era piadoso. Con infinita paciencia ofrendó a los hijos de las gallinas el calor y la seguridad, frente al infortunio de su condición natural. Y en lo más profundo de la fe, para colmar su orgullo, esperó también sin fatiga que de los pollos surgiera un aguilucho. Pasaron los años. El aguilucho no venía y los pollos se volvían insolentes y le arrojaban pedruscos y la agredían, y el águila contestaba y contestó siempre con la indiferencia de la conmiseración, hasta la fecha, sin renunciar jamás al sacrificio; y continúa criando pollos, protegiéndolos con sus alas poderosas, defendiéndolos del mal, porque no es otra la misión del más hermoso de los seres. Pero cuando los pollos se disfrazan de buitres y levantan la mirada contra el águila que sólo aspira a llevarlos lejos y más lejos, hacia el porvenir y la felicidad; cuando los buitres aletean y trepida el nido entre las rocas, entonces aquel pájaro solitario olvida la piedad y emprende el vuelo del orden y la guerra.*

Así habló la Esfinge antes de morir, la Esfinge habló de una misión que tal vez sea la mía, ah, me acosa el misterio, me asaltan las dudas, debo redimirme buscando a los buitres, pero qué digo, vuelvo a escuchar voces,

yo gimo, gimo y sufro, qué será de Tebas, la enfermedad me precipita en el Hades, yo gimo, gimo y sufro, ayudadme con este fardo, es preciso castigar el asesinato de un rey, el antiguo rey,

los tebanos sienten nostalgia de la Esfinge, la Esfinge obligaba a contestar enigmas, retaba su genio frente a los bárbaros, pedía inteligencia y juicio, espantaba a los hombres para que buscaran la verdad, yo, en cambio, les obligo a la obediencia ciega y me acostumbro cada vez más a la idea temible de que en un hombre sólo reconozco al súbdito, yo le hablo así al tebano, quién eres tú para juzgar el acierto de tu rey, no ves que él tiene más elementos de juicio que tú, más experiencia, más rectos, sabios y desapasionados criterios y, sobre todo, más gracia, una gracia especial,

gracia del poder, gracia del destino infinito, luz y ayuda
poderosa del dios, digo a los tebanos que hay que darse del
todo, y negarse del todo a nombre mío y a nombre de mi
voluntad,
yo gimo por el rey muerto,
los tebanos me odian porque los doblego, la peste es una
patraña subversiva, hace poco salí de palacio y recorrí viñe-
dos, caminé muchos estadios y aspiré la fragancia de la tierra muerta y sin orgullo y la tierra estaba seca y pedía
hombres que la preñaran y la bañaran de fatiga transpi-
rante y de sangre, algo se anunciaba en el silencio,
algo se anuncia en el silencio,
tengo miedo, planes siniestros se urden contra mí, contra
Edipo, contra el gobernante encargado de dictar a los hombres lo que quieren, el silencio es extraño, me atemorizan
el poder y la misión del águila solitaria, no hay quien are la
tierra, los racimos se pudren, nadie recoge la mies, nadie
trilla, nadie pesca, no hay pastores con las ovejas, las piedras del molino dejaron de moler, faltan la miel de los higos
y la miel de las colmenas, los olivares y los astilleros y las
casas de alfarería y todo, absolutamente todo esclavo
reposa, algo se mueve en mi contra, en contra de este rey
que sólo ha procurado amar a los súbditos y hacer libacio-
nes, me dice Creón que lo ataco, he oído que me acusas en
público, oh rey, esposo de mi hermana, pero te respondo
ya, no soy conspirador, no incubo planes en perjuicio tuyo
ni contra el orden, ni en detrimento de la autoridad, soy
fiel,
cómo, no has planeado nada, dices, Creón, intentas escapar
a la verdad tras tus ojos de falsa inocencia, pero has organizado la subversión,
tranquiliza el ánimo, oh rey, no temas, haces mal en lanzar
injurias, eres tú quien ha proyectado un mal, el mal de mi
caída, el mal irreverente, el absoluto mal, ya que aspiras al
trono del reino, y sueñas con el dominio sobre el reino,
pero te aseguro que al final de la conspiración esa piedra
caerá sobre ti y sobre la cabeza de tu cómplice Tiresias, os
haré reventar y vuestros cuerpos insepultos esperarán la
eternidad en vano y serán carne insepulta y serán polvo de

muerte insepulta, Creón, yo te acuso de haber pecado de soberbia, has burlado mi confianza,

yo, en cambio sólo puedo creer, oh Edipo, que atribuyes tus propios actos a otros, que imputas tu conducta a los que ansías aniquilar, yo no quiero nada, no he planeado nada con Tiresias, tú buscas un chivo de expiación, una causa de la peste, un motivo fuera de ti, yo, o bien Tiresias, o cualquier otro, una conspiración ficticia, tu plan es quitarnos de en medio, oh rey insensible, Yocasta acaba de llegar, te ruego, hermana, que intervengas en este asunto,

no lo hagas, Yocasta, no lo hagas, no empeñes tu juicio, pero Yocasta, por qué no me contestas, por qué me ruegas silencio,

acalla tu ardor, Edipo, no sigas, Yocasta te dice con el silencio que no preguntes nada,

por qué no he de preguntar,

nadie te persigue,

eres taimado, Creón, afirmaste repetidas veces que los poderosos no tienen corazón, pero yo tengo corazón, mi corazón percibe a sus enemigos y adivina los afanes perversos, eres taimado, Creón,

yo lo afirmo ante el pueblo de Tebas, oh Edipo, prefiero festejar el dulce misterio del poder en la sombra y al margen y recrearme contigo y bajo el mandato que ejerces y obtener el premio de algunas migajas, pues los epígonos me respetan como a un rey sin serlo, sin sus responsabilidades directas, y sin embargo disfruto de las ventajas de ser cuñado tuyo, Edipo, no tengo envidia del trono, si falta el trigo, si los contrabandistas se apoderan del mercado y los usureros hacen esclavos de sus deudores, no me culpan, y cuando escasea el bronce de los escudos y no hay madera en los astilleros ni lana en los telares y desaparecen las estatuas de los templos y brazos clandestinos arrancan frisos y el pueblo se corrompe en las fiestas de Dionisio y mancilla tradiciones sagradas y falta el decoro y los comerciantes especulan con el queso rancio y la guardia real dispara flechas contra el pueblo, no me culpan, y nadie me reprocha el desorden general ni la decadencia de nuestra pureza, ni las ratas, ni la peste, porque te lo reprochan a ti, Edipo, culpan al tirano, al responsable del orden, cómo iba yo a participar de una conspiración si gozo de las ventajas y no sufro los malestares del gobierno, el rey está solo, su gloria es solitaria y triste, el poderoso vive en absoluta soledad, y cuanto más poder detenta, más lejanía suscita, el rey vive sobre los hombres, fuera de la humanidad, en su palabra confían únicamente los oportunistas, sólo hombres viles se le aproximan y buscan su resplandor, y el tirano es congruente, ya que nadie le merece más fe que la que ostenta su jerarquía en la escala de obediencias y utilidades, el gobernante es el más prisionero de los hombres, no sueña sino en la derrota y nunca es dichoso, carece de amigos porque sabe que los amigos son aduladores y mercaderes de su regazo, el gobernante no tiene más que esclavos y chantajistas de sus servicios, emociones interesadas, sabios que buscan su favor como putas, con piernas abiertas y ditirambos, instrumentos de carne, corazones humillados a su antojo, yo no quiero este horror, Edipo, y no puedo aceptar que los gobernantes sean mediocres habilidosos que se apoderan del mundo,

escuchad, tebanos, el pérfido Creón pretende confundirme, jamás un hombre fue más ingrato con su superior, te arrojo ya, os arrojo ya, estoy a un hilo de arrojaros a todos en las mazmorras, a Tiresias, a Creón, a los conspiradores, todos a las mazmorras, con los dedos cortados, para que conozcan el dolor perpetuo y la noche subterránea, pero qué digo, los castigue o no los castigue, el trabajo de la subversión es la desdicha de los tiranos, trabajo interminable, me asedian terribles dudas, el desorden ha entrado en Tebas, un solo acto de desobediencia infesta al rebaño entero, no se puede ser tolerante una vez, ni permitir libertades, el poder es la expresión completa y sin dobleces de la voluntad del gobernante y los que se opongan tienen que callar o dejar de existir antes de manifestarse, pero mis actos son débiles todavía, alguien dice que mi atardecer ha llegado, me resisto a creerlo, pues los reyes somos eternos, sin embargo, desde que empezó la peste nadie me obedece, como si una enfermedad repentina hubiese penetrado las cosas y espantado a los hombres, en los espíritus revolotea un sentimiento de horror y tensión, encuentro ojos que me observan ardiendo de fuego, con respetuoso pavor, como si desearan rebelarse y obedecer, amarme en la carne y destronarme con puñales al mismo tiempo, alguien busca mi conversión en dios y mi derrumbe, lo que sea con tal de que cese el infortunio, los tebanos me desprecian y me aman, como a todos los poderosos,

dime, Edipo, amado mío, qué sucede,

Creón ha tramado los más horrendos planes contra mí, Yocasta, murmura que yo asesiné a Layo, tu antiguo esposo, y que ese crimen fue un salto mío hacia el trono de Tebas, me acusa con tan odiosas calumnias que he de hacerlo beber su sangre para defenderme, yo no soy usurpador, Yocasta mía,

oh violencia la de esta casa, Edipo, el destino fue implacable con nuestra estirpe, debemos meditar, aguardar un poco, resistir el asedio, como tus soldados en la guerra, Edipo, a Layo lo mataron agentes enemigos, salteadores, vulgares regicidas, sacrílegos infames, tú, en cambio, fuiste virtuoso y el destino te llevó a destronar el poder maléfico de la Esfinge, puedes reclamar una razón sagrada para estar aquí sentado conmigo a tu diestra, los dioses y los hombres lo saben, el trono es el premio de tu virtud, ninguna predicción vale en contra de la investidura porque eres el presente y el porvenir, Tiresias es ciego en vida y es ciego frente al esplendor, lo digo yo, tu mujer, Yocasta reina, y así es,

oh Reina de Tebas, qué plácida es tu voz, y dulce, muy dulce,

sigue, mujer, sigue hablando,

el oráculo de Apolo anunció a Layo que un hijo suyo nacería, crecería, conocería los tormentos del mundo, y retornaría a darle muerte y a destronarlo, evitamos el hijo, nos batimos contra el augurio todo el tiempo y en cada abrazo, pues dicen que la lengua de Apolo es insondablemente veraz, pero aquella noche, una profunda noche después de las fiestas, embriagados, débiles, el apetito nos endiosó y concebimos un hijo bajo el signo del dios, y cuando el hijo nació, un pastor lo llevó al Citerón y lo abandonó por

orden nuestra, y dice que ahí murió devorado por las fieras,
los tebanos comprendimos que el oráculo miente,
los tebanos comprendimos que el oráculo miente,
el trono puede conmoverse con el llanto de un niño,
por esta razón sin piedad Layo hizo morir al suyo, al pri-
mogénito, al destructor del reino, no hagas caso de las
profecías, únicamente los prodigios tienen valor, mira el
laurel, su fragancia purifica el aire, así es un dios, cuando
quiere manifestarse no lo hace a medias sino que adopta
una forma visible, carnal, terrena, como se le mostró
Zeus a Sémele y a Leda, el dios no habla en las predicciones incorpóreas de un hombre, Edipo mío, ni las palabras ni las maldiciones conmueven tu poder, es imposible
que un rey haga el mal, un gobernante no hace ni hizo
nunca el mal,
oh mujer, cuán cálida es tu voz, pero yo no pienso en maldiciones ni en discursos enigmáticos, no insistas en ello,
pues no compete a la situación actual, digo que existe una
conspiración y que esos espíritus malignos de la desobediencia han ido preparándose desde largo tiempo atrás y ya
entonces echaron a rodar rumores y engendraron la peste
y con las mismas intenciones los heraldos de la subversión
tergiversaron todo, y ha llegado la hora en la que no puedo
tomar una sola medida que no discutan e incumplan, si digo
una palabra me contradicen, si alguien me ve con la copa
llena, proclama que despilfarro el agua, voces nefastas,
bocas anónimas han divulgado la mentira de que yo maté a
Layo, y me han difamado alegando que la plaga de Tebas
es el castigo de los dioses porque los súbditos del reino han
sido incapaces de destronar al asesino mientras yo sigo
gobernando, pero yo, Edipo el tirano, sostengo que todas
las palabras de fuego contra mí son patrañas de los conspiradores para quienes un gobernante sin virtudes no tiene
derecho al cetro, Yocasta, yo quisiera oír una vez más
cómo fue la muerte de Layo, por qué hubo de morir, por
qué se conmovió su gobierno, quién murmuró en su contra
y quién lo mató, yo nunca supe de una situación confusa en
Tebas antes de su muerte, aunque sé que la muerte de un
rey siempre es extraordinaria, hablaré primero de mí,

repetiré la historia otra vez, infinito número de veces, soy hijo de Polibio, pero un día tuve que abandonar la casa paterna porque el dios anunció que yo mataría y destronaría al rey, y no había signos extraños en Corinto la de muros gruesos, el dios fue claro en su lengua, mi huida de Corinto se originó en un escándalo de las cráteras llenas aquella noche de estío en la que el esclavo que me acompañaba perdió el sentido y me predijo severos designos antes de enmudecer para siempre, y yo comprendí que la política es el talento de interpretar los signos y los enigmas y el anuncio de las cosas mucho antes de su advenimiento y comprendí que la política es el arte de gobernar las visiones y la fuerza y el derecho de hacer que tus actos parezcan buenos y necesarios porque el dictador ostenta el monopolio del saber y de los deseos, entonces escapé de Corinto para tranquilizar a mi padre, y mi padre hizo que me alejara de su lado para tranquilizarse, pero yo emprendí el camino al exilio porque adivinaba que mi porvenir me llevaría a otro reino, y también escapé de Corinto para evitar la escisión del país, ya que las profecías habían derramado el desorden, y hubo gentes que dijeron apoyarme contra el rey, mientras otros alentaban a Polibio, y no quise convertirme en la razón de la guerra, pues en aquel tiempo sólo meditaba en el poder y no lo quería, pero detestaba el desorden y las pretensiones de la canalla, y no apetecí el reino de Corinto, y escapé, y en los días en que huía y me alejaba de mis padres conocí la sangre y maté por vez primera, y maté a un viejo arrogante que osó arrojarme del camino, aunque primero le rompí los huesos al auriga con mi báculo, y después herí a sus compañeros armados que mordieron los cardos, y finalmente me arrojé contra el viejo que daba chillidos y me golpeaba en la frente con el bastón, lo herí con el mío, con el báculo y no con la espada, y lo arrojé al oscuro Hades, aún guardo un recuerdo, conseguí mirarlo a los ojos antes de morir, observaba extrañamente, sin miedo, como un rey cuando muere,

sin miedo, como un rey cuando muere,

y entonces murió, y yo seguí mi camino, y no sentía nada, y quería ver los campos arder y aspirar los excrementos de

las bestias y de los hombres, porque la muerte fue haciendo que se despertaran deseos inmensos en mi corazón,
hasta que llegué a las puertas de Tebas y me enfrenté a la
Esfinge, al cabo de muchos días, cuando este reino sufría
una crisis de poder y fenecía bajo la peste, era acaso Layo
aquel hombre al que di muerte, tal vez sí, tal vez el oráculo
ordenó que yo viniera a gobernar y a salvar un poder ende-
ble del que tú, Yocasta, eras incapaz de apropiarte, y fue
por mi mano como el dios impuso la derrota al mal, a
la palabra, a la cantadora de artimañas, a la Esfinge que había
postrado a Tebas en la ruina, porque vosotros los tebanos
sabéis muy bien que la peste y el desorden y todos los dolores habían empezado en este reino antes de que Layo
emprendiera el viaje del que no regresaría, Tebas necesitaba un hombre fuerte, mucha autoridad, un hombre que la
librara del mal, llegué oportunamente, con mi obsequio de
sangre salvadora, pero qué dices, Yocasta

varios hombres mataron a Layo, varios, Edipo, no es lo
mismo uno que varios, ay de mí, un crimen ha de aplas-
tarme si fue Edipo el asesino de Layo,

no hables así, mujer, no aumentes el horror de Tebas,

sin embargo, un testigo habló de varios criminales que se
levantaron contra el rey en el cruce de caminos, el vaticinio
de que el hijo daría muerte al padre fue una impostura
miserable, brujería, pretextos políticos, imagínate semejante absurdo, Layo caería bajo el puño de un joven intri-
gante que aspiraba al trono y ese joven sería su hijo,
imagínate, Edipo, rehacer la vida con la muerte, reconstruir
el gobierno con la sangre del rey en las manos de un hijo
homicida, nacer muriendo sobre un trono, oh lujuria del
reino, pesantez voluptuosa de gobernar las voluntades aje-
nas, hacer la historia, ah, me siento cálida, sin aspiraciones,
impura, como si la paz fuera ya imposible, oh júbilo extraño, deseo de no resistir, silencio, por qué hablar de felicidad, Yocasta se ha postrado en el templo de Apolo
y ofrenda ramos y oraciones, ruega al dios que el misterio
se mantenga en torno al ascenso de Edipo al poder, que se
esconda con lienzos negros la muerte de Layo y se pierda
el origen del rey en lo insondable,

tenéis razón, es preciso olvidar el comienzo de la peste, haced otro esfuerzo más, pedid a los dioses iluminar las condiciones conspiratorias de Tebas, se adivina la rebeldía en el populacho y en la cabeza de sus guías perversos, existen rumores sobre mi gobierno, me arrojan encima, como agua sucia, la responsabilidad absoluta de la peste, pretenden que tengo aliados en Corinto conspirados para esclavizar a los habitantes de Tebas, y a esos argumentos se suman los ataques nocturnos sin otro propósito que el de atribuirme la responsabilidad del desorden, pero yo les digo a los súbditos de este reino que soy la estabilidad y la paz contra el mal, frente a los otros, los rebeldes, Edipo frente al mal

he aquí que se aproxima el nuncio de Corinto, mirad su rostro, trae noticias,

a qué vienes,

vengo a proclamar que Polibio, tu padre, ha muerto, te han elegido rey, Polibio sucumbió a la fuerza de la muerte.

murió de enfermedad,

aleluya, aleluya, despertemos de nuestra larga noche,

si Polibio era mi padre y el vaticinio me ordenó matarlo, quién podrá creer en los oficios del sacerdote pítico[1] mas, oh dioses, hacia dónde volaba el polvo de los oráculos si yo maté a Layo, cuál era el trono que importaba, el de Corinto o el de Tebas, pero no, es imposible volver a Corinto, Mérope, mi madre, la mujer de Polibio, la reina, la otra parte del presagio, aguarda, oh dios, si son verdaderas las palabras del dios me esperaría la obscenidad nocturna, escapé de Corinto porque el signo délfico me decía que el poder y el mal estaban juntos y porque había que ser terrible para gobernar, criminal, sombrío como los torturadores y agotar el amor en la madre y odiar a los hombres y procrear hijos malditos y ahogar a todos los seres vivos en el fuego y en el miedo, pues el reino sólo es posible con el falo destructor, este báculo mío que me acompaña en las profecías y se consagra con la humillación de los súbditos, permaneceré en Tebas, seguro de que el Bien cruzó conmigo las murallas de la ciudad alumbrándome con lenguas de fuego, pero no

---

[1] *pítico:* Pitio; fiestas que se celebraban en honra de Apolo.

temáis, me habla ahora el nuncio de Corinto, qué dices,
anciano,

Polibio te llamó hijo mío, pero  no eras hijo de Polibio, te
encontré yo mismo en las montañas abruptas del Citerón
cuando era pastor y mis rebaños pastaban en aquellos montes, logré liberarte de las amarras de los pies,

ay de mí, dolor inseparable de los pies traspasados que me
obligaron al eterno báculo, ahora entiendo por qué fui
capaz de descifrar el enigma de la Esfinge, cargaba la respuesta en los pies y en el bastón, el bastón era el arma, la
injuria de mi nacimiento, el mando represivo, el cetro para
golpear y dar órdenes, por ese infortunio me llamaron
Edipo, el de pies hinchados, y como hube de sostenerme
para no caer, un dios me entregó el derecho de mandar y
un báculo para imponer mi ley, un dios lo hizo, y dominé
los enigmas que sirven para tiranizar a los hombres, pero
dime, nuncio de Corinto, quién me ató los pies, sabes quién
me llevó al Citerón, dices que era un hombre de la servidumbre de Layo,

era un hombre de la servidumbre de Layo,

era un hombre de la servidumbre de Layo,

vive aún, quiero verlo, hablarle, tú sabes dónde está ese
hombre, Yocasta,

calla, Edipo, olvida, gobierna solamente, mata, sáciate con
los sufrimientos y con mi horror, pero no sigas indagando,
una rama con demasiados frutos se desgarra, ya es suficiente,
conságrate al poder, despliega tu furia en los conspiradores
y verás que todo ha sido un ardid para empañar tu gobierno
y acosarte en el delirio,

si yo fuera débil sufriría menos, Yocasta, pero los hombres
como yo, los hombres nacidos bajo la voz del dios, los hombres con un plan divino en el corazón y un cetro en la mano,
los hombres frente a los cuales calló la palabra de la Esfinge
y se impusieron sobre la razón, esos hombres pavorosos
están condenados a sufrimientos inconmensurables que sólo
ellos pueden resistir y sólo ellos pueden comprender, la maldición de mi existencia es la bendición del poder, sólo hombres
como yo pueden hacer un hecho sagrado de la muerte,
Yocasta, me dices que desearías mi muerte ahora mismo,

mejor no hubieras visto la luz del día, tu vida ha sido e
peor de los sueños, la más penumbrosa de las decisiones
naciste de un pecado, Edipo, naciste de un orgullo, no te
digo más, adiós, buscaré la paz oscura cuando tus gemidos
lleguen al infierno y crezcan y no terminen,

vete, yo hurgo en los misterios, una vez respondí a la
Esfinge su pregunta, iba a tres pies, con mi cayado todavía
sucio de sangre, y me esperaba aún el otro orgullo, el de
poder, el trono de Tebas,

se aproxima un anciano, ese hombre es el pastor de Layo
el  más fiel pastor del antiguo rey,
dime, anciano pastor, ibas al Citerón, viste algo extraordinario, contéstame, no cierres la boca, le contesto, rey, yo
iba al Citerón a apacentar los rebaños cadmeos, y viste
alguna vez a este nuncio de Corinto, hiciste tratos con él, no
lo recuerdo con claridad, yo puedo ayudarte, el Corintio
puede ayudarte a recordar, yo apacentaba mis rebaños en
el Citerón, tú apacentabas conmigo en aquellos días, nos
encontrábamos, nos decíamos todo, relatábamos historias
éramos felices, improvisábamos melodías con la siringa
consumíamos los largos días de pastoreo juntos y luego nos
separábamos, dices verdad, pero son tiempos lejanos, ya
casi los había olvidado, y no recuerdas que un día me diste
un niño, por qué hablas de eso ahora, y el niño tenía los
pies atados, por qué recordar eso ahora, ya pasó, nadie lo
recuerda, nadie, pero ten piedad, no agites el polvo, este
hombre que ves era aquel niño, quiero irme, habla del niño
habla de mí aunque sea llorando, quiero irme, no irás a gol-
pearme, oh desdichado, mi vida sólo origina desgracias, le
entregaste aquel niño al corintio, dilo, sí, pero de quién era
el niño, quién te lo dio, yo emprendí una acción honrada
no podía exponer la tierna vida a la noche, al sol, a las fieras, a los vientos, yo amé la ternura de aquel niño desde
que lloró en mis brazos, dadle de latigazos, debe hablar, no
era mío, lo recibí de otras manos, di pronto, de quién era el
niño, no pregunte más, por piedad, señor, cortadle los pies
con la espada, es preciso que hable, ya nada puede colmar
la sed que me invade, el niño era de la casa de Layo, de la

estirpe de Layo, era hijo de Layo, por qué te lo entregaron, ya no puedo seguir, dime por qué te lo entregaron, yo tenía la orden de abandonarlo en el Citerón a causa del oráculo, porque en la criatura se había empeñado la palabra de un dios, y se lo diste a otro pastor, se lo di por piedad, me lo dio por piedad y lo recibí por piedad, el niño iría lejos, a otras tierras, en donde no se cumplieran las predicciones,
si eres tú ese niño llevas un mandato divino en la sangre, la fortuna y la condenación de gobernar y destruir,
oh iluminación implacable, dios que me da luz y me ciega, me creo puro, vislumbro un puerto en el que ya todo es indubitable, acuso a mis enemigos de malvados y comienzo a sentir la tranquilidad de la razón, estoy libre de hacer y deshacer por mandato divino, yo, el más grande de los reyes, sé muy bien lo que me corresponde, seré tirano, impondré mis deseos bajo la forma de ley, la disciplina de los hombres será el fruto de mi látigo, haré sufrir dolor y producir bienes, la tiranía, el trabajo de los hombres y el castigo van de la mano, ya no hay duda, el pavor que proyecto es la necesidad de obediencia que domina a los hombres, no me quedan secretos por descubrir, tal vez fue innecesario huir de Corinto porque mi destino de rey habría sido el mismo, las voces del dios señalaron mi vida, escuchad, hijos de Cadmo, tebanos miserables, no es preciso asombrarse si en los tiempos antiguos, mucho antes de que nacieran los grandes imperios del mar y de los ríos, las palabras del oráculo sonaran un poco ambiguas y apretadas, pues no era en los ritos de adivinación un individuo cualquiera quien interrogaba al dios sobre la compra de un esclavo o un viaje mercenario, antes bien eran ciudades poderosas, reyes, tiranuelos de ambiciones sin límite quienes hablaban y consultaban al dios sobre asuntos públicos de suma importancia, irritar a esos tiranos con respuestas desagradables o contrarias a sus deseos hubiera causado dificultad a los sacerdotes, el dios siempre vela por sus funcionarios terrestres, cuida de que al cumplir su oficio no se expongan a manos criminales, por ello, sin ser falso, Apolo manifestaba la verdad con rodeos, escondiendo su dureza, dando oportunidades de esquivar el infortunio, entre las

revelaciones hechas a los pueblos había algunas que era
preciso disimular a sus gobernantes, o no revelarlas a los
enemigos antes de los acontecimientos para que no influ-
yeran en el curso de la historia, por eso las pitonisas tras-
mitían la palabra divina con circunloquios y penumbras
que empañaban el sentido de los oráculos a los enemigos
sin ocultarlo por ello a quienes se esforzaran verdaderamente por comprenderlo, en mi caso os digo, tebanos,
Yocasta mía, ya que han cambiado los tiempos de los hombres y han madurado imperios feroces sobre la tierra, el
oráculo fue claro y tan luminoso como aquel mediodía de
mi victoria frente a la Esfinge, mi nacimiento necesario en
la casa de un rey celoso del hijo sin concebir, mis pies
deformes y mi báculo, el azar del Citerón, los crímenes de
mi peregrinar, el lecho siniestro de las pasiones y esta conspiración de Tebas son las pruebas del gobernante, porque
la potestad de reinar sobre los hombres florece más acá y
más allá de las pasiones y de los tormentos, ya que no hay
duda bajo el cielo ni las voces por las que habla el porvenir
nadie escucha una palabra divina que se oponga, el oráculo
habló sin enigmas ni dubitaciones, seré inflexible, seré la
ley, seré dictador, acabaré con los perversos de la sedición,
viene un heraldo gritando, oh varones de la tierra cadmea,
niños pálidos, niños flacos, hombres de poca fe, tebanos
desdichados, ni las aguas del Istro ni las crecientes del Fasis
podrán borrar los dolores de esta casa, ninguna estirpe, ni
la de Tántalo, ni la de los hijos de Príamo, conoció tanta
amargura, la divina Yocasta, la reina, ha muerto y su
cuerpo cuelga inánime, cuando huyó de aquí fuese al lecho
nupcial y condenó los coitos con Layo y maldijo el amor
que la unió a su hijo Edipo y arrancóse los cabellos y exe-
cró su hado e increpó al linaje real y desdeñó el poder e
infamó a todas las estirpes de los reyes y retó a los dioses
porque hablan engañosamente y se quitó la vida sobre el
lecho donde se había entregado a dos amores sombríos
ay de mí, varones de la tierra cadmea, ninguna estirpe
conoció jamás tanta amargura,
ahí te siento, esposa mía imposible, en el vacío, meciéndote
como un péndulo, blanda como los hombres, no quisiste el

pecado de los inmortales y de los poderosos y caíste, yo no puedo sentir amor, te has castigado, fuiste incapaz de resistir la soledad del poder, desdichada, no amaste jamás el desgarramiento de la vida, estoy seco, a nadie hablaré con tristeza, nunca, desde ahora, pues acabo de sentir la última angustia de mi vida, la dubitación postrera, mi único instante de debilidad en la arrogancia del mediodía, he querido arrancarme los ojos con tus broches de oro, Yocasta, pero no, pues los hombres esperan mis mandatos, nací en la maldición y esta maldición es mi piedad y es ahora cuando empieza la verdadera tiranía, yo emprendo el vuelo de las águilas, si la Esfinge renaciera se volvería a arrojar contra las rocas, cuando una maldición se cumple ya ni el bien ni el mal pueden hacer nada contra el dictador, yo soy el bien y el mal, estoy antes y después del bien y el mal, ahora camino con cuatro, con dos y con tres pies al mismo tiempo, sólo yo marcharé sobre las piedras de la vía sacra, porque soy lo que se encuentra más acá de los enigmas y de la vida, mis órdenes se cumplirán y yo comenzaré mi tarea del gobierno infinito borrando las discusiones y la conspiración para siempre,

te escucho, señor de la historia, señor de las naciones,

el dios me condenó al pecado y me hizo rey, a partir de ahora soy yo quien señala los pecados e impone los castigos, la hora de la obediencia ha llegado, la obligación de mandar y reprimir sin condiciones se ha iluminado en mí, así somos los hombres, en mí habla el gobierno, los ciudadanos me esperan, obedientes, como corderos, ansiando un puño que los doblegue y una voz que les hable a gritos, el hombre se odia en soledad, yo me encargaré de cultivar ese odio para que se imagine que la represión le viene de sí mismo, yo le haré creer que los golpes son necesarios para sobrevivir y como premio por su absoluta pasividad le haré soñar que no es el responsable de la culpa ni del hambre ni del horror de los hombres que hacen sufrir a otros hombres, pero nadie dormirá tranquilo porque todos sabrán que yo vigilo con ojos celestes y una espada de fuego en la mano, un día, antes de mi nacimiento, los dioses me destinaron a la dictadura la dictadura y a la represión, y he de

cumplir con la naturaleza de los gobernantes, aunque el
dios se esconda, pues lo sé todo y revelaré cuáles son los
designios insondables del cielo, tendré funcionarios terribles en mi servidumbre, jueces sin juicio, médicos sangui-
narios, cantores que velen la ignominia de los hombres,
soñadores abrumados por sus visiones nocturnas, yo os
digo, súbditos de Tebas, yo os aseguro desde mi soledad
inconmensurable que no hay vida que mientras dure me
atreva yo a ensalzar o a condenar, el azar derriba y el azar
pone en pie, hoy a un venturoso, mañana a un desdichado,
y nadie hay que pueda barruntar lo que le espera, excepto
la obediencia y la muerte, esclavos de Tebas, os anuncio la
llegada del reino, esclavos míos, escuchad por última vez,
durante el milenio que empieza la ley del hombre fuerte
será justa, a partir de hoy vuestro deber será el silencio porque no existe otra justicia que la de la postración y la
entrega, vuestro rey tiene gracia, una gracia infinita, halla-
réis la paz y la justicia humillándoos ante su báculo, he ahí
la suerte que espera a los hombres,
he ahí la suerte que espera a los hombres,
mi porvenir, vuestro porvenir, esclavos míos, hijos del
imperio, miserables amadísimos, yo no necesito hombres
que piensen sino bestias que trabajen, os recuerdo una historia edificante, yo doblegué la palabra de la Esfinge, yo
derroté a Layo y a los conspiradores de Creón, yo triunfé
sobre la pureza del amor y hablo por un dios, en verdad os
digo, cuando yo levante un dedo el efecto se sentirá en
el universo entero, cuando yo tiemble se conmoverá el
mundo y tendré fuego en los ojos y castigaré con látigos y
piedras ardientes y vigilaré con los puños cerrados y des-
truiré a los insolentes, yo Edipo el tirano, dominaré por los
siglos de los siglos, mientras los niños gimen y queman
incienso y llevan coronas de mirto sobre la frente y entur-
bian el aire de oraciones, y nadie, ninguna fuerza del
mundo podrá derrotar el orgullo de este hombre sin corazón que hoy inaugura su reino infinito, y no habrá alegría
sobre la tierra, aunque yo mismo cultive en los ingenuos y
en los hombres de mucha fe la esperanza de que es posible
algo distinto al sufrimiento y la obediencia, ciudadanos, me

dirijo hoy a vosotros y reclamo vuestra atención en mi doble calidad de soldado y jefe de gobierno para hablaros de asuntos de la más grande importancia. Hasta ayer nuestro país se hundía en el abismo...

POSTSCRIPTUM AL EDIPO

*Reconozco mis deudas: en* Había una vez un tirano llamado Edipo *convergen lamentos e ideas de autores muy diversos. Además de* Oidipous tyrannos, *sin embargo, su fuente principal emana del carácter de las dictaduras, no tanto y no sólo porque los gobernantes brutales signifiquen un ejercicio excepcional o una usurpación del poder entre los hombres, sino porque revelan trágicamente la esencia misma del poder.*

*He recurrido seis veces al* collage, *con citas breves substancialmente modificadas y adaptadas al discurso (Sófocles, Plutarco, Escrivá...). Aunque redacto de nuevo lo que atañe al mito del águila solitaria, tomo en préstamo su reinterpretación de uno de los artesanos de la seguridad nacional militar-estatal latinoamericana. Las palabras finales podrían encabezar la proclama de Poder de cualquier comandante-en-jefe-de-gobierno contemporáneo: el discurso del tirano Edipo es circular, pero... ¿hasta cuándo?*

# IVÁN EGÜEZ
## (Quito, Ecuador, 1944)

N A R R A D O R y poeta ecuatoriano de reconocida trayectoria artística. La primera novela de Egüez, *La Linares*, se publica un año antes del lanzamiento de *Entre Marx y una mujer desnuda*, la novela de Jorge Enrique Adoum, otro distinguido escritor de las letras ecuatorianas. Ambos libros —por diferentes vías— se ubicaban entre las obras narrativas ecuatorianas más importantes de los setenta, con una influencia y significación decisivas en las dos décadas siguientes.

Hasta la publicación de *La Linares*, Iván Egüez, asociado al grupo de los Tzántzicos, se había dedicado a la poesía y —junto al escritor Raúl Pérez— había impulsado enérgicamente la dirección y difusión de la conocida revista *La Bufanda Literaria*. Egüez veía las actividades del crear y difundir como responsabilidades inseparables del escritor. La creación, en su concepto, debía buscar distintos puntos de relación cultural, ser asequible mayoritariamente, contextualizarse en la discusión y el diálogo continuos, escapar de la esfera aislada, ahuyentar el elitismo, trascender la idea de grupo y generación buscando una relación dinámica con el acontecer cultural nacional e internacional. Promover no contenía la idea de fama sino de extensión del arte como producción social. Este intenso período de esfuerzo y dedicación del escritor ecuatoriano a la creación como efectivo portador cultural es descrito por Fernando Tinajero: "Y esa revista... fue obra de Iván Egüez sobre todo. Fue él quien corrió con todo el trabajo

372

de coordinación, de diagramación, de impresión y difusión; fue él quien animó al grupo de redactores, el que propuso ideas... fue él quien exploró más allá de nuestras fronteras para encontrar los contactos convenientes... Iván Egüez fue el motor de la *Bufanda*. A ninguno de los que hicimos la revista se le ha ocurrido jamás regatearle esa condición que le hace ingresar en la galería de los grandes animadores culturales de nuestro tiempo". (Prefacio a *El poder del gran señor*. Quito: LIBRESA, 1992, p. 15.)

La publicación de *La Linares* —continuamente reeditada (trece ediciones hasta 1995)— le trajo a Iván Egüez la distinción del Premio Nacional Aurelio Espinoza Pólit y una sostenida atención a su narrativa, proseguida con dos novelas de notable factura y tres colecciones de cuentos cuya fina realización le llevara a la escena internacional por medio de las traducciones a varios idiomas e inclusión de sus relatos en diversas antologías publicadas en México, Francia, Alemania, Italia y Estados Unidos. Pablo Martínez, refiriéndose a *El poder del gran señor*, ha puntualizado acertadamente sobre los constituyentes del lenguaje popular y los procedimientos modernos ("farsa", "parodia") de que participa el nuevo horizonte novelístico del escritor ecuatoriano: "Egüez nos entrega una fascinante e inolvidable novela que ilustra, por su contenido, estilo y lenguaje, uno de los caminos por los que parece orientarse la novela ecuatoriana del siglo XXI: una nueva novela socio-política de alcance y difusión populares, a partir tanto de la crítica histórica y de la creación y rescate de lenguajes populares como de la redefinición de los conceptos de la cultura popular y neopopular, la praxis de la literatura, la participación comprometida, el cuestionamiento del arte y el consumo de estética" (*El poder del gran señor*, ed. cit., p. 54).

Iván Egüez realizó sus estudios en la Escuela de Periodismo de la Universidad Central del Ecuador, graduándose en 1966. Además de su participación anteriormente descrita en el equipo de redacción de la revista *La Bufanda del Sol*, dirige el taller literario *Tientos y Diferencias*. Visita Chile a comienzos de la década de los setenta; a su regreso se reincorpora a las actividades de extensión cultural y es nombrado Director del Departamento de Difusión Cultural de la Universidad Central del Ecuador.

El cuento seleccionado, incorporado al volumen *El triple salto* (1981), nos sumerge en la fascinante re-creación narrativa de Miosotis, una vidente, médium de la escritura y de la fabulación circense que sabe jugar con los extremos del erotismo y la muerte, el amor y la violencia en el corazón de toda apariencia, en las magias de las constelaciones y los naipes, en las exquisitas duplicidades de lo real, en los desdoblamientos de la escritura y de las invenciones ocurridas bajo los llantos y risas imaginarias del circo.

# MIOSOTIS

Rojas huyen las estrellas en espacios eternos,
rojas en el metal de su reposo buscan constelarse en
libros invisibles para leerse mutuamente los destinos
(...). Envían un perfume de amores para la estación
del cielo. ¿Cómo pueden saber, tan lejanas, que en
el temblor de nuestra cópula devolvemos sus sonrisas? ¿Cómo, entre danzas, ocultamientos, búsquedas, mimesis y entrega, se instalan en los árboles
y persiguen al más pequeño de nuestros amantes? Perfumes astrales, miles de helio en el eje de
las hojas ¿Por qué será el amor anticipo de la
muerte?

Mario Satz, en *Marte*

E L enano no se llama. Le dicen Orito. Yo soy Miosotis,
médium, hipnotista y vidente. Yo era la única mujer con
quien se había acostado el enano. La única hasta ahora. Las
cartas me dicen que su vida y la mía ya no son un abigarrados de bastos. Ahora el mazo me echa un cruel tres de espadas en el corazón tanto como en el tapete. Y el naipe nunca
miente. El naipe no es como el enano maldito. Miro las
estrellas y las estrellas hablan pese a la vergüenza. La Cruz
del Sur me dice: "tu hombre ha rutilado un viaje". La estrella Navío de Argos me confirma. En Argos se viaja hacia
otra mujer o hacia la muerte. Hoy depende de mí ese
puerto. Enano malnacido. Pongo mi oído en Caracol Negro
y el caracol me deja oír las risas de aquel junto a una mujer
flaca, de copete, que le mima y amorisquea diciéndole
"tes-o-rito". La mujer fuma y ha comenzado a tener arrugas

375

en las manos y el cuello. Veo cómo se quita el vestido azul
de terciopelo y tapa con los brazos sus senos alicaídos. Él se
acerca y la abraza, mete su cara en el vientre de ella y se
queda ahí sollozando mientras la vieja le acaricia la cabe-
zota como limpiando una sartén. Quiere agacharse y él no
la deja. Quiere cargarlo y él la patea en las canillas. Ella se
asusta viéndolo tan ofendido y, sin decir palabra, se frota las
canillas con babas. Él aprovecha que ella está agachada y la
patea en la cara. ¡Ay! dice la vieja, como si se le hubiera caído
un ojo, como si el ojo caído estuviera viéndola golpeada,
viéndola cómo se envuelve en su propio pellejo para seguir
recibiendo los vituperios y los ultrajes, las puñadas secas,
de niño grande, envejecido. Lo demás ya no necesito verlo:
ella parece resignada porque su quejido ya es el mismo en
cada golpe, una salmodia de humillación sin cara al cielo
sino contra la tierra, como si el piso fuera el pecho del mea
culpa. Ya no se defiende, pero se queja. Como si eso la aliviara, pues poco a poco va estirándose a los pies del enano,
estirándose silenciosamente para que el enano no despierte
de su violencia, enseñándole las espaldas para que él las
mortifique y corrompa con la tralla. La ceniza del tabaco me
dice que no es la primera vez que está con ella. Enano traicionero. Si no hubiera sido por mí no hubiera conocido
pelo de mujer. Treinta años de rascarse las partes hasta
conocerme. Yo le encontré espiando por las junturas del
barracón de Miss Killy, manoseándose como los monos en
las jaulas. Enano desproporcionado con cabeza y cosa de
caballo. Admirada, yo le dije esa noche que en vez de Orito
él pertenecía al orden de los barraganetes, de los enano-
saurios. Así comenzó todo, de pura chiripa. Yo, Miositis, le
llevé a la cama por esa sensación de tener un hombre adentro
y al mismo tiempo la sensación de estarlo pariendo. Enano
atrevido. Me pegó desde la primera vez hasta hacerme
sangrar. Entonces consulté a las estrellas, y las estrellas
me dijeron que le tenga al enano como a una pepa de naranja:
sin apretarlo para que no se vaya. Y las estrellas no dijeron
nada de las palizas que me daba. Calé que el enano, por su
cosa era protegido del celestarium. Y hubiera sido asunto
de ponerlo en las faldas y reprenderlo como a hijo, pero

Orito era tan hombre, tan mío y no de nadie, que merecía el soportarlo. Enano malagradecido. Ahora vendada los ojos como en el circo, le veo sobrepasándose con la mujer de manos arrugadas, veo que ella pasa del placer al miedo, al terror, y toma un cachivache y lo lanza sin llegarle. Él se enfurece más, la escupe mientras le pega y ella, mágicamente, empieza a calmarse, a adoptar mi sonrisa y mis ademanes, a burlarse de él —como yo hago siempre— para enfurecerle, a decirle ¡Horita Orito!, a correrse para que él desespere, a gritarle: ¡Oro, Oro, mi enano es un tesoro! Y él le grita a la vieja: ¡Miosotis, te voy a matar! Y la vieja empieza a rejuvenecerse, la veo con mi diente de rubí, con mis trenzas y mis poses. Hago que le insulte en caló para que él no entienda y desespere más. Entonces el enano empieza a botar espuma de la rabia, desnudo y pornográfico hasta la médula, corriendo como un monstruo por la casa de la vieja, de la vieja que empieza a vestirse, a ponerse sus faldas por los pies como gitana, que empieza a torearle al enano mientras le lanza escaleras abajo y le remata con un florero de bronce en la cabeza y sale corriendo a la calle rumbo acá, donde pregunta desesperada por el carromato de Miosotis y desde las escalas me llama agitada y yo salgo y la recibo y le digo no me cuente que ya sé todo: el enano está en los quintos infiernos. El cielo se mueve con estrellas y todo. El cielo se viene abajo. Entonces desciendo las cuatro escalas del carromato y la veo otra vez vieja, con su cuello y manos arrugadas, ya sin ese garbo de gitana, ya sin esa prosa única que proporciona la venganza. Y nos abrazamos las dos llorando porque después de todo hemos perdido al hombre.

# CARLOS ITURRA

## (Santiago, Chile, 1956)

"E L apocalipsis según Santiago" es uno de los once relatos del volumen *Otros cuentos,* de Carlos Iturra. El tema
del Apocalipsis o el de su utilización como motivo han
constituido una persistente fuente de plasmación artística.
Su ejecución, por otra parte, no ha estado exenta de dificultades. El escritor consciente sabe que es particularmente arduo penetrar literariamente en el tópico de lo
apocalíptico a través de una estética y una tecnificación
narrativa que abandonen la elementalidad de la representación y la derivación de simplismos. La realización de Carlos Iturra salva exitosamente este desafío. El cuento es
llevado con un control eximio, lográndose una plasmación
luminosa, de novedosa intensidad y motivada por la uni-
versalización de sus significados. Uno de los recursos narrativos en esta pieza de Iturra es la producción entrelazada
de ambientes que hay en el cuento: el de la ciudad en ruinas, el de los dos personajes que transitan por los escombros, y el del Teatro Municipal de Santiago donde se
ejecuta una sinfonía en el momento que comienza la devastación.

Los tres escenarios proveen revelaciones sobre la llegada
del apocalipsis y el horror de la destrucción, pero en dos de
ellos la comprensión y la exégesis son sofocadas: los personajes —dos sobrevivientes que buscan alimento y refugio
en los desechos de la aniquilación— son apenas sombras
enfrentadas al caos y la muerte; la ciudad, a su vez, es el
espacio destruido o controlado por el miedo de sirenas,

explosiones, bombardeos, la presencia de camiones blindados, soldados y ametralladoras. Queda la grabación de la
sinfonía "Cráduple Cero", encontrada entre los despojos
de la ciudad asolada como la fuente posible de lectura. Su
hermenéutica trae el trasfondo textual bíblico, el anuncio
de los sellos, el sonido de muerte de las trompetas. La
inconclusión de la sinfonía de Santiago de Chile es con-
frontada en una interpretación intersectada de texto y
musicalidad, definida por la visión personal y social de lo
histórico, de la profecía bíblica y de la pieza musical, ejecu-
tada ahora con el ritmo *in crescendo* de ese final omitido
de "la versión de Santiago". En el examen reconstructivo de
esa grabación musical —anteriormente interrumpida por el
acontecimiento de exterminio social— se expone la irracio-
nalidad de la violencia en la Historia y por ende la posibilidad cíclica de un advenimiento apocalíptico.

Los cuentos de Iturra han sido incluidos en varias antologías nacionales y extranjeras. "El apocalipsis según Santiago", "Alicia perdida" y "Aurora boreal" figuran entre
las mejores realizaciones de Iturra; son piezas de notable
factura narrativa. Carlos Iturra Herrera realizó estudios
de derecho y filosofía y participó en los talleres literarios de
los escritores chilenos José Donoso y Enrique Lafourcade. Ejerce regularmente la crónica literaria en medios de
la prensa chilena como *El Mercurio*, *La Nación* y es editor
de la revista de libros y literatura *Reseña*.

# EL APOCALIPSIS SEGÚN SANTIAGO

S E detuvieron las explosiones; el ulular de las sirenas. La húmeda oscuridad del anochecer volvió a imponerse.

—¿Te acordai[1] vieja cuando fuimos a Cartagena? —preguntó él—. Estos días de invierno, como a esta hora, cuando llovizna, me acuerdo de Cartagena. Claro que allá era pa' cagarse de calor.

—No me voy a acordar. Si es el único viaje que nos pegamos, y eso que siempre andábamos con que íbamos a viajar. Entonces... yo estaba esperando al Peirito.

La atmósfera exudaba, como los muros de un subterráneo, agua impalpable, descendente.

—... Qué será del Peirito... —dijo él. Miraba la cara de la vieja, corroída por las sombras, sin esperar respuesta. Los dos pensaron en el Peirito. En dónde podría ser que estuviera, y cómo. No pensaban muy a menudo en él, porque si lo hacían durante más de cinco segundos seguidos se les subían las lágrimas a los ojos. Así que... Él estaba por cambiar de tema cuando de nuevo atronaron las explosiones, lejos.

—¡Qué miéchica[2] más creís que va a pasar, Peiro, si ya está hecho tira tóo...! —reflexionó ella, vuelta hacia el curso de agua sucia —unos veinte centímetros de ancho—

---

[1] *acordai:* acuerdas; forma del voseo en Chile. Aparece a través del cuento: *podiai, estuvierai, hablai, queriai, sepai, estai, vai, tenís, sabís, creís, querís, escondís,* etcétera.

[2] *miéchica:* en Chile y Perú, exclamación que indica disgusto o sorpresa; ¡caray!

que resbalaba de poza en poza a unos veinte metros de distancia. Él tomó una lata conservera, de las que antes, cuando tenían con qué, utilizaban como ollas y platos, y la tiró hacia las piedras entre las cuales debería deslizarse el río. Dijo con rabia:

—Fíjate no más, medio Mapocho[3] que queda.

Río arriba, hacia el centro, relampagueaba. Las sombras iban convirtiendo la silueta del cerro San Cristóbal en una ola de color negro, inmovilizada sobre la ciudad, recortada contra el azul cobalto del firmamento.

"Las 650 personas muertas en el Teatro Municipal de Santiago durante las celebraciones oficiales de las Fiestas Patrias de aquel año se encontraron, al momento del huracán de fuego, casi exactamente en el centro del mismo, lo cual ha permitido presumir que sólo alcanzaron a percatarse de un resplandor incandescente antes... de la volatilización. El programa de esa noche, a cargo de la sinfónica local dirigida por Van der Suthland, comprendía dos obras: la obertura Leonora y la sinfonía de Bruckner, descubierta en los archivos de Sankt-Florian el año 1956, que se conoce como la "Cuádruple Cero", conforme a la numeración de Linz. El Himno Nacional, que inició la noche, no está recogido en la grabación hoy día tan famosa.

Pues bien, nadie ignora que los tres últimos movimientos de la sinfonía no alcanzaron a ser ejecutados, pero se repite que al ocurrir la hecatombe había ya concluido el primero, lo que es un error grave; no había concluido aún.

La confusión es comprensible: ese movimiento inicial termina de forma engañosa y la verdad no figura íntegra en la referida grabación, que se conservara en sótanos bajo cerros de piedra y tierra."

Tras cuarentaiún años de andar juntos no hay amor ni odio; un animal de dos cabezas, cuadrúpedo, bisexual; ya asexuado. Hambriento. Eso eran.

---

[3] *Mapocho:* nombre del río en Santiago de Chile.

El puente se estremeció: camiones blindados se dirigían a los gigantescos hollejos de uva negra de las bodegas; vacías, intensificaban el anochecer al otro lado del río y de las líneas férreas.

—Esos, pa'ónde van —dijo ella, con la cabeza inclinada hacia el suelo, rascándose la nuca; siempre se rascaba algo, desde siempre. Una vez él llegó a pegarle por eso. Ahora no le pegaba, por nada. Ni ella estaba todo el tiempo como víbora al acecho. A lo mejor, si hubiera querido, habría podido pegarle ella a él; con uno de los tarros; con alguno de los palos o ramas que usaban para todo.

—Deben ir pa'l barrio de Maipú, se me ocurre —contestó él, por decir algo.

Había oído que en Maipú aún tenían verduras, y quizás qué más; tal vez fruta.

—Podíai ir a darte una vueltecita por Maipú,[4] Peiro; tengo las tripas como alambre.

Él se hundió otro poco en las bolsas, acomodándose. No hacía frío, pero lloviznaba.

—Peligroso —respondió, rastrillándose la barba con las garras—. Anda vos si querís. ¿Te dije o no te dije cómo está la cuestión pa'l centro, cuando fui el otro día?

—Pero eso es pa'l centro —dijo ella—. El centro no es Maipú.

—Igual no más. Peor; como Maipú es puro campo casi, te pillan altiro[5] y te meten una bala. En el centro te escondís en cualquier parte.

Faltaba poco para que la noche se completara; sólo franjas de granate matizado con verde, sobre la cordillera de la costa. Aunque hacia el centro relumbraban diversas llamas; focos antiaéreos; incendios.

—Voy a prender fuego. Ya no veo —dijo ella; empezó a moverse y agregó—: Después voy a revisar otra bolsa, porque es mucho lo que estoy hambriá.

En total, tenían cinco bolsas de basura.

"El estudio de esa grabación tan tristemente significativa muestra el clima de tensión que imperó aquella noche. La sala, semivacía —pues sólo se llenó hasta la primera fila de palcos— lució en su noche final un esplendor moderado —función de gala en ciudad sitiada, bajo ultimátum— pero también padeció el influjo del miedo reinante que se manifiesta desde que se apagan las luces.

En más de una ocasión los bronces de la orquesta recibieron el refuerzo de las sirenas y otras tantas creció el efecto de los timbales con las explosiones. Las lágrimas de la araña, como un gran crótalo cerniéndose en el aire, contribuyeron con su tintineo. Hay el grito de una mujer que —quizás— se tuerce un pie camino al baño. Hay un bajo continuo de murmullo. Pieter van der Suthland está claramente desconcentrado. Se limpia la transpiración, baja del podio a recoger la batuta...

Nadie pudo sentir que la idea de juntarse en tales circunstancias, para oír música, había sido una buena idea. Todos estaban temerosos de no tener luego cómo salir del teatro, o de no poder volver a sus casas y refugios; o de ser bombardeados, naturalmente.

Parte la grabación con una menesterosa Leonora, vaga, casi incoherente, próxima al caos. Las cuerdas desafinan a menudo de modo más notable que el resto de los instrumentos, salvo el oboe, a cargo de una novata que esa noche actuaba con la orquesta por primera vez: "Silvia Lutz, veintitrés años", consignan —o acusan— los programas rescatados.

La palabra *capitulación,* que flotaba desde hacía días en el aire lleno de humaredas, comenzaba a correr de persona a persona, entre sospechas y sobresaltos. Cuando Van der Suthland alzó las manos, marcó el tiempo y dio inicio al primer acorde del primer movimiento de la sinfonía, faltaban 24 minutos exactos —si nos guiamos por la impecable versión de Jascha Horenstein— para la conclusión del mismo; un minuto y medio antes de dicha conclusión, es decir, a los 22 minutos y medio de comenzada la obra, tuvieron lugar el desastre y el silencio, sobrevenidos justamente durante un silencio, o cesura, de la orquesta. De aquí proviene el

error que se comete al dar por concluido un movimiento
que no concluyó. Basta confrontar la partitura original con
la grabación recién descubierta en las ruinas de Santiago
para advertir que a ésta le falta lo que impropiamente se
podría denominar coda; o, en cualquier caso, final.

Veamos."

Lo hacían por comodidad: una vez a la semana arrastraban
las bolsas hasta el basural, las vaciaban, hurgueteaban y volvían a llenarlas de basuras escogidas. Regresaban con ellas y
las alzaban hasta la base de concreto del puente. Antes vivían
unos metros más arriba; toda la zona inferior del puente, que
ahora resultaba un perfecto refugio, estaba entonces cubierta
por el agua. El humo subió de los cartones y ramas secas y
los rostros se perfilaron entre cuchilladas de luz rojiza.
Ambos estiraron sus manos hacia el calor y se miraron a las
espirales de sucias arrugas en cuyas profundidades les brillaban los ojos. El camino de hollín trazado por las fogatas en
el concreto se perdía en la oscuridad rumbo a lo alto del
puente y parecía marcar una separación entre los dos.

—Mejor morirse de hambre aquí antes que baleado por
allí, o con una bomba en la guata[6] —dijo él. La mujer abría
una bolsa —escogió el saco papero[7]— y comenzaba a tasar
desechos.

—No te digo que cuando fui pa'l centro me topé con un
montón como de cincuenta fiambres, unos encima de otros,
y tóo lleno de sangre, la cuneta, que vos te refalabai...[8]

—Puras cochinás —protestó ella, dejando caer del
zócalo de la base cáscaras resecas y botellas vacías.

Al centro, lo que se llama centro, él no había llegado.
Una vez se fue por el lecho seco del río hasta la antigua
Estación de Ferrocarriles, que era un enorme esqueleto de
hierros retorcidos; ahí salió a la superficie y caminó hasta la
vega:[9] no había una verdulería, una pescadería, una frute-

---

[6] *guata:* barriga.
[7] *papero:* de patatas.
[8] *refalabai:* resbalabas.
[9] *vega:* en Chile, mercado.

ría abierta, desde luego. Él llevaba consigo, a ver si las cambiaba por comestibles, varias monedas, una de oro incluso —perteneciente a la colección de cosas valiosas que habían atesorado en su deambular de años: dos anillos, una perla, un reloj, aretes huérfanos...—. Pero anduvo y anduvo entre tiendas cerradas o saqueadas sin cruzarse ni con una paloma. Divisó, en cambio, las ruinas oscuras de la iglesia de Santo Domingo, que se había desplomado sobre los fieles durante un bombardeo; vio edificios semiderruidos, algunos sin sus últimos pisos.

—¿No creís, vieja, que los que se mueren rezando se van al cielo, derechito?

La mujer acercó al fuego un trozo negruzco, reseco, lo olió, y como si lo lanzara desde un bote, dijo:

—No sirve—. Agregó—: Claro que se van al cielo, si estaban rezando. ¿Dónde se van a ir, si no?; más que debíamos ponernos a rezar nosotros, que estamos muriéndonos de hambre.

—Pucha[10] que tenís hambre, oh. Como si no estuvierai acostumbrá. Yo no tengo na de hambre.

—Yo sí, poh.[11] Estoy cagá de hambre. Podíai ir a buscarte algo al otro lao que fuera. Yo caliento agüita mientras tanto.

El viejo volvió a acomodarse entre las bolsas. Respondió con sorna:

—¿Y no querís más...? ¡Hay guerra, hueona,[12] hay guerra...! ¡Hay guerra y ella quiere tomar agüita caliente!

Bostezó, llevándose ambas manos a la rodilla vendada.

—Yo me acuerdo cuando fuimos a Cartagena —dijo—. Ah, eso fue bueno...

"No es el momento de referirse a la totalidad de la Cuádruple Cero, pero se debe recordar que su esquema general corresponde a un *allegro-agitato*, donde se representa el Juicio Final...; un *adagio*, marcha fúnebre por las ilusorias

[10] *Pucha:* en América del Sur, exclamación de sorpresa; ¡caray!
[11] *poh:* pues; usual en el habla informal en Chile.
[12] *hueona: huevona;* vulgarismo. Imbécil, idiota.

bellezas del mundo; un *scherzo*, interpretado por algunos como la Resurrección de la carne y por otros como el paso por el Purgatorio, y un *lento* final; todos coinciden en que es el Paraíso.

Lo que nos interesa, ciertamente es el *allegro-agitato*, cuya belleza se ha hecho célebre en la tan intensa cuanto inacabada versión de Santiago. Siguiendo el esquema de la sinfonía clásica, Bruckner comienza ésta, como casi todas las suyas, con una introducción lenta, muy lenta, que las innumerables copias vendidas por la presente grabación tal vez ofrezcan demasiado rápida. Es fácil imaginar la causa. Esas brumas iniciales, en Horenstein y en Eugen Jochum insuperablemente amenazadoras, acá se despachan con premura, buscándose enfrentar pronto la mole del *tutti*. Que consiste, por su parte, en un amplio entretejido ascendente primero evocador de juegos infantiles pero súbitamente transformado en una huida, en una desesperada carrera contra la muerte donde se sugiere el concurso de toda la humanidad. Cuando la velocidad del *tutti* llega al clímax, las trompetas se levantan tras la masa sonora diseñando en lo alto la melodía "fatídica", que repiten seis veces y que, como se verá, es repetida a continuación por el oboe (transfigurada, además, esa melodía se repite en la coda del cuarto movimiento, ya en el Paraíso).

Quizás por su carácter de fuga desesperada, con la muerte que les pisa los talones, los instrumentos acometen con tal fuerza en esta aparición inicial de la melodía, que se bordea el caos y sólo se viene a encontrar la forma, la precisa forma, en la cuarta repetición de las trompetas. Toda esta magnificencia terrible dura no más de un minuto.

Aquí es aconsejable clarificar dos aspectos de la situación. En primer término, la naturaleza de la melodía. Una vez traspuestas las lluviosas brumas del comienzo, algo se esboza en las maderas, tenebrosamente, se desliza hasta los vientos y se perfila también en los contrabajos. Es una frase que cuando redoblan los timbales se contagia a todos los instrumentos y que comienza a crecer en volumen y en velocidad, dirigiéndose como una repentina tormenta hacia el paroxismo del unísono. Pero antes de confluir todas las voces en una sola —en uno de esos macizos que Bruckner imponentemente eleva—, antes de alcanzarse la cima, antes, se disparan las trompetas con su carga mortífera, relampagueantes como hachas de verdugos, como los filos de las guillotinas, como el brillo de la hoz entre los tallos del sembrado, y repiten seis veces el mensaje fatal, hasta quedar dueñas del vacío, en la altura.

En segundo término conviene clarificar que desde la tercera repetición de las trompetas, Van der Suthland se identifica *de profundis* con la partitura y la orquesta con Van der Suthland —los exabruptos posteriores habrían contado con el beneplácito del propio Bruckner—, siendo a partir de entonces que la versión se vuelve incomparable, que alcanza dimensiones heroicas y, por cierto, fatídicas, para usar una vez más el nombre que la crítica alemana le ha dado a la obra y que en verdad sólo merece su primera parte. Más aún, la causa por la cual es particularmente desgraciada la circunstancia de que esta versión sea incompleta, se encuentra en que sólo ella merece el nombre de fatídica, pues sólo ella obtiene de la partitura —pese a Horenstein, pese a Jochum, pese a Von Walmanburg— el terror, la desolación, la angustia de las últimas postrimerías."

—¡Ah mierda! —exclamó ella con felicidad al encontrar unos huesos de ave dentro de una bolsa plástica—. Mañana tenimos sopa...

—¿Y sabís por qué me acuerdo de Cartagena siempre? —dijo él. Tironeó la venda, acomodándola en torno a la rodilla, y afirmó la cabeza contra el muro—. Me acuerdo...

—ya está, lo iba a decir no más—... Por el Peiro.

—Métale otra vez con el Peirito. ¿No sabís que a mí me da por llorar cuando me acuerdo del Peiro? Podíai ir a buscar algo y después hablai de lo que querai.

—Ojalá se haya muerto. Tranquilo, sin dolores...

—Vos hace ratito que estay medio cucú,[13] oye...

—¿Pa qué iba a vivir, pa que lo mataran en tóo este

[13] *cucú*: chalado.

hueveo?[14] ¿Pa toa esta lesera?[15] ¡Ah cresta,[16] ¿sentiste?, ésa
es bomba mi alma!

—El Peirito era más vivaracho... Por ahí debe andar,
feliz de la vida... No como una, cagá de hambre. Pasa pa'cá
ese palo pa meterlo al fuego.

Las llamas alumbraban hasta la otra base del puente,
pero ellos eran las únicas personas en mil o dos mil metros
a la redonda. Una vez llegaron soldados y bajaron en tropel —era de noche— con linternas y ametralladoras.

—¡Son mendigos, capitán! —gritaron hacia arriba, enfo-
cándolos. La mujer se levantó con un palo en la mano.

—¡Lávate el hocico primero, vagos serimos[17], pero no
mendigos! ¿Te pedí algo a vos?

Los soldados se dispusieron a disparar.

—Déjenlos —ordenó alguien—. Déjenlos. Y ustedes
apaguen ese fuego, o les va llegar un cañonazo.

—No apago ni'una huevá[18] —farfulló la vieja, mientras
los soldados reanudaban su camino.

—Vos habís sido muy india, vieja... —meditó él en voz
alta.

—India será tu abuela. Si fuera india iría yo misma a buscar algo pa comer y no estaría aquí cagá de hambre. Mi
taita era cacique, pa que sepai.

—¡Ya estai con la del cacique...!

—Cacique te dicen. Puras cochinás había en esta bolsa.
Ni media verdurita que tragar.

Transcurrieron largos minutos de silencio. Lo irritaba
que se quejara tanto; él quería hablar del Peirito, recordar
cuando fueron a Cartagena —cuando el Peirito venía en
camino— y recordar cómo hasta bailaron tango esa vez que
se metieron a la *buat;* recordar que estuvieron de visita
donde una hermana de ella que tenía su par de hijuelas por
ahí, recordar cómo comían duraznos hasta quedar hinchados,

[14] *hueveo:* vulgarismo; tontería, sin sentido.

[15] *lesera:* tontería .

[16] *cresta:* exclamación de enojo o de sorpresa; ¡diablos!

[17] *serimos:* seremos.

[18] *huevá: huevada;* vulgarismo. Cosa, asunto.

recordar cómo dormían hasta el mediodía. Y ella, quejándose de hambre. ¿Acaso él no tenía hambre? En cualquier momento le iba a dar una pateadura si seguía quejándose.

—¡Pobre vieja...!

—¿Qué estai diciendo?

"Pobre vieja." Hambreada como un lagarto. Vieja. Seguro que enferma. "Si en una de esas se muere, voy a quedar más botado[19] que un pucho", pensó, por milésima vez.

—¿Sabís qué día es hoy, vieja? Estuve sacando la cuenta... Es 18 de septiembre; qué me decís ti. Fiestas Patrias.

—Pobre patria.

—Dieciocho. ¿Y sabís qué más? Voy a ir a cachurear[20] un poco, a ver si encuentro algo pa'l buche, y celebramos. Me dio hambre tanto que hablai.

Se incorporó trabajosamente. Comenzaba a correr una ventisca helada que hacía trazar un arco a la columna de humo. Los faldones del enorme abrigo se agitaron en torno a los pantalones deshilachados. Ella lo miró.

—Qué vai a ir; no vai na mejor. Vamos mañana, con sol. Hablemos del Peirito.

—Meh...! a vos no te entiende nadien[21] —dijo él ; y partió arrastrando una pierna, armado de un palo largo.

—¡Yo voy a calentar agüita! —le gritó ella. Era la última vez que sus palabras llegaban a los oídos del viejo.

"La intensidad, la sinceridad, la 'verdad' de la ejecución no pasaron (ni pasan) inadvertidas para los auditores. Después de que las trompetas se apagan repentinamente en la altura, las violas inician en el fondo del abismo el segundo tema, lento, con algo de estimulante y melancólico, sin duda rememorativo, que trepa en *pianissimos*

---

[19] *botado: botar;* tirar, desechar.

[20] *cachurear:* hurgar o revolver entre cosas viejas o inservibles. *Cachurro:* quiere decir cosas inservibles. En el contexto del cuento, *cachurear* es hurgar entre los desperdicios.

[21] *nadien:* forma popular que intenta pluralizar.

como un hilo de agua que corriese piedras arriba, y durante estos *pianissimos* es que se escucha la última interrupción notable por parte del público. El grito de la mujer que se tuerce el tobillo, las voces de quienes la asisten y un fuerte murmullo de alarma primero y desaprobación después. En adelante, la ejecución se impone. El formidable poderío de Bruckner se multiplica en sensibilidad de aquellos ejecutantes para tejer la red de hierro que aprisiona y subyuga a todos los que están en el Teatro, los toma en conjunto y los lleva hasta casi el final.

En la culminación de este tema lento las cuerdas y percusión tremolan y tiemblan como un océano, en cuyo cielo —con tan otro timbre y tan otra melodía— las maderas evocan cuantos sueños de belleza, bondad, justicia, han pasado por los adormecidos cerebros de los hombres. Todos los paraísos, perdidos o por perderse, alcanzan a decir su nombre en esas nubes antes de que se apague sobre el horizonte la remota indiferencia solar de los cornos. Este tema se repite una vez.

Y retornan, por último, la estremecedora fuga, las trompetas y el tema 'fatídico', lo que ocurre a los diecisiete minutos de comenzada la ejecución y cinco y medio antes de su abrupto término.

En ese momento, la muerte, la verdadera muerte, ya venía en camino hacia el Teatro y la ciudad, volando a través de la llovizna, sobre el mar aún, con el sonido de un látigo rasgando el aire."

En el basural, a unos doscientos metros de distancia, pensó "¡qué va a ser peligroso este peladero[22] si no quedan ni guarenes!,[23] al último borracho lo tajearon[24] hace como un año". Removió papeles —casi todo eran papeles— y cáscaras podridas. Había cesado la llovizna y la luna asomaba un semiperfil entre velos pálidos. Tras el esqueleto

---

[22] *peladero:* terreno baldío.
[23] *guarenes:* guarén; rata grande que tiene los dedos palmeados para nadar.
[24] *tajearon: tajear;* en América Latina, acuchillar.

de la Estación Mapocho se veían las débiles llamas de un edificio que había estado ardiendo desde temprano; y se veía también, como la luz de una vela, el fuego que la vieja alimentaba allá debajo del puente. La Cordillera de los Andes, nevada, aparecía y desaparecía, como si de vez en cuando se disparara un flash sobre un cuadro en una pieza oscura, y también entonces, en la cumbre del San Cristóbal, se veía la Virgen, gravitando en mitad del cielo. Puras *cochinás*. Cáscaras podridas y más cáscaras podridas. Ojalá el Peirito hubiera muerto y estuviera... descansando ya. Quizás.

Bordeó un charco dirigiéndose al extremo poniente de la colina de basura adonde los vecinos, antes, de noche —para que no los multaran— venían a botar sus desperdicios. Estaba diciendo "cómo no voy a encontrar ni reniuna huevá que llevarle a esta vieja..." cuando tuvo la suerte de que algo resbalara bajo el pie de su pierna enferma. Perdió el equilibrio y su nebulosa mirada remontó el cielo hasta el cenit. —... ¡Chucha[25] que me voy...! —exclamó, cayendo de espaldas hacia la basura.

Sus ojos quedaron al mismo nivel que las cáscaras. Pero gracias a esa caída fue que pudo encontrar...

—¡Y esto, Virgen Santa, un sánguche de carne! —murmuró, sin poder creerlo—. Y una botella de vino —empezó a escarbar frenéticamente con una mano, sin levantarse; con la otra mano sujetaba su seboso escapulario—. Alguien escondió aquí... Papas cocidas y tóo... ¡Vieja —exclamaba, con la boca llena, atiborrándose hasta las narices— medio dieciocho que nos vamos a dar, vieja...! —Ahí había comida como para un regimiento, y aunque la cubría la basura, parecía brillar con luz propia...

Sobre el peñasco, la cabeza inconsciente resbaló en su propia sangre y el cuerpo rodó una vuelta completa hasta uno de los charcos: el rostro se hundió en la papilla putrefacta del fango como la suela de un zapato distraído en el excremento de un perro. Empezaban a caer las primeras gotas, pero el cadáver no alcanzó a enfriarse.

---

[25] *chucha:* vulgarismo en América del Sur; sexo de la mujer.

"Al interior de cualquier teatro, pero sobre todo de uno
relativamente pequeño como era el Municipal de Santiago
la sonoridad de una orquesta sinfónica en un *tutti* de Bruckner no es cosa desatendible. Las seiscientas personas tenían
esa noche el alma y los oídos capturados por el *crescendo*
con que empieza a terminar el *allegro-agitato*, por la forma
como toda la orquesta se convierte en un inmenso cascabel
que agitan con furia las manos de un gigante, por la forma
en que la fuga cerval de bronces y cuerdas parecía la voz
de la humanidad y por la forma en que los cornos y la percusión incorporaban a los astros y a las galaxias al mismo
clamor. Sabemos que sobre este clamor se alzan, en determinado momento, las trompetas, y que luego de repetir seis
veces su frase fatídica e interrumpirse de súbito como un
puente que hubiese tenido la pretensión de llegar al cielo
el oboe repite otras dos veces la misma frase, muy bajo y
muy despacio. Y entonces termina la grabación de Santiago.

El punto es ése; ese doble fraseo final del oboe (infinita-
mente dulce y suave, y que es, según unos, el dulce y suave
entrar en la muerte después de huirla con terror, y según
otros, la misericordiosa respuesta de Dios a una empeci-
nada oración —el *crescendo*— y a la amenaza de las trompetas). Recordemos que, esquemáticamente, dicho final es
como sigue: Callan las trompetas; primera cesura (que
varía, según las versiones, entre cinco y diez segundos). Primera repetición del oboe; segunda cesura (más breve que
la anterior). Segunda repetición del oboe y silencio final
—que en realidad sólo era otra cesura, la tercera y última.
Estos silencios son absolutos, lo que deja ver cuán atentos
estaban todos, al apagarse las trompetas tanto como al
callar la primera frase del oboe y como al callar la segunda
—que es el momento del desastre.

Pero no por absolutos, tales silencios dejan de ser enga-
ñosos; engañan ante todo porque el movimiento no termina
con el último de ellos, como ha hecho creer la versión de
Santiago, sino que le sigue una coda en la que cuanto ocurre, por casi dos minutos, es un *tutti-fortissimo*; y engañan
porque durante ese silencio final (esta versión no registra

siquiera un suspiro) los ciento veinte músicos de la orquesta, no menos tensos que los arcos de las cuerdas, o que las cuerdas de los violines, esperaban la indicación de Pieter van der Suthland para acometer rabiosamente: su silencio, en la última cesura, es el de los cañones junto a los cuales los soldados esperan la orden de "¡Fuego!"

Esta coda —en un alarde arrasador de esos en los que Bruckner demuestra la potencia de su genio— repite catorce veces el tema de las trompetas, catorce, a toda orquesta, en crecientes agudos cuyo efecto principal es el de aproximación, el de una imponente, espantosa maquinaria que se acercara por el espacio llena de aspas y cuchillos, girando ciegamente como una hélice sideral, apocalíptica, exterminadora. Y esta coda, que desestiman las interpretaciones elaboradas sobre la versión de Santiago de Chile desprovista de ella, es justamente lo que define al movimiento, cuya secuencia podría entonces resumirse así: presentimiento de la muerte, huida de la muerte, el anuncio de la muerte y:

La Muerte.

Paradójicamente, esto último es lo que le falta a la versión de Santiago.

En el oboe sólo pareciera representarse cierta conformidad; o una petición de clemencia."

"El Peirito debe estar más bien...", pensó; pero en voz alta dijo para sí misma, o para la noche:

—Seguro que este viejo 'e mierda encontró algo y se lo está comiendo solo, el cochino; y yo guardándole sopa 'e pasto al infeliz.

Había transcurrido demasiado tiempo ya; pero ella no pensaba ir a buscarlo. Se acurrucó de costado contra el muro, frente a las últimas brasas de la fogata y junto al sendero de hollín que subía hacia el puente. Acercó las manos al calor y luego las escondió entre los refajos de lana apolillada, ahumada. Pero las retiró enseguida.

—¡Peiro, Peirito! ¡Ay Señor...! —gimió.

Trató de incorporarse, torciendo la vista, el cuello, el tronco, en dirección al centro de la ciudad; y en esa posición, entre sentada y parada, mirando hacia atrás, como la mujer de sal, fue que la sorprendió el resplandor. Dijo:

—¡Ay Señorcito, Se

## CARLOS OLIVÁREZ
(La Unión, Chile, 1944)

L A obra de Carlos Olivárez muestra a un narrador atraído por el alcance de una escritura personal en la que las marcas de la experiencia del individuo y su medio construyen un arte humanista, depurado de realismos. Su primera colección de cuentos es una original expresión literaria con tonos en la línea de la aproximación de Antonio Skármeta en la narrativa chilena, y la de escritores norteamericanos de la generación *beat*. Permanece en esta obra la visión vital e inocente del joven estudiante universitario. En el segundo libro, *Combustión interna,* el tono de la escritura es igualmente intenso aunque marcado por los sucesos de la dictadura en Chile a partir de 1973. "Tal vez jamás se podrá contar esto sin dejar una *trizadura*", leemos en el relato que titula la colección de 1987.

El cuento "No estacionar toda la cuadra" se incluyó en la colección *Concentración de bicleta*. Junto al tono gozoso del encuentro y del amor, más de una nota de melancolía se deja deslizar en este cuento caracterizador de la primera obra de Olivárez. Su lenguaje narrativo sabe escapar con elegancia de la contemplación anecdótica y aprovechar con genio la energía poética de la música, de la adolescencia y de la relación amorosa.

Carlos Olivárez realizó sus estudios universitarios a fines de la década de los sesenta en el Instituto Pedagógico de la Universidad de Chile. Actualmente trabaja en el diario *La Época* en Santiago, Chile.

# NO ESTACIONAR TODA LA CUADRA

S E G U N D O S atrás debe estar el viaje en tren a Santiago
con la nostalgia encima como un terno Scappini que cae
perfecto. En este momento tiene que haber sido mi matrí-
cula en la Universidad de Chile, de eso estoy casi seguro.
De lo que no lo estoy mucho es de si está en el pasado o no,
cuando la conocí. Porque las colas para el almuerzo en el
casino[1] se hacen todos los días y a toda hora, por eso no
comprendo muy bien, porque fíjate que yo, viniendo de saltar barreras, corriendo como John Carlos desde allá,
nadando con estilo mariposa, pedaleando a lo Jacques
Anquetil, dribleando a lo Garrincha, tomando parsimonio-
samente mis cafés a lo Balzac, etceteareando como yo sé
hacerlo, no tenía, no puedo tener, el tiempo muy en orden.
En todo caso puede ser algo que tiene que ocurrir y será,
tal vez mañana, cuando silencioso, pero riéndome de las
dos o tres cosas curiosas que pueden suceder en una universidad tan grande como ésta. Silencioso y vociferante me
acerque a comprar mi tarjeta del almuerzo, me ubique en la
cola a esperar mi bandeja, voluptuosamente solicitante, atentamente advenedizo a las pantorrillas más sobresalientes
que a veces debes haber visto circular desde la Biblioteca al
Pabellón de Alumnos. Lo único claro estará después,
cuando ella me sonría (pienso que no es algo que venga
mucho al caso), pero bien sabes eso de la oportunidad no
ubicua. Porque se tienen que construir muchos azares para

---

[1] *casino:* en Chile, el casino de una universidad, institución,
compañía, son los comedores.

que la encuentre justo delante de mí, con su sonrisa y su nariz, su mirada y sus caderas. Todo junto, envuelto en un solo, pequeño paquete. Y la cosa debe seguir para que yo pueda, sin más problema que el desgano, sentarme a su lado y ponernos a almorzar tal cual Atila de anfitrión de Gargamela. Claro, eso no puede durar mucho, para que inmediatamente nos hablemos de cosas delicadas como qué he venido a hacer a Santiago y he estado muchas veces en Valdivia[2] porque me parece preciosa. Entonces debió, será que el silencio, el mío, empieza a hundirse en las palabras y gestos desmesurados. El histrión, el goliardo se sienta a mi lado soplándome al oído las anécdotas traídas por voces ocultas y el silencio comienza a morir, hasta que asesinado horriblemente cae, y es el cazurro ahora, el que va y viene de sus ojos a la mesa, a la hora de las uvas del postre, de sus manos a mi cigarrillo. El trovador se insinúa más tarde, cuando algo me dices que tritura un transistor que aún no sé qué es o será. Pero ya habrán pasado varias cosas, algún elefante se habrá, seguramente descolgado de mi bolsillo, habré sacado conejos de los vasos y alguna palabra sale de mi boca en letra de imprenta porque te estás riendo mucho y ya no quieres irte, parece que se te olvidó esa reunión porque miras atentamente la máquina del tiempo que gentilmente te ofrezco extraída desde mi chaqueta y te pareces preguntar cómo hago para utilizar exactamente la palabra que no corresponde en ese preciso momento. Entonces será que quede el precedente de tu aceptación a tomar una enorme taza de café y el estudiante nocheriego parezca vencer esta angustia y hablemos francamente de cosas extraordinariamente sin importancia y vaya sabiendo que estudias a Camus. Que estás leyendo *L'Étranger* poco menos que en los manuscritos, cosa que yo, te confieso no puedo hacer. Alguien tiene que ayudarme a descifrar. Entonces el cazurro habrá de traernos a Rimbaud y Marx (yo estaba pensando en otras cosas). Por ahí nos quedamos un buen rato con eso hasta que las

---

[2] *Valdivia:* ciudad en el sur de Chile, situada en la Región de los Lagos.

hormigas suben por los vellos de las piernas, las recorren y se meten en el pecho sistemáticamente dando vueltas porque tienes que irte.

Será tal vez ahora que tenemos que encontrarnos y almorzar de nuevo. Pero ya el café es cosa consabida y como lo de las hormigas y el trovador han confabulado un equipo amplificador me dice que te necesito y te lo reproduzco. Es evidente que entonces tú te ríes, sin saber que D'Artagnan me enseñó, hace tiempo, a dar esta estocada y casi, estoy seguro, apunto donde quiero porque siento que me tomas la mano y el Arlequín, recién nacido, da volteretas y tiene ganas de cantar. Es entonces que dejo de contener la respiración, me aflojo el cinturón, como un oficinista después de su trabajo, me suelto y te hablo de lo que siempre quise ser. Desfilan por ahí las frustraciones, la tristeza que reconozco me persigue, mi rapidez en alcanzarla. Tus ojos denuncian cierta preocupación que no me asombra. Veo claro precisamente porque hay racionamiento de la cordura. Es mejor que caminemos. Todo ha empezado y, desde luego, empieza a terminar. Para qué vamos a pronunciar la palabrita si lo tenemos todo transparente. Este juego empieza a parecerme peligroso. Mi casa cada vez está más lejos, me estoy trasladando de verdad. De mentira te insinúo, desafío meternos en un teatro y aquí en medio de la oscuridad y las muecas de Peter Sellers, de esas manos torpes, reconoces que hay calor en lo que digo con las mías. Siento unas ganas horribles de fumar. Todo ha comenzado y comienza, desde luego, a terminar.

Es lunes por la tarde y vienes a buscarme. Ya me has contado que han habido otros juanes que te conocieron primero y que ni cortos ni flojos supieron aprovechar el tiempo que ganaban. Que estuviste trabajando. Que a los dieciséis tenías una moto. Que los Beatles te provocan sensaciones. También has tenido la valentía y la crueldad de contarme lo otro. Yo aprieto las mandíbulas. El Arlequín está pensando. Miro por la ventana y te veo, allá abajo, caminar rápidamente. Estás pasando justo bajo mi mirada. Pulsas el timbre. Tomo los cigarrillos y bajo.

Has tenido suficientes oportunidades para hablarme del

sesentaiséis (época en que yo vagaba olímpicamente por la Universidad Austral). Cuando iniciaste tus clases en la universidad y más atrás también, o más adelante, cuando en manadas de motonetas ibas al campo junto a doce o trece Dean, con ocho o nueve Brando envueltos en casacas de cuero. Entrenados furiosamente en el levantamiento de pesas porque para sujetar las motos hay que tener muñecas firmes como para sujetar a una mujer. Entonces yo seguía vagando y tú, seguramente a gran velocidad, descubrías el amor entre los carburadores y los embragues. Entre las BMW, las Lambrettas y las Vespas. A horcajadas te fuiste dando cuenta que había uno que lo hacía mejor, que era el más fuerte, el más intrépido, que nunca titubeaba en participar en los moto-cross de las afueras de Santiago. Y mientras el sol te llegaba sistemáticamente, yo eludía los goterones y secaba mis zapatos en la estufa con una copa de vino caliente entre los dedos que rápidamente se llenaba de melancolía. Era, soy así. Por ese tiempo estarías ya pensando, en las noches cuando sola, en lo que me confesaste haberte arrepentido, pero tarde. Alguna vez lo debes haber deseado ardientemente en las fiestas de muchachos a saltos y contorsiones con que te regalaban los Beatles cuando aún no eran tan poetas. En el girar de un treinta y tres un tercio, en las vueltas de *I Should Have Known Better* o de *I Wanna Hold Your Hand* un alacrán traicionero te envenenó dulcemente el corazón y lo aceptaste. De ahí para adelante Stendhal, Flaubert y Rabelais, distraídamente en la universidad, se fueron quedando aislados en una esquina del bolsón y éste se empezó a llenar con boletas denunciadoras de helados, cafés con leche, trozos de entradas del Ducal y el Huérfanos. Rotativos desesperantes por algo que no se decía, que no te atrevías a pensar. Las motos entonces se fueron quedando sin bencina. Los embragues no dejaban pasar tan bien los cambios y los giros eran cada vez más peligrosos. Un señor empezó a cambiar algo en su cuenta kilómetros. La mano se hizo cada vez más tierna, más firme para sostenerte. Desde luego los discos seguían y las fiestas habían cambiado sus efervescencias. Las tardes eran quietas. Te apoyaste alguna vez en su hombro y te des-

cubriste, tiempo después, en Viña, asustada, me da por imaginar. No queriendo hacer nada más que seguir escuchando
*A Hard Day's Nigth* tan fuerte y joven como eras, salir a recorrer Avenida Perú tomados de la mano, entrar al Topsi-Topsi
y fumar con un larguísimo trago en la mano, hablar con tu
mamá, leer a Gide, asistir a clases de Latín, soportar una
sesión con el psicólogo, correr por la micro[3] que te lleva al
pedagógico[4] cualquier cosa, pero no estar allí, con las rodillas
tiritando, en donde detrás de esa puerta hay alguien que se ha
bajado de su moto y te espera al lado de una cama nervioso
y vehemente. Sin embargo, tienes que ir porque por algo te
has casado y no valen de nada las lágrimas.

He olvidado las llaves de mi closet. Descamino el espacio. Transformo todo en un minúsculo, habitual caos. Las
encuentro. Las echo en mi bolsillo. Vuelvo a apoderarme
de los pasos y comienzo de nuevo a bajar la escalera. Noto
que hace un frío del demonio. Subo el cierre de mi chaqueta. Equilibro un cigarrillo entre los labios. El fósforo
comienza a quemarlo. Poso un pie en el descanso. Debes
estar sentada en el living.

Algo más debió ser necesario para quedarte quince días
en Viña paseando a Reñaca[5] en las tardes. Curioseando en
el Casino. Abrigándote en las noches con más que su calor,
que el tuyo. El recuerdo de los llantos, la felicidad de tu
madre, en medio de tanta gente religiosa, pastores de civil
y de uniforme que repletaban aquella iglesia. En ese mes
yo estaría con las patas arriba de una mesa leyendo algún
libro medio prohibido. Aprovechando el sol en una esquina,
con la boca cerrada y los ojos abiertos. Fotómetro en mano,
midiendo la luz para poder fotografiar decentemente. Esa
noche (fue sábado, ¿no?), después de media docena de
amenas, finitas pílseners,[6] me dormiría con la cabeza metida
entre las plumas, mientras tú navegabas por el espacio en
órbitas elípticas, no uniformes, no seguras, hasta que por

---

[3] *micro:* en Chile, autobús.
[4] *pedagógico:* Instituto Pedagógico; facultad de la universidad.
[5] *Reñaca:* balneario cerca de Viña del Mar.
[6] *pílseners:* cervezas.

fin te atreverías a enfrentarlo y meterte en la cama para nada. Justo ahí debe haberse transformado el asombro en una materia viscosa, alguna rara gelatina se posó en tu cerebro y chasqueó en el aire una chispita que impresionó en un precipitado de plata seis por nueve el agrupamiento en esas potentes motos, el desafío a la velocidad, y comprendiste. Porque ahora allí estabas debajo de las sábanas, y él, después de fumarse un cigarrillo se dormía profundamente. Entonces quizás lanzaste un gemido. Como un joven cachorro aleteaste la nariz.

Llego al descanso. Miro mi zapato derecho. Está desabrochado. Lo abrocho. De a poco me levanto. Me descubro una semitaquicardia. Recuerdo una película de Antonioni tan lenta, empalagosa, real. Me estiro un calcetín. El otro. Siento escozor en los ojos. El humo del cigarrillo entra a torrentes irritándolos. Me froto con el dorso de la mano y vuelvo a apoderarme del espacio. Continúo bajando.

Particularmente sensible después de ese gemido, de la fotografía tan precisa, tus nervios anteriores, tus deseos de llorar se convertirían en ridículos y el odio fue abriendo su camino, pavimentando tu alejamiento. Ese domingo yo, tardísimo, saldría de entre las plumas dispuesto a organizar el aburrimiento de la tarde en una *matinée* o en un café leyendo diarios viejos hasta que el desorden trajera algo mejor. Debo haber leído alguna otra cosa. Seguramente me entretuve revisando la orfandad de mi casilla y busqué alguien para hablar.

Es posible que él lo haya intentado otra vez y otra, cada dos, tres, veinte días, con tu diligente, ansiosa ayuda (el odio prehistórico dejó lado a la compasión intelectual) de nuevo para nada y todo empezó a, definitivamente, pasar a otro estado que los meses acercaban. Recuperaste quizás tu ademán de vivir y te arrancaste algún sábado chispeante a escuchar los Rolling Stones o, cuando ya irreversiblemente lejos, partiste a las piscinas mientras alguien no tenía moto ni risa y el desconcierto primitivo cerraba las puertas para que la violencia no escapara. Con los días, a veces, saldría a luz una furia, un esfuerzo que ya no te tocaba. Las clases habían de nuevo comenzado. Sartre te imponía obligaciones. Camus te exigía su lectura. Los días te los pasaste leyendo. Tomando notas en la biblioteca. Yendo a las asambleas. Luchando contra el tiempo para llegar a las concentraciones. Almorzando sola, a la carrera por tener reunión de seminario. Olvidándote, tratando, de que en la noche él estaría de nuevo con la seguridad fiel, de que ahora sí resultaría.

Debes estar leyendo, mirando las letras del diario allí abajo. Tratando de no descubrirte asustada. Son las tres. Poso el pie derecho en el décimo escalón. Avanzo el izquierdo y lo coloco en el noveno.

Ya no quedaba nada de nada y los insultos aparecieron matizando los colores. Con la desesperanza en todos los rincones te ubicaste en la cola del almuerzo cuando los azares construidos, el tiempo desmantelado, organizado para fiesta me hizo tropezar y quedarme allí detrás de ti. Sentarme a tu mesa. Invitarte a girar con mi desfachatez.

Un escalón más. Giro a la izquierda y allí parada, mirando los árboles del jardín, estás de espaldas. Te vuelves y algo se ilumina. Te tengo al alcance de mi mano. Toco tu nariz, la hundes entre mi camisa (la semitaquicardia se acentúa). Te froto el cuello y al oído en voz baja te ruego irnos pronto porque el departamento me lo prestaron solamente hasta las ocho y media.

## JUAN ANTONIO RAMOS
### (Bayamón, Puerto Rico, 1948)

L A obra cuentística de Juan Antonio Ramos, iniciada en los primeros años de la década de los setenta, ha sido distinguida varias veces, incluyendo el Premio del PEN Club por *Hilando mortajas*, galardonado como el mejor libro de cuentos de 1983. La excepcional prosa de Ramos ha sido traducida al alemán, francés e inglés y su relato "El ejemplo de Rigoberto Meléndez" ha sido utilizado para el guión cinematográfico *Wells Fargo*. Se han realizado varias adaptaciones teatrales de los cuentos del escritor puertorriqueño, entre las cuales cabe mencionar la exitosa adaptación del monólogo *Papo Impala está quitao*, estrenada en 1983. Ramos ha incursionado en el cine con el guión *Lorca*, escrito en colaboración con el cineasta Marcos Zurinaga, y también en el teatro con la obra *Oraciones y Novenas*, presentada en el Primer Festival de Teatro Latinoamericano (1987) y el Vigésimo Noveno Festival de Teatro Puertorriqueño (1988). En 1990, Ramos recibe la beca Guggenheim.

En la colección *Pactos de silencio y algunas erratas de fe* encontramos una aserción del autor, orientadora sobre una dirección importante de su narrativa: "brego con el hombre de la calle y sus angustias. Los personajes, pienso, llegan invariablemente, a unos acuerdos tácitos, a unas concesiones implícitas para subsistir en un mundo difícil que muchas veces resulta implacable". (Río Piedras, Puerto Rico: Editorial Cultural, 1980, p. 10). Otra vertiente de su obra promueve el sentido iconoclasta de lo creativo como en el texto "La Celestina (Fernando de Rojas)" incluido en *Papo Impala está quitao*. Aquí lo paródico funciona desde la naturalidad humorística encontrada en el habla popular puertorriqueña. Escritura personalísima de un excelente narrador.

Juan Antonio Ramos recibió su formación en la Universidad de Puerto Rico y en la Universidad de Pensylvannia. En 1979 se doctora en esta última institución con una tesis sobre la novela *El otoño del patriarca* de García Márquez. A partir de 1986 ejerce la docencia en el Departamento de Estudios Hispánicos de la Universidad de Puerto Rico.

## LA CELESTINA

### (FERNANDO DE ROJAS)

Q U E si aquí lo que hace falta es una Celestina que si
fulana de tal es la misma Celestina que si Celestina paquí
que si Celestina pallá y el hombre me tenía loco con su
embolle[1] de la dichosa mujer, chico... Ahora tú verás por
qué a Nando lo vacilaba[2] tanto el asunto de la doña esa...
Na, habla de este tipo blanquito del Condado que se la pasa
en yates y en discotecas y en carros deportivos y en óperas
de esas que valen treinta pesos pero que cuando tú vienes
a ver no sabe na de la vida y se cree que empepándose[3] y
metiéndose un tabaco mongo[4] se come a los niños crudos,
¿tú me entiendes, verdá? Pues es el tipo este, Calisto, que
se le va detrás a un guaraguao[5] porque se le fugó de la jaula
y corriendo corriendo va a tener al patio de la casa de otra
familia comemierda, y cuando ve a la nena de papá, una tal
Melibea, rociando la grama en shorts, se vuelve loco y
rompe a rapiársela[6] con boberías de amor a primera vista,
viste, pero la jebita[7] se sabe bien el libreto de nena jaiclás[8]

[1] *embolle:* obsesión.
[2] *vacilaba:* divertía.
[3] *empepándose:* tomando anfetaminas u otros estimulantes.
[4] *tabaco mongo:* cigarrillo de marihuana.
[5] *guaraguao:* ave de rapiña.
[6] *rapiársela:* del inglés *rap*; hablar en "rap". Contarle una historia a una joven, tratando de conquistarla.
[7] *jebita: jeba*; muchacha apuesta.
[8] *jaiclás:* del inglés *high class*; de clase alta.

y se mete pa la marquesina a jugar con los pecesitos de
colores. El Calisto regresó a su casa con el queso latiéndole
a mil y le cuenta lo que le pasa a uno de sus sirvientes, porque el tipo anda con sirvientes y toa esas madres de la sociedá,
digo, no te vayanredar, y Sempronio, que así se llama el alca-
güete, no, Sempronio es lindo al lao de los otros nombres
que me quedan por decirte, espérate y verás, pues Sempronio le dice a su jefe, mi hermano, con el respeto que usté se
merece, me parece que este enchule[9] no va pa ningún lao a
no ser que yo bregue porque yo sí que tengo la conesión bien
jebidiuti[10] en lo de amor a lo postalita de sanvalentín, digo, y
Calisto soltando babas le pregunta y Sempronio que se
lo gufea[11] hasta lo último hablando bajito pa él mismo, como
hace toel mundo ahí, por eso el que menos puja puja un tro
de la silán[12] le recomienda a una tal Celestina, que es una
vieja putona que se dedica a conectar a tipos que se quieren
meter mano, mi pana,[13] y lleva contabilidá de cuanta mami
nace en el pueblo porque a la larga terminará pidiéndole
favores, que no se quedan en alcagüetiar a novios namás,
sino que también, y guféate[14] esto, fabrica señoritas, así mis-
mito, mano, les cose el asunto y quedan como nuevas, olvídate, un puesto de recauchar gomas tiene la doña, me decía
el flaco muerto de la risa, y Sempronio, que guisa con la
nenalinda de la vieja, la Alicia mentá, quiere buscarse un
billete a cuenta del embollo del amo, ¿vas entendiendo?, y
cuando Celestina conversa por primera vez con Calisto, le
tumba cien grullos[15] a la soltá,[16] mi socio, porque el hombre

---

[9] *enchule:* enamoramiento; mal de amor.

[10] *jebidiuti:* firme, establecida; del inglés *heavy duty*.

[11] *se lo gufea:* le toma el pelo, lo engaña. Derivado del
inglés *to goof around*.

[12] *un tro de la silán:* del inglés, un *truck* de la *Sea land* (compañía marítima que embarcaba furgones. "El que menos puja, puja
un tro de la silán": alguien de muchas ambiciones.

[13] *mi pana:* amigo íntimo.

[14] *guféate esto:* en este contexto, significa, diviértete con esto.

[15] *grullos:* dólares.

[16] *a la soltá: soltada;* rápidamente.

no quiere saber de na, y hasta dice que si los ángeles del cielo
vienen y le ofrecen asiento en preferencia allá en la gloria y
acá abajo Melibea namás que de lejito le enseña un cantito
de aquí... olvídalo, zurdo, es que no hay cráneo. Pero a la
Celestina se le atraviesa por el medio Pérmino o Parmido,
que es un sirviente bocabajo, mi pana, que Calisto recogió
casi de la cuneta, y por eso se la pasa lambiendo ojo y de
rodillas dando gracias, y por ahí mismo lo ataca Celestina y
le dice mira papá, no te me hagas el santurroncito ahora,
que yo fui quien te crié te vestí y te llené la barriga cuando
tu mai,[17] que fue la que me enseñó to lo que sé, estiró la
pata. Afinca[18] conmigo en este traqueteo que si abres el ojo
y cierras el pico le tumbamos hasta el alma a ese pendango[19] que tanto defiendes de mí y qué sé yo qué más, y
como la vieja vio que todavía Parmido estaba durito de
ablandar le consiguió un déit[20] en la cama, mi pana, porque
la doña era así, ¿vas entendiendo el embolle de Nando
con la Celestina?, oye, y si le diera con venir por acá a la fulana
esa, ah, tipo, aunque ahora no haría tanta falta porque tú
sabes cómo están las cosas, pues Celestina le consiguió a
Pérmino un guisito[21] con una chica, Arisa, mi hermano, y
ahí cayó el hombre y dijo ¿en dónde es que hay que firmar?
Pero pa que veas, Celestina, aunque se hacía la muy
jodona[22] y tremenda tártara se friquiaba[23] de vez en cuando,
y cuando salió a periquiar[24] con Melibea, porque iba a
comerle el celebro[25] a la jeba, se estaba cagando encima
namás que de pensar en que no le saliera la jugada, y pensó
que hasta la fama de bruja, porque la doña se las entendía

---

[17] *mai:* mamá.

[18] *afinca:* manténte (sígueme en lo que estoy diciendo). En el
argot de los músicos, significa acóplate, armoniza conmigo.

[19] *pendango:* eufemismo de "pendejo".

[20] *un déit:* verse, reunirse allí; del inglés *date*.

[21] un *guisito* con una chica: verse con alguien; arreglar la situación para sacar provecho; conquista amorosa y aprovechamiento.

[22] *se hacía la muy jodona:* la marisabidilla, la sabelotodo.

[23] *se friquiaba:* se espantaba; del inglés *to freak out*.

[24] *periquiar: periquear*, engatusar con mucha palabra.

[25] *celebro*: cerebro.

con Satanás, ves, hasta la fama de bruja se le iría al piso, y
que si mejor me muero antes de quedar mal pará frente
a esa mierdita de nena que le hizo frente, oíste, le salió
cascarúa[26] la jeba, y la botó cuando la vieja le mencionó a
Calisto, y cuando le iba a ajotar[27] los perros, la vieja mañosa sacó de la manga la última baraja, y le dijo mija,
cógelo isi,[28] si a lo que yo vengo es a que le prestes a Calisto
tu cordón milagroso que según Nando era como una correa
que Melibea usaba pa achicarse la cintura, ¿lo cogiste?,
como una tanga de esas que se ven en la playa, porque,
vacílate esto,[29] el hombre y que tenía dolor de muela y
estaba seguro que namás que de tocar el cinturoncito quedaría curao, y lo lindo es que la chamaca se comió la gua-
yaba, o se hizo la que se la comió, jum. Y cuando Calisto
oyó el cuento de la vieja rompió a brincar y le ofreció vajillas y carros y viajes a la bruja que se reía por dentro y agarró el cordón y lo empezó a sobar y después se puso a
hablarle como si estuviera hablando por un micrófono,
olvídate, y como no encontró así de momento, na que darle
a Celestina, le regaló una cadena de oro, catorce quilates,
mano, ¿qué te parece? Entonces la vieja arrancó de nuevo
pa donde Melibea, y Melibea que se había hecho la dura y
la decente al principio, aflojó y cayó como guanábana
cuando supo que Calisto brincó la cuica[30] con su cordón, y
soltó la lengua a hablar y que si está bien, Celestina, haga
los arreglos sin que papi y mami se enteren, y ya ese mismo
día por la noche estaba ponchando Calisto el afisiaíto,[31]
que por poco le entra a marronazos[32] a la paré por tal de

[26] *cascarúa:* cascarruda, cascarrona; áspera, de carácter fuerte.
[27] *ajotar:* azuzar, incitar.
[28] *isi:* con calma; del inglés *easy.*
[29] *vacílate esto:* diviértete, ríete de esto.
[30] *cuica: brincar la cuica*, referencia al juego o práctica que consiste en saltar una cuerda. *Cuica* significa cuerda, soga.
[31] *ponchando ... el afisiaíto:* reuniéndose con la novia. *Ponchar*
es presentarse a una cita, reunión o compromiso. Del inglés *to
punch a card.*
[32] *marronazos:* golpes fuertes; marrón es un martillo grande de
hierro.

encajar a la jebita, pero ella como que se escamó[33] y lo
mandó a dormir hasta el otro día por la noche, pero a la
que se le dañó el fricasé[34] fue a la vieja, porque esa misma
noche se le aparecieron en la casa sin que ella se lo espe-
rara Sempronio y Permidio a pedirle cuentas por la cadena
que Calisto le había regalao, pa partir ganancias, ¿tú me
entiendes?, y como ella se hizo la loca, la picaron como pa
pasteles con las espadas, que era lo que se usaba paquel
tiempo. Y ahí pasan un chorroe revoluces[35] porque la
policía agarra a Sempronio y a Parmino y le cortan el pescuezo sin juicio ni na, y cuando Calisto se entera pone el
grito en el cielo, imagínate, ahora se sabrá to, dice él con
mucha poesía y nombres de novelas de antes, bueno, así
me lo explicaba el flaco, decía que los ricos cuando tenían
problemas empezaban a sacar cosas de filosofía y cultura
y toa esas madres como pa taparse, ¿vas viendo?, total
que cuando llegó la noche Calisto se olvidó de los sirvientes y se buscó a otros dos que lo acompañaron a la casa de
Melibea y le pusieron una escalera larga pa que el enfer-
mito subiera, casa de dos plantas, ves, y ahí sí que te digo
yo, mi hermano, Melibea se asustó de nuevo y creo que
pegó a declamar cosas del honor y la honra pero quiete-
cita, ¿te imaginas al flaco contando esa parte, ah?, mientras tanto aquel cangrimán[36] de Calisto soltaba to los
nudos que se iba encontrando, y esa misma movida de la
escalerita y el grajeo[37] siguió a diario, óyelo, Calisto dormía de día pa cargar la batería y por la noche se limpiaba
el pecho, qué bilí, ah... Pero el guame[38] se le acaba porque Arisa y Alicia quieren desquitarse a nombre de los
machos de ellas, y déjame decirte que según Nando esas
mujeres se las traían porque eran de esas feministas que

---

[33] *se escamó:* tuvo miedo.

[34] *el fricasé:* el plan, la maquinación (en este contexto).

[35] *un chorroe revoluces:* una serie de cosas enrevesadas.

[36] *cangrimán:* experto.

[37] *grajeo:* acariciar, besuquear, abrazar. Toda la actividad amorosa que precede a la relación sexual.

[38] *guame:* algo fácil o que se consigue con facilidad.

hablan de que la mujer cuando se casa se chava [39] porque
termina siendo una burra de carga del marido y demás,
¿tú me entiendes?, pero el flaco decía que ellas hablaban
así y que porque Calisto no les hacía caso y porque le
tenían roña a Melibea, tú sabes cómo es la cosa, la cosa es
que mandan a un matarife, Centeno, a que joda a Calisto
cuando esté metiendo mano con su nena, y a to esto, los
pais [40] de Melibea hablan de que ella ya está grandecita y
deben buscarle su noviecito pa casarla, sin saber ellos que
su hijita estaba descosía desde cuando, jum, bendito, y
Melibea oye la cháchara y dice que sigan durmiendo de
ese lao, yo no quiero marido que lo que quiero es seguir
el vacilón [41] con Cali hasta que Colón baje el deo, muchacho, la tenían gozando a to tren, pero lo que no sabía ella
es que esa noche daría la última gozaíta porque los amigos del Centella aquel, él cogió miedo y mandó a otros
por él, armaron un revolú en la calle con los sirvientes de
Calisto, y cuando Calisto arrancó pa defenderlos, se
enredó con la escalera y cayó hecho un mondongo en la
brea, ahí la nena rompió a gritar, los pais salieron a ver,
ella se encaramó en la azotea, y antes de zumbarse [42] de
chola [43] espepitó [44] pa que el pai y toa la urbanización se
enteraran, to sus traqueteos con Calisto... Y así termina
esta longaniza, con el pai jaitón [45] jalándose las greñas y
recitando cosas lindas, y cagándosele en la madre al amor
que tuvo la culpa de to, pero mi pana, eso le pasa a esos
ricos que tienen por santos a los hijos, y los mandan a
colegios católicos a aprender de la vida con las monjas y
los curas, mano, cuando tú sabes que la calle es la escuela,

[39] *se chava:* se fastidia.
[40] *pais:* padres.
[41] *vacilón:* la diversión, la juerga.
[42] *zumbarse:* arrojarse.
[43] *de chola:* cholla; de cabeza.
[44] *espepitó: despepitó;* "desembuchar", decir por fin lo que se
esforzaba en callar o que se tenía en secreto.
[45] *pai jaitón:* padre arrogante, estirado (por la escala social alta
en que se encuentra).

entonces los sueltan un poquito y se quieren volver locos,
¿ves por dónde voy?, y te digo yo a ti, ¿pa qué tanto chavo
y tanto guille,[46] ah?, no, hombre no...

[46] *guille:* orgullo propio, petulancia.

## DIAMELA ELTIT
### (Santiago, Chile, 1949)

L A escritura de Diamela Eltit caracteriza el acontecer posmoderno de la literatura hispanoamericana. Las siete extraordinarias novelas que ha publicado entre 1983 y 1994 exponen coordenadas estéticas proyectadas hacia un nuevo horizonte artístico en el que el universo narrativo se resuelve en una relación emblemática de virtualidades, proveniente de la arbitrariedad inherente del lenguaje, de la esfera autónoma de la creatividad y del espacio barroco, experimental y cambiante con que se ingresa en la literatura. En esta novedosa zona el lenguaje puede ser cuerpo, escenario, actuación, gesto, iluminación, apariencia y doble de la escritura por lo cual no es necesaria la visibilidad del personaje, quien viene a ser desidentificado o transformado en voces que se mezclan y confunden. *Lumpérica* —esfera iluminante de la marginalidad como sugiere el título— marca la entrada a lo que la misma narradora chilena denominara el "nuevo circuito" de la literatura.

La renovadora propuesta de esta primera novela de Eltit, publicada en 1983, fue atendida mínimamente por la crítica. Hacia comienzos de la década de los noventa, sin embargo, cuando la autora había publicado otras tres novelas, comenzó a valorarse el verdadero impacto de una obra tan original como la de Eltit. Aparecen diversos ensayos sobre su narrativa, sus novelas se traducen al francés y al inglés, se le hacen entrevistas y se la invita a participar en congresos literarios nacionales y en el extranjero. Se extendía así, internacionalmente, el conocimiento de una obra compleja de una autora atenta a las exigencias de su propio arte antes que a los rumbos y modas de un mercado editorial.

Diamela Eltit estudió Pedagogía en Castellano en la Universidad Católica de Chile, dedicándose a la enseñanza secundaria por algunos años. Posteriormente realizó una Licenciatura en Literatura en la Universidad de Chile bajo la dirección de conocidos especialistas y escritores como Jorge Guzmán, Ronald Kay, Enrique Lihn, Cristián Huneeus y Nicanor Parra. Obtuvo la beca Guggenheim y la del Social Science Research Council. Entre 1990 y principios de 1994 residió en México, donde ejerció el cargo de Agregada Cultural de Chile. Últimamente ha sido invitada por instituciones culturales y universitarias en Colombia, Venezuela y Estados Unidos. Actualmente reside en Santiago de Chile.

El relato que incluimos en nuestra antología fue publicado en el libro *Los pecados capitales,* colección de cuentos de diversos autores, editada por Mariano Aguirre en 1993.

# AUNQUE ME LAVASE
## CON AGUA DE NIEVE

*A Juan Balbontín*

M Á S allá se extiende y prolifera la estopa que atrae los peores presagios. Los pastores de cabras están desolados por la frágil resistencia de sus rebaños. Los hombres, las mujeres y los niños de las ciudades vecinas, realizan frecuentes peregrinaciones en las que se multiplican las ofrendas. Los soldados, acuartelados, preparan sus armas porque están a la espera de un levantamiento popular destinado a impugnar los tributos que, dicen, se han elevado hasta volverse inalcanzables. La conspiración ya se ha convertido en un ejercicio inofensivo y es frecuente ver reunidos a grupos de seres que murmuran, sin la menor cautela, en las esquinas de las dependencias públicas, pese a la presencia de reconocidos espías que no saben cómo memorizar las distintas sediciosas conversaciones. La sequía agrava aún más el desánimo pues descalabra a los animales y arruina el advenimiento de las cosechas. Por la ausencia de lluvias, la tierra se levanta en polvo y los cuerpos de los peregrinos se ven como columnas de ocres fantasmas a lo largo de los senderos. Se escuchan por doquier las voces de los predicadores que anuncian, precipitados, un futuro de muerte causado por la abyección de las costumbres. Se multiplican los nombres de los Dioses y ya no se sabe desde cuál antigua venganza actúan. Los nombres de los Dioses se multiplican y es posible ver cómo se acumulan multitudinarias las ofrendas en los altares. Y más

414

allá, en una unión conmovedora y estéril, la estopa se acopla desesperadamente con la zarza.

Me estremezco. Mi cuerpo se levanta en medio de una armonía que conozco. (Actúo en este lacerante y casi congelado tiempo que transcurre sólo para el cumplimiento monótono de un mito.) Mis brazos, mis pies, mis manos, mis caderas, mi hombro. Lo rotundo de mis miembros se hace leve. La avidez en las miradas de los que me rodean origina la perfección de cada uno de mis gestos. Ah, hoy caerá la cabeza de Juan, volverá a rodar la cabeza de Juan. Han pasado ya más de cincuenta años desde el instante del encuentro y aún seguimos encadenados a la misma escena infinita. Juan y yo. Pero Juan permanece ajeno, borracho en la taberna. Lo sé. Pese a que todo haya terminado de escribirse, antes y más a allá de mi presencia, cuando mi baile haya concluido la cabeza de Juan se precipitará decapitada.

Mi madre, mi madre, mi madre. Después de más de cincuenta años, todavía huelo a mi madre. Hoy veo y huelo el cuerpo de mi madre. Olfateo el contorno atormentado y bello de mi madre que se debate entre los tules para denostar la fuga inútil de sus días. Mi madre llora abatida entre los tules. Su marido atraviesa veloz por todos los rincones y la busca, nos busca. Mi padrastro violenta las difíciles puertas de las habitaciones presa de una furia indescriptible. Pero mi madre, obstinada, aún no se decide a entregarme. Hace algunos días festejé mis catorce. años. Tengo ya catorce años y mi madre, entre sollozos, me indica que acuda hasta el salón principal donde la cítara me espera. Y Juan, sumergido en la taberna, aún no comprende que más allá de su deseo era el mío, mi deseo.

—Te reíste, me dijo Juan.
—No, le contesté.
—Sí—insistió—te reíste.

Hubo una noche de baile para halagar a los incontables poderosos invitados que estaban a la espera de la caída estética y cautelosa de cada uno de mis tules. Sí, bailo a lo largo de esta noche en la que se agasaja mi padrastro. Vuelvo a bailar en mi memoria durante toda la noche.

(Afuera permanecen los soldados, los misérrimos, la traidora, el bufón de la pequeña corte de provincia.)

Ah, en una noche de baile, hace más de cincuenta años, derribé a Salá, a Elam, Azur, Arafaxad, Paleg, Joctán. Mientras, Juan, muy pálido, borracho en un rincón secreto y apartado de ese inestable recinto, hablaba de la inocencia y nombraba a Salef, Ofir, Jabab, Almodad, Cus, Misraím, Misraím, Misraím. Cómo podía yo entender que entonces Juan estaba buscando a un Dios en los tugurios, que ya había perdido la cabeza.

Mi madre, mi madre, mi madre. Mi bella madre lamenta, protegida entre los tules, el agravio. Su pelo oscuro, untado en aceite, se derrama sobre los delicados almohadones de su lecho. Mi padrastro, que es también mi pariente carnal, recorre desolado los salones poseído por una culpa indescriptible. Me acerco hasta mi madre para acariciar su cabellera y ella se prende a mi cuello y alaba mi pureza con palabras titubeantes. Huelo el pelo enmarañado de mi madre y me reclino sobre ella y la consuelo. Mi padrastro ha llegado. Nos mira, me mira. Mi padrastro se detiene y espera una respuesta Mi madre lo observa con desdén y luego, con un imperceptible movimiento, cubre mi torso con el tul.

Mi padrastro le teme a mi madre. Conozco ese temor. Mi padrastro requiere hoy a mi madre, pero ella se niega. Yo los observo oculta detrás de las cortinas pues mi madre me ha pedido que le vele. Me hastía la obligación de presenciar esta farsa que conozco demasiado. En tempranas horas de la mañana vi por primera vez a Juan del que tanto se extendían las noticias. El favorito de mi padrastro era, tal como se comentaba, un muchacho rústico de las canteras, un provinciano exiliado del trabajo con la piedra. Miré atentamente al escogido por mi padrastro, sin poder ocultar desencanto, mientras él se pretendía ignorante de mi presencia, demostrando esa lejanía demasiado ostentosa que he recibido ya de ciertos sediciosos sojuzgados de los que gusta rodearse mi padrastro. Sin abandonar mi malestar, me acerqué hasta el luminoso árbol de acacia contra el que se apoyaba:

—Así es que tú eres Juan, le dije, el favorecido por mi padrastro.

—Sí, me contestó, soy Juan, aquel destinado a cautelar la honestidad de tu tío.

Tengo más de sesenta años y todavía el baile me persigue. El olor de mi madre está en mí, me persigue.

(Mientras los soldados, los misérrimos, la traidora, el bufón de la pequeña corte de provincia aún vagan de manera interminable las afueras, me persiguen.)

Tengo más de sesenta años y bailo y bailo y bailo. El cuello de Juan siempre fue propicio en su perfecta cicatriz. Un Dios incomprensible mintió cuando dijo que yo sería hueso en otro hueso y carne de otra carne. Mis huesos sólo a mí pertenecen, mi carne todavía no se funde más que al baile. Juan estará allí, solitario en la taberna, con la cabeza reclinada, pensando que es posible que algún día alcance a habitar sobre la tierra.

—Estabas desnuda. Tú estabas desnuda, dijo Juan.

Vino entonces el silencio y después del silencio su acostumbrada y ya muy escrita letanía.

Dijo, (me dijo):

—Por los siglos de los siglos, si tú a la izquierda, yo a la derecha. Si tú a la derecha, yo a la izquierda.

—Está bien, le contesté, si así lo prefieres.

Mi madre es poseedora de una intemporalidad que le fue concedida como un don por la generosidad ambigua de los Dioses. Mi madre es tan niña como yo misma, siempre más niña aún. Mi padrastro y yo debemos reconfortar su inexperiencia casi todos los amaneceres en los que despierta convulsionada por los sollozos. A mi madre le horroriza su impureza y, para aliviarse, debe acudir a un conjunto interminable de baños; sí, ella requiere baños de aceites o de yerbas o de leche de cabra para borrar los estigmas que la amenazan en sus turbulentos sueños. Yo le preparo sus baños con una prolijidad maniática, apartando con mis propias manos las yerbas viles, vigilando que la leche conserve toda su frescura y cuidando que el aceite provenga únicamente de las más prestigiosas cosechas y esté todo lo suave y cálido para que traiga el apaciguamiento a su cuerpo. Los baños de mi madre pueden llevarle horas y aún días completos y yo soy la única que puede renovar los líquidos para que en ningún instante pierdan su tibieza. Mi madre protege su desnudez de las miradas extrañas pues sabe que su perfección podría producir turbios deseos en aquellos ojos que atisbaran su cuerpo. Ella presiente que entre el deseo no satisfecho, se incuba siempre un enemigo poseído por una humillación atroz. Una humillación tan poderosa e incisiva como el mismo deseo. Mi madre quiere así evitar caer en el cerco del terror que le inspira la certeza de saber que alguien le prepara una emboscada. Cuido con esmero los baños de mi madre y me cercioro de que nadie pueda vernos mientras dejo caer el aceite sobre su cabeza. Ella, cuando siente que ha recuperado sus fuerzas, me agradece acariciando mi rostro y olvida los sueños letales de su última noche. Después, con pasos ingrávidos, se dirige hasta su habitación. Si el líquido está tibio, me desnudo y me hundo entre las aguas que han curado el cuerpo de mi madre y espero. Espero.

Apoyado en la fiel madera de la acacia vi a Juan. Se encontraba rodeado de un grupo de gentes serviles, entre los que distinguí a algunos dedicados al espionaje y a la murmuración. (En la locura del tiempo, ya han pasado más de cincuenta años desde ese encuentro.) Yo estaba enterada que Juan contaba con el beneplácito de mi padrastro quien parecía cautivado por la astucia de la lengua del muchacho que tenía la aptitud de convertir las respuestas en preguntas y las afirmaciones en suspenso. Mi padrastro sometía a Juan a extenuantes jornadas retóricas en las que circulaban los más profusos saberes que almacenaban el tiempo y la historia. Decían que era especialmente memorable una célebre disquisición sobre el origen que se extendió por una noche entera, a lo largo de la cual mi padrastro interrogó a Juan sobre el fuego, sobre los astros, la luz y la confusión de las distintas estaciones. Al parecer, mi padrastro, extenuado, fue el primero en conceder ante la obstinación de Juan y, luego, traspasado por diversas inquietudes, no logró conciliar el sueño durante tres noches. Pero, cuando me acerqué hasta la acacia me disgustó de inmediato la impostura de Juan, esa arrogancia enmascarada tras una intolerable neutralidad:

—Así es que tú eres Juan, le dije.

—Así es que tú eres Juan, le dije, el favorecido por mi padrastro.

—Sí, soy Juan, me contestó, aquel destinado a cautelar la honestidad de tu tío.

—Vaya ocupación inútil que escogiste, le dije. ¿Por qué no atiendes a tu propia integridad?

Me cansa el paso del día y su conversión nocturna. Lejos de las grandes ciudades, toda opulencia parece destinada al fracaso. Mi madre asegura que en las grandes ciudades se vive de una manera fastuosa con la plenitud de una sabiduría que jamás conoceremos. Ella reprueba la sencillez de la provincia en que habitamos y se niega a aprender los dialectos con los que se entienden los pueblos oprimidos que nos rodean. Pero yo sé que ella conoce la mayoría de esos dialectos y puede descifrar las más intrincadas conversaciones. Mi madre habla más de diez lenguas por gracia de una asombrosa destreza que le permite hacerse dueña de las palabras extrañas. Pero ella prefiere olvidar su erudición para no inquietar a mi padrastro y despertar en él malos presagios. Yo he escuchado a mi madre cantar bellas canciones en más de diez lenguas cuando la invade una inesperada alegría y, en esas oportunidades, mi oído queda prendado de la prodigiosa cadencia de su voz. Mi madre afirma que su tristeza y la mía son producidas por el monótono sopor de la provincia y que estamos tan cautivas a su

naturaleza como el esclavo a la piedra. Mi madre, en señal
de protesta ante el fastidio que nos depara nuestro destino,
me ha confesado que se prepara a rasurar su cabeza. En ese
instante, la imagen de Juan hubo de interponerse en sus
palabras porque la cabellera de mi madre, ya se sabe, es
enteramente sagrada. Invadida por una terrible pesadum-
bre camino ahora hasta el salón para enfrentarme a la
cítara, al arpa, al deber prematuro de mi cuerpo.

Mi padrastro ha dictaminado un día de ayuno para invocar la compasión de los Dioses. Una interesada propaganda
convierte el ayuno no en una ceremonia para el recogi-
miento sino en un motivo de vanidad y de diversión. Mi
madre está molesta porque mi padrastro tomó esa decisión
sin consultarla, arruinando la paz a la que había dedicado
ese día. Ella se niega a abandonar su habitación y ya ha
rechazado mi presencia en dos oportunidades. Privada
de su afecto, vago desolada por las piezas entre obsequio-
sos ayunantes que hablan con lengua banal. Mi padrastro no visita hoy a mi madre y parece absorto y complacido
ante la figura de la joven hija de un acaudalado comerciante que se presentó perfumada con un fuerte incienso.
Aunque estoy cerca de mi padrastro, él se niega a advertir
mi disgusto. Voy hasta el salón y encuentro consuelo en el
arpa. Los sonidos me inundan de piedad y de dulzura, pero
mi padrastro envía un mensajero que me ordena que cese
de inmediato. Debo abandonar el arpa. Camino por los
corredores traspasada por un calor pernicioso. He cum-
plido catorce años. Me hastío.

Tengo más de sesenta años. Mi pieza está recubierta por
espejos que están dispuestos en el cuarto para confirmar mi
presencia. No sabría reconocerme fuera de ellos pues vivo
sólo en los reflejos que me lanzan sus cristales. Mi cuerpo se
me devuelve en el espejo como el mayor signo de una existencia defectuosa. ¿Existo, sin embargo? ¿Existimos?, me
pregunto. Ya el desorden fue consumado enteramente pero
aún mi nostalgia lo reclama. Bailo, bailo ante el espejo. Aunque me hice terriblemente vulnerable no he muerto todavía

y Juan aún no ha muerto. Él estará hablando en las tabernas, como si fuera un poseso, invocando el nombre de un padre que le resultó insensible cuando desdeñó el esplendor del nombre de su propio hijo. Ah, Juan divagando en la taberna y yo reducida a este burdo destello en los espejos. Pero es del todo inevitable. Lo sé. Lo sé. Sí, hoy volverá a rodar la cabeza de Juan en el instante en que se cumpla el último movimiento en mi cuerpo y en mi mirada sólo permanecerá el recuerdo de su sonrisa profética y maligna.

—Ah, le dije a Juan, abandona tus palabras oscuras con las que pretendes denunciar la vergüenza y la iniquidad que, según tú, has venido a escarmentar.

Esa tarde me encontraba en un estado confuso, sin saber a quién o a cuál desconocida causa estaba obligada a entregar mi alma. Por mi propia confusión, acudí secretamente a Juan aún sabiendo que me internaba en el peligroso terreno de las prohibiciones. Nos habíamos reunido en la pieza en la que él se había refugiado para purgar sus antiguas faltas y de ese encuentro no existe más testigo que mi propia memoria. Pero sucedió. Sucedió.

—Tu madre es la responsable, me contestó.

—¿Cómo puedes mentir con tal impunidad? Mi padrastro es el culpable, le dije.

—Termina con tus juicios infructuosos. Tú has venido a buscarme para corromper mi juicio.

—No, le dije, no propagues el engaño. Eres tú el que has acudido hasta aquí porque esperas que te transporte hasta una gloria que me parece brutal. Como tu soberbia ya no reconoce fronteras, has llegado hasta nosotros guiado por un impulso fanático.

Fue así el inicio. Y allí estaba el jergón, las paredes, una vasija con agua, la imagen de mi madre enquistada en mi cerebro, mi cuerpo trastornado de exigencias. Después de esa tarde, en la que se nos negó todo milagro, Juan se albergó en la incondicional alegoría del vino.

Este cielo oscurecido como si la arena, amenazante y anárquica, se hubiera dispersado enloquecida de furor hacia lo alto. Los peregrinos avanzan con una lentitud dramática entre las ventiscas, resguardando las ofrendas contra sus ropajes. La sequía va dejando la estela de un desperdicio atroz que redobla el vacío del paisaje y vuelve aún más hostiles los cuerpos de los caminantes. Los niños que acompañan las caravanas mantienen una expresión de estupor en sus ojos a la vez que resisten, con una lealtad incomprensible, los golpes de las arenas protegiendo sus rostros con las toscas telas que los recubren. ¿Para qué enumerar la cantidad de animales exánimes en los caminos o reproducir el estertor que precede a la agonía? El templo se hace visible a lo lejos por su precisa arquitectura del todo infecunda ante las penurias. Los Dioses permanecen con los ojos cerrados en su templo, confundidos entre el sueño y la vigilia. La adicción de los Dioses adormecidos yace en la omnipotencia de sus deseos silenciosos. La piedra no es más blanca entre esta tempestad de arena y aún las canteras no frenan los golpes con los que se desgrana la piedra. Juan, el más ecuánime de los obreros de la última cantera, se inclina levemente y escucha su propia voz que le pregona con una perfección casi divina: "Muy pronto la muerte habrá de sostenerte entre sus brazos".

# SONIA GONZÁLEZ VALDENEGRO
## (Santiago, Chile, 1958)

E N la primera colección de cuentos de Sonia González, la escritura se desenvuelve con extraordinaria sensibilidad en una zona de tristezas, derrotas, y marginalidades para levantar una visión artística penetrante sobre la historia ignorada del hombre, aquella existencia que de otra manera va a ser devorada por la temporalidad y su pertenencia a contextos mayores. Ese enfoque en la intrahistoria de lo diario puede verse, por ejemplo, en el acercamiento al detalle de una pintura sobre la ciudad que detecta el sentimiento de extrañamiento y de falta de pertenencia. En otros momentos, esta escritura posibilita metáforas de pérdida o deterioro, encadenadas a proyecciones que no admiten regreso. Aun el erotismo puede enfocarse en el suceso que se quiere evadir (la relación sexual de un hombre con una mujer que tiene una pierna ortopédica), tal acercamiento puede constituirse en un retrato puntual, tocado por el distanciamiento, el sarcasmo y una insinuación de indiferencia: "(La mujer se quita el vestido. Cierra los ojos con el ánimo de perder la noción de su desnudez. El hombre, sentado al sillón, estira las palmas de sus manos para tocar los senos tibios que se endurecen al contacto. La rodea por la cintura. Palpa la helada armadura de la pierna y sonríe)" (*Tejer historias*. Santiago, Chile: Ergo Sum, 1986, p. 40).

Sonia González Valdenegro estudió Derecho en la Universidad de Chile, graduándose en 1987. Comienza escribiendo poesía, luego se dedica por completo al cuento, género en el que comienza a publicar en revistas y periódicos nacionales e internacionales. Su obra se incluye en diversas antologías, y recibe varias distinciones en concursos literarios realizados en Santiago, incluyendo el Premio del Consejo Nacional del Libro y la Lectura 1993 por su obra *Matar al marido es la consigna*. Entre los relatos de magnífico logro de la autora, además del que presentamos en esta antología, destacan "La Viviana jamás", "La noche es de los lobos" y "La sagrada familia", pertenecientes a la colección *Tejer historias*.

Una talentosa y original construcción narrativa logra Sonia González en "Moraleja para ángeles", incluido en el volumen *Matar al marido es la consigna*. El tratamiento del motivo del ángel en la ciudad se expresa en este caso dentro de lineamientos estéticos posmodernos que hacen resaltar la diferencia de plasmación tanto con la representación clásica como con las perspectivas literarias hispanoamericanas en sus fuentes modernistas, fantásticas y neovanguardistas. El brío inventivo de Sonia González nos coloca frente a un ángel femenino y terrenal que no necesita del trasfondo tópico del descenso. La "caída" de este ángel se cumple en la residencia misma en la ciudad así como en la propia interrogación y búsqueda personal en el contexto de una sociedad abierta a las incertidumbres de un nuevo devenir secular. La actitud de lo posmoderno despoja así a la figura del ángel de reminiscencias trascendentales: místicas o míticas. El desenlace de la sexualidad como conocimiento y la *peregrinatio* de "imperfecciones" son algunas de las tantas avenidas que conforman el imprevisible contorno de este cuento.

# MORALEJA PARA ÁNGELES

E L *ángel era rubio* y menudo. Su fragilidad tenía un destello de nobleza, como el que arroja una copa de cristal. Tuvo una esmerada educación, en la que sus padres invirtieron una cuantiosa suma de dinero y paciencia porque alguien, cuando recién nacido, les sopló que estaba signado para la genialidad. Entonces la madre, consciente del papel a que el destino la obligaba ante tal augurio, advirtió a su marido que, primero: no tendrían más hijos y, segundo: se dedicarían en cuerpo y alma a la formación del ángel. El padre accedió sin protestar, convencido como estaba de que la crianza y educación de los hijos es cosa de mujeres.

La llamaron Celeste, un nombre que por entonces no estaba de moda, y cuya tonalidad parecía adecuada al aspecto del rubio bebé que dormía bajo una piel tan fina como la seda. Y, como estaba signada para la genialidad, y por su aspecto era de presumir que algún día alguien iba a llamarla ángel, fue una decisión correcta, al igual que tantas otras adoptadas responsablemente a su respecto.

El ángel rindió cuanto de ella se esperaba y entró en la mayoría de edad sin aspavientos. Simplemente cierta mañana amaneció con veintiún años. La curiosidad que había sido el impulso de todas sus acciones no había encontrado satisfacción en nada, como si el descubrimiento para el que estaba hecha no hubiera aún germinado, fuera de un vago concepto a través de cuyo envoltorio de pequeños logros ella no alcanzaba a arribar. Era esta persistente frustración la que la proveía de la furia necesaria para seguir adelante. Hasta entonces había estado muy ocupada en marcar los puntos más altos en todos los desafíos que le tiraron al camino igual que granos de maíz, manteniéndose virgen e inocente, dos cualidades difíciles de lograr en un medio muy proclive a los desbordes y al empirismo como eran el colegio y la universidad laicos y unos padres modernos y ambiciosos. A la hora de la celebración, caviló largamente frente a la torta con las veintiún velas encendidas y decidió que ese sería su año de iniciación en el sexo. Luego sopló con el éxito esperado y dirigió a todos y a ninguno una mirada de estudiada dulzura. Más tarde, agradeció a sus invitados en la puerta y se retiró a la cama para estar a solas con su cuerpo.

Era verano. Por entonces el ángel practicaba natación en un estadio cercano a su casa todos los lunes, miércoles y viernes. Había logrado hacerse de un grupo de amigos de piscina que ignoraban su condición de elegida y la trataban como a una igual. Deambular por aquel lugar le resultaba particularmente fascinante; era el momento inicial en que ella vagaba consigo misma resolviendo un afán para entregarse, tal como la práctica del atletismo, el instante en que se inclinaba sobre sus talones para iniciar la carrera. Había un muchacho de su edad, de carácter apacible y cuya piel tanto como sus dientes acusaban una nutrición adecuada. Su modo de ser, muy inclinado a la moderación —un muchacho que sonreía con los chistes de otro y sólo de vez en cuando se permitía decir algo gracioso—, hizo de él la persona más adecuada para la iniciación. Cuando Celeste lo invitó a su casa la tarde de un viernes, el muchacho pareció algo perturbado, como si aquella invitación hubiera sido un peligro por el cual su vida, sin embargo, aguardaba desde hacía mucho tiempo. Los padres de Celeste la dejaban sola todos los viernes por la noche y se daban un recreo en la agotadora tarea de criarla que el paso del tiempo, al contrario de lo que habían pensado, volvía aún más pesada, ya que Celeste comenzaba a enseñar lo que su padre, simplificando las cosas, llamaba un genio de los mil diablos. Había, en la confianza que depositaban en ella, especialmente en la de su madre, la convicción de que los acontecimientos no podían escaparse del curso natural preanunciado al momento de nacer.

El muchacho llegó a la hora señalada. El ángel lo esperaba vestida con una túnica blanca y sandalias, los cabellos castaño claros sueltos sobre sus hombros redondos. Le sonrió y lo invitó a pasar. Luego le ofreció un trago, un nombre un tanto grande para lo que no pasaba de ser una lata de cerveza. Celeste se bebió una también. Se sentó frente a él cuidando que la túnica cayera desde las rodillas y dejara al descubierto, a la altura de sus pies, la zona de sus empeines bien formados. Si de algo estaba orgullosa, era de sus pies. Se mantenían, casi por obra de magia, porque ella no invertía esfuerzo en llevarlos rosados y suaves, como los cojinetes de un gatito. Tenía de su lado el sol, que le daba sobre la frente. Otro punto a su favor. Su frente era alta y fina y solía brillar como si alguien le hubiera pasado un trapo de gamuza. El muchacho, al principio, se mostró desconcertado. Celeste no le dirigía la palabra sino para ofrecerle más cerveza o alguna variación en la música que escuchaban. Por algún capricho, que un día iba a explicarse a sí misma, había escogido la banda sonora de una película espacial. Para el invitado aquella liturgia, cuyo significado comenzaba a comprender, no era sino una especie de droga que lo asomaría a la ventana de un mundo desconocido por el cual había aguardado largamente.

Celeste había planeado dos fórmulas. Una, desnudarse ante él en la habitación de estudio a eso de las ocho de la noche para tener tras de sí el crepúsculo, lo cual otorgaba a la escena la poesía necesaria de una primera vez. La segunda, permitirle que se recostara en el sofá de la sala de estudio y caerle encima repentinamente. Escogió la segunda. Se aproximó a él lentamente, le tomó las manos y las llevó a su cuerpo rodeándose con ellas las caderas. Luego se levantó los hábitos y le enseñó su desnudez rubia y blanca. El muchacho parpadeó. Aprovechando aquel segundo de vacilación, el ángel le tomó una mano y la condujo hacia su pubis, que el muchacho conoció entonces, húmedo y dispuesto. Lo desnudó sin permitirle alejarse del sofá, como haciéndolo objeto de una ceremonia que, como todas, tenía un orden riguroso a seguir. Él se dejó conducir con más estupor que entusiasmo. Entonces, volviendo a la primera alternativa de su iniciación, el ángel se desnudó cuidando de tener el crepúsculo tras de sí. Él se puso de pie y avanzó hacia ella como un iluminado.

Así fue su iniciación. Los padres regresaron aquella noche y la encontraron sentada en su taburete practicando una sonata de Chopin que —como muchas otras cosas— tenía archivada en su memoria bien poblada. Cerró la tapa del piano cuando los sintió entrar, les dirigió una mirada resplandeciente y se fue a encerrar en su habitación. Para su madre, no cupo entonces ninguna duda que la muchacha había comenzado su camino. El padre, como todas las noches, apagó las luces de la casa lamentando que se derrochara la electricidad de esa manera.

Los ángeles jamás llegan a la adultez aunque cumplan veintiún años. Celeste lo sabía. Como también que mientras siguiera siendo un poco virgen —y uno siempre lo es, había leído por ahí—, su condición le permitiría ir por el mundo cogiendo de todas las frutas, también las prohibidas.

Para Celeste el sexo fue —al igual que cálculo— un aprendizaje infinito, una suerte de experiencia inagotable con la cual enriquecer su acervo cultural. Había cursado varios episodios del placer, y de la misma manera que con la botánica, resultó victoriosa en todos.

Al cumplir los veintidós, y contabilizados veinte amantes, a ninguno de los cuales le fue otorgada una segunda oportunidad, resolvió salir del claustro de la sala de estudios e intentarlo en otro territorio para demostrarse a sí misma que era capaz de superar sus propias marcas. Escogió a David, suponiéndolo tan extraordinario en las artes amatorias como espectacular había sido su homónimo en el lanzamiento de la honda. Explicó a sus padres la necesidad de una experiencia en el valle de Elqui, recibió el dinero que ellos le dieron y partió de la mano de David a mirar el paso del cometa que ya no regresaría nunca por los cielos de su existencia. David era algo mayor. Quizá por eso lo elegí. En todo momento le pareció particularmente empecinado en los designios de los acontecimientos. Tuvieron

una breve introducción de budismo zen y luego pasaron a
lo que Celeste por entonces llamaba la tierra prometida.
En sus brazos, Celeste tuvo la sensación de reproducir
alguna figura de una lámina de arte oriental, así de demo-
roso y certero le pareció David. El cielo de Elqui hizo de
ese, como de cualquier abrazo, un suceso inolvidable. En
algún momento él bebió un trago de la botella de vino que
habían llevado consigo, se limpió los labios con un pañuelo
blanco y le dijo que jamás podría olvidarla. Ella asintió.

Regresó delgada y ojerosa. Su madre, al principio, la
supuso agotada a causa del cometa. A los tres meses su
cuerpo entró en la transformación que explican los libros
sucede en el proceso de la maternidad. Tuvo a su hijo sin
acusar jamás al responsable. Nadie preguntó. Sus padres lo
interpretaron como una circunstancia necesaria en el camino
que había trazado para ella el destino. Aguardó hasta el
sexto mes de lactancia, que era lo conveniente según expli-
caban los libros de puericultura, y se lanzó nuevamente a
la vida.

Decir que se lanzó a la vida es sólo eso, una manera de
decir. Porque cada vez que el ángel miraba a su hijo dormido adentro de la cuna, tenía la absoluta convicción de
que esa era una marca imposible de superar. Pero como
estaba signada para la genialidad siguió probando durante
muchos años, llenándose de hijos perfectos.

Un día conoció a Armando. Armando era, como ella, un
hombre nacido para lo excepcional, uno de aquellos exito-
sos filósofos del siglo veinte que lo mismo opinaba sobre el
amor que sobre las conductas antisociales y salía día por
medio fotografiado en los periódicos. Cuando los presenta-
ron, Armando cruzó con ella el clinc clinc de una copa y
luego le arrancó como a un leproso. Celeste lo siguió a sus
conferencias y le dejó insistentes recados en su contestador
automático. Pero Armando no atendió a sus ruegos.

Una tarde, cuando por fin logró arrinconarlo en la soledad de una biblioteca, se levantó la falda enseñándole su
experimentada desnudez. Armando sonrió enigmáticamente.
En aquel gesto ella comprendió que ese hombre era a ella
como un guante y que no podía existir un destino tan

desalmado como para separarlos. Sin embargo él cogió un puntero y la obligó a bajarse la falda. Celeste quiso arrojarse a sus brazos y él entonces interpuso una fría mirada y una silla con certero ademán de domador.

Celeste intentó avanzar, pero él enfatizó su decisión retrocediendo con una actitud que tenía algo de teatral. A mí no me engañas, le dijo. Yo sé quién eres. Luego giró sobre sus pasos y salió de la habitación. Celeste se sacudió el desconcierto de la ropa y observó con tristeza sus pies. Después se encogió de hombros como si nada hubiera sucedido. También eso sabía. Entre todos los frutos que ella había deseado en su andar, uno estaba entre los dedos de Armando, y Armando se lo iba a reservar para siempre. Pero Celeste lo aceptaba. Después de todo, lo dice una canción popular. El mundo es cruel. Incluso para los ángeles.

## ANA MARÍA SHUA
(Buenos Aires, Argentina, 1951)

L A primera obra de la escritora argentina es un poemario, publicado en 1967, cuando Ana María Shua tenía dieciséis años. Entre esta fecha y el año de publicación de su próximo libro, transcurrirían trece años de afanosa búsqueda del encuentro de una escritura personal; tiempo de lecturas, análisis, y maduración recompensado con la consecución de una sólida prosa que en la década de los ochenta y en lo que va recorrido de los noventa nos proporciona tres novelas, cinco colecciones de cuentos, tres obras de prosa humorística y cinco textos de literatura infantil. La obra de Shua, extraordinariamente receptiva a las modificaciones sociales de fin de siglo, enfoca la escritura como un hecho de productividad cultural en la trama de una realización provocativamente irónica de las relaciones humanas. Su prosa no busca remover la noción de estabilidad social con la visibilidad de protestas; tampoco se apoya en la emergencia de una escritura rupturial, destructiva de sí misma o del discurso propiamente narrativo. La dimensión crítica surge creativamente desde la iluminación proveniente del humor o desde la perspectiva de extrañeza con que se dirige hacia modos culturales y sistemas de representación social.

La original obra cuentística de Ana María Shua se ha dado a conocer en publicaciones aparecidas en Inglaterra, Alemania, España, Italia, Holanda, México, Estados Unidos y Canadá. *Cuentos judíos con fantasmas y demonios* se publicó en portugués en 1994. Su novelística ha despertado también interés en el extranjero con la traducción de *Los*

431

*amores de Laurita* al alemán en 1992 (*Lauritas Liebschaften*), y su reedición en 1995 como libro de bolsillo por la editorial DTV (Deutschtanschenbuch Verlag); *Soy paciente* se publicará en Italia por el Gruppo Editoriale Giunti. Su obra ha recibido además varias distinciones como el Primer Premio Concurso Internacional de Narrativa de Editorial Losada por su novela *Soy paciente*; el primer premio en el Primer Concurso de Cuentos Eróticos de la revista *Don* por el relato "Viajando se conoce gente". Su cuento "Otro otro" fue, asimismo, premiado en el Concurso Internacional de Puebla, México.

Ana María Shua, graduada en Letras por la Universidad Nacional de Buenos Aires, trabaja actualmente como redactora publicitaria, periodista y guionista cinematográfica. El excelentemente logrado cuento "Los días de pesca" —perteneciente al volumen del mismo título, publicado en 1981— se tradujo al inglés posteriormente y fue antologado en la obra *Secret Weawers*, editada por Marjorie Agosín.

# LOS DÍAS DE PESCA

C U A N D O yo era chica, en verano, iba siempre a pescar con mi papá. La caja de pesca era de madera y estaba pintada de verde. Adentro había anzuelos de distintos tamaños: los más chicos eran para pejerreyes y los más grandes para tiburones. También había plomadas. Las plomadas, en general, tenían forma de pirámide. Eran muy pesadas. Tenían esa forma para evitar engancharse en las rocas. Íbamos a pescar al muelle o al Pozo de las Burriquetas y siempre se nos enganchaba la plomada porque había muchas rocas. Yo digo "nos" pero el único que pescaba era mi papá. Es decir, el único que manejaba la caña porque en Miramar había muy poco pique. Yo tenía una cañita pero nunca la llevaba; no me gustaba usarla. Lo que me gustaba era estar parada al lado de papá. En el muelle ya nos conocían y también nosotros conocíamos a los que iban más seguido. Al Flaco, por ejemplo, que tenía el pelo rubio y las cejas completamente negras, y a un señor mayor (mayor que mi papá) que se llamaba Ibarra. Yo me sentía muy orgullosa de los conocimientos que iba adquiriendo y trataba de demostrarlos cada vez que podía. Sabía, por ejemplo, que los meros, aunque son chicos, tiran mucho y que a veces, por la forma en que se dobla la caña, uno puede confundirlos con un pez mucho más grande. Cuando alguno de los pescadores venía trayendo la línea con esfuerzo y la caña se curvaba y vibraba, yo me acercaba y le decía: "Por ahí es un mero, nomás". Sabía también reconocer a los gatuzos, que son como tiburones chiquititos; los que tenían manchas oscuras se llamaban "overos". A los gatuzos les sacaban el

433

anzuelo y los tiraban otra vez al agua. Algunas veces sacábamos un chucho.[1] A los chuchos, me decía papá, hay que aflojarles la estrella porque pegan la disparada y si uno no les da línea la pueden cortar. Después se pegan al piso, haciendo ventosa. Una vez papá fue a pescar solo y cuando volvió contó que había tenido un pique increíble. Que tenía floja la estrella del ril[2] y de repente algo (nunca se supo qué) mordió el anzuelo y pegó tal disparada que el hilo de nailon, por el roce, le quemó el pulgar. Me acuerdo perfectamente de la línea blanca de la quemadura en el pulgar de papá. Y sin embargo, mi papá se murió. ¿No es increíble? El primer tirón lo sintió en el espinazo, a la altura de la cintura, la noche después de la caída. Nunca más volvió a sentir un dolor tan fuerte. Esa mañana, en la pieza de ellos, había sábanas en el suelo y yo no sabía por qué. "Tuvo que dormir en el suelo toda la noche", me dijo mamá. "En la cama no podía ni darse vuelta." A la noche volvió cansado pero menos dolorido. "Levantarme del suelo me dio un trabajo bárbaro", me dijo. Había ido al médico esa tarde. "Hernia de disco" le diagnosticaron. "Tómese unos calmantes."

En la caja verde había también magrú,[3] que usábamos de carnada. A veces papá me dejaba cortar el magrú, pero siempre lo encarnaba él porque tenía miedo de que me lastimara con los anzuelos. (Papá siempre tenía miedo de que yo me lastimara. Por esa época había inventado un protector de alambre que se ponía en la hoja del cuchillo para que yo aprendiera a pelar naranjas sin cortarme.) El magrú tiene un olor fuerte y mamá se enojaba cuando veía la caja de pesca dentro de la casa. La guardábamos en el baúl del coche. En ocasiones muy especiales papá compraba calamaretes y los ponía en el congelador: carnada de lujo. En el muelle había siempre mucho viento. Yo me ponía un pulóver muy gordo de color amarillo mostaza que me había

---

[1] *chucho:* pez de figura irregularmente triangular y menos chato que la raya, a cuya familia pertenece.

[2] *ril:* del inglés *reel*; carrete de pescar.

[3] *magrú:* cierto tipo de pescado seco que se usa como carnada.

tejido mamá y jugaba a hacerme canasta. El juego consistía en ponerme en cuclillas y estirar el pulóver, que me quedaba grande, hasta que me tapaba completamente las piernas, enganchado en el borde de los zapatos. Otra manera de protegerme del viento era ponerme contra una de las paredes de la casilla que había en la punta del muelle. Cambiaba de pared según cambiaba la dirección del viento. Con los mediomundos⁴ yo me entretenía tratando de adivinar, cada vez que los levantaban, cuántos cornalitos⁵ traían. Generalmente no traían ninguno. Yo había aprendido a agarrar los cornalitos, que me dejaban en la mano las escamas brillosas, y los ponía en la lata del pescador. A mí me gustaba el olor de la mezcla que los mediomunderos tiraban cada tanto al agua para atraer a los cornalitos. En el muelle lo único que sacábamos eran gatuzos. En el Pozo de las Burriquetas teníamos más suerte. Había que bajar una especie de escalerita natural que tenía el acantilado. A mí me parecía muy peligroso y divertido. Papá bajaba primero y me vigilaba desde ahí. El Pozo era una playita angosta y bastante larga. Papá aprovechaba para practicar tiros con la caña y medir hasta dónde llegaba la plomada. Tomaba la medida con los pasos: cada paso era un metro. Yo deseaba que los tiros fueran muy largos pero nunca pasaban de los setenta metros. Me acuerdo clarito de la distancia que había entre las huellas de papá, setenta metros más o menos a lo largo de la playa. Y sin embargo, mi papá se murió. ¿No es increíble?

Los tirones los empezó a sentir después en la pierna derecha. Primero en el pie. Después en la pantorrilla. La columna no le dolía más. En ese momento había problemas financieros en la fábrica y tenía que andar mucho por el centro, de banco en banco. "Dejate de jorobar y andá a un médico como la gente" le decía mamá, que no es amiga de médicos. "Ese de la mutual no sabe nada." La verdad es que papá ya rengueaba bastante y el fin de semana de

---

⁴ *mediomundos:* aparejo compuesto de un varal y de una red para pescar.
⁵ *cornalitos:* pejerreyes muy pequeños.

Reyes no había posición que le viniera bien. Mamá estaba en Mar del Plata con los abuelos y yo me sentía responsable de que papá estuviera lo más cómodo posible. El tirón lo sentía ahora en el muslo; comía medio recostado en el sillón del living.

Donde sí pescábamos de verdad era en lo que papá llamaba "El Pozo Pestilente". Íbamos poco porque estaba lejos. Es el lugar donde desagua la cloaca de Mar del Plata, y donde van a tirar los desechos las fábricas de pescado. Para ir al Pozo Pestilente había que levantarse temprano. El día anterior mamá nos preparaba los sandwiches y las bebidas. Se pescaba desde arriba del acantilado. El suelo estaba cubierto de huesitos de pescado y toda clase de porquerías. Había unas moscas verdes brillantes, o azules y pegajosas que zumbaban fuerte y volaban despacio. Moscas zonzas, les decía papá, por lo pesadas. Allí pescábamos bagres, unos bagres gordos, bigotudos y con feo olor. Papá les cortaba enseguida los bigotes, donde tienen un aguijón. Después, a la noche, y protestando mucho, mamá preparaba los bagres en una mayonesa de pescado. Mientras estábamos pescando no hablábamos casi. Había que estar callados para no espantar a los peces. Papá tenía la caña agarrada con las dos manos y entre el índice y el pulgar de la mano de arriba sostenía el nailon de la línea para sentir el pique. Cuando me dejaba tener la caña un ratito, a mí siempre me parecía que había pique y le hacía levantar enseguida. Teníamos dos problemas: los enganches y las galletas.[6] Cuando había un enganche papá dejaba la caña en el suelo y agarraba el nailon. Lo estiraba lo más que podía y después lo soltaba de golpe. Si no se desenganchaba, se cortaba la línea; pero daba mucho trabajo que pasara cualquiera de las dos cosas. Las galletas eran lo peor. Y a veces venían junto con los enganches. El hilo del ril se engalletaba[7] de tal manera que teníamos que guardar todo y volver a casa para desenredarlo con paciencia. Una

---

[6] *galletas:* cuando se enreda el nailon de pescar. En un sentido general significa "maraña".

[7] *se engalletaba:* se enredaba.

galleta brava podía llegar a suspendernos la pesca por toda la semana. Lo que más me gustaba era la parte de operar a los pescados. Papá los abría en canal con el cuchillo que guardaba en la caja verde y que también servía para cortarle los bigotes a los bagres y la cola a los chuchos. Les sacaba las tripas. Les abríamos los intestinos para ver qué habían comido. Mientras lo estábamos haciendo yo me imaginaba que iban a aparecer allí toda clase de maravillas, como anillos mágicos o pedacitos de vidrio. Sin embargo, nunca me decepcionaba porque papá, examinando el picadillo, me daba una larga explicación sobre lo que habían comido los pescados. Además a veces encontrábamos caracoles o cangrejitos. Una vez pescamos una corvina negra con las huevas hinchadas de huevitos. Como era muy grande papá se sacó una foto con la corvina todavía enganchada en el anzuelo. La foto la tengo. Y sin embargo mi papá se murió. ¿No es increíble?

Tuvo que volver mamá de Mar del Plata para que la operación se decidiera. Primero lo vio un traumatólogo, después un neurólogo. "Si no se opera, pierde el pie", le dijeron. Porque papá y mamá no querían. "Está pinzado el nervio ciático. ¿Le gustaría arrastrar el pie muerto?", le dijeron. Porque sabían que no le gustaría. "No hay alternativa", le dijeron. "Hay que operarse". Porque querían ver lo que tenía adentro.

Dos veces hubo pique en Miramar. Una vez fue el día del cardumen. Era un día de lluvia y estábamos aprovechando para arreglar las líneas. Me gustaban los nuditos de nailon en los anzuelos. De repente tocan el timbre y era el Flaco. "Un cardumen en el muelle", dice, y se va corriendo. El muelle estaba lleno de gente, erizado de cañas. Había olas altas. Papá tenía miedo de que me pegaran con una plomada en la cabeza y no me dejaba que me separara de al lado de él. No teníamos la caña. Estaban los de siempre y muchos más. Era un cardumen de pescadilla seguido por un cardumen de anchoas. Ibarra había sacado cincuenta y un pescadillas y media: la otra mitad se la había comido una anchoa cuando la estaba trayendo. Las anchoas tenían los dientes filosos y parecían bravas. Las pescadillas eran más tranquilas. El cardumen ya casi había pasado y no valía la pena ir a buscar la caña. La otra vez que hubo pique tampoco pudimos sacar nada. Fue en el concurso de pesca del tiburón en el Pozo Universal. El Pozo Universal es una playa inmensa, a la entrada de Miramar. Papá no había llevado la caña pero en cambio tenía la cámara filmadora y filmaba lo que pescaban los demás. En la película yo ya no soy tan chica. Tengo un pulóver azul que me queda grande pero que no alcanza a disimular lo que me está pasando. Tengo un flequillo que me queda muy feo. Se ven muchos tiburones, casi todos hembras preñadas. En una escena un chico morocho[8] pisa la panza de una tiburona y salen seis o siete tiburoncitos todavía moviéndose. Él no aparece en ninguna toma, pero uno sabe todo el tiempo que está ahí nomás, del otro lado de la cámara. Y sin embargo mi papá se murió. ¿No es increíble?

El día anterior, en el sanatorio, nos pidió que lo filmáramos. Habían pasado tres días desde la operación. A papá le gustaba llevar el registro filmado de todos los acontecimientos importantes: el coche volcado, el asalto a la fábrica, mi varicela. Yo no tenía muchas ganas de filmarlo. Estaba acostado boca arriba, sin poder moverse. Tenía una aguja clavada en el brazo. La aguja estaba conectada a un cañito de nailon que salía de una bolsa llena de líquido, sostenida por un soporte alto y vertical. Pero papá se sentía mejor y me pidió que le trajera mazapán.

A los pescados el anzuelo no siempre se les clavaba en la boca. A veces se lo tragaban y sacárselo era una carnicería, porque había que operarlos vivos. Otras veces estaba enganchado en una aleta, o en el cuerpo. En ese caso papá decía que el pescado era "robado". Cuando íbamos al Pozo Pestilente llevábamos siempre el robador, que es un gancho grande, como un anzuelo gigante de cuatro puntas (o como cuatro anzuelos gigantes pegados). El robador sirve para levantar los pescados más pesados sin que se corte la línea. Cuando parecía que había picado algo grande papá me pedía, mientras recogía la línea, que fuera preparando el

---

[8] *morocho:* moreno.

robador. Las burriquetas,[9] cuando las sacaban del agua, hacían un ruido raro y continuado, como un ronquido. Por eso las llamaban también roncadoras. Los que aguantaban más en el aire eran los tiburones. Los chuchos también eran aguantadores, y eso que cuando papá les cortaba la cola con el pinche,[10] les salía bastante sangre. Nunca se me ocurrió preguntarle a papá por qué se morían los pescados fuera del agua. Como no tenían nariz, me parecía natural que no pudieran respirar. A papá le gustaba mucho explicarme cosas y mientras estábamos pescando yo trataba de inventar preguntas difíciles para que él me las pudiera responder. Y sin embargo, mi papá se murió. ¿No es increíble?

"Me ahogo", me dijo mamá llorando que papá le dijo. Y cuando ella levantó la vista, le vio los ojos desesperados, desorbitados. Con el oxígeno no pudieron hacer nada, ni con los masajes al corazón. Ni con la coramina. No volvió a respirar. "Hicimos todo lo que pudimos", me dijo mamá llorando. "Fue una embolia. Los pulmones".

Cuando yo era chica, en verano, iba siempre a pescar con mi papá. Y sin embargo, mi papá se murió. ¿No es increíble? Lo pescaron.

---

[9] *burriquetas:* pez que abunda en Mar del Plata.
[10] *pinche:* pincho, punta aguzada; aguijón.

# LUIS LÓPEZ NIEVES
## (Puerto Rico, 1950)

L u i s López Nieves ha venido cultivando el género cuentístico con brillante energía renovadora desde principios de los setenta. El autor alcanza gran notoriedad con la publicación de su relato *Seva* en el que con gran eficacia narrativa se permite la confluencia de los planos de la historia y la ficción; formación híbrida desde la cual al tiempo que se reescribe la historia se busca una transformación del cuerpo ficticio.

"El lado oscuro de la luna" es uno de los ocho primorosos cuentos de la colección *Escribir para Rafa*, preparado más tarde como guión cinematográfico por el mismo autor. Un persistente contraste entre luz y oscuridad auspicia la asociación con el *happening* de una pintura potencial. Se escarba frenéticamente en la imagen de la faz oculta de la luna para traspasar las significaciones que nos faltan. Se penetra en el lado indescifrable del símbolo y, en tal ejecución, la palabra recurre a las tensiones de los colores, a sus intensidades y formas desvaídas. Hasta allí asume la tradición de búsquedas modernas la narración del escritor puertorriqueño, puesto que, a diferencia del modernista adicto al cruce mismo de fuentes artísticas distintas, "El lado oscuro de la luna" trae silenciosamente, casi sin nombrarlo, el acontecer de una cotidianidad inmiscuida en los personajes hasta el punto de su saciedad, razón para buscar el descongelamiento de la relación habitual e invocar el placer.

La significación de la zona oculta (la noche, la oscuridad) clama por la vivencia pasional a la vez que extenuante de la sexualidad porque noche y amor se conectan por su arrebato duradero e intenso, completamente alejado del acechamiento de lo útil. El teléfono, la televisión, la ventana, el día se acercan al principio de la realidad con toda la carga neurótica de la sociedad posmoderna en la que el trabajo ha consumido toda energía, incluyendo la del amor.

La fascinación nocturna es el encantamiento de un símbolo que invita al regocijo de la sensualidad; por ser símbolo precisamente, cuando aparece la luminosidad del día se pueden pintar los cristales de las ventanas de color negro, provocando así el acceso a la noche, a la relación íntima y conocedora de esa zona oculta del ser. La operación rutinaria de lo social es descalabrada en el cuento de López en el ingreso a la trama de signos cuya exploración nos devuelve una naturaleza de nuevos y ansiados sentidos.

López Nieves realizó sus estudios en la Universidad de Puerto Rico en Río Piedras y en la State University de Nueva York, Stony Brook, donde obtuvo un doctorado en literatura comparada. Ha sido docente en varias universidades puertorriqueñas y actualmente es catedrático asociado en la Universidad del Sagrado Corazón en San Juan, Puerto Rico.

# EL LADO OSCURO DE LA LUNA

S E R Á que después de muchos años la rutina nos inmuniza, lo evidente se transparenta, está tan allí que no podemos verlo. Sólo así podríamos explicarnos el hecho de que tardáramos veinticinco años en descubrir que nuestras discordias eran exclusivamente diurnas. Las noches, sin excepción, fueron siempre exquisitas; toda mi carne sorbía su carne, nos amábamos hasta que nuestros cuerpos comenzaban a crujir y a brillar y a sudar gotas anaranjadas. ¿Cómo explicar esas noches? Pero apenas salía el sol actuábamos como enemigos, hablábamos a regañadientes, uno de nosotros tiraba la plancha al suelo, el otro golpeaba la puerta o la mesa, nos evitábamos e incluso hubo momentos en que llegamos a pegarnos. Al principio, claro, no entendíamos lo que sucedía porque pasábamos la mayor parte del día en el trabajo y cuando nos juntábamos ya era de noche. Llegamos a creer que las mañanas de frialdad y malacrianzas se debían a nuestro cansancio de la noche anterior, la cual habíamos pasado, como siempre, haciendo el amor y despreocupados por el día siguiente. Pero después de veinticinco años de matrimonio nos hemos enfrentado al hecho duro y real de que no nos soportamos durante el día; la noche es nuestro único espacio común y el sol es el más virulento de nuestros enemigos.

El descubrimiento fue reciente: hace apenas unas semanas hacíamos el amor como de costumbre, durante horas, y habíamos perdido la noción del tiempo. Tomamos un descanso para fumar cuando casi sin pensarlo me levanté a descorrer las cortinas.

—No lo hagas, mi amor —dijo—. No sepamos si es de día.
Volvimos a la cama y al amor desenfrenado. Y más tarde, cuando nos mordíamos los cuellos juguetonamente, nos miramos de golpe, conscientes ambos de que algo muy serio acababa de ocurrir. Después de veinticinco años de confusión, de pronto habíamos declarado silenciosamente la guerra al sol. Nunca lo discutimos ni planeamos explícitamente, pero desde ese momento vimos nuestro futuro muy claro: con timidez y disimulo al principio, y luego con una insistencia que rayaba en el descaro, nos dedicamos a borrar de nuestras vidas la presencia del sol. No es fácil entender cómo, después de veinticinco años, de golpe todo tomó una velocidad tan alucinante, porque a las pocas semanas entró a la casa con un ramo de mis flores favoritas, Dama de Noche, y luego anunció durante la cena:

—Desde mañana sólo trabajaré después del mediodía.
Al notar mi sorpresa añadió:
—Dormiré las mañanas enteras y seré tuyo toda la noche.

No fue necesario discutir los pormenores, los sacrificios económicos, el cambio radical de nuestras vidas. Hurgaba mi rostro buscando una señal y entendí entonces que nuestro futuro dependía de un gesto mío.

—Haré lo mismo —dije sin titubear—. Dormiremos de día.

Nuestro ingreso económico se redujo en un instante a la mitad. Pero en adelante toda la noche sería nuestra y podríamos disfrutarla completa, sin preocuparnos por la alarma del reloj o por el sueño perdido. Ese día nos separamos definitivamente de las manadas de tontos que pierden la noche durmiendo. La mañana entera la dedicaríamos a dormir con las cortinas cerradas, luego saldríamos rápidamente al mediodía y no volveríamos a encontrarnos hasta el anochecer, cuando nuestras vidas reencenderían como las estrellas y nos daríamos por completo al amor y a la carne.

El cambio de horario trajo consigo un agradable resultado imprevisto: aumentó nuestra intensidad. Aunque pasábamos juntos muchas más horas, la noche entera hasta el amanecer, no podíamos parar ni cansarnos, siempre más sedientos de sexo y aterrados ante la inevitable separación del mediodía. Los sábados y domingos, antes de que anocheciera, se tornaron intolerables y masoquistas; pero tan pronto anochecía nos amábamos hasta derretir las sábanas, frenéticamente, sin descanso, como si cada instante fuera el último de la noche y de nuestras vidas. Esos atormentadores fines de semana diurnos los pasábamos leyendo o frente al televisor, cada uno de nosotros en una habitación distinta de la casa, y cuando era inevitable comunicarnos lo hacíamos con una furia más hiriente cada día. Como era de esperarse, eventualmente comenzamos a usar palabras feas y a insultarnos sin el menor disimulo. Si yo preparaba una ensalada a la hora del almuerzo, tiraba el plato sobre la mesa y gritaba:

—Ahí está tu plato, imbécil.

Su respuesta era similar: tiraba el libro contra la pared o apagaba el televisor con el puño y decía entre dientes:

—Vete a leer para el carajo.

Pero apenas huía el sol maldito, apenas esa abominable y asquerosa bola de fuego amarillento se hundía en su merecido infierno, nos buscábamos enfebrecidos por toda la casa y no importaba que fuera en el baño o en la cocina porque donde quiera que estuviéramos hacíamos el amor. Olvidábamos por completo las malacrianzas del día porque aquellas noches eran sólo Brahms y sexo y amor y lenguas y besos y cama y saliva y piel y sudor y Vivaldi. Nunca hicimos un esfuerzo por explicarnos la forma en que aumentaban nuestras energías, cómo lográbamos esas largas noches ausentes de fatiga y cargadas de magia. No sabíamos por qué, pero ahí estaban esas noches nuevamente adolescentes, cada vez más potentes y más cercanas al paroxismo.

Nuestra irritación diurna, sin embargo, había comenzado a salir de la casa y a afectar nuestros empleos. Durante el día éramos dos neuróticos unidimensionales, seres irascibles obcecados con la llegada de la noche. Las horas en que brillaba el sol eran un suplicio, la más grotesca de las agonías. Cuánto envidiábamos el lado oscuro de la luna, ese hermoso y romántico lugar donde la noche es perpetua.

Algo tenía que pasar, algo dramático que aliviara nuestra cruz, y lo cierto es que comenzó a ocurrir hace ocho días cuando mi amor se despertó llorando con dulzura. Primero me inundó una fuerte congoja, pero al tomar su cabeza entre mis manos me maravillé. A pesar de que tiene el pelo completamente blanco hace más de siete años, esa mañana despertó con la cabellera más negra y brillante que yo había visto en toda mi vida. Y más tarde, después del desayuno, tuve que desistir de la idea de ponerme nuestra blusa favorita, la negra, porque al intentar vestirme se me cayó al piso tres veces y luego perdió dos botones.

Pienso que fueron señales, porque esa misma noche llegó del trabajo con cuatro galones de pintura negra, dos brochas, grabaciones nuevas de Brahms y Vivaldi y dos botellas de champán. Hicimos una excepción. Pospusimos el sexo por unas horas y nos dedicamos a otras cosas: pintamos de negro los cristales de todas las ventanas, vedándole así la entrada al maldito sol de mierda y sumiendo la casa en la más absoluta oscuridad. Cortamos el cable del teléfono, escondimos en el clóset todos los relojes, espejos, televisores y radios, colocamos un letrero en la puerta que leía: "Nos fuimos de viaje", y luego, locos de felicidad, condenamos la puerta con clavos.

Eso fue hace ocho días; desde entonces hemos vivido una noche tan perpetua como la del lado oscuro de la luna. Ya desistimos de buscarle explicación a esta apoteosis que cada minuto aumenta y disfrutamos más, aunque confieso que tengo los labios hinchados y me duelen los pezones. A pesar de esta larga e ininterrumpida fiesta de amor y sexo sabemos que muy pronto empezará el hambre, el ardor en los intestinos, el amargo sabor en la boca. Pero no importa. Juntos, siempre juntos y enamorados, iremos perdiendo las fuerzas. La muerte nos encontrará en la cama, en medio de un orgasmo, o en el sofá, oyendo a Vivaldi y acariciándonos la piel, besando él mis pezones ardientes, oliendo yo su hermoso y perfumado cabello, o abrazados y sonrientes ambos en algún rincón de la casa, felices al fin porque somos dueños de una eterna noche de amor, larga y oscura como la sombra del universo.

# DIMAS LIDIO PITTY
## (Potrerillos, Panamá, 1941)

L o s sugerentes cuentos de Dimas Lidio Pitty han sido antologados varias veces y traducidos al inglés, alemán, portugués, polaco, checo, holandés y húngaro. Su obra ha sido distinguida en Panamá con el Premio Ricardo Miró en los tres géneros literarios a los que se ha dedicado. El cuento "El cuarto número 6" pertenece a *El centro de la noche*, excelente volumen en cuyas narraciones el eje de la existencia es un pozo nocturno, de aire enrarecido, reflejos sórdidos y desesperanza. Desde su título hasta las focalizaciones narrativas de los escenarios, el cuento "El cuarto número 6" ofrece una desafiante técnica estilística que hace resaltar el ángulo de los objetos y de la visión objetiva sobre lo emocional.

El tono de la narración se metamorfosea con la fría operación del intercambio sexual en un prostíbulo; allí una colegiala comercia su sexualidad con un hombre mayor. Así como la mediación del dinero no reclama del cuerpo sino la provisión de un servicio ajeno a sentimientos, el ángulo de la visión narrativa se enfocará en los contornos de la acción al través de los tres escenarios principales que tiene el cuento. Primero, en la escena que precede el acto la prostitución, luego en la del acto sexual mismo y, finalmente, en la escena en que la colegiala se va del prostíbulo, toma un bus y se preocupa de la tarea que su profesora le ha asignado en la escuela. Los elementos de descomposición que aparecen en el cuento son también fríamente localizados en una suerte de pintura que se aparta del éxtasis de la metáfora o del deseo de interpretación. La actividad sexual carece de posesión, de matices eróticos, de lascivia. El orgasmo aparece como la antítesis del placer, la molestia de una función cumplida y anticlimática. El contexto de la ciudad, también se difumina en una breve mención que la observa en su dimensión "hostil y lejana". La técnica descrita acentúa la visión degradada del mundo narrativo con una amplitud de totalización que no deja espacio para expresiones de tristeza o alegría. No hay racionalización de lo narrado, tampoco esperanza, redención, o angustia. Una explosiva fotografía de corrupción y desidia sociales emerge de la poderosa expresión artística lograda en este relato.

Además del cuento, la producción literaria de Dimas Lidio Pitty comprende la poesía y la novela. En 1968 debe salir al exilio como consecuencia del gobierno militar que se instala en esa fecha en Panamá. Se dirige a México donde permanece ocho años; allí trabaja como periodista y crítico de cine y continúa su actividad creativa. Las contribuciones literarias y periodísticas del escritor panameño han aparecido en conocidas revistas como *Casa de las Américas*, *Plural*, *El Cuento*, *Tareas*. Es miembro de número de la Academia Panameña de la Lengua, nombramiento que recibiera en 1985. Actualmente reside en Panamá donde tiene a su cargo la Dirección General de Extensión Cultural de la Universidad de Panamá.

# EL CUARTO NÚMERO 6

*A Jorge Turner.*

L A mujer llama discretamente a la puerta del cuarto número 6. En el pasillo hay poca claridad y todas las puertas aparecen cerradas, algunas desde el exterior, con candados, y otras por dentro. El piso, de madera, está desportillado en varios sitios. Desde adentro, alguien dice "¡voy!" y vuelve el silencio. Durante todo el día ha lloviznado con intermitencias; tal vez por eso, la mujer (vieja, gorda, con argollas de oro en las orejas y un pañolón de bolas anudado en la cabeza) no suda. En la planta baja se oye un estrépito, como si hubieran caído muchos trastos al suelo, y los gritos de una mujer: "¡Y no vuelvas, desgraciado, no regreses nunca, que no te necesito!". En la calle suena la bocina de un auto. La puerta rechina, al ser descorrido el pasador. Un olor a ropa en jabón, a madera podrida, a orines rancios, corrompe el aire. La puerta se abre. La mujer murmura algo en voz baja mientras la observa de reojo, luego se hace a un lado y le dice que entre. Los pasos de la mujer se alejan, pesados, hacia la escalera y deja de oírlos cuando el hombre cierra la puerta.

Estaba parado junto a la entrada. "Puedes dejar eso ahí", dijo. Él mismo tomó el maletín y lo puso sobre una mesa recubierta de fórmica. Al interior del cuarto no llegaban los ruidos exteriores, por lo menos no en ese momento, y la oscuridad era mayor que en el pasillo. En la estancia parecían haberse acumulado los residuos del tiempo. Había la mesa, una silla, un platón, papel higiénico, una

448

toalla, una jarra con agua, un estante con una puerta menos y una cama de fierro, de modelo antiguo, también averiada y con el colchón deforme.

El hombre dijo "acércate" y se sentó en la cama. Las sábanas, con roturas y remiendos a la vista, estaban revueltas. ¿Estaría lloviendo de nuevo? Estaba sin afeitar y le faltaba un diente. Cerca de la cabecera de la cama, en el piso, había un vaso y varias botellas de cerveza, vacías. Quizá tuviera cincuenta años. El bulto oscuro del maletín resaltaba sobre la mesa blanca. El hombre se quitó la camisa. Sobre la tetilla izquierda tenía un lunar con vellos, algunos, muy largos. Tendido de espaldas, sonrió y dijo "ven, hazte aquí". Abajo, apagada, volvió a escucharse la voz furiosa de la mujer. Él le acarició la cara. "Tu piel es suavecita." Sonrió. "No tengas miedo." La mano recorrió su pecho; después, lentamente, la espalda y el vientre. Algo frío le subió desde los pies. En uno de los cuartos vecinos encendieron un radio. Daniel Santos cantaba *Ángel de medianoche*. El hombre le besó el cuello. Su mirada era rojiza. La mano regresó al vientre y se detuvo, hormigueando, áspera y tibia, entre los muslos. Sintió el aliento de cerveza y los dedos abriéndole la camisa. Alguien pasó por el corredor, hablando en voz alta. La cama crujió cuando él se quitó los pantalones y los puso sobre la silla. El vello de sus piernas era ensortijado, negro y muy brillante.

Sus manos tocaron la cabeza del hombre. El techo, como entre nieblas, se alejaba cada vez más. En esa posición, le parecía más viejo, porque era visible su calva pecosa. Afuera no pasaba nadie. La barba le hacía cosquillas. Tampoco escuchaba el radio. El hombre apartó la cabeza e interrogó con la mirada. Sus ojos estaban enrojecidos y era más intenso el olor a cerveza. De pronto se incorporó y, arrodillándose en el piso, dijo "ven al borde; es mejor". Ahora no lo veía (el techo estaba más alto, distante, con más niebla que antes) pero sentía en su vientre la respiración entrecortada y ruidosa. A veces el hombre interrumpía sus movimientos y murmuraba palabras sin sentido. Súbitamente lo sintió levantarse y algo húmedo y tibio le mojó las rodillas y los muslos. Mantuvo los ojos cerrados mientras lo oía echar agua en el platón. Cuando regresó a la cama, su respiración había recobrado el ritmo normal y durante un rato permaneció quieto y fumando. Luego le dijo que se vistiera.

Cuando salió, la mujer estaba en el pasillo, sonriéndole. Otra vez lloviznaba. "Toma", dijo la mujer. Eran tres billetes de un dólar. "Cuida que no se te mojen. Espera; te daré un periódico para que te cubras". Ya en la calle, el agua entrándole por las suelas agujereadas, recordó que la mujer le dijo que volviera el lunes, a la misma hora.

A través de la ventanilla del bus, ve la lluvia y siente frío. Mete la mano en el bolsillo del uniforme y estruja los billetes. En el asiento de atrás, dos niños hablan de James Bond y del programa cómico que la televisión presentará esa noche. Abre el maletín y saca el libro de Historia. La fundación de Roma es la lección para el día siguiente. La maestra advirtió que la tomará muy en cuenta a la hora de calificar el trabajo hecho en casa. Parada. Sube una señora con un paraguas floreado. La lluvia es muy fuerte ahora; el agua cubre completamente la calle y llega hasta el borde de las aceras. La señora es delgada y usa anteojos con aros dorados. La subdirectora también usa gafas, pero es más huesuda y tiene en la cara marcas de viruela. La ciudad se ve hostil y lejana. Es desagradable la frialdad de sus zapatos encharcados. La lluvia arrecia. El tránsito avanza despacio; algunos autos encienden las luces. "Rómulo y Remo..." La maestra le aconsejó que preste más atención en clases. Últimamente la nota desatenta, como distraída; antes no era así. ¿Acaso tiene algún problema? ¿Qué le pasa? Si no mejora, tendrá que traer a su acudiente.[1] "Rómulo y Remo..." De pronto se siente muy triste y muy sola, con ganas de estar en un lugar oscuro, donde nadie pueda verla y ponerse a llorar. El tránsito se atasca y las bocinas de los autos atruenan la calle. Con gesto cansado, guarda el libro en el maletín y, luego, aturdida por el estruendo de los automóviles, cierra sus ojos húmedos y

---

[1] *acudiente:* preceptor, profesor particular.

apoya la frente en la ventanilla empañada. Mientras, en el asiento trasero, los niños discuten si los leones son más poderosos que los elefantes, y si las ballenas persiguen a los tiburones.

## PÍA BARROS
### (Santiago, Chile, 1956)

L A prosa de la narradora chilena cultiva el proceso de la imagen poética, sorprendiendo en esa tarea relaciones diversas de una erótica corpoescritural apoyada en la cadencia del lenguaje, en el movimiento de las sílabas, en la atracción de vocablos que hablan y se abren atraídos por la dinámica volitiva del lenguaje como se deja ver en "Prefiguración de una huella": "asciende por mi vientre, sube, estremece tu piel al roce de la mía, abrázame, muerde mis hombros y tiembla, deja que te invada el temor, la ansiedad, reconoce la huella secreta de los poros, anhélame... yo besaré tus ojos, morderé los vértices de tu boca, te dejaré temblar desfallecido, rasguñaré el descenso de tu espalda para hundir mi cabeza en tu pelvis" (*A horcajadas*. 2.ª ed. Chile: Editorial Asterión, 1992, p. 15). La narratividad que busca Pía Barros se deja seducir así por la espacialidad lírica que ahorra en la descripción y estimula el fluir de la imagen.

El cuento seleccionado se incluyó en la colección *A horcajadas,* de 1990. "Olor a madera y a silencio" invoca los rumbos posibles de la visión del ensueño, describiendo sus movimientos hacia las fluctuaciones del tiempo y el encuentro de un erotismo revelador: puntos demarcadores de la separación entre libertad, cuerpo, Eros de una parte y convenciones, deberes, sociedad de otra. El paisaje —la lluvia, el campo, el vuelo de las gaviotas— se anuda al espacio de las navegaciones oníricas que frente a la imposibilidad de conjurar su propia deconstrucción temporal accede a una verbalización de máxima transfiguración poética.

Pía Barros estudió filología hispánica en la Universidad de Santiago, donde se licenció en 1981. Su formación creativa transcurre en varios talleres literarios de los años setenta, dirigidos por escritores chilenos como Enrique Lafourcade, Carlos Ruiz-Tagle, Martín Cerda y Cristián Hunneus. Desde 1986 hasta hoy ha organizado varios talleres de creación, contribuyendo significativamente a la formación de las nuevas generaciones literarias. Su aporte a la creatividad cultural se ha dado a través de su talento como expositora en conferencias en torno a los problemas de redacción creativa, la formación de monitores para talleres literarios, la identidad de la mujer, el feminismo, la generación de los ochenta en Chile, el nuevo poder escritural de las mujeres en América Latina, las técnicas y contribuciones de los latinoamericanos a la escritura creativa, los contextos socioculturales relativos al desarrollo de la escritura en Chile. La actividad editorial de Pía Barros ha sido destacada, especialmente desde 1985, año en que asume el cargo de directora de Ergo Sum, editorial difusora de literatura femenina.

Los cuentos de la escritora chilena han aparecido en una decena de antologías, incluyendo *Nuevos cuentos eróticos*, editada por Carlos Franz en 1991 y *Scents of Wood and Silence: Short Stories by Latin American Women Writers*, editada en 1991 por Kathleen Ross e Ivette E. Miller. El cuento "Navegaciones" obtuvo el Primer Premio Literario Antonio Pigafetta en 1986 y el texto "Acechos" incluido en el libro *Miedos transitorios* sirvió de base a la obra de teatro "Acechos", estrenada por la Escuela de Teatro de Gustavo Meza. El cuento "Los pequeños papeles", incluido en *A horcajadas*, fue utilizado para la producción del vídeo *Mapa de un deseo*, exhibido en el Ciclo de Vídeo-Arte del Instituto Chileno-Francés de Cultura en 1990. La obra cuentística de Pía Barros ha sido premiada en varios concursos literarios de importancia y traducida al inglés y al francés.

## OLOR A MADERA Y A SILENCIO

*A Cecé.*

—A M A N E C E S distinta.

—Es que soñé con gaviotas, dijo ella saltando de la cama a las tostadas y huevos, al café humeante y el cotidiano ritual de desayunos compartidos. No lo escuchó cuando dijo:

—Es extraño, traes pasto verde entre los dedos.

Había sido un juego para que el lavado no fuese tan anodino. Empezó soñando con unas manos que salían de las sábanas en busca de sus pechos, deberían ser grandes, toscas, huesudas y descuidadas, de dedos largos, que la palparan sin dolor, vigorosas, subiendo y bajando por sus pezones, dibujando la erizada piel, recorriéndola.

Sonrió al ver que la máquina había dejado de funcionar hacía largo rato y espantó el sopor abalanzándose sobre las sábanas y fundas que colgaría aún perturbada por la caricia.

Durante un tiempo cerró los ojos y en la penumbra, mientras Ismael dormía, ella se dejaba llevar por esas manos, las tomaba a su vez para enseñarles la secreta huella de sus poros y su placer temblante.

Ismael bebía su desayuno como siempre, inmerso en el noticiero y la encontraba embellecida y diáfana. La vida era segura y se sentía pleno.

Una tarde en que el calor la abochornaba y le hacía soñar con lagos en invierno, quiso que tuviera caderas estrechas, nalgas pequeñas y apretadas donde clavar sus uñas, que un vello oscuro desdibujara su sexo.

Él la encontró dormida sobre la alfombra, con las ropas en desorden y los labios entreabiertos y húmedos. Dejó el portafolios sobre la mesa y deseó hacerle el amor allí mismo, pero se contuvo, porque esa imagen le parecía virginal y ella era tan delicada, que no quiso agredirla y se sentó largo rato sonriendo, viéndola dormir tan abandonada, dulce, con el rostro aniñado por los sueños.

Pero ella estaba lamiendo caderas, besando nalgas, rasguñando.

Él no se preocupó por su semblante pálido hasta mucho tiempo después, cuando notó la obsesión con que se dedicaba al sueño. Parecía buscar todos los momentos para cerrar los ojos y cuando la casa empezó a ostentar el descuido le pidió que viera a un médico, porque había oído que el exceso de sueño era síntoma de anemia. Los exámenes salieron bien y no volvió a mencionarlo.

Llegaba el otoño cuando ella lo deseó alto, aunque no demasiado, lo suficiente como para que el abrazo le enterrara el rostro en un pecho que la hiciera sentir vulnerable. Pasaba largas horas recorriéndolo con su cuerpo desnudo, subiendo y bajando los pezones como si dibujara su vientre plano. Adoraba la extremada delgadez con que lo había soñado y le agradaba inventar que sus huesos le dejaban huellas sobre el vientre. Dormir se fue transformando en el arte de no ser descubierta y le gustaba disponer sábanas de diferentes colores para cubrirse y partir, partir lejos, donde la intimidad le ofrecía un refugio en el que vocear las fantasías.

Cierta vez la sedujo la lluvia vertical sobre la ciudad anochecida y la ventana la ensanchó hasta que pudo imaginar el campo y los caballos mojándose en la distancia. El invierno la mantenía somnolienta y la lluvia le astillaba los paisajes. Fue entonces que le hizo rostro y pensó estremecida que a partir de ese momento, estaba siendo infiel. Sacudió la idea porque él no existía, era sólo múltiples trozos de muchos alguien, fragmentos de atracción que no la hacían culpable de nada que no fueran sus sueños. Sonrió liberada y ansiosa y lo quiso con mirada verde y horizontal, las cejas gruesas y oscuras y se sintió a salvo, porque supo que quedaba lejos, del otro lado del umbral, donde era posible inventarle una piel salada para lamer poco a poco, sin apremios, hasta tomarla, hacerla suya, desandarla.

Ismael empezó a vigilar su sueño, a ver al hombre delgado y moreno sonreírle en las pupilas entreabiertas. Sabía que iba hacia él, que la estaba esperando... pero luego ella cerraba del todo el túnel de sus pestañas y lo dejaba de este lado, inerme, dolido y riéndose de sí mismo, mientras ella se enmarañaba en las sábanas y sonreía lejana y otra.

—"Por qué tardaste tanto", dijo él, alto y enigmático, como ella lo soñó.

—Costó que se durmiera, respondió ella abrazándose al cuerpo que olía a madera y a silencio.

Ella sabía que de este lado todo era propio, que él la amaría dolido y desgarrado, llena de caballos el alma. Del otro lado quedaban las urgencias, las culpas, los horarios.

La mañana los sorprendió como ella quería, enredadas las pieles y él dijo No te vayas aún, y la fue besando, buscando respuestas en sus pezones, preguntas en sus nalgas y ella se vestía y caminaba hasta la puerta de la cabaña y él la seguía todo risa y muchacho y la tumbaba sobre el pasto y la amaba en una penetración risueña, donde las gaviotas del tiempo les estallaban en los dedos y el orgasmo venía con todo el cielo en los ojos y ella aferraba un puñado de hierba para no sentir que se moría, ante el desconcierto de un pájaro que los sobrevolaba y la risa ronca, profunda, que fluía sin control, plena, vibrante.

La mano de Ismael sobre su hombro había roto el umbral y decía:

—Amaneces distinta.

—Es que soñé con gaviotas.

Ismael la vigilaba. Esperaba a que se durmiera y trataba de ver por el espacio entreverado de sus pupilas somnolientas en dónde hacían el amor, hacia dónde miraba. La cabaña, el lago y el mar, eran sus reductos, los islotes donde anclaba los sueños que lo dejaban a él vulnerado, inerme. Ismael sorprendía pequeños objetos que ella dejaba olvidados y que se traía del umbral; algunos granos de arena, malezas, un barquito de papel, el rezago de un invierno en pleno verano, o las briznas de hierbajos que le enmarañaban el pelo al despertar. Se había acostumbrado a revisar las sábanas buscando con dolor las huellas, humillado por la niebla que no sabía combatir, escondiendo las pruebas de los sueños ajenos.

Ella dormía encabritada o diáfana, casi todo el tiempo del otro lado del umbral. En la casa, el polvo se acumulaba bajo los muebles y los platos sucios derramaban su contenido en diferentes lugares de la cocina.

La lluvia le hizo cerrar los ojos nuevamente. "Ven", había escuchado a lo lejos. Él la fue mordiendo breve, lamiéndola, curvándola, sometiéndola. Ella quiso volver a soñar las gaviotas, pero cada mordida la arrojaba a imágenes extrañas, una boca gritando en la oscuridad, una semisonrisa entreabierta por un cigarrillo, los zapatos de un hombre sobre el pasto..., la lengua y los dientes arañando sus pezones la lanzaron de lleno a un mar embravecido y la urgencia de su piel en el deseo a un infierno llameante que le secó la boca y le borroneó su propia silueta de voyeur espiando el juego... por la piel le reptó la mano y la mirada verde y entreabrió los muslos llamándolo, con un olor ancestral que desconocía en sí misma y la cabaña se volvió una grieta en la roca que le rasguñaba la espalda y el mar estaba allí, rugidor, lamiendo las pantorrillas que ella subió para quedar a horcajadas sobre el hombre vertical al que el mar parecía tratar de derribar con el oleaje y la espuma rugiendo sobre sus nalgas y las piernas entrecruzadas en la espalda a la que ella clavaba las uñas tratando de marcar, de dejar huella, y el hombre la embestía hasta nublarle los ojos y dejar un hilillo en las comisuras de los labios...

Esta vez, no podría ocultar la espalda rasmillada, los dientes marcados en sus caderas. Ismael ya no sonrió, pero no hizo preguntas. Tuvo miedo de no poder resistir las respuestas. No había a quien culpar.

Ella se fue adelgazando poco a poco y ya ni siquiera hacía la parodia de levantarse de la cama. Fue inútil que Ismael le levantara la cabeza para obligarla a abrir los ojos y tragar un par de cucharadas de sopa. Ella estaba allá, en el delirio, ofrendando dedos y posesiones, "porque yo soy en ti, son mis carnes las que te arrebatan de ti mismo, vamos, lámeme, deja tu pupila verde resbalar sobre el agua...". La fiebre llegó lenta, un día en que la sábana se humedecía y dejaba la huella de dos sudores. Los dedos huesudos y traslúcidos apenas se levantaban para pedir en el gesto un poco de agua. La fiebre se fue impregnando en sus manos, en la frente y se fue llevando los sueños lejos.

—Ismael, gritó en la oscuridad, No puedo soñar, ayúdame.

Ismael tuvo miedo de la angustia que le enronquecía la voz. Pero luego, largo rato después, sonrió y dejó de darle los medicamentos.

En el delirio, ella pedía que la ayudara a recordar, a rememorar el lago y sus ojos, y cómo le hice el pecho,

Ismael, de qué tamaño sus manos aferradas a mis caderas para empujarlo en mí, ayúdame Ismael, esta tarde habría columpios y estaríamos alto, alto, seríamos volantines y risas y las pieles se llamarían por sus nombres allá, Ismael, allá donde la culpa no tiene estatura y los pájaros jamás serán pájaros perdidos...

Pero Ismael sólo acercaba agua a sus labios y sonreía.

—Todo estará bien, te lo prometo, todo va a estar nuevamente bien.

Ella se debatía desesperada, tratando de aferrar sus manos, el pelo, algo que la devolviera al umbral, mientras la fiebre le iba borrando los contornos de la cabaña, la sonrisa del hombre, las manos toscas que la raspaban al acariciar, el olor a madera y a silencio.

—Ismael, ayúdame.

—Todo va a estar bien.

Ella lloraba, a lo lejos, la voz se desdibujaba angustiosa en el llamado "Duerme, suéñame otra vez", pero ya no era voz, era el recuerdo de haber oído alguna voz y el horror y el vacío y las caderas y los hombros y la mirada verde aguándose hasta desaparecer.

Después, hubo sólo un largo silencio y el invierno terminando, mientras la fiebre descendía y una palidez taciturna se iba apropiando de su cuerpo.

El sueño la sorprendió con el vacío y sin fuerzas para soñarlo nuevamente.

Ismael abrió la ventana para cambiar el aire enrarecido de esos meses y ella sintió que el aire se llevaba los últimos vestigios del recuerdo.

La ventana era sólo un ancho marco mostrando edificios y calles y cemento.

No quiso luchar, era inútil. En el desamparo, las sábanas volvieron a ser anodinas manchas, a las cuales le sería imposible restituirles el olor a madera y a silencio.

# BERTALICIA PERALTA
## (Panamá, 1939)

D I S T I N G U I D A narradora y poeta panameña, ganadora del Premio Universidad en 1973 por la colección de cuentos, *Barcarola y otras fantasías incorregibles*. El Instituto Nacional de Cultura de Panamá ha premiado también la obra de la autora. El cuento "Encore" que incluimos en esta antología recibió el Premio Itinerario en 1977 y se publicó en el libro *Tres cuentistas panameños* junto con relatos de los escritores José Antonio Córdova y Francisca de Sousa. "Encore" fue incorporado posteriormente a la colección *Puros cuentos*. Otros relatos conocidos de la escritora panameña son "Cuando me paro a contemplar mi estado", "Supermán te digo adiós", "Ese loco sonámbulo triste nostálgico y aterido deseo de vivir", "Muerto en enero"; "Camino a casa", "Casa partida", "Guayacán de marzo", "Largo in crescendo".

La actividad literaria de Bertalicia Peralta ha sido compartida con su labor docente y periodística. En la actualidad ocupa el cargo de Directora de Relaciones Públicas de la Universidad de Panamá. Su obra poética —distinguida con el Premio Ricardo Miró, ampliamente antologada y con traducciones a varios idiomas— la ha situado como una de las escritoras importantes de la lírica panameña. Entre los aspectos distintivos de la espléndida cuentística de Bertalicia Peralta se encuentra una vibrante exploración en la naturalidad del decir. Voces que como en "Encore" son despertadas por una exultante necesidad de extraversión. El "contar" es abordado así con todo el sabor, agilidad y vigor de su producción.

# ENCORE

S E trata de hacer las cosas bien, mani, de echarlo todo hacia adentro, hacia donde ya no más, hacia donde no te alcancen, porque en este mundo toda la gente anda viendo como joderte y si tú jodes primero jodes mejor ese es el lema, cabrón, pero es el lema, yo hace ratote qué lo estoy sabiendo, mani, lo que pasa es que a veces todo sale a pedir de boca y a veces no, como ahora, mani, que no sé qué va a pasar tú ves, ando loco, loco, locote, no sé qué hacer, primero me destapé, me desgañité, me aloqué, me desorbité, luego lo cogí suave, suavecito, haciéndome el que nada, tú ves, que dizque ya no,[1] pero qué va, a mí me pasa que no puedo ocultar las cosas, soy como el país, mani deslumbrante, desbordado, no me puedo guardar nada para mí solito, y caí, caí, resbalé a más no poder como si me hubieran puesto justo delante de los pies una cáscara bien resbalosa de plátano maduro y me volví un flan, una gelatina, y fue una vez y otra vez y me fue agarrando la cosa, la Olga con su caminao que es un bembe,[2] mani, ay, que no me deja ni dormir porque si estoy dormido la sueño y si estoy despierto la miro y como dice la canción su recuerdo va conmigo, y resultó mucha hembra, mani, más de lo que te imaginas, más de lo que yo te pueda contar porque esas cosas no hay cómo contarlas, y empecé a preocuparme, en serio, yo, que me las traigo como quien dice, y caí en la tentación, en las mil tentaciones y comencé a buscar como un

---

[1] *que dizque ya no:* que según parece ya no.
[2] su *caminao* que es un *bembe*: su modo de andar sensual.

desenfrenado Opovitam, pa' revitalizar el vigor perdido y
nada, mani, y luego fue Testivitam y tampoco, y ella tan
fresquita, tan fresca, tan guapachosa, tan mírame como si
nada, y recordé mani la vez que fuimos a bailar allá en una
boite, todos pegaditos y sudadotes pero qué importaba, nos
abrazábamos a más no poder, limpiando hebilla, ella pi-
diéndome con todo su cuerpo que la apretara mucho y yo
gozando el momento divino, recordé, mani, a Solinka, cantando como siempre, como nunca, como sólo ella sabe
hacerlo, aquello de todas las mujeres tienen / en el ombligo
una pasa / y más abajito tienen / con lo que pagan la casa y
cuando decía Solinka con su voz que es como una lengua
que se te mete dentro, ponme la mano Caridad, era el suin
todo chévere,³ era cuando ya empezaba uno a llegar a la
gloria y a querer meter candela en el cuerpo de Olga porque ella te ponía a bufar de deseo, mani, porque en mi vida
he visto hembra más cabrona y lo digo en el buen sentido
de la palabra, no vayas a creer, mani, mira que si hay alguien
que la respete ése soy yo, y Olga tan estirada, al día
siguiente temprano, tempranito se levantaba y se tomaba
su café con leche, y se iba pa'l trabajo y yo quedaba en la
lipidia,⁴ mani, en la pura lipidia, y Olga se reía y con su aire
de suficiencia me miraba por encima del cuello todo terso
y adorado, allí mismo donde yo había besado y mordido y
bajado hasta sus senos, Olga se reía y decía algo así como
¿qué te pasa, tan pronto se te acabó la gasolina?, y yo por
su causa ya había perdido dos trabajos y ella seguía en el suyo
tan como si tal cosa, y luego vino lo del chino de la tienda, que nunca falta un hijo'e puta que venga a fregar la
vida, y el chino no le quitaba el ojo de encima a Olga y ella
feliz, mientras más la miraban queriéndosela comer, más feliz,
reía de felicidad, chillaba de felicidad, brincaba de felicidad, me jodía de felicidad, todo lo hacía de felicidad, para
dársela de muy, tú ves, y yo tenía que empujar, mani, tenía
que responder, no era verdad que me iba a quedar así no

³ era el *suin* todo *chévere*: un movimiento, un contonearse
maravilloso. El término *suin* proviene del inglés *swing*.
⁴ *en la lipidia*: abatido.

más como si toda la cosa, y sacaba fuerzas no sé de dónde y haciendo de tripas corazón me levantaba y empezaba a buscar algo que hacer, dónde levantar la lana,[5] mani, porque la cosa está muy dura, tú ves, y cuando pierdes un trabajo dónde vas a conseguirte otro, y empecé a vender rifas y boletos de la Cruz Roja pa' ganarme mi comisión tú ves, traté de conseguirme un trabajo de díler[6] en los casinos pero qué va, mani, resultó que allí querían tipos apuestos, gallardos, una especie de Warren Beatty panameños inconseguibles en una tierra donde todos somos paticortos, zambos,[7] barrigudos, y la curiosidad me picó y fui a verlos al Hotel Lux y no había ninguno así como Warren Beatty, así que seguí vendiendo y esta vez entré en Seguros de Vida, pero tampoco duró, no pude aprenderme el lavado cerebral que había que decirle a la posible víctima porque yo no creía en eso, mani, si el día que te vas, te vas, y el muerto al hoyo y el vivo al bollo, tú ves, y a todo esto, mientras yo sudaba y pateaba calles y perdía trabajos Olga parecía revivir, renacer de entre las cenizas, pródiga, radiante, risueña, alegre, con su caminao de yegua en celo, brillante de piel, de ojos, de dientes, y se me tiraba encima y olía no a Chanel número cinco del que anunciaban en la televisión, sino a calle, a bahía a las cinco de la tarde, a culantro[8] en el amanecer, olía a mariscos frescos, a desnúdate y desnúdame, a caída aplastante, profunda, sin frenos, pedaleando, mani, pedaleando furiosamente, rápido, jadeante, lento, lento, a caída sin término y Olga volvía a renacer, como una diosa con poder para renacer mil veces, y mil veces magnífica, y a mí el aire me faltaba, la respiración me ahogaba y ya no pude y grité, y quedé patitieso, y déjame por-fa-vor-que-ya-no-a-guan-to y a pesar de los no sé cuántos frascos que había terminado de Opovitam y Testivitam no cogí ningún vigor, no reaccioné mani, tú ves, y no pude, no pude repetir, no pude.

[5] *dónde levantar la lana:* dónde sacar (ganar) el dinero.
[6] *díler:* del inglés *dealer;* el que reparte las cartas. Crupier.
[7] *zambos:* se llama "zambo" al mestizo de negro y amerindio.
[8] *culantro:* cilantro.

# DIEGO MUÑOZ VALENZUELA
## (Constitución, Chile, 1956)

L A primera publicación en forma de libro de Diego Muñoz Valenzuela, la colección *Nada ha terminado*, contiene veintidós textos, algunos de los cuales son breves pasajes poéticos. Las narraciones más extensas agrupadas en esta obra son los cuentos que el autor había escrito entre 1978 y 1983. La edición de esta colección consistió en una tirada limitada a trescientos ejemplares. Cuentos como "Anochece en la ciudad", "Perros", "Kethor (el dinosaurio de medianoche)" y "Auschwitz", incluidos en *Nada ha terminado,* son buenas muestras del talento narrativo de Diego Muñoz. El cuento que hemos seleccionado en esta antología constituye parte del material que el autor ha venido escribiendo en los últimos siete años. Del material manuscrito que hemos podido revisar, también destacan los cuentos "Mirando desde el ventanal" y "Vas cayendo". La obra narrativa de Diego Muñoz ha sido premiada en varios certámenes y sus cuentos han sido acogidos tanto en revistas nacionales como extranjeras. Su novela *Todo el amor en sus ojos* —aunque no fue ganadora de los primeros premios— tuvo una excelente recepción en el certamen auspiciado por Casa de las Américas en 1988 y fue publicada dos años más tarde por la Casa Editorial Mosquito Editores en Santiago de Chile. Diego Muñoz Valenzuela obtuvo el título de Ingeniero Civil Químico, y prosiguió estudios en Ciencias de la Ingeniería en la Universidad de Chile. Durante sus estudios fundó el Taller Literario de Ingeniería y una revista que recogía las creaciones de ese grupo literario.

En "Ómnibus al amanecer" un profundo sentido de disidencia marca las acciones, pensamientos y recuerdos del personaje. Esta caracterización de desacuerdo entre un relator que conforma con la noción de "antihéroe" y la totalidad del mundo que lo rodea está entregada con una audacia narrativa de cautivadora lectura. Al lector se le da la tarea de conglomerar la totalidad de las escenas que contiene el cuento para que él mismo arme la penetrante sátira sobre los efectos de la modernización social implicada en el mensaje artístico del relato. El microcosmos del ómnibus tampoco escapa del sentido general de alienación y absurdo. El transporte mismo está visto como anacronismo y los personajes que allí se encuentran revelan diversos aspectos sórdidos. ¿Hay alternativas luego de ese recorrido interno en zonas circulares de aislamiento? Queda ciertamente la vuelta de condena al enajenante ritual burocrático de oficina. La incomunicación se instala como foco narrativo en este insinuante cuento de Muñoz Valenzuela para iluminar críticamente sobre el tipo de sociedad y de relaciones humanas que nos toca vivir.

## ÓMNIBUS AL AMANECER

TRABAJO en una oficina como el resto del mundo. Lleno hojas de palabras sin sentido, contesto por teléfono las dudas de un ejército de mongólicos y archivo todo eso en carpetas colgantes rotuladas con llamativos letreros de colores. Y cada cierto tiempo asisto a reuniones de coordinación con café negro y galletitas donde se habla del alza del dólar, de los índices de la Bolsa y del *weekend* recién pasado. Nunca se dice nada interesante en todas esas reuniones. Si eres simpático, sales con un negocio entre las garras. Es una vida bastante aburrida.

Odio los automóviles. Nunca aprendí a conducirlos. Son unas bestias indóciles y repugnantes. Jamás hacen lo que uno quiere, son de lo más estúpidos. Por eso prefiero viajar en ómnibus al trabajo. Naturalmente, en la oficina la gente se preocupa de mi imagen poco apta para los negocios. Hasta las secretarias llegan en automóvil por las mañanas, carros viejos, casi en desuso, listos para las prensas de fierro viejo. Pero queman bencina, escupen gases horrorosamente tóxicos y avanzan con cierta dignidad arqueológica. Creo que esto satisface el tonto orgullo de estas mujeres cubiertas de cremas y maquillajes inconcebibles. Suelen usar medias negras y faldas ceñidas diseñadas para enseñar sus muslos aptos para la procreación.

El gerente general me ha dicho que por lo menos trate de llegar en taxi, porque así lesiono menos el prestigio de la compañía. La verdad es que me da lo mismo. Siempre lo miro sin responder nada. A veces me invita a un café y me relata los problemas que tiene con su esposa. Es una vieja horrible y avara que le ha hecho la vida imposible. Conozco muy bien a esas viejas horrorosas, son como las brujas de los cuentos. Le he sugerido asesinarla en mil formas y el vejete nada. Sin embargo se ríe y goza con mis proposiciones. Le faltan agallas, pero disfruta mis ocurrencias y hasta cierra los ojos soñadoramente cuando una alternativa lo emociona. Más de una vez me ha pedido que le describa una posibilidad que le quedó dando vueltas. Aquella del gorila que la estrangula parece estremecerlo de placer; me solicita repeticiones constantemente. He estado a punto de regalarle *Los crímenes de la calle de la Morgue*. Sólo me detuvo la certeza de que ese obsequio interferiría con nuestras relaciones. Estoy seguro de que no me despide sólo por esas historias que le cuento. Le da lo mismo que duerma, beba o fornique en mi escritorio. Es un asqueroso cobarde incapaz de asestarle un buen golpe a la muy bruja de su mujer. Se ha ganado su infierno.

Estoy esperando el ómnibus en un cruce donde empezaron a instalar semáforos y señalizaciones hace por lo menos seis años. Los semáforos están instalados desde el año pasado, pero no funcionan. Parece que no tienen cables de energía que los alimenten. A algún ingeniero se le debe haber olvidado esa parte. Está de moda segmentar el trabajo aunque se trate de lo más obvio. El ingeniero de los cables debe haberse enfermado cuando hicieron el proyecto. Seguro que esos semáforos jamás funcionarán. Qué importa además, aquí no ha ocurrido un accidente todavía. Y si hubiera pasado algo no habrían instalado el aparato, claro.

Ahí viene caminando como ave de rapiña ese viejo búho de anteojos y zapatos negros lustrosos. Como siempre a las 8:45. Es de una disciplina sobrecogedora. Se desplaza exactamente igual que aquel viejo cóndor al que alimenté con palomitas de maíz el día que la profesora de básica nos llevó de visita al zoológico. El desplumado carroñero me seguía por dentro de la reja para que le diera cabritas.[1] Era insaciable. Quise adoptarlo, pero no me dejaron. La profesora aseveró que los cóndores no podían vivir en las casas

---

[1] *cabritas:* en Chile, palomitas.

de los niños, que eran animales peligrosos. Zas que te dan un picotazo y se tragan tu ojo de una zampada. Eso me dijo; juro que no le creí nada. Me llevé mejor con ese cóndor que con cualquier compañero de mi clase. Habría sido feliz en mi casa, aunque mamá detestaba a todos los bichos emplumados. Se comió casi todas las palomitas de mi saquito. Era un maldito curco[2] hambriento muy simpático. Ni siquiera me dediqué a observar a los monos, los leones o los camellos. Ese pajarote era sencillamente cautivador. Pero este vejete no tiene nada de simpático. No le daría ni media palomita de maíz. Debe ser torturador, encargado de funeraria o algo así.

Al fin viene el maldito microbús después de una hora de espera. Es una vieja cacharra de mediados de siglo. Echa humo como locomotora y rechina como tranvía. El chofer es ese gordo malhumorado que avanza a paso de tortuga y huele a grasa descompuesta. Sabe a la perfección donde tengo que bajarme y por lo mismo procura pasarse de largo tres o cuatro cuadras por lo menos. Es la única vez que acelera en el día. Acostumbro a bajarme por la puerta delantera porque sé que se enfurece. Ahí no puede partir de súbito para que caiga o me enrede en la puerta de atrás y así arrastrarme un kilómetro por el pavimento. Por eso le da rabia, porque los pasajeros lo están mirando y no puede realizar su sueño. Dejo subir al búho primero en un arranque de cortesía falsa. Lo mismo podía haberle dado una puñalada feroz o una coz en los testículos. Tampoco me dio las gracias, no tiene nada de idiota el tipo. Su peor defecto es la vejez. Ese es su punto débil. Una vez arriba del bus me entretengo en humillarlo. Inicia con nerviosismo la prospección de los asientos por desocuparse. Busca en su memoria datos que puedan ayudarlo. Toma la posición más conveniente cubriendo el mayor número de asientos posible. Aunque no haya nadie más en el ómnibus, me instalo a su lado y lo observo sin ningún pudor. Él simula indiferencia total y desvía la vista en cualquier otra dirección. Acecha en silencio y transpira por la incomodidad de mi

---

[2] *curco:* en Chile, jorobado.

férrea vigilancia. Esto nunca dura más de dos cuadras. Tiene un *feeling* bárbaro el pajarraco, jamás se equivoca. Alguien se pone de pie y se baja en la esquina siguiente. Él se instala en el asiento y trata de aposentar su gordo culo en un espacio poco generoso. Después enjuga el sudor de su azoro con un pañuelo sacado del bolsillo de la chaqueta. Es el momento justo para retirarse.

Analizo la composición y variedad de los pasajeros para elegir una posición estratégica. Atrás va el tipo con que discutí una vez sobre militares. Iba leyendo una novela de Benedetti y pensé que tendría algo más que aire dentro de su cráneo. Le dije que el ejército era una cáfila de ociosos, aprovechados y mal paridos. Me contestó que no todos eran iguales. Le dije que mirara a esos hijos de puta en carros de último modelo a más de cien por hora, esos miserables bastardos ganan diez veces lo que nosotros por hablar babosadas[3] le grité en el oído. Contestó que eso de la guerra interna estaba mal, pero la soberanía es otra cosa. Debí arrebatarle el libro y quemárselo sobre el terno. Soberanía y mierda son la misma cosa, aullé antes de cambiarme de asiento. Ahora el infeliz iba leyendo un texto de macroeconomía de portada ostentosa. Me mira de reojo porque sabe que lo vigilo. Simula mayor interés en la lectura. Se me hace que no sabe nada el fulano y que trae libros para que lo crean intelectual o algo así. Igual que esa fulana medio *new wave* de ojos locos que va allá atrás, aparentemente enfrascada en una lectura misteriosa. No necesito conocerla para saber que se trata de una pervertida que pasa el día pensando en que se la cojan[4] a la fuerza y otra sarta de depravaciones inimaginables. Más adelante de la *new wave* va una morena de pelo corto y alborotado que me ha puesto la mirada encima de forma abiertamente provocadora Está sentada al lado del pasillo y me encamino hacia allá sin demora. Viste minifalda, medias gruesas, botas, suéter y casaca de cuero, todos negros. Hasta sus ojos son negros. Tiene los labios gruesos y sensuales. Sus

---

[3] *babosadas:* estupideces, tonterías.
[4] *cojan:* vulgarismo; relación sexual.

pupilas brillan con lascivia desbordante. Cruza las piernas algo gruesas mientras me clava los ojos y hace deslizar suavemente su lengua por el borde de los labios. Yo flecto[5] apenas la rodilla de modo que mi pierna izquierda le acaricie la cadera. La tipa de atrás como que entiende el juego y sonríe al mostrarme que lee *Ojos de perro azul*. No caeré en la trampa, es obvio que se trata de una retardada mental con fiebre uterina. Miro a la morena y le digo ochichornia; ochicuánto me pregunta; ochichornia, O-CHI-CHOR-NIA, OCHICHORNIA. No hay caso, no entiende. La verdad es que nadie entiende nada. Camino en reversa hacia el conductor. Al pasar junto al viejo búho le pregunto si le gustan las palomitas de maíz. Me dice que muchísimo sonriendo y sacando su lengua amoratada y larga como un sable. La tipa de atrás me hace señas con el libro para saber si se baja en la siguiente esquina. La morena de luto está indignada y me obsequia con su olímpico desprecio. El viejo búho reclama sus palomitas de maíz. Le digo al gordote que se detenga aquí mismo antes de que lo reviente a coces. Es un cobarde como el resto porque maloliente y todo frena como por arte de un resorte. Una vez que estoy abajo me bufa referencias familiares poco edificantes. El viejo búho grazna amenazante dirigiéndose con andar balanceado hacia el chofer. La flaca del libro abre una ventana y me grita que el libro es de García Márquez y que no tiene nada que hacer esta noche. Yo ya me estoy marchando a la oficina cuando me arrepiento y le grito que aquí mismo a las *seven o'clock*. La pervertida chilla de placer. Yo calculo que hoy día llenaré por lo menos cuatro nuevas carpetas colgantes. Si es que al gerente no se le ocurre que asesine a su esposa más de unas doscientas veces.

---

[5] *flecto:* doblo; en Chile, *flectar* significa doblar refiriéndose al cuerpo, es decir, hacer una flexión.

# ÁNGELA HERNÁNDEZ NÚÑEZ

(Buena Vista, Jarabacoa, República Dominicana, 1954)

N A R R A D O R A, poeta y ensayista dominicana cuya aportación a la cuentística hispanoamericana nos llega hasta ahora en dos valiosas colecciones, caracterizadas por una "rumorosa visión del amor y del misterio" como ha señalado el escritor Marcio Veloz Maggiolo. La escritura de Ángela Hernández aprehende con dinamismo el poder transmisivo de la imagen y la lozanía de sus aperturas sin forzar la totalización de la inmersión poética. Se fundamenta más bien en la serenidad de la narración que conduce el fluir de la palabra hacia la añoranza humanista. Nos dice la autora: "Trato, con mis torpes ficciones, de dilucidar aquello que no alcanzo a comprender, y que intuyo jamás entenderé de la existencia. En ese sentido hacer literatura es frotar los límites para aliviar y nutrir mi percepción, sobre todo. Es invertir el ser para redimir el ser. Vasta ilusión" (Correspondencia).

"Masticar una rosa" entrelaza el halo de la poesía a la visión de la infancia, reencontrando en ese cruce la inocencia; eje fervorosamente nostálgico desde el cual se abren reminiscencias de dolor y alegría, de pertenencia y alienación. Instancias tensivas, de contrapunto, perfectamente elaboradas, soportan la riqueza narrativa de este cuento; allí el júbilo del juego, del río, de unos ángeles descalzos contrasta con modos represivos, anacronismos y la dureza de lo institucional. El trasfondo de esos símbolos porta un expresivo intento de recuperaciones.

El arte de la escritura es concebido por la autora como

una forma de libertad asociada al proceso imaginativo por el cual se arriba al conocimiento y al vínculo de la expresividad: "Para mí la creación es una posibilidad de ser libre. De utilizar mi propia percepción para explorar nuevas dimensiones de la vida, dimensiones que siempre sorprenden a uno mismo. Y crear también es la posibilidad de participar, entrando en comunicación con la gente; no en los planos o esquemas comunes de la racionalidad y el intercambio cotidiano, sino en una dimensión que es mucho más profunda que esos planos. Una dimensión que tiene que ver con lo que trasciende la gente, e impulsa a conectarse con los demás; le impele a ser, hacia la búsqueda de otras formas, hacia la expansión de la imaginación; y para mí eso es una forma de amar". (Alejandro Santana. "Metamorfosis de la semejanza". *La Noticia* [17 Febrero, 1990]: 2).

Ángela Hernández estudió la carrera de Ingeniería Química en la Universidad Autónoma de Santo Domingo, graduándose con honores. Participó como activista y dirigente en el movimiento estudiantil universitario en la década de los setenta y, luego, en la fundación de instituciones y grupos feministas; llegó a ser Coordinadora General del Centro de Solidaridad para el Desarrollo de la Mujer. Fue profesora en el Departamento de Ingeniería Química de la Universidad Autónoma de Santo Domingo. Actualmente es corresponsal en la República Dominicana de la revista *Fempress* y trabaja como consultora independiente para organismos nacionales y extranjeros en áreas de Organizaciones no Gubernamentales y Desarrollo.

## MASTICAR UNA ROSA

M I S ojos todavía eran verdes. En la boca, en vez de dientes, tenía ventanitas. La gente se lamentaba viéndome trabajar. "Tan pequeña, metida en una cocina, un día de éstos se va a quemar."

Pero yo era dichosa en la alquimia compleja de la ristra de ajo, los granos de habichuela ablandándose, las mezclas olorosas de las naranjas agrias con los ajíes picantes, las transformaciones que sucedían a mis juegos.

En mis ojos, desollados por la humareda de palos tiernos que ardían en el fogón, había alegría. El lugar tenía brechas y ventanas, un mundo fresco, oliendo a peras maduras y bosque, entraba por ellas. El presente equivalía a lo que abarcaran mi corazón y mis miradas.

Cuando iba hacia el río, una batea de ropas sucias sobre mi cabeza, miradas conmiserativas seguían mi figura, tambaleándose dentro del cuadro de aire en el que disfrutaba haciendo equilibrios, sintiendo mi cuerpo capaz de ponerse en eje con el cielo y la tierra, y de unir a ambos con la corriente cándida de las venas.

El día me pertenecía. Durante horas, provocaba espumas, avivaba las brasas con el aliento de mis pulmones, vivía la intimidad de la ceniza y el agua. Lavar ropas era recurrir al agua, al fuego, a la destreza de las manos. Agua fuego, manos... Las manos primero se arrugaban y crecían, después se me iban desprendiendo tiritas y las uñas se quedaban sin bordes.

Si yo callaba, todo lo demás soñaba. Huevos empollando, arritmia de yeguas musculosas, acunando en las mataduras de los lomos la avidez inescrupulosa de los insectos. Animales en el preludio del celo. Dominio de aves y humedades. Cosas que caen o se desorganizan, en tanto otras germinan, en movimiento incesante.

De vez en cuando, un repentino susto. El ángel deslizándose por la pomarrosa de mi costado izquierdo. Es sordomudo, ya lo sé, pues ignora los saltos de mi corazón. Contempla la fotografía que trae en una mano y vuelve a encaramarse hasta la copa del árbol.

Bato palmas, chapaleo en el agua, silbo, mas, como en otras ocasiones, me ignora. Superado el miedo, sólo quiero que el ángel note mi presencia.

\* \* \*

Era yo la cuarta de las hermanas y la octava del grupo. Sin embargo, era la mujer mayor que quedaba en la casa, después de mi madre. Las hembras se van primero, aprendí. No es menester que se enganchen a la guardia o consigan empleo. Se marchan con un hombre, a los conventos (las monjas siempre están activas, detectando niñas con vocación de encierro) o a casa de parientes, a fin de ayudar en los quehaceres domésticos o reemplazar completamente a las mujeres de esos hogares en el trabajo. Basta un escalón por encima de nosotras para disponer de nuestra energía.

Noraima, la mayor y más amada de las hermanas, se fue con un hombre. Mi madre lloraba, nosotros corríamos de un lado a otro detrás de ella, sin entender qué había de tragedia en este acto de delirio; partir a prima noche, de manos de un joven de cabellos brillantes, hacia un lugar ignorado y con un destino ignorado, mientras los hermanos adultos recorrían el monte, armados de machetes, supuestamente dispuestos a ensangrentar el honor, ya que no era posible restituirlo.

Ah, Noraima, tan hermosa, daba éxtasis contemplarla. En las mañanas se levantaba con un espejito en la mano, y de pie, en la ventana, observaba su imagen sin pestañear. Luego, se empolvaba el rostro. Sorprendida por la vehemencia de sus propios ojos, llegaba a la cocina a atizar las brasas, sobre las que hervía el agua del café. Preparaba éste y a cada uno nos distribuía un poco con un trozo de pan o casabe.[1] Le disgustaban los oficios domésticos, con razón se marchó. Debió cuidar a los hermanos menores, soportar las presiones de los mayores que ella (quienes se sentían responsables de protegerla, y al no saber cómo cumplir esta obligación, la exprimían igual que se hace con una naranja, exigiéndole cuidados y atenciones con sus ropas y comida, pretendiendo que aprendiera a ser mujer) y encima, sobrellevar los problemas de una belleza que se erigió demasiado pronto en su cuerpo adolescente.

El maestro de la escuela no quería salir de nuestra casa. Los domingos venía del pueblo un hombre gordo y risueño, trayendo cajas repletas de alimentos, que entregaba a nuestra madre, y golosinas para nosotros. Deseaba obsequiarle una casa amueblada a Noraima. No podía entender que ella rehusara este regalo. Nuestra madre no hallaba forma de echar al hombre. Decía que su hija no iba a ser amante de un rico, que una mujer que vende el culo vale menos que una gata en calor.

Los varones hormigueaban detrás de mi hermana. La perseguían con fervor los locos, creo que en verdad no se le acercó ni uno que estuviera en sus cabales. "Con tornillos flojos en el caco",[2] decía mi madre, profundamente preocupada por el influjo de Noraima sobre tipos que al parecer buscaban en la honda y clara paz de sus ojos, la lucidez de que carecían. El rico, por ejemplo, se reía absurdamente, lo mismo en un velorio, que comiendo o relatando una desgracia familiar. De la hija fallecida, hablaba con una risa nerviosa. De sus negocios, con una risa tartamuda. De su esperanza en relación a Noraima, con una risa lúbrica. Su arrebato provocaba seriedad en nosotros.

Al maestro de la escuela nadie lo hubiera deseado para marido de una pariente. A cada rato, los padres, tímidos ante su autoridad, se veían obligados a querellarse por los

---

[1] *casabe:* tortilla hecha a base de yuca.

[2] *caco:* cerebro, cabeza; posible derivación de casco.

hematomas que traían los hijos en nalgas y extremidades. Incluso a mí, hermana de Noraima, me apaleó porque le extravié un lapicero que me había prestado, precisamente por ser hermana de Noraima.

Noraima era el porvenir dc la familia, y se fue sin más, con un guardia raso (que si hubiera sido oficial, por lo menos), dejando plantado al pretendiente aprobado por todos. Berto, se llamaba. Tenía ojos de bello color azul, y muertos. Muertos los ojos, que mirarlos era como ver una página en blanco. Mi madre les colocaba dos sillas en la sala, sentándome cerca de ellos para vigilarlos. Inútil labor, Berto ni siquiera daba una mirada sospechosa, ni deslizaba la mano, no hacía nada de lo que yo esperaba. Decían que iba a heredar un colmado.[3] Noraima no lo quería, y también por eso se fugó con el primo, guardia raso.

Nuestra madre sollozaba. No esperaron que entrara la noche para escaparse. Ni siquiera esperó cumplir los catorce años. Y el pobre Berto... (Yo figuraba a mi hermana echando una carrera calle arriba —única calle—, lamentándome porque sus enamorados ya no nos traerían golosinas.)

* * *

Algo mejor llegó de Noraima: un par de zapatos blancos para mí y sendos pares para mis otras hermanas. Tres pares de zapatos resplandecientes, con correítas y hebilla sobre el talón. Quise tirar enseguida las descoloridas zapatillas que poseían el don de nunca acabarse (venían de pie en pie, de hermana a hermana, sucediéndose su uso). Mas, terrible suerte, los zapatos blancos no coincidían con mis pies, desproporcionadamente grandes. No logré ajustarlos, ni aceitándome la piel ni cubriéndome las plantas con espuma de jabón. Tampoco valió rellenar apretadamente el calzado con trapos, por varios días. "Son buenos, como no hemos visto antes, por eso no anchan", sentenciaban para mi pesar.

Mi madre los vendió a la familia Marte. Y vi mis zapatos luciéndose en los pies de la hija de mi misma edad. *Le iban*

---

[3] *colmado:* tienda de comestibles.

con su vestido de organdí y sus cintas en la cabeza, le entonaban con su pulcra vestimenta. En la misa, echaba un ojo a sus pies y era como si descubriera algo mío, que *no iba conmigo*. Imaginaba que la mariposa que revoloteaba encima de mi cara, mientras fregaba los trastos, también iba a figurar cualquier día postrada en la falda vaporosa de la niña.

Cuanto de valor llegaba a la localidad, terminaba en la familia Marte. Como un imán que limpia el entorno de metales, alrededor de sus bienes, quedaba la limpia pobreza de los otros. Hasta las tierras nuestras se agregaron a las suyas, cuando nuestro padre, gravemente enfermo, desquiciado por el médico más próximo, quien por dos años confundió una úlcera estomacal con un fallo de la próstata, debió vender la finca a bajo precio para irse a curar a la Capital. El ulular de la ambulancia anunció su regreso, una semana después. Vino a agonizar a su casa, con una larga costura en el estómago, vacíos los bolsillos, fundida el alma, por el dolor que no le impidió cobrar conciencia de la orfandad en que nos dejaba.

Aprovechando un viaje al pueblo, mi madre me compró unos mocasines de goma, el ingreso por los zapatos blancos no había alcanzado para más. Negros y feos, me encantaron. Poca atención presté a las palabras conminatorias: "Pruébatelos bien. Mira si te aprietan. Si los ensucias, no los cambian en la tienda". Me medí la pieza del pie derecho, y con el conocimiento que de rechazarlos estaría obligada a esperar que alguien fuera nuevamente al pueblo, lo cual podía tomarse considerable tiempo, exclamé presurosa "me sirven, son cómodos", generalicé. Todavía reiteró mi madre: "Yo lo veo muy ajustado. Con ésos vas este año para la escuela. Mejor que te queden anchos, para que no los vayas a dejar pronto". Insistí en que *me iban* perfectos: "¿No ve usted lo bien que me queda?"

Luego, aterrorizada, comprobé la disparidad de mis pies. En el izquierdo, el calzado me aprisionaba hasta lo insoportable. Pero a nuestra madre, que trabajaba más horas de las que tenía el día para mantenernos vivos, no podía irle con el cuento de un pie más grande que otro. Sufrí estoicamente el martirio.

Lo más vivo de la primera comunión fue que tuve que permanecer parada durante horas. La estrechez agotadora, en la que estaban metidas mis extremidades inferiores, me destrozó los talones. Rígidas protuberancias cuajaron en mis ingles. "Secas", pronosticó luego mi madre, ensalmándolas para que no fueran a lisiarme. Tomé esta inflamación de los ganglios como una merecida penitencia por mis múltiples pecados, entre los que estaban "malos pensamientos". Peor todavía, no saber discriminarlos, "malos pensamientos que no vengan", y acudían prestos, porque cualquier cosa, como pensar en el cuerpo, era arriesgado. Trataba de no mirar jamás mi sexo, pues los ojos lo introducían al pensamiento: pecado. Igual que descubrir a mis hermanos cuando orinaban. Oír el chorro, mal pensamiento, enseguida imaginaba el pene dando lugar a la fuente. ¿Cómo no tener malos pensamientos? Dormíamos todos en una sola habitación. Alejar de la mente ciertas partes del cuerpo, así como lo que con ellas se hace. Pero en el esfuerzo de distanciarlas, las pensaba. El pensamiento era como una tira elástica. La extendía al máximo, cuando la soltaba, golpeaba mi mano. La inevitabilidad del pecado, todos somos pecadores, confesarse antes de comulgar. Manera de limpiarse, para volver a mancharse. En la infinidad de seres sólo ha existido uno sin pecado, la Virgen María. Yo, siempre con los mismos pecados: tuve malos pensamientos, falté el respeto a los mayores, tuve malas intenciones, fui soberbia El repertorio conocido de faltas. Pero, como todo mortal, vivía en defecto, merced a la desobediencia de unos ascendientes tan lejanos, que resultaban inimaginables en su pureza inicial.

De seguro, me sentía más corrupta que Nerón. La penitencia de los mocasines constituía una prueba de mi deseo de pureza. La merecía, sobre todo, porque incluso haciendo el esfuerzo más grande, no lograba mantenerme despierta durante el rezo del rosario. La monotonía de las Avemarías atontaba mis ojos. Los labios continuaban respondiendo cuando ya hacía rato que dormía.

Los ángeles iban descalzos. Lo había comprobado con el ángel sordomudo del río. Pero él no me hacía caso, aunque me colocara debajo de las plantas de sus pies. Andar con los pies libres debía ser el premio a su pureza. No tocaban el suelo, por eso podían ir con los pies desnudos. A nosotros, en cambio, se nos entraban huevos de lombrices, o de las terribles *siete cueros*, plasta de culebrillas coloradas, exageradamente vivas para devorar un vientre. Los ángeles no cogían parásitos. Era la razón de que me fascinaran.

Si fácil resultaba aguantar por vía mística el pavor de mis pies aprisionados, no sucedía lo mismo en el ámbito de la escuela. Temprano, ponía los mocasines en agua tibia enjabonada. A las dos de la tarde, me los ajustaba y emprendía la carrera hasta el plantel. Enseguida, me los desprendía, ocultándolos detrás del muro en que se apoyaba la pizarra. Ir descalza durante el recreo, pisar el suelo fresco del aula, eran circunstancias deliciosas que concluían abruptamente a la hora de salida. Mis pies, expandidos en la libertad, debían regresar a los zapatos.

Armada de valor, después de seis meses de oscura mortificación y con llagas en las puntas de los dedos y en los contornos de los pies, le solicité gravemente a mi madre que les cortara la parte trasera a fin de convertirlos en chancletas. Argumenté sobre el crecimiento de mis pies y el calor, tanto sudaban que estuve al desmayarme en varias oportunidades.

Me decidió la visita cursada por el Director Regional de Educación a nuestra escuela. Durante ella, no pude librarme de los zapatos. El maestro, para colmo, me ordenó recitarle el poema de los padres de la patria. Me lo había enseñado mi hermano Paúl, yo lo modificaba introduciéndole oraciones musicales.

Mi palidez y sudor debieron impresionar al huésped. Pidió al maestro me permitiera sentarme, pero éste quería ostentar sus logros e insistía: "Esta niña es muy despierta. Usted verá qué memoria tiene. Vamos, Cristina, recítale la poesía". Desfallecía. Hube de agradecer la generosidad del caballero ante mi lividez: "Déjela sentarse. Otro día recita. Hoy quizá no haya comido". (Si mi madre hubiera oído esto lo habría considerado un insulto.)

Después vi que no sólo los ángeles estaban descalzos, sino también los muertos. Ya no tuve miedo a que un día me sepultaran. "Esta niña es dura de corazón", comentaron cuando trajeron el cadáver de mi hermano mayor. Unas gentes lloraban por las circunstancias en que murió. Les daba rabia que fuera él precisamente el único guardia que mataron los guerrilleros, antes de que los guardias mataran a todos los guerrilleros. Simpatizaban con los muertos, igual con mi hermano que con los guerrilleros. Las mujeres adultas sufrían ataques y caían al suelo. Mi madre estaba vuelta lágrimas, rememorando en voz alta pormenores de la crianza del hijo, desde el embarazo hasta que se enganchó a militar. Desde ese momento nunca dejó de enviar diez pesos mensuales, en base a los cuales podíamos tener crédito en el colmado de los Marte.

Yo adoraba a mi hermano. Y recordaba especialmente cuando me levantó del suelo para explicarme por qué la imagen de Jesús tenía el corazón afuera. Sin embargo, no podía llorar de pena como los otros, porque mi hermano al fin se había quitado las gruesas botas e iba descalzo como los ángeles. Algún día lo vería bajar y subir por la pomarrosa, contemplando mi retrato en la palma de su mano. Él no me haría caso, pero igual estaría allí, sin tener que pelear con nadie.

## FERNANDO DURÁN AYANEGUI
(Alajuela, Costa Rica, 1939)

L A obra literaria del escritor costarricense, iniciada a comienzos de los sesenta, comprende la novela y el cuento y ha sido premiada en ambos géneros. En 1990 obtiene el Primer Premio en el Certamen Internacional de Novela Corta en Málaga, España, por su obra *Cuando desaparecieron los topos*; la novela corta "A la joya manchada" fue premiada en 1989 en los Juegos Florales de Centroamérica, México y Panamá de Queltzaltenango, Guatemala; *Retorno al Kilimanjaro* recibió el Primer Premio Jorge Volio en Costa Rica. Su obra cuentística ha sido distinguida cuatro veces con el Premio Nacional de Literatura Aquileo J. Echeverría.

El cuento "Vive le roi" se incluyó en la colección *El benefactor y otros relatos*. El depurado estilo de esta pieza, la riqueza de significaciones conseguida desde la brevedad, el efecto "goyesco" de su perspectiva y el sabio encuentro metafórico desde el que se revelan los planos de la Historia y el Poder, dan una buena idea de la exigente elaboración y elevado control narrativos con que Fernando Durán Ayanegui se ha dedicado al género cuentístico.

Fernando Durán Ayanegui se graduó en la Universidad de Costa Rica con una especialización en química en 1964 y se doctoró en ciencias en 1971 en la Universidad Católica de Lovaina, Bélgica. Al año siguiente completó un año más de especialización en la Universidad de Harvard. Su trayectoria académica ha sido distinguida: Presidente de la Comisión Editorial, Decano de la Facultad de Ciencias, Vicerrector de Docencia, y Rector de la Universidad de Costa Rica.

# VIVE LE ROI

N o es, pues, cierto que el hueso y la carne crujen al paso de la hoja; pienso que la caída es tan rápida y el golpe, sordo, preciso, tan potente, que de ninguna manera se puede escuchar la tímida protesta de los tejidos que se rompen y por esa razón no sentí nada, ningún dolor, ningún miedo, sino que ahora, desde el fondo del cesto, puedo mirar como si estuviera dentro de un pozo seco un fragmento de este cielo azul de Francia, veteado levemente por móviles nubecillas casi invisibles que llevarán hasta los más remotos confines de lo que fue mi reino la noticia, para mí sin importancia pese a que soy su protagonista, de que mi cabeza rezumante yace, arrancada del que fue mi cuerpo, al pie de la guillotina.

Y vaya, por el cielo de Francia, la certeza de que los horrores inevitables y aún no vistos no alcanzarán a teñirlo de rojo pero, de todas maneras, tras la vigorosa resonancia del golpe quedó una mancha roja en la cuchilla y la muchedumbre exige a gritos que le muestren mi cabeza ensangrentada, cuya visión le permitirá saciar un extraño instinto de venganza, instinto que yo no resiento puesto que siempre juzgué a la historia como un tinglado abierto con un papel para cada uno y yo he representado el mío, con la ventaja de haber llegado al final cuando a ellos les queda aún un París que no se deja vivir por lo lleno de miserias.

El verdugo se aproxima y levanta mi cabeza, mejor dicho me levanta porque ahora soy sólo eso, una cabeza cuya atención comienza a disgregarse, enfocada como estaba hasta hace un momento en un trozo de cielo y ahora vertiginosamente dispersa en una multitud de rostros que pretenden odiarme y en realidad me temen al descubrir que soy una de las caras de la muerte.

No alcanzo a ver dónde se encuentra mi cuerpo, ni puedo saber si en realidad a otros se les ha ejecutado conmigo y, como carezco de otras sensaciones, no percibo el olor indudablemente opresivo de la multitud ni escucho sus gritos, de modo que si estoy seguro de que vociferan es porque los veo abrir sus bocas y levantar sus puños, y todo me hace pensar en la propiedad milagrosa de esta luz de Francia que me permite ver, después de mi muerte, un retazo de historia del que no debía ser testigo.

En todo caso, heme aquí por última vez frente al pueblo, el pueblo del que esperé recibir todas las condescendencias, el pueblo cuya salud me interesó menos que la de mis relojes, el pueblo al que mis allegados y yo le cambiamos su pan por nuestros placeres, el pueblo que ignorábamos pese a la ensordecedora trepidación de sus miserias, heme aquí, pues, dispuesto a proporcionarle la última condena, ya que la historia no se termina para él en este instante, como se acaba para mí, sino que vendrán otros a ejercer el reemplazo inexorable.

Pueblo de París: digo, que el hacer rodar mi cabeza no era un fin sino un comienzo y, porque con esto vengo a ser privado de todo lo que yo creía inviolable, puesto que la cabeza cortada es la mía y en ella me llevo todas mis nostalgias, puesto que todo está contra mí y no contra los otros digo que, en lo que me concierne, yo, Luis XVI, creo que, por el resto de la historia, el pueblo se equivoca y digo además, antes de que el verdugo se incline para restituirme al descanso siniestro de los decapitados, que toda derrota es un error de quien la sufre y toda victoria un espejismo de quien la alcanza.

*Habló así el Rey. El verdugo, no se sabe si bajo los efectos del asco o del cansancio, lo depositó en el cesto y, sin estar seguro de que alguien lo escucharía, dijo: —El Rey ha muerto, ¿vive el Rey?*

# CLAUDIO DE CASTRO
## (Colón, Panamá, 1957)

E L género cuentístico ha absorbido la dedicación del escritor panameño. Su obra ha recibido dos distinciones que testimonian el reconocimiento de la labor cuentística de Claudio de Castro: el Premio Nacional Signos de Joven Literatura Panameña y el Premio Centroamericano de Literatura Joven organizado por el Instituto Salvadoreño-Costarricense. Aunque las ediciones de sus libros han sido modestas, Claudio de Castro ha llegado siempre con calidad al lector. Su obra más conocida es *El camaleón*, publicada por el Instituto Nacional de Cultura de Panamá. Son cuentos breves, audaces, de gran expansión imaginativa y en los cuales Claudio de Castro busca afanosamente la posesión de un modo narrativo propio.

El cuento "Los verdugos. (Anotaciones de un funcionario judicial)" fue escrito en 1991, pero no se incluyó en el libro *El camaleón*. Hasta la fecha no ha sido incorporado a una colección. La visión narrativa predominante de este relato construye una imagen de totalización temporal sobre el horror de lo social y de su proceso histórico a través de todas las edades como se sugiere en el texto: "La Historia, como esta Institución, es un charco de sangre. ¿Qué otra cosa enseñan los historiadores? Grandes batallas, encuentros sangrientos en los que la muerte y el dolor se disimulan con el triunfo de uno de los contrincantes. No aprendemos de nuestro pasado. Nunca lo hemos hecho. Por eso dejo estos escritos". Los escritos se refieren a las memorias de un verdugo que cumple con la institución de la muerte de que se ha apoderado la ciudad.

El territorio del cuento es así el ingreso a un sostenido cuadro apocalíptico en el que el principio ético de defensa de la vida se ha desmoronado. La peste ha entrado a la ciudad y su acción dañina e imparable trastrueca la crueldad del verdugo que ejecuta en compasión o en cumplimiento de un deber socialmente aceptable y ansiado. La muerte final provocada por el verdugo es lenitivo de la otra muerte diaria que acarrea la podredumbre de la peste. Sin indulgencia, el cuento de Claudio de Castro observa el rostro ciego de la historia, "la Casa de la Muerte" como se le llama en el cuento, instalada en el cuerpo social como tantas otras violencias que disminuyen a cero la aparición humana y la esperanza de su desarrollo, destruyendo, sin retorno, tanto a víctimas como a victimarios, y la posibilidad de recomponer la negatividad de lo histórico a través de la experiencia. Esto explica la urgencia de las memorias del verdugo, escritura, testigo, actor, ejecutante, ejecutado, ojos desesperados del horror.

La infancia de Claudio de Castro transcurrió en Colón, donde su tío Samuel le contaba los sucesos vividos en esta ciudad durante la Segunda Guerra Mundial, relatos que despertaban día a día el interés del autor por la narración. Sobre la importancia de haber pasado su niñez y primeros años de formación aquí, nos dice  el escritor panameño: "Ocasionalmente vuelvo a Colón. Y recorro los lugares que frecuentaba. Las marcas secretas que dejé al azar. Los tesoros que escondí bajo el árbol de caucho. Ocasionalmente vuelvo, para no dejar morir al Claudio pequeño que habita en mí" (Correspondencia).

## LOS VERDUGOS

### (ANOTACIONES DE UN FUNCIONARIO JUDICIAL)

A Q U E L insensato bajó del barco y se dirigió a la ciudad. Llevaba una gorra azul y ropas de mecánico. Había tantos borrachos en el muelle que al caminar se confundía con ellos. Así fue como nadie notó su rostro llagado, la fiebre que lo consumía y las bubas que le crecían bajo los brazos.

Como tenía el cuerpo pestilente, las pensiones le cerraron sus puertas, y se vio obligado a dormir en el parque, con los desamparados, las ratas y los piojos.

A la mañana siguiente, un celador lo encontró muerto.

No traía consigo ningún documento que lo identificara. Se investigó por los alrededores, pero nadie sabía quién era ni de dónde venía. Por eso incineraron su cuerpo y llevaron sus cenizas en un cofre de aluminio al Panteón General.

Averiguar ahora, después de tantos años, el lugar exacto donde lo enterraron; no tiene importancia. El sepulturero abrió un hoyo poco profundo, escarbando al azar, depositó el cofre y lo cubrió de tierra.

Esto ocurrió en el mes de marzo de 1995.

1

Cuando todos pensaron que había sido erradicada, la peste volvió. Nos tomó por sorpresa. No estábamos preparados. La

487

gente empezó a sufrir largas agonías. Noches interminables de sufrimiento y dolor.

Parecía que nadie moría.

El enfermo, atormentado y atormentador, no podía sobrellevar su angustia.

Gemía. Lloraba. Imploraba. Pero no moría.

Ya se sabe lo difícil que a veces resulta morir.

El gobierno al fin tuvo que aceptarlo. ¿Qué más quedaba por hacer?

Los enfermos querían morir. Lo pedían. Lo exigían.

Para tal fin se instalaron mataderos especiales (de más está decir que higiénicos), donde se les brindó el servicio que solicitaban.

Allí trabajamos los verdugos oficiales y algunos jóvenes prudentes, que deseaban aprender el noble oficio.

Portaban una tarjeta que los identificaba como: "Funcionario Judicial". Cosa curiosa, porque a ninguno de los que allí murió se les llevó a juicio. Y si la ley lo hubiese requerido, no habría tenido una finalidad útil.

Nimiedades de ese tipo siempre se saltaron. No había tiempo suficiente para perderlo en el laberinto de la burocracia.

La Institución era hermosa. Un viejo hospital que se acondicionó con cuartos especiales. Tenía seis pisos y cientos de pasillos profundos e interminables. Las víctimas (que llegaban de todo el país), escogían a su gusto la muerte que deseaban tener.

En la entrada de la Institución colocamos un cartel en el que se especificaban los procedimientos:

LA INSTITUCIÓN ANUNCIA

..Estamos en capacidad
de agarrotar, despeñar,
electrocutar, envenenar,
decapitar, fusilar,
ahorcar, desnucar, etc.

Para los que siempre andan
con prisa, ofrecemos una

novedad: un disparo en la
base de la nuca.

Mayor información en la
recepción. Pregunte
por Olga.

Lo importante, de lo cual me enorgullecía, era que podíamos inducir una muerte rápida e indolora.

El verdugo garantizaba su trabajo en un noventa por ciento. El diez por ciento restante se consideraba un riesgo aceptable. Y por esto, eran hombres célebres, de los cuales siempre se hablaba.

Los enfermos que acudían a la Institución solían (cosa normal) dejar una propina al verdugo, tratando de estimularlo, para que no fallara; que acertara al primer intento.

Gracias a esto, fueron muchos los verdugos que compraron mansiones lujosas y disfrutaron de una vida sosegada.

## 2

A veces pienso que todo fue un error, que jamás debimos acceder, que fuimos débiles y hasta inhumanos.

Dios me perdone.

Siento una gran confusión.

No puedo alejar de mí el orgullo excesivo que tenía por la excelencia de mi trabajo, ni el terror que luego sentí por tanta muerte inútil.

Ciertamente, los verdugos fueron hombres célebres. Lo fueron. No podía ser de otra forma. Yo les enseñé. Los entrené. Los moldeé a mi gusto. Los instruí en el arte de matar, cuando apenas salían del bachillerato. Los acostumbré al olor acre y dulzón de los muertos, a la fetidez de la pus, a los gritos enervantes de los moribundos, a las miradas de espanto, a las súplicas tardías, al estremecimiento de los cuerpos.

Endurecí sus mentes.

Embriagué sus sentidos.

3

Han transcurrido muchos años, desde el primer día que entré en la Casa de la Muerte. Llegué, como todo joven, lleno de ideas novedosas que causaron revuelo y más de un disgusto.

Eliminé el uso de las capuchas.

La muerte debía ser una transición agradable, apetecible. Jamás un trauma. ¿Qué mayor tranquilidad que ver el rostro sereno del verdugo?

Hoy, la fiebre me sofoca, apenas me deja respirar. La debilidad se apoderó de mis miembros. Estoy viejo, aunque no tanto como para abandonar el trabajo. Me han salido llagas purulentas en el cuerpo. Fui un estúpido al arriesgarme tanto, al dejar que el contagio fuera tan fácil, tan violento.

Me chorrea pus por la cuenca de los ojos.

No siento vergüenza, un poco de rabia, tal vez. Los mejores verdugos también tuvieron su turno. Los vi caer enfermos y morir a manos de otros verdugos más jóvenes.

El olor de mi cuerpo, que antes excitaba a las mujeres sedientas de emociones, ahora les repugna y las hace vomitar.

Escogí a R. para que me matara. Que sea él quien corte lo poco que me queda de vida. Personalmente lo entrené. Creo que es el mejor. Pero ha estado tan ocupado...

El pasillo de esta seccion ("B") ha permanecido atestado de pacientes, desde temprano en la mañana. Todos se quejan y lloran.

Trato de no oírlos. Deseo algo de tranquilidad para poder pensar y escribir.

4

Sigo esperando.

La administración es estricta al respecto. Debo aguardar mi turno.

Tengo el tiquete[1] con el número doscientos treinta y cinco. Apenas van por el treinta y seis.

---

[1] *tiquete:* variante de "tique" y "tiquet", del inglés *ticket;* entrada, billete.

Antes de entrar, debo presentar mi tarjeta numerada, firmar unos documentos y pagar la propina del verdugo si es que quiero facilitar las cosas.

Escribo mientras espero.

El hombre a mi lado, no deja de toser. Por el aspecto que tiene, es un milagro que siga con vida.

—Por Dios, buen hombre...¡Un poco de silencio!

No se inmuta.

Vuelvo a reclamarle.

Ni siquiera voltea.

No le importo yo, ni el resto que espera. Jamás he visto tanta desconsideración.

Me alejé de él y de la ventanilla, llevando conmigo la silla.

Pienso que cuando la epidemia termine y la peste se olvide, los verdugos que aún permanezcan con vida regresarán al campo con sus mujeres. Quedarán vacías sus mansiones elegantes como las mudas de los insectos.

Puede que el Municipio derrumbe la Casa de la Muerte. ¡Sí!, seguramente construirán un parque infantil en sus terrenos, para que los niños jueguen allí.

Parece que invariablemente la vida vence a la muerte. Se posesiona de ella, la envuelve, y termina floreciendo.

Esta Institución es un charco de sangre. Por los aullidos que se escuchan, parece un matadero de cerdos.

La Historia, como esta Institución, es un charco de sangre. ¿Qué otra cosa enseñan los historiadores? Grandes batallas, encuentros sangrientos en los que la muerte y el dolor se disimulan con el triunfo de uno de los contrincantes.

No aprendemos de nuestro pasado. Nunca lo hemos hecho. Por eso dejo estos escritos. Alguien, seguramente, publicará un largo ensayo con el que demostrará que soy un farsante, que nada de esto ocurrió.

El riesgo de que pase, bien vale lo que hago.

Ésta es la historia de lo que se vivió durante los días de la peste.

Que el Todopoderoso nos libre de algo semejante.

## 5

M., quien se autonombró "El Terrible", tenía el aspecto de un criminal. Era alto, delgado, con el pecho hundido y el mentón crecido; pálido, de grandes orejas... En fin, un tipo que a primera vista causa espanto.

La primera vez que lo vi, arrastraba de la camisa dos muertos que había encontrado en la calle. Le advertí que la Institución atendía a los enfermos no a los muertos. Pero no prestó atención a lo que le dije. Siguió con ellos hasta el final del pasillo y los arrojó dentro de un armario.

Me agradó su sangre fría, su falta de escrúpulos, y lo tomé por discípulo.

Llegaba a mi consultorio a las 9:30 A.M. Ni un minuto antes, ni un minuto después.

—Eres demasiado puntual —le reprochaba—. Los verdugos debemos hacer esperar. Hay que crear un ambiente de incertidumbre a nuestro alrededor. No dejes que te encasillen, que puedan predestinar tus actos. ¡No hay peor mal, que un verdugo puntual!

Tal vez por esto se fue tornando áspero, grosero y brutal.

Las quejas no demoraron en llegar. Constantemente recibía notas al respecto.

M. tenía la costumbre de dejar una estela de muertos a su paso. Mataba de tres a cuatro pacientes en los pasillos, antes de llegar a mi consultorio. A algunos los desnucaba, a otros les golpeaba el pecho causándoles un paro cardíaco; o los tomaba del cabello y estrellaba con violencia sus cabezas contra la pared.

Siempre era sorpresivo, inesperado. Sus pasos apenas se oían, amortiguados por el bullicio del lugar. Ninguna de sus víctimas sospechó el fin que tendría.

Para ciertos pacientes, resultó un alivio. Los libró del tormento de la espera, de la incertidumbre; pues, aunque no lo creas, muchos murieron del susto, sin llegar a pisar un consultorio.

La espera los desmoronaba.

Lo desconocido los acababa.

El Director de la Institución no vaciló en amenazarme. Me destituiría de continuar el problema.

Tuve que tragarme el orgullo y concederle la razón. ¿Cómo saber si las personas a las que M. mataba eran pacientes o no? A veces sus familiares los acompañaban para retirar el cuerpo e incinerarlo.

El hecho es que, inevitablemente, M. se llevaba unos cuantos a su paso; mermaba las entradas de los otros verdugos y le traía dificultades al Director.

Se comprenderá que un hombre así, que pasaba por encima de todos resultaba de gran beneficio para mí. Por eso yo callé, y lo estimulé a seguir.

6

Al pasar los años, la Casa de la Muerte creció, y con ella los muertos y los verdugos. Llegó un momento crucial en que no dimos abasto. Había personas apretujadas desde la puerta de entrada, que berreaban y gritaban como endemoniados.

Nada hay más molesto para un verdugo que un crítico, por eso mandé construir cubículos especiales donde pudieran trabajar lejos de las miradas de los curiosos.

Para evitar el problema del aglomeramiento, instalamos un sistema de cupos numerados. A medida que llegaba el enfermo, reservaba su cupo con un tiquete.

La ciudad se volvió un lugar infernal.

Son indecibles las cosas que he visto.

Como escaseaba la comida, los enfermos se comían a los perros, los gatos y hasta los ratones.

Dormían en la calle, pues muchos habían sido arrojados de sus casas. Allí quedaban expuestos a que los animales lamieran sus heridas y en ocasiones les mordieran, arrancándoles bocados de carne.

El hedor no se soportaba.

El que no era de la ciudad, huía enloquecido.

Dejamos de ser personas, porque un humano, en su lógica y su razón no hubiera podido soportar esta situación.

No había comercio abierto, ni escuelas, ni hoteles, ni casas.

Los más entendidos se encerraban sellando las puertas y las ventanas... ¿Acaso servía de algo?... Sus gritos al despertar en medio de la pesadilla se escuchaban por todas partes. Las paredes de las casas los retenían a ellos, pero no a la enfermedad.

¿Dónde esconderse de la peste?...

También yo me hice esa pregunta. Concluí que dentro de la misma peste. Por eso me volví verdugo.

De todas formas la población se fue diezmando. Casi no había gente sana entre nosotros.

Tarde o temprano todos caeríamos.

Pensaba en los árboles que en el otoño se deshojan y quedan como muertos, desnudas las ramas; hasta que aparecen los nuevos brotes en la primavera.

Tal vez la naturaleza nos estaba purgando. No éramos lo suficientemente buenos. Teníamos demasiados pecados. Habíamos acumulado una gran maldad.

Este peso era demasiado.

Seguramente todos moriríamos, para que algo bueno renaciera.

No podía explicar de otra forma la predisposición natural que algunos tenían para morir.


7


El sentido de culpabilidad atrae a los hombres como la miel a las abejas.

Muchos de los que voluntariamente vinieron a la Institución (tal vez alguno de los que se sientan a mi lado en este instante) pedían sufrir un poco más, antes de morir. No les bastaba el sufrimiento que les infringía la enfermedad. Necesitaban el autotormento.

La idea de purificarse no es nueva, pero para mí, verla vuelta deseo, era una novedad.

Sentía un gran interés por estos casos particulares y los seguía con gran curiosidad.

Los vi soportar tanto que por momentos pensé que

habían dejado atrás su humanidad y se habían trastrocado en dolor, en sufrimiento. Y, como parte de éste, se recreaban sin vergüenza, convencidos de su nueva naturaleza.

No puedo exonerarlos de su bestialidad, como tampoco me es posible permanecer indiferente.

Me parecían seres especiales, diferentes, que habían (en un pequeño instante) encontrado su propia identidad.

8

Al ver la pasividad de las personas ante la muerte comprendí que, dentro de nuestra grandeza, nada somos.

Carne que se pudre.

Polvo para el polvo.

Sólo las ideas quedan. De aquí deduje que el hombre es esencialmente un creador de ideas. Y son las ideas lo que lo engrandecen.

Al principio las muertes eran sencillas. No gastábamos mucho en ellas, ni pensábamos emplear técnicas sofisticadas. Al que estaba muy débil, lo asfixiábamos con una almohada. El que conservaba fuerzas para resistir, recibía un tiro en la nuca. Nada doloroso y, por cierto, muy efectivo.

Un día, un enfermo detuvo mi mano. Me sugirió levantar un cadalso en el patio.

—Ya sabe —me dijo—, algunas personas prefieren morir con decoro, espectacularmente. Prefieren la horca o la guillotina. Usted me obliga a morir con vulgaridad. Esto es un insulto a mi dignidad.

Su idea, en un principio me pareció abyecta.

—Ignora que estamos en pleno siglo veinte —pensé—. La enfermedad lo ha trastornado.

Si quiere espectacularidad, me dije, que la tenga. Y ordené que lo trasladaran a una habitación del sótano, en la que sólo había un viejo catre y una cortina roída por puerta.

Sin embargo, su idea cobró fuerza, y al mes instalamos un pequeño cadalso, sencillo, sin muchas pretensiones.

Es indecible la felicidad que algunos experimentaron al verlo.

La baba les caía de sus labios ensangrentados y señalaban, con la poca fuerza que les quedaba, hacia allá.

Los arrastrábamos, ¿cómo negarles un momento de éxtasis?, mientras se sacudían y doblaban como una vara de bambú.

En el centro del patio, impaciente, impávido, acalorado, con su uniforme nuevo, los esperaba el verdugo.

Era un artesano, un creador.

Perfeccionó la técnica al punto de no tener que repetir nunca un golpe de hacha.

Bajo su mano experta rodaron cabezas, como estrellas tiene el firmamento.

A diario recibía cientos de aspirantes a verdugo. Parte de mi trabajo era orientativo. Les mostraba el camino. Ponía a prueba sus habilidades.

Me seguían, como terneros, por la Institución con excitación, sorprendidos por lo que descubrían.

Ellos mismos se depuraban.

La primera muerte que provocaban, sin lugar a dudas la más importante, los definía al instante como estudiantes prometedores, con futuro; o simplemente se alejaban, sollozantes, sin poder contener su espanto.

Nos reuníamos en diferentes secciones para que conocieran todas las técnicas, lo variada que era la Institución.

La metodología era sencilla. Uno pasaba al frente con un enfermo, los otros estudiantes hacían un semicírculo para juzgar su trabajo.

M. "El Terrible" fue el único que nunca asistió a estos seminarios. Conocía lo necesario. Para él, la muerte era una compañera inseparable.

Fue un verdugo ejemplar, hasta que contrajo la enfermedad.

Personalmente lo alivié.

La mayoría de los verdugos tenía algún familiar enfermo y, cosa curiosa, los escondían para no traerlos a la Institución.

Yo solía ser la excepción.

Personalmente traje a mis padres, a mis hermanos, a mis tíos, a mis amigos.

## 9

Una tarde calurosa, decidí no atender a ningún paciente. Me recosté en el alféizar de la ventana para contemplar el patio de la Institución.

En mi apocamiento veía a los que penosamente subían al cadalso y recordé lo que una vez leí sobre el pobre Séneca.

En el año 65, Nerón sintiendo fastidio por su maestro de infancia, le envió un mensajero solicitándole que se quitara la vida. Teniendo respeto, tal vez, le dio la potestad de elegir.

El viejo Séneca sin replicar, se despidió de su mujer y se cortó las venas. Pero no obtuvo resultados. Luego bebió un vaso de la mortal cicuta, lo cual no surtió efecto. Al final, agotado, mandó preparar un baño caliente en el que se sumergió.

Allí murió, ahogado por los vapores, y la debilidad de su cuerpo.

Me admiraba al encontrar en los ancianos y los más débiles, una vitalidad oculta, inimaginable, que una y otra vez los devolvía a la vida, como la boya que invariablemente sale a flote.

Pensaba en esto porque había visto a un infeliz descabezado, que corría y agitaba los brazos, huyendo del cadalso, provocando pánico y estupor.

## 10

Esta peste ha durado veinte años. Veinte largos y angustiosos años.

En la Institución andamos como sonámbulos. Hace mucho que no salimos de aquí. Hemos perdido la curiosidad y la apariencia humana. Más aparentamos ser trapos pintados. Ni nosotros mismos nos reconocemos al ver nuestra imagen frente al espejo.

Nadie es lo que era.

La peste cayó sobre nosotros cuando la guerra era inevitable. Nos golpeó con la furia de un huracán y evitó el holocausto nuclear.

Ahora me detengo a pensar qué fue mejor.

¿Cuánto hubiera durado la guerra?

¿Habría quedado algún sobreviviente?

Con la peste encima, nadie ha tenido tiempo para detenerse a pensar. Creo que soy el primer ser humano que piensa por la humanidad en años.

Casi habíamos acabado también con el pensamiento.

Nada nuevo se ha producido en estos lustros.

Los anaqueles de los supermercados permanecen vacíos, llenos de telarañas y lagartijas.

Los insectos nos han invadido.

Las casas están sin pintar.

Los autos no funcionan

Definitivamente, todo hay que hacerlo nuevo. Empezar de la nada. De cero. De lo que no es.

Cuando noté que aparecía el primer síntoma de la enfermedad en mi piel, me acordé de Dios.

Entonces y sólo entonces pensé en Él.

Debo reconocer que nunca antes me preocupé por su existencia.

Puede que nos estemos volviendo menos carne y más espíritu.

## 11

Un mes ha tardado la enfermedad en apoderarse de mi cuerpo. En él ya no hay parte sana, ni pura.

Soy una masa espúrea.

De noche, los dolores se hacen insoportables. Le temo a los gusanos. Cada llaga es para ellos un manjar.

Hoy vine temprano a la Institución. Llené los formatos y firmé los documentos.

Casi no hay personal laborando.

Éste es el último pasillo en el que aún hay actividad.

Un par de verdugos prestan sus servicios.

Un enfermero empieza a desalojar los depósitos.

Una mujer, en la esquina, se pone histérica y abandona la Institución corriendo.

El edificio está lustrado. Parece que nunca se ha usado. Todo relumbra. Como los espejos de la ferias.

Este pasillo de la seccion "B" ha quedado aislado por la pestilencia. Aquí atienden a los retrasados.

Somos parte de los últimos.

Muchos de los que actualmente caminan fuera de la Institución no imaginan lo que ocurre dentro. Olvidan los días de la peste y a sus padres, y a sus abuelos.

Piensan que ellos son los primeros pobladores. Y nosotros, residuos de un experimento fallido.

R. me ha recibido tarde. Ha oscurecido. Sentí un poco de frío. Estaba cansado.

Me dolía la espalda por pasar el día sentado en la silla de metal.

La ansiedad.

La preocupación.

Dios.

La muerte.

La peste.

Me reconoció sin dificultad.

—Cada día somos menos —murmuró—. Dentro de poco, esto habrá acabado.

—Lo sé.

Me miró con compasión.

—No es necesario, maestro. Están vacunando a toda la población. La vacuna puede aliviarlo.

Sabía que en este punto mi enfermedad era irremediable. Subí a su mesa de trabajo.

—Debes mantenerla limpia —lo reprendí.

Le entregué estos papeles y le pedí que procediera.

## RAFAEL COURTOISIE
### (Montevideo, Uruguay, 1958)

L A obra narrativa de Courtoisie se da a conocer en la década de los noventa con una trilogía compuesta por las colecciones de cuentos *El mar interior* (1990), *El mar rojo* (1991), *El mar de la tranquilidad* (1995), y también en 1995 publica *Cadáveres exquisitos*. El mismo año que *El mar interior*, aparece *Cambio de estado*, una colección de fábulas, epigramas y minicuentos. La producción anterior del escritor uruguayo está dedicada predominantemente a la poesía, género en el que publica seis libros de extraordinaria recepción y premiados en diversos concursos; entre esas distinciones cabe mencionar el Premio Plural de Poesía, obtenido en México en 1991, y el Premio de Poesía Fundación Loewe de España en 1995, otorgado por su libro *Estado sólido*. El jurado de este último galardón lo integraron Octavio Paz, Carlos Bousoño, Jaime Siles y otras figuras prestigiosas de las letras hispanas. En el ensayo, ha dedicado varios estudios a la poesía uruguaya contemporánea. La formación universitaria inicial de Rafael Courtoisie en ingeniería y química se reorienta más tarde hacia las ciencias de la comunicación social, área en la que ha publicado ensayos sobre McLuhan, Postman, las relaciones entre estética y modernidad, el consumismo, y las redes de comunicación urbana. Actualmente, dicta cursos en la Universidad Católica del Uruguay al tiempo que ejerce la crítica literaria en diversos medios.

"Persistencia del débil" —perteneciente al volumen *El mar rojo*— es un cuento de admirable logro artístico que retrata bien la calidad de la obra de Courtoisie. En la proclama literaria de Horacio Quiroga, esta narración representaría el hacerse del cuento en el flujo de la escritura, la realización del relato que alcanza su destino con una marcada conciencia sobre la importancia que reviste el espacio narrativo en el género. La precisión técnica de este cuento intensifica la belleza de la imagen encargada de recomponer la fragilidad destruida. Una voz milenaria, aplastada sólo por la apariencia débil de su exterior, revive en el presente a través del verbo: "La mano me escribe y soy ahora". La vuelta —permitida por la palabra— desoculta el poema permanente, el canto que hoy derrota la arrogancia de la fuerza. El crítico y poeta Hugo Achugar se ha referido al enfoque humanista que advierte en la obra de Courtoisie: "Un humanismo que erosiona sutilmente el universo de los poderosos y de los seguros de sí mismos o de sus instrumentos. Un humanismo que pretende introducir la sospecha como arma contra la tonta sabiduría de los dómines" ("18 años de poesía de Rafael Courtoisie. Humanismo en época de mutaciones", *Brecha* [Montevideo], 2 de septiembre de 1994, p. 22).

Achugar apunta bien a esta caracterización humanista que subyace en la poesía y narrativa de Courtoisie en su venero de demoler las certidumbres sociales y los absolutos históricos. No se trata de un regreso a la utopía del poder salvador de la literatura sino del mirador de libertad que se encuentra en su ejercicio. Otros cuentos del escritor uruguayo como "La revuelta", "El dirigible", y especialmente "El mar rojo", muestran su visión pesimista del devenir posmoderno.

# PERSISTENCIA DEL DÉBIL

N A C í en Esparta hace casi tres mil años. Viví exactamente treinta minutos desde que salí del vientre de mi madre, que también se avergonzó por haber engendrado un hijo tan débil.

El cirujano que me examinó y la partera coincidieron en el mismo juicio: yo no era digno de ser un ciudadano de Esparta. Mi complexión menuda, mis huesos quebradizos, las arrugas de mi piel que al nacer parecían las de un viejo, con arborescencias de pequeñas venas rotas en el dorso de las manos minúsculas, y una transparencia no humana de piel de pescado, de delgada membrana de renacuajo, contribuian al grotesco espectáculo. Nací débil.

Hasta mi madre se avergonzó de mí cuando me vio: "Yo fui hecha para parir hombres, no ranas."

Viví poco más de media hora. Treinta minutos escasos, que transcurrieron entre las gruesas y ásperas palmas de las manos de quienes me examinaron con desprecio porque no era apto para pertenecer a su casta de guerreros.

Pasé esos minutos, mi ración escueta de vida sobre la Tierra, en medio de llantos y voces destempladas. El médico designado por los ancianos para decidir sobre las aptitudes de los que nacían, me tuvo apenas segundos entre sus gruesos dedos que me parecieron leñosos, cubiertos de callos de corteza y extremadamente duros, sin una gota de savia. En vano busqué el seno de mi madre, que me rechazó desde el primer hasta el último momento.

Mis hermanos, mis compañeros de generación, nacieron fuertes y musculosos, con huesos duros y flexibles que resistirían las caídas y los golpes con la parte plana de la espada. Ellos, y solo ellos, nacieron dignos de llevar el escudo con el dibujo de la abeja.

Sus musculosos torsos, sus piernas gruesas y ágiles hace ya muchos siglos se pudrieron bajo el peso del olvido. Sus brazos poderosos, sus terribles glándulas, desaparecieron. Yo morí enseguida, a la media hora de nacer. No llegué a conocer la luz del día, puesto que nací de madrugada y antes de que el sol despuntara fui lanzado al barranco de los niños débiles, al abismo de los inútiles y los faltos de temple, a la ciudad fantasma de los miserables inocentes de Esparta, que no merecieron oportunidad sobre la Tierra.

Yo hubiera querido escribir un largo poema. Un poema duro como las rocas que golpearon contra mi cara de recién nacido, en Esparta. Un poema con filos de silicio y uñas de piedra que se metiera en las carnes, que quebrara el destino como se quebraba la caliza cenicienta de mis huesos endebles como esponjas, el temporal inestable de mi cuerpo.

Yo no tuve cimientos, ni fui construido para durar. Antes del amanecer del primer día de mi vida yacía en el fondo de un barranco y era el almuerzo insípido de las arañas, una ración más con bracitos y piernas en el comedero de los cuervos.

Ni mi padre, cuyo escudo guerrero hace ya mucho tiempo que ha desaparecido bajo el océano de los días, vio mi cara delgada que salía del vientre de mi madre y se hundía en la vida sólo por un momento. Mi padre musculoso, flexible como un junco, glorioso de una gloria caduca, puesto que ya hace siglos nadie recuerda su nombre, no se dignó a verme.

Yo no fui. No tuve nombre. Tengo los nombres de los lanzados en aquel barranco de Esparta. Mi único nombre es el del rescoldo, no el del incendio. No queda nada de mí más que lo poco que pude ser: minutos bajo la sombra de la noche. Por eso he venido. Por eso tengo este espacio breve de papel en el que volver en la mano de otro que me escribe.

Yo he durado. Mis hermanos, los fuertes, se pudrieron hace mucho y el artificio de su tórax prevenido, de su guardia feroz no alienta nada. Han sido.

Yo soy. Muerto en Esparta hace casi tres mil años, con un soplo de vida. Vuelvo en este papel y en este idioma extraño porque yo, el débil, no conocí idioma alguno. Nonato para el sonido articulado y para el amor de las mujeres. Solo conocí la madurez del grito ronco en la reprobación, el temprano gruñido del aborrecimiento en la mueca de las bocas, no el beso. La mano me escribe y soy ahora.

Hay un río incesante hecho de los cadáveres de los poderosos, el río de los fuertes que caen a cada momento, las caliginosas aguas de los que quieren vencer.

Yo estoy en las tierras altas, lejos de esas orillas. Y permanezco.

# BIBLIOGRAFÍA
## POR ORDEN ALFABÉTICO DE AUTORES

### AINSA, FERNANDO
OBRA NARRATIVA

Novela: *El testigo* (1964); *Con cierto asombro* (1968); *De papá en adelante* (1970); *Con acento extranjero* (1984).

Cuento: *En la orilla* (1966); *Las palomas de Rodrigo* (1988); *Los naufragios de Malinow y otros relatos* (1988).

ENSAYO

*Las trampas de Onetti* (1970); *USA: una revolución en las conciencias* (1972/1977); *Tiempo reconquistado: siete ensayos sobre literatura uruguaya* (1977); *Los buscadores de la utopía: la significación novelesca del espacio latinoamericano* (1977); *Identidad cultural de Iberoamérica en su narrativa* (1986); *Necesidad de la utopía* (1990); *De la Edad de Oro a El Dorado* (1992); *Historia, utopía y ficción de la Ciudad de los Césares: metamorfosis de un mito* (1992).

EDICIONES

*Nuevos rebeldes de Colombia* (1968, selección de Fernando Ainsa de seis narradores colombianos); *La carreta* (1988, edición crítica de *La carreta* de Enrique Amorim; coordinación a cargo de Fernando Ainsa).

TRADUCCIONES

*D'ici, de là-bas: Jeux de distance* (1987, traducción de Jean Claude Villegas).

ESTUDIOS

Eileen M. Zeitz. Reseña de *Tiempo reconquistado*. *Texto Crítico* 4.9 (1978): 221-222.

John Beverley. Reseña de *Los buscadores de la utopía: la significación novelesca del espacio latinoamericano*. *Revista Iberoamericana* 45.108-109 (1979): 680-683.

Nilda María Flawia de Fernández. "Fernando Ainsa, *Con acento extranjero*". *Revista Iberoamericana* 58.160-161 (1992): 1202-1208.

### ALMÁNZAR RODRÍGUEZ, ARMANDO
OBRA NARRATIVA

Cuento: *Límite* (1967-1979); *Infancia feliz* (1978); *Selva de agujeros negros para "Chichí la Salsa"* (1985); *Cuentos en corto metraje* (1994, veinticinco cuentos cortos); *Marcado por el mar* (colección inédita de quince cuentos).

ESTUDIOS

Aída Cartagena. "El cuento dominicano" en *Narradores dominicanos: antología*. Caracas: Monte Ávila Editores, 1969, pp. 7-12. [Contexto general sobre el relato en la República Dominicana; también se ofrece una breve presentación bio-bibliográfica de Armando Almánzar (p. 63).]

Alberto Perdomo Cisneros. "Notas Preliminares" a *Límite* de Armando Almánzar Rodríguez. Santo Domingo: Ediciones Futuro, 1967, pp. I-IV. [Reproducido en la edición de 1979, Santo Domingo: Editora Alfa y Omega, pp. 7-10].

Juan Bosch. "Introducción" a *Infancia feliz,* de Armando Almánzar Rodríguez. Santo Domingo: Editora Alfa y Omega, 1978, pp. 7-10.

Alberto Perdomo Cisneros. "Prólogo a la Segunda Edición" de *Límite,* de Armando Almánzar Rodríguez. 2.ª ed. Santo Domingo: Editora Alfa y Omega, 1979, pp. 13-15.

Juan José Ayuso. "384,405 kilómetros de ADN", introducción a *Selva de agujeros negros para "Chichi la Salsa".* Santo Domingo: Biblioteca Nacional, 1985, pp. 11-25.

## BAREIRO SAGUIER, RUBÉN

OBRA NARRATIVA

Cuento: *Ojo por diente* (1972/1983/1985/1987); *El séptimo pétalo del viento* (1984, prólogo-conversación Augusto Roa Bastos).

OBRA POÉTICA

*Biografía de ausente* (1964); *A la víbora de la mar* (1977; la segunda edición de 1987 es aumentada y contiene prólogo de Augusto Roa Bastos); *Estancias, errancias, querencias* (1982/1985); *Antología personal* (1987).

ENSAYOS / COMPILACIONES / ANTOLOGÍAS

*Cuento y novela* (1960, en colaboración con Manuel E. Argüello); *Literatura guaraní del Paraguay* (1980); *La tête dedans: mythes, récits, poèmes des Indiens d'Amérique du Sud* (1980/1982, en colaboración con Jacqueline Baldrán); *Augusto Roa Bastos: Semana de Autor* (1985/1986); *Augusto Roa Bastos: caídas y resurrecciones de un pueblo* (1989); *Antología del cuento latinoamericano* (1989, en colaboración con Olver G. de León); *Los mitos fundadores guaraníes y su reinterpretación* (1989); *De nuestras lenguas y otros discursos* (1990); *Poésie paraguayenne du XXᵉ siècle d' expression espagnole* (1990, en colaboración con Carlos Villagra Marsal; edición bilingüe español-francés); *Tentación de la utopía: las Misiones jesuíticas del Paraguay* (1991, en colaboración con Jean-Paul Duviols); *Antología de la novela latinoamericana/Anthologie de la nouvelle latino-américaine* (1991, en colaboración con Olver G. de León).

TRADUCCIONES

*Pacte du sang* (1972); *Le Paraguay* (1972); "Isla secreta/Île secrète" (1983 *Amerique Latine* 13); *Prison* (1987).

ESTUDIOS

Jean-Paul Borel. "Apuntes para un análisis sociológico de la narrativa paraguaya: A. Roa Bastos y R. Bareiro Saguier". *Caravelle* 25 (1975): 39-56.

Dominique Bouzigues. "Entretien avec Rubén Bareiro Saguier". *Caravelle* 31 (1978): 189-195.

Augusto Roa Bastos. "Conversación con Rubén Bareiro Saguier" en *El séptimo pétalo del viento* de Rubén Bareiro Saguier. Asunción: Arte Nuevo Editores, 1984, pp. 11-31.

*Rubén Bareiro Saguier. Valoraciones y comentarios acerca de su obra.* Asunción: Arte Nuevo, 1986. [Varios autores. Sobre el cuento incluido en nuestra antología, puede verse el artículo de Dominique Bouzigues, "Análisis estructural de dos cuentos de Rubén Bareiro Saguier: 'Sólo un momentito' y 'Ojo por diente'", pp. 13-75.]

Jacqueline Baldrán. "'Pacto de sangre' o 'Nada menos que todo un hombre'". *Palinure* 2 (1986): 180-192.

Marco Antonio Campos. "Rubén Bareiro: en cada palabra está Paraguay". *Universidad de México* 41.425 (1986): 22-24.

Ana Pizarro. "Once relatos y un discurso: *Ojo por diente* de Rubén Bareiro Saguier". *Palinure* 2 (1986): 155-164.

Fernando Ainsa. "Macroestructuras condicionantes del discurso y tratamiento literario en *Diente por diente,* de Rubén Bareiro Saguier. *Le récit et le monde* (1987): 241-254.

Jean Andreu. "L'ile secrete de Rubén Bareiro Saguier". *Co-textes* 14 (1987): 67-78.

Olga Caro. "Les Aberrations mentales dans *Ojo por diente*". *Co-textes* 14 (1987): 79-84.

Rodrigo Díaz-Pérez & Christiane Tarroux-Follin. "Questions a Rubén Bareiro Saguier: Elements pour une biographie personnelle/Preguntas a Rubén Bareiro Saguier: Elementos para una biografía personal". *Co-textes* 14 (1987): 43-57.

Víctor Jacinto Flecha. "La noción de la muerte en *Ojo por diente*". *Co-textes* 14 (1987): 85-98.

Christiane Tarroux-Follin. "Discours dominant/discours dominé dans *Ojo por diente* de Rubén Bareiro Saguier: 'Diente por diente,' un discours 'sous influence'". *Imprevue* 2 (1987): 161-186.

Christiane Tarroux-Follin. "Notes sur les modalités de transcription de la réalité linguistique paraguayenne dans Ojo por diente: L'Emergence de la langue dominée". *Co-textes* 14 (1987): 99-125.

Raquel Thiercelin. "Eros y tanatos en los cuentos de *Ojo por diente*".

*Le récit et le monde* (1987): 255-263.

Saúl Yurkievich. "Obstinado rescate del ser". *Co-textes* 14 (1987): 61-65.

Dante Carignano. "La palabra poética, centro exacto del ser: entrevista a Rubén Bareiro Saguier". *Río de la Plata: Culturas* 7 (1988): 73-91.

Felipe Navarro. "Tiempo histórico y tiempo mítico: el tiempo mestizo en *Ojo por diente* de Rubén Bareiro Saguier". *La Torre: Revista de la Universidad de Puerto Rico* 5.20 (1991): 429-41.

Helene Weldt. "Cases of Ambiguity in Rubén Bareiro Saguier's *Ojo por diente*". *Hispanófila* 36.106 (1992): 41-57.

## BARROS, PÍA

OBRA NARRATIVA

Novela: *El tono menor del deseo* (1991).

Cuento: *Miedos transitorios: de a uno, de a dos, de a todos* (1986 en Santiago, Chile y en Uruguay en 1989. La traducción al inglés de este libro fue realizada por Isabel Balseiro y se encuentra inédita); *A horcajadas* (1990); *A horcajadas/Astride* (1992, edición bilingüe español-inglés); *Signos bajo la piel* (1994).

ESTUDIOS

Liliana Trevizan. "La articulación estética entre la variable de clase y la variable de género en un cuento de Pía Barros". *Plaza: Revista de Literatura* 14-15 (1988): 51-56. Andrea Bell L. *The Cuento Breve in Modern Latin American Literature: Venezuela, Argentina, Uruguay, Chile*. Tesis doctoral, Stanford University, 1991.

Juan Carlos Lértora. "Escritura/erotismo/violencia", prólogo al libro *A Horcajadas/Astride*. 2.ª ed. Chile: Editorial Asterión, 1992, pp. 9-13.

Liliana Trevizan. *El nudo política/ sexualidad en la escritura de mujeres latinoamericanas*. Tesis doctoral, University of Oregon, 1993. [Se examina el cuento "Mordaza" en el capítulo dos.]

Olga María López-Cotín. *La novela femenina en Chile de 1909 a 1991: María Flora Yáñez, Mercedes Valdivieso, Mariana Cox, Pía Barros*. Tesis doctoral, The University of Michigan, 1993. [De Pía Barros, se examina *El tono menor del deseo.*]

Corinne Machoud Nivon. "Narciso, la escritura en el espejo: o *El tono menor del deseo* en la condición postmoderna". *Alba de América. Revista Literaria* 12.22-23 (1994): 337-349.

Willy O. Muñoz. Reseña de *A horcajadas* de Pía Barros y *(Des) encuentros (des) esperados* (1992) de Andrea Maturana. *Letras Femeninas* 20. 1-2 (1994): 178-179.

Ricardo Gullón, ed. *Diccionario de literatura española e hispanoamericana* 2 vols. Madrid: Alianza Editorial, 1993, vol. 1, p. 721. [Sección *Hispanoamérica: narrativa actual*, pp. 718-725.]

Olga López Cotín. *"El tono menor del deseo*, de Pía Barros: territorios de identidad, tortura y resistencia" en *La Chispa'95. Selected Proceedings*. Claire J. Paolini, editor. New Orleans, Louisiana: Tulane University, 1995, pp. 209-220.

## BUSTOS ARRATIA, MYRIAM
### Obra narrativa

Novela: *Tres novelas breves* (1983).

Cuento: *Tribilín prohibido y otras vedas* (1978); *Las otras personas y algunas más* (1978); *Que Dios protege a los malos: cuentos sobre el último Chile 1973-1976* (1979); *Del Mapocho y del Virilla* (1981); *Rechazo de la rosa* (1984); *Reiterándome* (1988); *El regreso de O.R.* (1993); *Cuentos, cuentos y descuentos* (1995, mini-relatos).

### Estudios

Raúl Torres Martínez. "¿Estas personas en 'las otras personas'?" en *Las otras personas y algunas más* de Myriam Bustos Arratia. San José, Costa Rica: Editorial Costa Rica, 1978, pp. 9-15.

Alberto Cañas. "Reiterándose" en *Reiterándome* de Myriam Bustos Arratia. San José, Costa Rica: Editorial Universidad Estatal a Distancia, 1988, pp. 9-10.

Judy Berry-Bravo. "Myriam Bustos: Presentación y entrevista". *Alba de América* 8.14-15 (1990): 345-352.

Carlos Cortés. "La saga/fuga de M.B.A" en *El regreso de O.R.* de Myriam Bustos Arratia. San José Costa Rica: Editorial Universidad Estatal a Distancia, 1993, pp. 9-11.

Raúl Torres Martínez. "Estos desvaríos de Myriam". Prólogo a *Cuentas, cuentos y descuentos*. San José, Costa Rica: Editorial Tecnociencia, 1995, pp. vii-xvii.

## CÁCERES ROMERO, ADOLFO
### Obra narrativa

Novela: *La mansión de los elegidos* (1973 y 1988); *Las víctimas* (1978 y 1988).

Cuento: *Galar* (1967); *Copagira: cuentos marginales* (1975); *Los golpes* (1983); *La hora de los ángeles* (1987).

### Obra varia

*Texto de lectura para ciclo intermedio* (1974); *Diccionario de la literatura boliviana* (1977, en colaboración con José Ortega); *Poésie Bolivienne du XX$^e$ siécle* (1986, Ginebra, antología bilingüe francés-español);

*Nueva historia de la literatura boliviana* (obra proyectada en cuatro tomos, el primer volumen "Literaturas aborígenes" es de 1987, el segundo "Literatura colonial", de 1990, el tercero "Literatura de Independencia y del siglo XIX", de 1995). El último volumen en el que trabaja el autor es "Literatura boliviana del siglo XX". En 1990 publica con Inge Sichra en Ginebra (Editorial Patiño) *Poesía quechua en Bolivia/Poesie Quechua en Bolivie*, antología trilingüe en quechua, español y francés.

ESTUDIOS

Evelio A. Echevarría. Reseña de *Diccionario de la literatura boliviana*. *Revista Interamericana de Bibliografía* 28.3 (1978): 324-325.

Ricardo Gullón, ed. *Diccionario de literatura española e hispanoamericana* 2 vols. Madrid: Alianza Editorial, 1993, vol. 1, p. 238.

## CASTILLO, ROBERTO

OBRA NARRATIVA

Novela: *El corneta* (1981).

Cuento: *Subida al cielo y otros cuentos* (1980/1984/1987); *Figuras de agradable demencia* (1985); *Traficante de ángeles* (1995).

ENSAYO

*Filosofía y pensamiento hondureño* (1992); "La madurez de la literatura". *Paraninfo. Revista del Instituto de Ciencias del Hombre Rafael Helioro Valle* [Honduras] 3.5 (1994): 21-25.

TRADUCCIONES

*Tivo, the Bugler* (1985, traducción de la novela *El corneta*, realizada por Julieta Seelinger de Baasch, *Chasqui* 14.1 (1984): 161-198).

ESTUDIOS

Jorge Luis Oviedo. "El cuento hondureño" en *El nuevo cuento hondureño*. Tegucigalpa, D. C.: Dardo Editores, 1985, pp. 1-10. [Breve

visión panorámica del cuento en Honduras, los orígenes y las generaciones de 1970 y 1980.]

Helen Umaña. "Una dialéctica de la transfiguración en *Figuras de agradable demencia*" en *Literatura hondureña contemporánea: ensayos*. Tegucigalpa, Honduras: Guaymuras 1986, pp. 265-272.

Jorge Luis Oviedo. "Breve panorama del cuento hondureño" en *Antología del cuento hondureño*. Tegucigalpa, Honduras: Editores Unidos, 1990, pp. 7-32.

## CASTRO, CLAUDIO DE

OBRA NARRATIVA

Cuento: *El abuelo Toño* (1985); *La niña fea de Alajuela* (1985); *El señor Foucault* (1987); *El juego* (1989); *El camaleón* (1991).

## COLLYER, JAIME

OBRA NARRATIVA

Novela: *Hacia el nuevo mundo* (1985, correspondiente al género de la literatura infantil); (1986); *El infiltrado* (1989); *Cien pájaros volando* (1995); "Historia de una oveja" (inédita).

Cuento: *Los años perdidos* (1986, un solo relato largo publicado en Madrid por Ediciones Almarabu; *Gente al acecho* (1992/1993).

ENSAYO

"De las hogueras a la imprenta: el arduo renacer de la narrativa chilena", *Cuadernos Hispanoamericanos* 482-483 (1990): 123-135.

ESTUDIOS

Ignacio Valente. "Jaime Collyer, un nuevo y eximio cuentista". Edición Internacional de *El Mercurio*. Semana del 3 al 9 de diciembre de 1992: 2.

## COURTOISIE, RAFAEL

OBRA NARRATIVA

Cuento: *El mar interior* (1990/1993); *El mar rojo* (1991); *El mar de la tranquilidad* (1995); *Cadáveres exquisitos* (1995).

OBRA POÉTICA

*Contrabando de auroras* (1977); *Tiro de gracia* (1981); *Tarea* (1982); *Orden de cosas* (1986); "Textura" (*Plural* 21.246 [1992]: 4-11); *Instrucciones para leer ceniza* (1994).

PROSA VARIA

*Cambio de estado* (1990).

ESTUDIOS

Pablo Rocca. "Courtoisie: rabdomante. Letra que mata". *Brecha* [Montevideo] 23 de noviembre de 1990, p. 22.

Rosario Peyrou. "Prólogo" a *El mar rojo*. Montevideo: Ediciones de la Banda Oriental, 1991, pp. 5-8.

Luis Ignacio Marsiglia. "La nueva poesia uruguayana. Rafael Courtoisie, tessitore di parole". *Noticeial* [Verona, Italia] Domenica 21 aprile 1991, p. 8.

Alejandro Michelena. "Escritores del tiempo oscuro". *Revista Graffitti* [Montevideo]. 24 (1992): 24-29.

Oribe Irigoyen. "Cuentos". *El País*. Año III, No 125, Viernes, 27 de marzo de 1992, s. p. [Reseña de *El mar rojo*].

Fernando Ainsa. *Nuevas fronteras de la narrativa uruguaya (1960-1993)*. Montevideo: Ediciones Trilce, 1993.

Hugo Achugar. "18 años de poesía de Rafael Courtoisie. Humanismo en época de mutaciones". *Brecha* [Montevideo] 2 de septiembre de 1994, p. 22.

Carlos Orlando. "*El mar interior*. Cuentos de Rafael Courtoisie". *La Mañana*. Lunes 22 de agosto de 1994, s.p.

Rosario Peyrou. "Con Rafael Courtoisie. La violencia está en nosotros". *El País Cultural*. Año VII, n.º 324. Viernes, 19 de enero de 1996, pp. 1-4.

DÍAZ ETEROVIĈ, RAMÓN

OBRA NARRATIVA

Novela: *La ciudad está triste* (1987); *Solo en la oscuridad* (1992); *Nadie sabe más que los muertos* (1993); "Nunca enamores a un forastero" (inédita).

Cuento: *Cualquier día* (1981); *Obsesión de Año Nuevo y otros cuentos* (1982); *Atrás sin golpe* (1985); *Ese viejo cuento de amar* (1986/1990).

OBRA POÉTICA

*El poeta derribado* (1980); *Pasajero de la ausencia* (1982).

ANTOLOGÍAS EDITADAS POR EL AUTOR

*Contando el cuento: antología de la joven narrativa chilena* (1986); *Andar con cuentos: Nueva narrativa chilena 1948-1962)* (1992).

ESTUDIOS

Fernando Ramírez Fuente. *Contexte et caracteristiques de la generation litteraire du putsch au Chili a travers 'Atrás sin golpe' de Ramón Díaz Eteroviĉ*. Tesis, realizada en la Université de Rennes II, Francia, 1990.

Ricardo Gullón, ed. *Diccionario de literatura española e hispanoamericana* 2 vols. Madrid: Alianza Editorial, 1993, vol. 1, p. 443.

Guillermo García-Corales. "Ramón Díaz Eteroviĉ: reflexiones sobre la narrativa chilena de los noventa". *Confluencia* 10.2 (1995): 190-195.

DURÁN AYANEGUI, FERNANDO

OBRA NARRATIVA

Novela: *Tenés nombre de Arcángel* (1988); *Retorno al Kilimanjaro* (1989, novela corta); *Cuando desaparecieron los topos: una trilogía* (1991); *Las estirpes de Montánchez* (1992).

Cuento: *Dos reales y otros cuentos* (1961); *El último que se duerma* (1976/1986); *Salgamos al campo y otros relatos* (1977); *El benefactor y otros relatos* (1981); *Diga que me vio aquí* (1981, compilación de *El último que se duerma* y *Salgamos al campo*); *Cuentos para Laura* (1986, cuentos infantiles); *El rey que se apoderó de la luna* (1986, cuentos infantiles); *El viaje de la familia Hueco* (1988, cuentos infantiles); *Opus 13 para cimarrona* (1989); *La aventura de Camote* (1986, relatos humorísticos).

ENSAYO

*Universidad: cambio de guardia* (1981); *Desde la universidad: reflexiones de un rector* (1986); *Paradigma académico de la Universidad de Costa Rica* (1987).

PROSA VARIA

*Mi pequeño bazar* (1980); *Mi nuevo pequeño bazar* (1986); *El pequeño libro rojo del presidente Camote: o las 1001 noches de Noteapa* (1988); los tres libros son de carácter humorístico.

ESTUDIOS

Alicia Miranda Hevia. "El cuento contemporáneo en Costa Rica". *Káñina* (1981): 35-38.

Alfonso Chase. "Prólogo" a *El último que se duerma* de Fernando Durán Ayanegui. San José, Costa Rica: Editorial Alma Mater, Universidad de Costa Rica, 1986, pp. 5-11.

Kari Meyers Skredsvig. "The Kilimanjaro Kaleidoscope: A Sociocritical Approach to *Retorno al Kilimanjaro*". *Revista de Filología y Lingüística de la Universidad de Costa Rica* 17.1-2 (1991): 29-38.

Amalia F. Chaverri. "Relaciones intertitulares a partir de *Retorno al Kilimanjaro*". *Revista de Filología y Lingüística de la Universidad de Costa Rica* 17.1-2 (1991): 21-27.

Aura Vargas. "Leyendo *Mi pequeño bazar*". *Káñina: Revista de Artes y Letras de la Universidad de Costa*

*Rica* 4.2 (1980): 15-18.

Ricardo Gullón, ed. *Diccionario de literatura española e hispanoamericana* 2 vols. Madrid: Alianza Editorial, 1993, vol. 1, pp. 468-469.

## EGÜEZ, IVÁN

OBRA NARRATIVA

Novela: *La Linares* (1975/1982/1995); *Pájara la memoria* (1984/1985/1987); *El poder del gran señor* (1985/1987/1992).

Cuento: *Triple salto* (1981/1983/1984/1991); *Ánima Pávora* (1990); *Historias leves* (1994).

OBRA POÉTICA

*Calibre catapulta* (1969); *La arena pública y loquera es lo que era* (1972); *Buscavida rifamuerte* (1975); *Poemar* (1987); *El olvidador* (1992).

ESTUDIOS

Mario Monteforte. "Anuncio" en *El triple salto* de Iván Egüez. Quito: Editorial El Conejo, 1981, pp. 11-18. [Presentación sobre los relatos de esta colección.]

Michael C. Waag. "Political Satire through Popular Music and a Popular Vision of Reality: *La Linares*, a New Novel from Ecuador". *Perspectives on Contemporary Literature* 13 (1987): 50-57.

Patricia Eugenia Varas. *La nueva narrativa y la cultura nacional-popular en el Ecuador: tres narradores representativos*. Tesis, University of Toronto, 1990. [Sobre Iván Egüez, Jorge Velasco Mackenzie y Raúl Pérez Torres. De Iván Egüez se estudia *La Linares*.]

Yolanda Montalvo Bustos. "Iván Egüez" en *Índice de la narrativa ecuatoriana*. Gladys Jaramillo Buendía, Raúl Pérez Torres, Simón Zavala Guzmán, eds. Quito: Editora Nacional, 1992, pp. 247-251.

Fernando Tinajero. "Estudio Introductorio" a *El poder del gran señor*. Quito: LIBRESA, 1992, pp. 9-53.

Pablo Martínez. "Estudio de la novela" en *El poder del gran señor*. Quito: LIBRESA, 1992, pp. 54-67.

Ricardo Gullón, ed. *Diccionario de literatura española e hispanoamericana* 2 vols. Madrid: Alianza Editorial, 1993, vol. 1, p. 475.

## ELTIT, DIAMELA

### OBRA NARRATIVA

Novela: *Lumpérica* (1983/1991); *Por la patria* (1986); *El cuarto mundo* (1988); *El Padre Mío* (1989); *Vaca sagrada* (1991/ 1992); *Los vigilantes* (1994); *El infarto del alma* (1994).

Cuento: "Diez noches de Francisca Lombardo" (incluido en la colección *El muro y la intemperie: el nuevo cuento latinoamericano*, Julio Ortega, ed. Hanover, New Hampshire: Ediciones del Norte, 1989, pp. 149-163. Corresponde al capítulo VII de la novela *Vaca sagrada*, pp. 91-117); "Aunque me lavase con agua de nieve" (incluido en la colección *Los pecados capitales*. Santiago, Chile: Grijalbo, 1993, edición y prólogo de Mariano Aguirre. Este volumen incluye cuentos de varios autores).

### TRADUCCIONES

*Quart-Monde* (1992, París, Christian Bourgois Editeur); *Lumpérica* (1993, París, Des Femmes); *Sacred Cow* (1994, Londres, Serpent's Tail); se prepara la traducción al inglés de *Cuarto mundo* (Dick Gerdes, Nebraska University Press, Estados Unidos) y la de *Lumpérica* (Ronald Christ Serpent's Tail, Inglaterra).

### ENSAYO

1) "Experiencia literaria y palabra en duelo" en *Duelo y creatividad. (Seminario: literatura, socioanálisis, enfoque sistémico)*, Santiago, Chile: Editorial Cuarto Propio, Serie Ensayo n.º 1, 1990, pp. 21-27; 2) "Las aristas del congreso", Presentación al Congreso Internacional de Literatura Femenina Latinoamericana realizado en Santiago de Chile en 1987, *Escribir en los bordes: Congreso Internacional de Literatura Femenina Latinoamericana*, Santiago de Chile: Editorial Cuarto Propio, 1990, pp. 17-19; 3) "Errante, errática", en *Una poética de literatura menor: la narrativa de Diamela Eltit*, Juan Carlos Lértora, ed. Santiago, Chile: Editorial Cuarto Propio, 1993, pp. 17-25.

### ESTUDIOS

Ágata Gligo. "*Lumpérica*: un libro excepcional". *Mensaje* (1985) 34.343: 417-418.

Marta Contreras. "*Por la patria*: una novela femenina de vanguardia". *El Sur* (Concepción, Chile). Domingo 7 de junio de 1987. Sección "Arte y Cultura".

Guillermo García Corales. "Entrevista con Diamela Eltit: una reflexión sobre su literatura y el momento político cultural chileno". *Revista de Estudios Colombianos* 9 (1990): 71-76.

Eugenia Brito. "El doble relato en la novela *Por la patria*, en Diamela Eltit". *Escribir en los bordes: Congreso Internacional de Literatura Femenina Latinoamericana, 1987*. Santiago: Cuarto Propio, 1990, pp. 243-258.

Eugenia Brito. "La narrativa de Diamela Eltit: un nuevo paradigma socio-literario de lectura", en *Campos minados: (literatura post-golpe en Chile)* por E. Brito. Santiago de Chile: Editorial Cuarto Propio, 1990, pp. 167-218.

Rodrigo Cánovas. "Apuntes sobre la novela *Por la patria (1986)*, de Diamela Eltit. *Acta Literaria* (Concepción, Chile) (1990) 15: 147-160.

Julio Ortega. "Resistencia y sujeto femenino: entrevista con Diamela Eltit". *La Torre: Revista de la Universidad de Puerto Rico* (1990) 4.14: 229-241.

Rodrigo Cánovas. "Una reflexión sobre la novelística chilena de los años 80". *Revista Chilena de Literatura* (1991) 38: 101-108.

Juan Andrés Piña. "Diamela Eltit: escritos sobre un cuerpo" en *Conversaciones con la narrativa chilena.* Chile: Editorial Los Andes, 1991, pp. 223-254.

Ivette Malverde Disselkoen. "Esquizofrenia y literatura: el discurso de padre e hija en *El padre mío* de Diamela Eltit". *Acta Literaria* (Concepción, Chile) (1991) 16: 69-76.

Gisela Norat. *Four Latin American Writers Liberating Taboo: Albalucía Ángel, Marta Traba, Sylvia Molloy, Diamela Eltit.* Tesis realizada en Washington University, Saint Louis, Missouri, 1991. Microfilm en Ann Arbor, Michigan. [Véase capítulo IV "*Lumpérica*: Erotic/Erratic Writing", pp. 189-229.]

Elzbieta Sklodowska. "*Como en la guerra* y *Lumpérica*: operación paródica" en *La parodia en la nueva novela hispanoamericana (1960-1985).* Amsterdam/Philadelphia: John Benjamins Publishing Company, 1991, pp. 155-168. [Análisis de *Lumpérica* en la perspectiva de una escritura paródica; con el mismo enfoque se analiza paralelamente la novela de Luisa Valenzuela *Como en la guerra.*]

Sandra Garabano y Guillermo García-Corales. "Diamela Eltit". Sección Entrevistas de *Hispamérica* 62 (1992): 65-75.

Barbara Loach. "Diamela Eltit, *El Padre Mío*". Sección Reseñas de *Hispamérica* 61 (1992): 103-104.

Ricardo Gullón, ed. *Diccionario de literatura española e hispanoamericana* 2 vols. Madrid: Alianza Editorial, 1993, vol. 1, p. 478.

Juan Carlos Lértora, ed. *Una poética de literatura menor: la narrativa de Diamela Eltit.* Santiago, Chile: Editorial Cuarto Propio, 1993. [Contiene diez ensayos sobre la obra de Eltit: Juan Carlos Lértora "Hacia una poética de literatura menor" (pp. 27-35); Nelly Richard "Tres funciones de escritura: desconstrucción, simulación, hibridación" (pp. 37-51); Julio Ortega "Diamela Eltit y el imaginario de la virtualidad" (pp. 53-81); Raquel Olea "El cuerpo-mujer. Un recorte de lectura en la narrativa de Diamela Eltit" (pp. 83-95); Sara Castro Klarén "Escritura y cuerpo en *Lumpérica*" (pp. 97-110); Guillermo García Corales "La desconstrucción del poder en *Lumpérica*" (pp. 111-125); María Inés Lagos "Reflexiones sobre la representación del sujeto en dos textos de Diamela Eltit: *Lumpérica* y *El cuarto mundo*" (pp. 127-140); Marina Arrate P. "Los significados de la escritura y su relación con la identidad femenina latinoamericana en *Por la patria* de Diamela Eltit" (pp. 141-154); Ivette Malverde Disselkoen "Esquizofrenia y literatura: la obsesión discursiva en *El Padre Mío*, de Diamela Eltit" (pp. 155-166); Fernando Moreno T. "*Vaca sagrada*: goce y transgresión" (pp. 167-183). También incluye una presentación del editor (pp. 11-15); reflexiones de Eltit sobre su escritura "Errante errática" (pp. 17-25) y una bibliografía de Patricia Rubio sobre la obra de la autora chilena (pp. 185-193).]

Raquel Olea. "El cuerpo-mujer, un recorte de lectura en la narrativa de Diamela Eltit". *Revista Chilena de Literatura* 42 (1993): 165-171. [Reproducido en el libro anteriormente citado *Una poética de literatura menor: la narrativa de Diamela Eltit*, pp. 83-95.]

Elisabeth Burgos. "Palabra extraviada y extraviante: Diamela Eltit". *Quimera* 123 (1994): 20-21.

Fernando Burgos y M. J. Fenwick. "L.Iluminada en sus ficciones: conversación con Diamela Eltit". *Inti* 40-41 (1994): 335-366. [Número especial, "The Configuration of Feminist Criticism and Theoretical Practices in Hispanic Literary Studies".]

Fernando Burgos. "Modernidad y Posmodernidad: Julio Cortázar y Diamela Eltit" en *Vertientes de la modernidad hispanoamericana*. Caracas: Monte Ávila, 1995, pp. 244-260.

Fernando Burgos. "La cuarta escritura de Diamela Eltit". *Revista de Estudios Hispánicos* [Puerto Rico] 22 (1995).

## ESCOTO, JULIO

OBRA NARRATIVA

Novela: *El árbol de los pañuelos* (1972); *Días de ventisca, noches de huracán* (1980); *Bajo el almendro... junto al volcán* (1988); *El general Morazán marcha a batallar desde la muerte* (1992); *Madrugada* (1993).

Cuento: *Los guerreros de Hibueras: 3 cuentos* (1967); *La balada del herido pájaro y otros cuentos: sólo para noctámbulos* (1969); *Abril antes del mediodía* (1983).

PROSA EN EL GÉNERO DE LA LITERATURA INFANTIL

*Los mayas* (1979, Gypsy Silverthorne, coautora); *Descubrimiento y conquista para niños* (1979, Gypsy Silverthorne, coautora).

ENSAYO / ARTÍCULOS

*Casa del agua: artículos, ensayos* (1974); "Cuenta regresiva al realismo mágico". *Revista de Estudios Hispánicos* [Río Piedras, Puerto Rico] 8 (1981): 49-53; "Las instancias mágicas en *Hombres de maíz* de Miguel Ángel Asturias". *Boletín de la Academia Hondureña de la Lengua* [Tegucigalpa, Honduras]. 24.26 (1982): 59-76; *El ojo santo: la ideología en las religiones y la televisión* (1990); *José Cecilio del Valle: una ética contemporánea* (1990).

ANTOLOGÍAS EDITADAS

POR EL AUTOR

*Antología de la poesía amorosa en Honduras* (1975); *Tierras, mares y cielos* (1977, antología del poeta Juan Ramón Molina).

TRADUCCIONES

"High Noon in April" (1988, en *Clamor of Innocence: Stories from Central America*); "April in the Forenoon" (1988, en *And We Sold the Rain: Contemporary Fiction from Central America*).

ESTUDIOS

Jorge Luis Oviedo. "El cuento hondureño" en *El nuevo cuento hondureño*. Tegucigalpa, D. C.: Dardo Editores, 1985, pp. 1-10. [Breve visión panorámica del cuento en Honduras, los orígenes y las generaciones de 1970 y 1980.]

Helen Umaña. "El problema de la identidad en una novela de Julio Escoto" en *Literatura hondureña contemporánea: ensayos*. Tegucigalpa, Honduras: Guaymuras 1986, pp. 275-286.

José González. *Diccionario de autores hondureños*. Editores Unidos: Tegucigalpa, Honduras, 1987, pp. 29-30.

Jorge Luis Oviedo. "Breve panorama del cuento hondureño" en *Antología del cuento hondureño*. 2.ª reimpresión. Tegucigalpa,

Honduras: Editores Unidos, 1990, pp. 7-32. [La primera edición es de 1988.]

Amanda Castro-Mitchell. "Julio Escoto" en *Modern Latin-American Fiction Writers. Second Series*. William Luis & Ann González, eds. Detroit/London: Gale Research Inc., 1994, pp. 118-129.

Helen Umaña. "Una propuesta de paz en la novelística de Julio Escoto". *Ensayos sobre literatura hondureña*. Tegucigalpa, Honduras: Editorial Guaymuras, 1992, pp. 219-226.

Ricardo Gullón, ed. *Diccionario de literatura española e hispanoamericana* 2 vols. Madrid: Alianza Editorial, 1993, vol. 1, p. 489.

## FERRÉ, ROSARIO

OBRA NARRATIVA

Novela: *Maldito amor* (1986/1988/1991/1992, además de la novela corta "Maldito amor", se incluyen los cuentos "El regalo", "Isolda en el espejo" y "La extraña muerte del capitancito Candelario").

Cuento: *Papeles de Pandora* (1976/1979/1987/1990/1991); *El medio pollito: siete cuentos infantiles* (1970/1976); *La caja de cristal* (1978); *La mona que le pisaron la cola* (1981, cuento infantil); *Los cuentos de Juan Bobo* (1981); *Sonatinas* (1989, cuento infantil); *La cucarachita Martina* (1990, cuento infantil); *Las dos Venecias* (1992, reúne cuentos y poemas).

OBRA POÉTICA

*Fábulas de la garza desangrada* (1982); *Antología personal. Poemas (1976-1992)* (1994).

ENSAYO

*Sitio a Eros: trece ensayos literarios* (1980); *Sitio a Eros: quince ensayos literarios* (1986); *"El acomodador": una lectura fantástica de Felisberto Hernández* (1986); *La

filiación romántica en los cuentos de Julio Cortázar* (1987/1990); *El árbol y sus sombras* (1989); *El coloquio de las perras* (1990).

TRADUCCIONES

*Sweet Diamond Dust* (1989); *Das halbe Huhnchen auf dem Weg zum Palast: Fabeln und Erzahlungen aus Puerto Rico* (1990); *Kristallzucker: Roman* (1991); *The Youngest Doll* (1991).

ESTUDIOS

Lisa Davis. "La puertorriqueña dócil y rebelde en los cuentos de Rosario Ferré". *Sin Nombre* 9.4 (1979): 82-88.

Ivette López. "'La muñeca menor': ceremonias y transformaciones en un cuento de Rosario Ferré". *Explicación de Textos literarios* 11.1 (1982/1983): 49-58.

Juan Escalera Ortiz. "Perspectiva del cuento 'Mercedes Benz 220SL'". *Revista/Review Interamericana* 12.3 (1982): 407-417.

Luz María Umpierre. "Un manifiesto literario: *Papeles de Pandora* de Rosario Ferrré". *The Bilingual Review/La Revista Bilingüe* 9.2 (1982): 120-126.

Ivette López Jiménez. "*Papeles de Pandora*: devastación y ruptura". *Sin Nombre* 14.1 (1983): 41-52.

Josefina Rivera de Álvarez. "Oleada de nuevos cuentistas" en *Literatura puertorriqueña: su proceso en el tiempo*. Madrid: Ediciones Partenón, 1983, pp. 762-764. [Citamos las páginas dedicadas específicamente a Rosario Ferré.]

Josefina Rivera de Álvarez. "Los ensayistas de crítica literaria" en *Literatura puertorriqueña: su proceso en el tiempo*. Madrid: Ediciones Partenón, 1983, pp. 838-840. [Citamos las páginas dedicadas específicamente a Rosario Ferré].

Lucía Guerra-Cunningham. "Tensiones paradójicas de la femineidad en la narrativa de Rosario Ferré". *Chasqui* 13.2-3 (1984): 13-25.

José María Chaves. "La alegoría como método en los cuentos y ensayos de Rosario Ferré". *Third Woman: Hispanic Women International Perspectives* 2.2 (1984): 64-75.

Juan Gelpí. "Apuntes al margen de un texto de Rosario Ferré" en *La sartén por el mango: encuentro de escritoras latinoamericanas.* Patricia Elena González y Eliana Ortega, eds. Río Piedras: Ediciones Huracán, 1984, pp. 133-135.

Ronald Méndez-Clark. "La pasión y la marginalidad en (de) la escritura de Rosario Ferré" en *La sartén por el mango: encuentro de escritoras latinoamericanas.* Patricia Elena González y Eliana Ortega, eds. Río Piedras: Ediciones Huracán, 1984 pp. 119-130.

Margarite Fernández Olmos. "Desde una perspectiva femenina: la cuentística de Rosario Ferré y Ana Lydia Vega". *Homines* 8.2 (1984-1985): 303-311.

Lucía Guerra Cunningham. "Transgresión del orden burgués en 'Cuando las mujeres quieren a los hombres'". *Plural* 4.1-2 (1985): 109-116.

Margarite Fernández Olmos. "Luis Rafael Sánchez and Rosario Ferré: Sexual Politics and Contemporary Puerto Rican Narrative". *Hispania* 70.1 (1987): 40-46.

Margarite Fernández Olmos. "Los cuentos infantiles de Rosario Ferré, o la fantasía emancipadora". *Revista de Crítica Literaria Latinoamericana* 14.27 (1988): 151-163.

Carmen Vega Carney. "Sexo y texto en Rosario Ferré". *Confluencia: Revista Hispánica de Cultura y Literatura* 4.1 (1988): 119-127.

Magdalena García Pinto. "Entrevista con Rosario Ferré en la ciudad de Washington, julio de 1983" en *Historias íntimas. Conversaciones con diez escritoras latinoamericanas.* Hanover, New Hampshire: Ediciones del Norte, 1988, pp. 69-96.

Elsa R. Arroyo. "Contracultura y parodia en cuatro cuentos de Rosario Ferré y Ana Lydia Vega". *Caribbean Studies* 22.3-4 (1989): 33-46.

Carmen Dolores Trelles. "Rosario Ferré: palabras de acero". *Homines* 13-14.2/1 (1989-1990): 314-318.

María Isabel Acosta Cruz. "Historia, ser e identidad femenina en 'El collar de camándulas' y 'Maldito amor' de Rosario Ferré". *Chasqui* 19.2 (1990): 23-31.

Aída Apter-Cragnolino. "El cuento de hadas y la 'bildungsroman': modelo y subversión en 'La bella durmiente' de Rosario Ferré". *Chasqui* 20.2 (1991): 3-9.

Julio Ortega. "Rosario Ferré: el corazón en la mano" en *Reapropiaciones: cultura y nueva escritura en Puerto Rico.* Río Piedras, Puerto Rico: Editorial de la Universidad de Puerto Rico, pp. 205-214. [Entrevista].

Suzanne Steiner Hintz. "An Annotated Bibliography of Works by and about Rosario Ferré: The First Twenty Years, 1970-1990" *Revista Interamericana de Bibliografía* 41.4 (1991): 643-654.

Mariela Gutiérrez. "Rosario Ferré y el itinerario del deseo: un estudio lacaniano de 'Cuando las mujeres quieren a los hombres'". *Revista Canadiense de Estudios Hispánicos* 16.2 (1992): 203-217.

Susana Cavallo. "Llevando la contraria: el contracanto de Rosario Ferré". *Monographic Review/*

*Revista Monográfica* 8 (1992): 197-204.

Lorraine Elena Roses. "Las esperanzas de Pandora: prototipos femeninos en la obra de Rosario Ferré". *Revista Iberoamericana* 59 (1993): 279-287.

Aída Apter-Cragnolino. "De sitios y asedios: la escritura de Rosario Ferré". *Revista Chilena de Literatura* 42 (1993): 25-30.

Suzanne Steiner Hintz. *The Search for Identity in the Narrative of Rosario Ferré: Toward a Definition of Latin American Feminist Criticism*. Tesis, Catholic University of America, 1993.

Sara Castro-Klaren. "Unpacking Her Library: Rosario Ferré on Love and Women". *Review. Latin American Literature and Arts* 48 (1994): 33-35.

Ricardo Gutiérrez-Mouat. "La 'loca del desván' y otros intertextos de *Maldito amor*". *MLN* 109.2 (1994): 283-306.

Martha Paley Francescato. "Un cuento de hadas contemporáneo (envenenado) de Rosario Ferré". *Revista de Crítica Literaria Latinoamericana* 20.39 (1994): 177-181.

Ana Rueda. "Parábola de la tejedora: la poética femenina" en *El cuento hispanoamericano*. Enrique Pupo-Walker, coordinador. Madrid: Editorial Castalia, 1995, pp. 521-550.

## FERRER DE ARRELLAGA, RENÉE

OBRA NARRATIVA

Novela: *Los nudos del silencio* (1988/1992).

Cuento: *La seca y otros cuentos* (1986); *La mariposa azul* (1987, cuentos para niños); *Por el ojo de la cerradura* (1993); *Desde el encendido corazón del monte* (1994, cuentos ecológicos).

OBRA POÉTICA

*Hay surcos que no se llenan* (1965); *Voces sin réplica* (1967); *Cascarita de nuez* (1978, poesía infantil); *Galope* (1983, poesía infantil); *Desde el cañadón de la memoria* (1984 recibió el Primer Premio Concurso de Poesía "Amigos del Arte"); *Campo y cielo* (1985, poesía infantil); *Peregrino de la eternidad* (1985); *Nocturnos* (1987); *Sobreviviente* (1988); *Viaje a destiempo* (1989); *De lugares, momentos e implicancias varias* (1990); *El acantilado y el mar* (1992); *Itinerario del deseo* (inédito).

OBRA DRAMÁTICA

*El pan nuestro de cada día* (inédito).

ENSAYO

*Núcleo poblacional establecido en torno a la Villa Real de la Concepción: origen y desarrollo socio-económico* (1981, tesis de doctorado); *Un siglo de expansión colonizadora: los orígenes de Concepción* (1985); *Viaje a destiempo* (1989).

ANTOLOGÍAS COMPILADAS POR LA AUTORA

*Poetisas del Paraguay: voces de hoy* (1992, en colaboración con Miguel Ángel Fernández).

ESTUDIOS

César Alonso de las Heras. "Prólogo" a *Desde el cañadón de la memoria*. Asunción, Paraguay: Concurso de Poesía Amigos del Arte "Homenaje al Cincuentenario de la Defensa del Chaco", 1982, pp. 5-9.

Claude Castro. Reseña de *La seca y otros cuentos*. *Caravelle. Cahiers du Monde Hispanique et Luso-Bresilien* 58 (1992): 235-236.

David William Foster. "Los nudos del silencio". Prólogo a *Los nudos del silencio*. 2.ª ed. Asunción: Editorial Arandura, 1992, pp. 7-10.

Ricardo Gullón, ed. *Diccionario de literatura española e hispanoamericana* 2 vols. Madrid: Alianza Editorial, 1993, vol. 1, p. 544.

## GIARDINELLI, MEMPO
OBRA NARRATIVA

Novela: *La revolución en bicicleta* (1980/1996); *El cielo con las manos* (1981); *¿Por qué prohibieron el circo?* (1983); *Luna caliente* (1983); *Qué solos se quedan los muertos* (1985); *Santo oficio de la memoria* (1992); *Imposible equilibrio* (1995).

Cuento: *Vidas ejemplares* (1982); *La entrevista* (1986); *Cuatro cuentos* (1986, grabación de textos); *Cuentos. Antología personal* (1987, compilación); *Luli la viajera* (1988, cuentos para niños); *El castigo de Dios* (1993).

ENSAYO / COMPILADOR

*El género negro* (1984); *Dictaduras y el artista en el exilio* (1986); *Alfredo Veiravé* (1988, selección y notas a cargo de Giardinelli); *Mujeres y escritura* (1989, editor, la compilación es de Silvia Itkin); *Así se escribe un cuento* (1992); *La Venus de papel* (1993, antología del cuento erótico argentino, en colaboración con Graciela Gliemmo).

ESTUDIOS

Saúl Ibargoyen Islas. "Giardinelli: un narrador digno de la realidad". [Reseña de *La revolución en bicicleta.*] *Plural* 9.106 (1980): 80-81.

Juan Manuel Marcos. "La narrativa de Mempo Giardinelli". *Escritura* 8.16 (1983): 217-222.

Juan Manuel Marcos. "Nueva narrativa latinoamericana: una escritura postborgiana". *Chasqui* 13.1 (1983): 69-75.

Reyna Roffé. "Entrevista con Mempo Giardinelli". *Imagine: International Chicano Poetry Journal* 2.2 (1985): 121-126.

Jorge Ruffinelli. "Mempo Giardinelli al encuentro de territorios posibles". *Hispamérica* 14.40 (1985): 97-101.

Juan Manuel Marcos. "Mempo Giardinelli, del discurso provinciano a la ciudad del exilio" en *De García Márquez al postboom*. Madrid: Editorial Orígenes, 1986, pp. 91-97.

Juan Manuel Marcos. "El género popular como meta-estructura textual del post-boom latinoamericano". *Monographic Review/ Revista Monográfica* 3.1-2 (1987): 268-278.

Juan Manuel Marcos. "Mempo Giardinelli in the Wake of Utopia". *Hispania* 70.2 (1987): 240-249.

Vicente Francisco Torres. "El trabajo literario de Mempo Giardinelli". *La Palabra y el Hombre* 61 (1987): 89-94.

Audrey R. Gertz. "Entrevista con Mempo Giardinelli". *Hispania* 71.3 (1988): 597-598.

Teresa Méndez-Faith. "Entrevista con Mempo Giardinelli". *Discurso Literario* 5.2 (1988): 313-321.

Antonio Planells. "Mempo Giardinelli: el narrador en la tormenta". *Chasqui* 18.2 (1989): 79-88.

"Fichero: Giardinelli, Moreno-Durán, Ramos, Aguilera Garramuño" *Nuevo Texto Crítico* 3.1 (1990): 185-198.

Karl Kohut. *Un universo cargado de violencia: presentación, aproximación y documentación de la obra de Mempo Giardinelli*. Frankfurt am Main: Vervuert Verlag, 1990. [En el mismo libro de Kohut se incluyen artículos de otros críticos, dos de ellos previamente publicados en revistas: 1) Jorge Rufinelli, "Mempo Giardinelli al encuentro de territorios posibles" (pp. 93-99); 2) Ricardo Gutiérrez Mouat, "Texto e intertexto en la narrativa de Mempo

Giardinelli" (pp. 101-118); 3) John L. Marambio, *"La revolución en bicicleta* de Mempo Giardinelli: una visión argentina del exilio" (pp. 119-124). La obra de Karl Kohut incluye además una sección con artículos y conferencias de Mempo Giardinelli (pp. 127-212).]

Hilda López Laval. "Entrevista con Mempo Giardinelli". *Confluencia* 6.2 (1991): 103-109.

Guillermo García-Corales. "Para seguir soñando utopías", [Reseña de *El castigo de Dios.*] *Confluencia* 10.1 (1994): 163-165.

Kenton V. Stone. "Mempo Giardinelli and the Anxiety of Borges's Influence". *Chasqui* 23.1 (1994): 83-90.

GIORGIO MÉDICIS,
MAROSA DI

OBRA NARRATIVA
Cuento: *La falena* (1987, prosa poética); *Misales: relatos eróticos* (1993).

OBRA POÉTICA
*Historial de las violetas* (1965); *Los papeles salvajes* (1971); *Gladiolos de luz de luna* (1974); *Clavel y tenebrario* (1979); *La liebre de marzo* (1981); *Mesa de esmeralda* (1985).

TRADUCCIONES
*Missels* (1994).

ESTUDIOS
Wilfredo Penco. "Prólogo" a *Clavel y tenebrario*. Montevideo: Arca Editorial, 1979, pp. 7-11.

Enrique Estrázulas. "Constelación o prólogo" en *La liebre de marzo*. Montevideo: Calicanto Editorial/Arca Editorial, 1981, pp. 7-9.

Renée Scott. "Entrevista con Marosa di Giorgio". *Discurso Literario. Revista de Temas Hispánicos* 3.2 (1986): 271-274.

Roberto Echavarren. "Marosa di Giorgio, última poeta del Uru-

guay". *Revista Iberoamericana* 58.160-161 (1992): 1103-1115.

Ricardo Gullón, ed. *Diccionario de literatura española e hispanoamericana* 2 vols. Madrid: Alianza Editorial, 1993, vol. 1, p. 437.

GONZÁLEZ VALDENEGRO,
SONIA

OBRA NARRATIVA
Cuento: *Tejer historias* (1986); *Matar al marido es la consigna* (1994).

HERNÁNDEZ NÚÑEZ,
ÁNGELA

OBRA NARRATIVA
Cuento: *Alótropos* (1989); *Masticar una rosa* (1993); *Estancia y fuga* (inédita).

OBRA POÉTICA
*Edades de asombro* (1990); *Arca espejada* (1994)

ENSAYO
*Emergencia del silencio* (1985).

ESTUDIOS
Ramón Tejada Holguín. "Construir la autonomía". Suplemento Cultural Coloquio. Periódico *El Siglo*. Sábado, 25 de noviembre de 1989, p. 14.

José Rafael Lantigua. *"Alótropos:* cuando se poseen tantas edades como pasiones de vivir". *La Tarde Alegre*. Sábado, 9 de diciembre de 1989.

Reseña de *Alótropos*. Suplemento Cultural Coloquio. Periódico *El Siglo*. 16 de diciembre de 1989.

Víctor Ant. Estrella Rodríguez. "El 'Alótropos' de Ángela Hernández". *El Nacional*. 11 de Febrero de 1990.

Alejandro Santana. "Metamorfosis de la semejanza". Suplemento cultural *AQUÍ* del periódico *La Noticia*. Sábado 17 de febrero de 1990, p. 2. [Entrevista de Alejandro Santana a Ángela Hernández.]

Álvaro Arvelo Hijo. "Edades de Asombro". *El Nacional*. 10 de octubre de 1991. [Reseña de *Edades de asombro*.]

José Rafael Lantigua. "Ángela Hernández: las formas y los latidos del amor". *Última Hora Dominical*. 26 de marzo de 1995. [Reseña de *Arca Espejada*. En la sección *Biblioteca*.]

Ester Gimbernat González. "Subvirtiendo la 'insularidad': marca somática en la escritura de poetas dominicanas de los '80". Ponencia presentada en el congreso Contemporary Latin American Women Authors Symposium. Lubbock, Texas, 26-28 de enero de 1995.

Ester Gimbernat González. "Inferencias desde el margen: tres cuentistas dominicanos de los 90". Ponencia presentada en el IV Congreso de Narrativa de Mujeres. Biblioteca Nacional de Santo Domingo. República Dominicana, 29 de abril de 1995.

Ester Gimbernat González. "Corógrafas de la imagen: poesía dominicana contemporánea". Ponencia presentada en el Council on Latin American Studies at Yale University. Fall Lecture Series. Yale University. 30 de noviembre de 1995.

## HERRA, RAFAEL ÁNGEL

OBRA NARRATIVA

Novela: *La guerra prodigiosa* (1986); *Viaje al reino de los deseos* (1992).

Cuento: *Había una vez un tirano llamado Edipo: seis cuentos y un monólogo* (1983); *El soñador del penúltimo sueño* (1983); *El genio de la botella: relato de relatos* (1990).

OBRA POÉTICA

*Escribo para que existas* (1993).

ENSAYO

*Unmittelbare Vermittlung der Leiblichkeit, Interpretative Ausführungen zu Texten von E. Husserl* (1973, tesis doctoral); *Sartre y los prolegómenos a la antropología* (1968/ 1983); *Violencia, tecnocratismo y vida cotidiana* (1983/1991); *El desorden del espíritu: conversaciones con Amighetti* (1987); *Lo monstruoso y lo bello* (1988); *"Kritik der Globalphilosophie"* (en el volumen *Vier Fragen zur Philosophie in Afrika, Asien und Lateinamerika*, 1988); *Las cosas de este mundo* (1990); *¿Sobrevivirá el marxismo?* (1991, compilador).

OBRA VARIA

Libreto *Narciso y las dos hermanas* (Revista *Escena*, 30 de noviembre de 1992).

TRADUCCIONES

*Violence, technocratie et vie quotidienne. Philosophie de la culture* (1984); *Les machines meurent aussi d'orgueil* (1991, traducción de cuentos selectos).

ESTUDIOS

Rocío Fernández de Ulibarri. "Rafael Ángel Herra: entre filosofía y literatura". *Revista de Filosofía de la Universidad de Costa Rica* 21.54 (1983): 153-154.

Alicia Miranda Hevia. "El poder y la palabra". *Káñina: Revista de Artes y Letras de la Universidad de Costa Rica* 8.1-2 (1984): 217-218.

Wiltrud Imo. "Rafael Ángel Herra. *El soñador del penúltimo sueño*". *Hispanorama. Mitteilungen des Deutschen Spanischlehrerverbands* 38 (1984): 117.

Álvaro Zamora. "Herra: crítica y literatura de la violencia". *Revista de Filosofía de la Universidad de Costa Rica* 25.62 (1987): 169-175.

José Ricardo Chaves. "Herra: la escritura prodigiosa". *Uno más Uno* [México] 546 (1988): 14.

Álvaro Zamora. "La urdimbre imaginaria: a propósito de *El ingenioso hidalgo don Quijote de la*

*Mancha y La guerra prodigiosa".* *Comunicación* 3.2 (1988): 9-15.

Daniel Dei. "Herra: el arte como ética de la responsabilidad". *Clepsidra* [Buenos Aires] 6.21 (1989): 66-69.

Giovanna Giglioli. "Las cosas de este mundo". *Revista de Filosofía de la Universidad de Costa Rica* 70 (1991): 206-207.

Alberto Rodríguez C. y Carlos M. Villalobos V. "Evocación e intertextualidad en *La guerra prodigiosa". Revista de Filología y Lingüística de la Universidad de Costa Rica* 17.1-2 (1991): 55-61.

Virginia de Fonseca. "Entre Don Quijote y Pandora". *La Nación* [San José, Costa Rica], domingo 23 de agosto de 1992: 3D.

Roberto Castillo. "La máquina que buscaba el deseo". *El Heraldo* [Tegucigalpa, Honduras], viernes 23 de octubre de 1992: 17.

### ITURRA, CARLOS
OBRA NARRATIVA

Novela: *Por arte de magia* (1996). El autor ha completado otras dos novelas que aún están inéditas.

Cuento: *Otros cuentos* (1987).

PRESENTACIONES / PRÓLOGOS / SELECCIONES / RESEÑAS

Reseña de *Manual para pirulos y a la altura del unto* de Jorge Sasía. *Atenea* 446 (1982): 257-259; Reseña de *Historia de la literatura y otros cuentos* de Andrés Gallardo Ballacay. *Atenea* 448 (1983): 277-279; Selección de cuentos y prólogo a *Hombre de la esquina rosada* de Jorge Luis Borges. Santiago, Chile: Editorial Andrés Bello, 1984. Comentario a *Cuando Dios caminó por el mundo: relatos de Chiloé,* seleccionados y adaptados por Erwin Haverbeck O. Santiago, Chile: Editorial Andrés Bello, 1989. Prólogo a *Otelo, el moro de Venecia.*

*La Tragedia de Romeo y Julieta* de William Shakespeare. Santiago, Chile: Editorial Andrés Bello, 1990.

### JARAMILLO LEVI, ENRIQUE
OBRA NARRATIVA

Cuento: *Catalepsia. Una letra D. Y hoy se vistió de ayer* (1965); *Duplicaciones* (1973/1982/1991); *El búho que dejó de latir* (1974); *Renuncia al tiempo* (1975); *Caja de resonancias: veintiún cuentos fantásticos* (1983, recopilación); *Ahora soy él* (1985); *La voz despalabrada: antología* (1986); *El fabricante de máscaras* (1992).

OBRA POÉTICA

*Los atardeceres de la memoria* (1978); *Cuerpos amándose en el espejo* (1982); *Fugas y engranajes* (1982); *Extravíos* (1989); *Siluetas y clamores* (1993); *Recuperar la voz. Poesía Selecta: 1970-1993* (1994).

OBRA DRAMÁTICA

*¡Si la humanidad no pintara colores! Alucinación* (1966); *La cápsula de cianuro y Gígolo* (1967).

ENSAYO / CRÍTICA LITERARIA

*Una explosión en América: el canal de Panamá* (1976); "El escritor contemporáneo y la honestidad intelectual". *Confluencia* 5.2 (1990): 3-7; "El Rogelio Sinán que recordará la historia". *Confluencia. Revista Hispánica de Cultura y Literatura* 8-9 (1993): 7-11; *La estética de la esperanza (1971-1993): indagaciones y vislumbres en torno a la creación literaria, la difusión cultural y la moralidad política* (1993).

ANTOLOGÍA / COMPILACIONES REALIZADAS POR EL AUTOR

*Antología crítica de la joven narrativa panameña* (1971); *Poesía panameña contemporánea: 1929-1979* (1980/1982); *El cuento erótico en México* (1975); *Poesía erótica mexicana: 1889-1980* (1982); *Poesía erótica de Panamá: 1929-1981* (1982); *Homenaje a Rogelio Sinán: poesía y* cuento (1982); *Para contar el cuento: cuentistas de Centroamérica 1963-1991* (1991); *When New Flowers Bloomed: Short Stories by Women Writers from Costa Rica and Panama* (1991); *Contemporary Short Stories from Central America* (1994, editado con Leland H. Chambers).

TRADUCCIONES
*Duplications and Other Stories* (1994).

ESTUDIOS
David William Foster. Reseña de *El búho que dejó de latir*. *Books Abroad* 50.2 (1976): 372-373.

Roland Grass. Reseña de *El búho que dejó de latir*. *American Hispanist* 1.6 (1976): 17.

Ezequiel Cárdenas. Reseña de *Duplicaciones*. *Explicación de Textos Literarios* 5.2 (1976): 227.

David William Foster. Reseña de *Renuncia al tiempo*. *World Literature Today* 51.1 (1977): 67.

Roland Grass. Reseña de *Renuncia al tiempo*. *American Hispanist* 3.26 (1978): 18-19.

Herald Ernest Lewald. "Entrevista con el escritor panameño Enrique Jaramillo Levi". *Hispania* 61.3 (1978): 542-544.

Eduardo Casar González. "Indagación versus vislumbre". [Reseña de *Los atardeceres de la memoria*.] *Plural* 8.88 (1979): 69.

Alfredo Aguilar y Carmen Naranjo. *Puertas y ventanas: acercamientos a la obra literaria de Enrique Jaramillo Levi*. San José, Costa Rica: Editorial Universitaria Centroamericana, 1990.

Juana Arancibia. "Entrevista con Enrique Jaramillo Levi: Reflexiones sumarias en torno al rescate de la dignidad nacional panameña". *Alba de América* 8.14-15 (1990): 361-372.

Fernando Burgos. "Dentro del espejo: *Duplicaciones* y los nuevos acechos del cuento". Prólogo a la tercera edición de *Duplicaciones* de Enrique Jaramillo Levi. Madrid: Editorial Orígenes, 1990, pp. 21-28.

Kay García. "El agua: un signo polisémico en la obra literaria de Enrique Jaramillo-Levi". *Confluencia* 5.2 (1990): 149-153.

M. Patricia Mosier. "Caja de resonancias: Resonancias de dobles". *Chasqui* 19.1 (1990): 3-9.

Bélgica Quirós-Winemiller. "Enrique Jaramillo Levi: un autor que cuenta". *Chasqui* 19.2 (1990): 85-91.

Óscar U. Somoza. "Entre la espada y la pared: la honestidad intelectual y el patriotismo no son monedas de cambio: entrevista con Enrique Jaramillo Levi". *Confluencia* 6.1 (1990): 105-118.

Clark M. Zlotchew. "Metáforas de la creación literaria en tres cuentos de Enrique Jaramillo Levi". *Alba de América* 8.14-15 (1990): 141-147.

Alfredo Figueroa Navarro *et al. Mar de fondo: 10 breves estudios en torno a la obra literaria de Enrique Jaramillo Levi*. Panamá: Editorial Mariano Arosemena del Instituto Nacional de Cultura, 1992.

Fernando Burgos y M. J. Fenwick. "Siempre Panamá: entrevista al escritor Enrique Jaramillo Levi". *Inti* 34-35 (1991-1992): 223-248.

Elba D. Birmingham-Pokorny. "Las realidades de Enrique Jaramillo Levi: una entrevista". *Confluencia* 8-9 (1993): 185-198.

Ricardo Gullón, ed. *Diccionario de literatura española e hispanoamericana* 2 vols. Madrid: Alianza Editorial, 1993, vol. 1, p. 785.

Ángela Romero Pérez. "Un solo gran texto". *Confluencia* 10.2 (1995): 213-215. [Reseña de la tercera edición de *Duplicaciones*.]

## LIDIO PITTY, DIMAS
OBRA NARRATIVA
Novela: *Estación de navegantes* (1975).

Cuento: *El centro de la noche* (1977); *Los caballos estornudan en la lluvia* (1979, distinguida con el Premio Ricardo Miró en 1978); *Recuentos* (1988, incluye cuatro relatos del escritor panameño Pedro Rivera y otros cuatro cuentos de Dimas Lidio Pitty).

OBRA POÉTICA
*Camino de las cosas* ; *Memorias del silencio*; *Crónica prohibida* (1979, galardonado con el premio Ricardo Miró); *Sonetos desnudos*; *Décimas chiricanas*; *Rumor de multitud* (1986, recibió el Premio Ricardo Miró en 1985); *Relicario de cojos y bergantes*; *Coplas sobre una esperanza*.

PROSA VARIA
*Realidades y fantasmas en América Latina* (1975, entrevistas con escritores hispanoamericanos). *Letra viva* (1986, entrevistas a veintinueve escritores panameños).

ESTUDIOS
Osman Leonel Ferguson. Reseña de *Tres cantos para la paz* de Ramón Oviero, Dimas Lidio Pitty y José Manuel Bayard Lerma]. *Lotería* 236 (1975): 82-84.

Angélica Prieto Inzunza. "Literatura y realidad latinoamericana". [Reseña de *Realidades y fantasmas en América Latina*.] *La Palabra y el Hombre* 21 (1977): 87-88.

Ángel José Fernández. Reseña de *Realidades y fantasmas en América Latina Texto Crítico* 3.6 (1977): 233-235.

Saúl Ibargoyen Islas. "Pitty entre cuento y poesía". [Reseña de *Los caballos estornudan en la lluvia* y *Crónica prohibida*.] *Plural* 9.103 (1980): 66-68.

Juan Antonio Gómez. "El estilo en *Estación de navegantes*". *Lotería* 340-341 (1984): 80-89.

Ricardo Gullón, ed. *Diccionario de literatura española e hispanoamericana* 2 vols. Madrid: Alianza Editorial, 1993, vol. 1, p. 723. [Sección *Hispanoamérica: narrativa actual*, pp. 718-725.]

## LÓPEZ NIEVES, LUIS
OBRA NARRATIVA
Novela: *La felicidad excesiva de Alejandro Príncipe* (1980).

Cuento: *Seva: historia de la primera invasión norteamericana de la isla de Puerto Rico ocurrida en mayo de 1898* (1984, siguen otras seis ediciones hasta 1991); *Escribir para Rafa* (1987/1988); *El suplicio caribeño de fray Juan de Bordón* (inédito).

GUIONES
*1887* (miniserie para la televisión); *Los Robles* (miniserie para la televisión); *El lado oscuro de la luna* (película).

ESTUDIOS
Pedro Zervigón. "Una novela convertida en tesis". *El Reportero*, 25 de noviembre de 1980, p. 17.

Fernando Picó. "The Uncritical Mind". *The San Juan Star* 7 de enero de 1984, p. 25.

Roberto Ramos Perea. "Entrevista con el autor de *Seva*". *El Reportero*, 9 de julio de 1984, p. 23.

Nelson Gabriel Berríos. "López Nieves o el juego entre realidad y fantasía". *El Mundo*, 13 de enero de 1985, p. 5B.

Carmen Ana Sierra Echevarría. "*Seva*: mito y realidad". *El Reportero*, 12 de abril de 1985, p. 29.

Ibsen Martínez. "*Seva*: épica vicaria y boricua". *El Nacional*, Caracas, 23 de agosto de 1987, Suplemento Literario, p. 1.

Ivonne Ochart. "*Escribir para Rafa* de Luis Lopez Nieves", *Claridad*, San Juan, p. 23.

César Guzmán. "Con un sabor cortazariano: ocho cuentos de lenguaje cautivante", *La Gaceta*, Tucumán, Argentina, 5 de febrero de 1989, p. 2, 4.ª sección.

Roger Domingo de los Santos Ramírez. "López Nieves, Luis: *Escribir para Rafa*". *Nota Crítica: Boletín de Reseñas*, Universidad de América, Bayamón, Puerto Rico, noviembre de 1991, p. 4.

Fabián Camacho. "Luis López Nieves: entre literatura y conciencia nacional", *El Carillón*, año 3, n.º 6, abril de 1993, p. 9.

Myrna García Calderón. "*Seva* o la reinvención de la identidad nacional puertorriqueña". *Revista de Crítica Literaria Latinoamericana* 20.39 (1994): 199-215.

Ricardo Gullón, ed. *Diccionario de literatura española e hispanoamericana* 2 vols. Madrid: Alianza Editorial, 1993, vol. 1, p. 724. [Sección: *Hispanoamérica: narrativa actual*, pp. 718-725.]

## MATTOS, TOMÁS DE

OBRA NARRATIVA

Novela: *¡Bernabé, Bernabé!* (1988).

Cuento: *Libros y perros* (1975); *Trampas de barro* (1983); *La gran sequía* (1984); *La fragata de las máscaras* (1996).

ESTUDIOS

I. Ariel Villa. "Tomás de Mattos, un narrador de nuestro tiempo" en *Trampas de barro* de Tomás de Mattos. Montevideo: Ediciones de la Banda Oriental, 1983, pp. 5-10.

Washington Benavides. "Los primeros relatos de Tomás de Mattos", prólogo a *La gran sequía*. Montevideo: Ediciones de la Banda Oriental, 1984, pp. 5-7.

Washington Benavides. "Epígrafe desmesurado" en *¡Bernabé, Bernabé!* de Tomás de Mattos. Montevideo: Ediciones de la Banda Oriental, 1988, pp. 7-9.

Fernando Ainsa. "Catarsis liberadora y tradición resumida: las nuevas fronteras de la realidad en la narrativa uruguaya contemporánea". *Revista Iberoamericana* 58 (1992): 807-825.

Clara Paladino. "*¡Bernabé, Bernabé!* o la novela del descubrimiento". *Revista Iberoamericana* 58 (1992): 1227-1231.

Hugo J. Verani. "Narrativa uruguaya contemporánea: periodización y cambio literario". *Revista Iberoamericana* 58 (1992): 777-805.

Raúl Ianes. "El (re) descubierto encanto de la fábula patria: *¡Bernabé, Bernabé!* de Tomás de Mattos" *Textos. Revista semestral de Creación y Crítica*. [University of South Carlolina] 4.2 (1996):33-36.

## MUÑOZ VALENZUELA, DIEGO

OBRA NARRATIVA

Novela: *Todo el amor en sus ojos* (1990).

Cuento: *Nada ha terminado* (1984).

ESTUDIOS

Ricardo Gullón, ed. *Diccionario de literatura española e hispanoamericana* 2 vols. Madrid: Alianza Editorial, 1993, vol. 2, p. 1079.

## NARANJO, CARMEN

OBRA NARRATIVA

Novela: *Diario de una multitud* (1965/1974/1978/1982/1984/ 1986); *Los perros no ladraron* (1966/1974/ 1975/1978/1984); *Camino al mediodía* (1968/1977/1983); *Memorias de un hombre palabra* (1968/1976/ 1978/1988); *Responso por el niño Juan Manuel* (1971); *Sobrepunto* (1985); *El caso 117. 720* (1987).

Cuento: *Hoy es un largo día* (1974); *Ondina* (1983/1985/ 1988); *Nunca hubo alguna vez* (1984/1989); *Otro rumbo para la rumba* (1984).

OBRA LÍRICA

*América* (1961); *Canción de la ternura* (1964); *Hacia tu isla* (1966/1986); *Misa a oscuras* (1967); *Idioma del invierno* (1971); *Homenaje a don Nadie* (1981); *Mi guerrilla* (1977/1984).

ENSAYO

*Por Israel y por las páginas de la Biblia* (1976); *Cinco temas en busca de un pensador* (1977/1989); *Mujer y cultura* (1989). Ha colaborado además con diversos artículos desde comienzos de los setenta en publicaciones costarricenses tales como *La Nación*, *La Prensa Libre*, *La República*, *Diario de Costa Rica*, *Excelsior*.

OBRA DRAMÁTICA

"La voz" (1977, en *Obras breves del teatro costarricense*); "Manuela siempre" (1984, en *Escena*).

OBRA VARIA

*Estancias y días* (Graciela Moreno es la coautora de este libro publicado en 1985); *Ventanas y asombros* (90, dibujos de la autora)

TRADUCCIONES

*There Never Was a Once Upon a Time* (1989); "A Woman at Dawn" (*Latin American Literary Review* 9.37 (1991): 135-139, traducción de Linda Britt).

ESTUDIOS

María E. Rojas de Ayub. "Una novela de Carmen Naranjo: *Camino al mediodía*". *Revista de la Universidad de Costa Rica* 34 (1972): 57-65.

Franco Cerutti. Reseña de *Los perros no ladraron*. *Revista Histórico-Crítica de Literatura Centroamericana* 1.2 (1975): 132-135.

María Cruz Burdiel de López. "Estudio de tres cuentos de Carmen Naranjo". *Revista de la Universidad de Costa Rica* 41 (1975): 101-110.

Aura R. Vargas. "*Los perros no ladraron*: una novedad técnica en la novelística costarricense". *Káñina: Revista de Artes y Letras de la Universidad de Costa Rica* 2 (1977): 33-35.

María Elena Carballo y Sonia Marta Mora Escalante. "El código hermenéutico en *Responso por el niño Juan Manuel*". *Repertorio Americano* 4.2 (1978): 13-17.

María Amoretti. "*Camino al mediodía*". *Revista de Filología y Lingüística de la Universidad de Costa Rica* 5 (1979): 55-59.

Stefan Baciu. Reseña de *Mi guerrilla*. *Revista Interamericana de Bibliografía* 29 (1979): 96-96.

José Sancho. "El lenguaje plástico de Carmen Naranjo". *La Nación* [Costa Rica], 25 de noviembre de 1979, p. 116.

Alicia Miranda Hevia. "Introducción a la obra novelesca de Carmen Naranjo". *Cahiers du Monde Hispanique et Luso-Bresilien/Caravelle* 36 (1981): 121-129.

Alicia Miranda Hevia. "La prosodia de *Diario de una multitud*". *Káñina: Revista de Artes y Letras de la Universidad de Costa Rica* 7.1 (1983): 9-12.

Rose S. Minc y Teresa Méndez-Faith. "Conversando con Carmen Naranjo". *Revista Iberoamericana* 51.132-133 (1985): 507-510.

Alicia Miranda Hevia. *Novela, discurso y sociedad: Diario de una multitud*. Costa Rica: Mesén Editores, 1985.

Luz Ivette Martínez S. *Carmen Naranjo y la narrativa femenina en Costa Rica*. Costa Rica: Editorial Universitaria Centroamericana, 1987.

Evelyn Picon Garfield. "La luminosa ceguera de sus días: los cuentos 'humanos' de Carmen Naranjo". *Revista Iberoamericana* 53.138-139 (1987): 287-301.

Linda Britt. "A Transparent Lens? Narrative Technique in Carmen Naranjo's *Nunca hubo alguna vez*". *Monographic Review/ Revista Monográfica* 4 (1988): 127-135.

Richard J. Callan. "Archetypal Symbolism in Two Novels of the Costa Rican, Carmen Naranjo" en *Ensayos de literatura europea e hispanoamericana*. Félix Menchacatorre, ed.    San Sebastián: Univ. del País Vasco; 1990, pp. 61-65.

Juana A. Arancibia. "Entrevista con Carmen Naranjo". *Alba de América: Revista Literaria* 9.16-17 (1991): 403-405.

Luz Ivette Martínez. "Trayectoria de la obra de Carmen Naranjo". *Alba de América: Revista Literaria* 9.16-17 (1991): 153-162.

Alicia Rolón-Alexander. "*Diario de una multitud*: reescritura esquizofrénica de la modernidad". *Revista de Estudios Colombianos* 11 (1991): 37-41.

## OLIVÁREZ, CARLOS

OBRA NARRATIVA

Cuento: *Concentración de bicletas* (1971); *Combustión interna* (1987).

ANTOLOGÍAS / SELECCIONES / ENSAYO

*Nueva York 11* (1987); *Los veteranos del 70: antología* (Santiago, Chile: Ediciones Melquíades, 1988, selección y prólogo "De ayer en adelante" [pp. 7-13] de Carlos Olivárez); *Poetas de Antofagasta, 1988* (Fundación Andes, Edic. SECH, Antofagasta, 1989. Olivárez prologa [pp. 9-13] y compila esta antología de poetas que "nacieron, o residen en Antofagasta en el año 1988"); *Conversaciones con Jorge Teillier* (1993, entrevista con el poeta chileno).

## PACHECO, JOSÉ EMILIO

OBRA NARRATIVA

Novela: *Morirás lejos* (1967/1977/ 1980/1985); *Las batallas en el desierto* (1981, reimpresa año a año hasta 1989).

Cuento: *La sangre de Medusa* (1958/1978/1990); *El viento distante* (1963, colección de seis cuentos); *El viento distante y otros relatos* (1969/ 1987, colección de catorce cuentos); *El principio del placer* (1972); *La sangre de medusa y otros cuentos marginales* (1990).

OBRA POÉTICA

*Los elementos de la noche* (1963/ 1983); *El reposo del fuego* (1966/ 1984); *No me preguntes cómo pasa el tiempo. (Poemas, 1964-1968)* (1969); *Irás y no volverás* (1973); *Islas a la deriva* (1976); *Al margen* (1976); *Ayer es nunca jamás* (1978, compilación); *Desde entonces: poemas, 1975-1978* (1980); *Tarde o temprano* (1980, antología 1958-1978); *Los trabajos del mar* (1983); *Fin de siglo y otros poemas* (1984, compilación); *Alta traición: antología poética* (1985, compilación). *Álbum de zoología* (1985/ 1991, compilación); *Miro la tierra: poemas 1983-1986* (1986); *Ciudad de la memoria: poemas 1986-1989* (1989); *El silencio de la luna* (1994).

TRADUCCIONES

*Don't Ask Me How the Time Goes By: Poems* (1978); *Signals from the Flames* (1980); *Battles in the Dessert and Other Stories* (1987); *You Will Die in a Distant Land* (1987); *Selected Poems* (1987); *Der Tod in Der Ferne: Roman* (1992); *An Ark for the Next Millennium: Poems* (1993).

CRÍTICA LITERARIA / EDICIONES

*La poesía mexicana del siglo XIX: antología* (1965); *Antología del modernismo 1884-1921* (1970); *El otoño recorre las islas: obra poética,*

*1961/1970* (1973/1981); *Tiempo y memoria en conversación desesperada: poesía 1923-1974* (1981); *Inventario hemerográfico de la Biblioteca Nacional de Antropología e Historia* (1981); *En torno a la cultura nacional* (1983).

ESTUDIOS

Luis Alfonso Díez. "La narrativa fantasmática de José Emilio Pacheco". *Texto Crítico* 2.5 (1976): 103-114.

Jennifer Ann Duncan. "The Themes of Isolation and Persecution in José Emilio Pacheco's Short Stories". *Ibero-Amerikanisches Archiv* 4.3 (1978): 243-251.

Ivette Jiménez de Báez, Diana Morán y Edith Negrín. *Ficción e historia: la narrativa de José Emilio Pacheco*. México: El Colegio de México, 1979.

Luis Antonio de Villena. "José Emilio Pacheco: entre el 'yo total' y el 'yo robado'". *Quimera* 4 (1981): 47-49.

Russell M. Cluff. "Immutable Humanity within the Hands of Time: Two Short Stories by José Emilio Pacheco". *Latin American Literary Review* 10.20 (1982): 41-56.

Nancy Gray Díaz. "El mexicano naufragado y la literatura "pop": 'La fiesta brava' de José Emilio Pacheco. *Hispanic Journal* 6.1 (1984): 131-139.

Cynthia Duncan. "The Fantastic as a Vehicle of Social Criticism in José Emilio Pacheco's 'La fiesta brava'". *Chasqui* 14.2-3 (1985): 3-13.

Jaime Giordano. "Transformaciones narrativas actuales: *Morirás lejos*, de José Emilio Pacheco". *Cuadernos Americanos* 258.1 (1985): 133-140.

Hugo J. Verani. "Disonancia y desmitificación en *Las batallas en el desierto* de José Emilio Pacheco". *Hispamérica* 14.42 (1985): 29-40.

Raúl Dorra. *La literatura puesta en juego*. México: Universidad Nacional Autónoma de México, 1986.

Julie Jones. "'El viento distante' de José Emilio Pacheco: un cuento de transformación" en *De la crónica a la nueva narrativa mexicana. Coloquio sobre literatura mexicana*. Merlin H. Forster y Julio Ortega, eds. México: Editorial Oasis, 1986, pp. 443-452.

Martha Paley Francescato. "Acción y reflexión en cuentos de Fuentes, Garro, y Pacheco". *Romance Quarterly* 33.1 (1986): 99-112.

Hugo J. Verani, ed. *José Emilio Pacheco ante la crítica*. México, D. F.: Universidad Autónoma Metropolitana, 1987.

*Homenaje a José Emilio Pacheco: a veinte años de* Morirás lejos. Morelia, Michoacán: Instituto Michoacano de Cultura, 1988.

A. Gabriel Meléndez. "Lo fantástico en los cuentos de José Emilio Pacheco". *Confluencia* 4.1 (1988): 97-107.

Alberto Paredes. "José Emilio Pacheco" en *Figuras de la letra*. México, D. F.: Universidad Nacional Autónoma de México, 1990, pp. 121-123.

Daniel Torres. *José Emilio Pacheco: poética y poesía del prosaísmo*. Madrid: Editorial Pliegos, 1990.

Alicia Borinsky. "José Emilio Pacheco: relecturas e historia". *Revista Iberoamericana* 56.150 (1990): 267-273.

Cynthia Duncan. "Detecting the Fantastic in José Emilio Pacheco's 'Tenga para que se entretenga'". *Inti* 32-33 (1990-1991): 41-52.

Herlinda R. James. "'Civilización y barbarie': Un cuento de José Emilio Pacheco". *Dactylus* 11 (1991): 65-68.

Florence Moorhead. *Complicity and the Reader: The Narrative of José*

*Emilio Pacheco.* Tesis, University of California, Davis, 1991.

Edith Negrín. "José Emilio Pacheco y el palimpsesto de la historia: A propósito de la tercera edición de *La sangre de Medusa* (1990)". *Literatura Mexicana* 2.1 (1991): 157-163.

José Miguel Oviedo. "José Emilio Pacheco, cuentista". *Ínsula* 535 (1991): 23-24.

## PARRA, MARCO ANTONIO DE LA

OBRA NARRATIVA

Novela: *El deseo de toda ciudadana* (1986/1988); *La secreta guerra santa de Santiago de Chile* (1989/1990); *Cuerpos prohibidos* (1991); *La pérdida del tiempo* (1994).

Cuento: *Sueños eróticos/amores imposibles* (1986); *Grandes éxitos. Y otros fracasos* (1996).

OBRA DRAMÁTICA

*Matatangos* (1975); *Lo crudo, lo cocido, lo podrido* (1978); *Lo crudo, lo cocido, lo podrido. Matatangos (disparen sobre el zorzal)* (1983); *La secreta obscenidad de cada día. Infieles* (1988); *King Kong Palace o el exilio de Tarzán. Dostoievsky va a la playa* (1990).

ENSAYO

"Obscenamente (in)fiel o una personal crónica de mi prehistoria dramatúrgica" en *La secreta obscenidad de cada día. Infieles.* Santiago, Chile: Planeta Chilena, 1988, pp. 7-56.

PRESENTACIONES / TEXTOS

*Chile from Within, 1973-1988* (1990, New York: Norton); *Santiago, pena capital* (1991, Santiago: Documentas).

TRADUCCIONES

"Secret Obscenities" (*Latin American Literary Review* 16.32 (1988): 67-113, traducción de Charles Philip Thomas); "Beds" (*Review* 40

(1989): 34-47, traducción de Charles Philip Thomas).

ESTUDIOS

Juan Andrés Piña. "Marco Antonio de la Parra: el teatro del ritual y del desecho" en *Lo crudo, lo cocido, lo podrido. Matatangos (disparen sobre el zorzal).* Santiago, Chile: Editorial Nascimento, 1983, pp. 7-23.

Marjorie Agosín. "Narraciones en un tapiz: Tres Marías y una Rosa". *Alba de América: Revista Literaria* 7.12-13 (1989): 151-57.

Pedro Bravo-Elizondo. "El discurso crítico metateatral de Gregory Cohen y Marco Antonio de la Parra, dramaturgos de la "Generación Perdida". *Confluencia* 5.1 (1989): 31-34.

Catherine M. Boyle. "La obra dramática de Marco Antonio de la Parra o la representación de un juego hamletiano". *Alba de América: Revista Literaria* 7.12-13 (1989): 145-50.

Eduardo Thomas. "Ficción y creación en cuatro dramas chilenos contemporáneos". *Revista Chilena de Literatura* 33 (1989): 61-72.

Juan Andrés Piña. "Pastiche y tragedia contemporánea en las obras de Marco Antonio de la Parra" en *King Kong Palace o el exilio de Tarzán* de Marco Antonio de la Parra. Santiago, Chile: Pehuén Editores, 1990, pp. 157-168.

Enzo Cozzi. "Political Theatre in Present-Day Chile: A Duality of Approaches". *New Theatre Quarterly* 6.22 (1990): 119-127.

José R. Varela. "Lo circunstancial, lo histórico y lo recurrente en *Lo crudo, lo cocido y lo podrido* de Marco Antonio de la Parra: ensayo de análisis integral". *Revista Canadiense de Estudios Hispánicos* 15.1 (1990): 81-109.

Jacqueline Eyring Bixler. "Kitsch and Corruption: Referential Degeneration in the Theatre of Marco Antonio de la Parra". *Siglo XX/20th Century* 11.1-2 (1993): 11-29.

## PERALTA, BERTALICIA

OBRA NARRATIVA

*Largo in crescendo* (1967); *Barcarola y otras fantasías incorregibles* (1973); *Puros cuentos* (1988).

OBRA POÉTICA

*Canto de esperanza filial* (1962); *Sendas fugitivas* (1963); *Dos poemas* (1964); *Atrincherado amor* (1965); *Los retornos* (1966); *Un lugar en la esfera celeste* (1971); *Himno a la alegría* (1971); *Libro de las fábulas* (1976); *Ragul* (1976); *Casa flotante* (1979); *Frisos* (1982); *Zona de silencio* (1986); *Piel de gallina* (1990).

ESTUDIOS

Enrique Jaramillo Levi. "Prologue" a *When New Flowers Bloomed: Short Stories by Women Writers from Costa Rica and Panama*. Pittsburgh, Pennsylvania: Latin American Literary Review Press, 1991, pp. 9-23. [Visión panorámica sobre el cuento costarricense y panameño.]

Ricardo Gullón, ed. *Diccionario de literatura española e hispanoamericana* 2 vols. Madrid: Alianza Editorial, 1993, vol. 2, p. 1232.

## PÉREZ TORRES, RAÚL

OBRA NARRATIVA

Novela: *Teoría del desencanto* (1985/1987).

Cuento: *Da llevando* (1970/1991); *Manual para mover las fichas* (1973); *Micaela y otros cuentos* (1976); *Musiquero joven, musiquero viejo* (1977); *Ana la pelota humana* (1978); *En la noche y en la niebla* 1980/1986); *Era martes digo, acaso que me olvido* (1986); *Un saco de alacranes* (1989).

OBRA POÉTICA

*Poemas para tocarte* (1994).

COMPILACIONES

*Cuando me gustaba el fútbol y otros cuentos* (1990); *Cuentos escogidos* (1991).

ENSAYO

"El cuento ecuatoriano contemporáneo". *Casa de las Américas* 22.127 (1981): 167-170; "El oficio de escribir". *Revista Iberoamericana* 54.144-145 (1988): 969-975.

ESTUDIOS

Juan Manuel Rodríguez L. "Raúl Pérez Torres; o, el absurdo agónico" en *Situación del relato ecuatoriano: nueve estudios*. Quito: Centro de Publicaciones, Pontificia Universidad Católica del Ecuador, 1977.

Antonio Correa Lozada. Prólogo a *Ana la pelota humana*. Círculo de Lectores: Bogotá, Colombia, 1978, pp. 7-10.

Eduardo Gudiño Kieffer. Prólogo a *Musiquero joven, musiquero viejo*. Quito: Editorial Universitaria, 1978, pp. 9-12.

Patricia Eugenia Varas. *La nueva narrativa y la cultura nacional-popular en el Ecuador: tres narradores representativos*. Tesis, University of Toronto, 1990. [Sobre Raúl Pérez Torres, Iván Egüez y Jorge Velasco Mackenzie. Se estudian tres cuentos de Raúl Pérez Torres.]

Luz Marina de la Torre. "Estudio introductorio" a *Cuentos escogidos* de Raúl Pérez Torres. Quito: Libresa, 1991, pp. 8-38.

Iván Oñate. "Raúl Pérez Torres" en *Índice de la narrativa ecuatoriana*. Gladys Jaramillo Buendía, Raúl Pérez Torres, Simón Zavala Guzmán, eds. Quito: Editora Nacional, 1992, pp. 473-479.

## PERI ROSSI, CRISTINA

OBRA NARRATIVA

Novela: *El libro de mis primos* (1969/1976/1989); *La nave de los locos* (1984/1989); *Solitario de amor* (1988/1989/1990); *La última noche de Dostoievsky* (1992).

Cuento: *Viviendo* (1963); *Los museos abandonados* (1968/1969/ 1974); *Indicios pánicos* (1970/1981); *La tarde del dinosaurio* (1976/ 1985); *La rebelión de los niños* (1976/ 1980/1987/1988); *El museo de los esfuerzos inútiles* (1983/1984/ 1989); *Una pasión prohibida* (1986/1987); *Cosmoagonías* (1988/ 1994).

OBRA POÉTICA

*Evohé: poemas eróticos* (1971); *Descripción de un naufragio* (1975); *Diáspora* (1976); *Lingüística general: poemas* (1979); *Europa después de la lluvia* (1987); *Babel Bárbara* (1991, recibe el premio "Ciudad de Barcelona" el mismo año); *Otra vez eros* (1994); *Aquella noche* (1996).

PROSA VARIA Y ENSAYO

*Fantasías eróticas* (1991); Conferencia de Cristina Peri Rossi recogida en el libro *Acerca de la escritura*. Mónica A. Gorenberg, ed. (Zaragoza: Prensas Universitarias de Zaragoza, 1991, pp. 11-26.

TRADUCCIONES DE LA OBRA DE LA AUTORA

*Der Abend des Dinosauriers* (1982); *The Ship of Fools: A Novel* (1989); *A Forbidden Passion: Stories* (1993); *Einsiedler der Liebe: Roman* (1989); *Babel Barbara* (1992, incluido en *Quarterly Review of Literature* vol. 31, pp. 3-52).

TRADUCCIONES REALIZADAS POR LA AUTORA

*Cartas de Abelardo y Heloísa. Historia calamitatum* (1982); *Silencio* de Clarice Lispector (1988).

ESTUDIOS

John Deredita. "Desde la diáspora: entrevista con Cristina Peri Rossi". *Texto Crítico* 4.9 (1978): 131-142.

Gabriela Mora. "El mito degradado de la familia en *El libro de mis primos* de Cristina Peri Rossi" en *The Analysis of Literary Texts*, Randolph Pope, ed. Ypsilanti, Michigan: Bilingual Press, 1980, pp. 66-77.

Hugo Verani. "Una experiencia de límites: la narrativa de Cristina Peri Rossi". *Revista Iberoamericana* 48.118-119 (1982): 303-316.

Amaryll B. Chanady. "Cristina Peri Rossi and the Other Side of Reality". *The Antigonish Review* 54 (1983): 44-48.

Susana Ragazzoni. "La escritura como identidad: una entrevista con Cristina Peri Rossi". *Studi di Letteratura Ispano-Americana* 15-16 (1983): 227-241.

Lucía Invernizzi Santa Cruz. "Entre el tapiz de la expulsión del paraíso y el tapiz de la creación: múltiples sentidos del viaje a bordo de *La nave de los locos* de Cristina Peri Rossi". *Revista Chilena de Literatura* 30 (1987): 29-53.

Mabel Morana. "Hacia una crítica de la nueva narrativa hispanoamericana: alegoría y realismo en Cristina Peri Rossi". *Revista de Estudios Hispánicos* 21.3 (1987): 33-48.

Helena Araújo. "Simbología y poder femenino en algunos personajes de Cristina Peri Rossi". *Plural* 18.205 (1988): 26-29.

Susana Camps. "La pasión desde la pasión: entrevista con Cristina Peri Rossi". *Quimera* 81 (1988): 40-49.

Mercedes M. de Rodríguez. "Variaciones del tema del exilio en el mundo alegórico de *El museo de los esfuerzos inútiles*. *Monographic Review/Revista Monográfica* 4 (1988): 69-77.

Mavel Velasco. "Cristina Peri Rossi y la ansiedad de la influencia". *Monographic Review/Revista Monográfica* 4 (1988): 207-220.

Lucía Guerra Cunningham. "La referencialidad como negación del paraíso: exilio y excentrismo en *La nave de los locos* de Cristina Peri Rossi". *Revista de Estudios Hispánicos* 23.2 (1989): 63-74.

Ana Rueda. "Cristina Peri Rossi: el esfuerzo inútil de erigir un museo natural". *Nuevo Texto Crítico* 2.4 (1989): 197-204.

Gustavo San Román. "Fantastic Political Allegory in the Early Work of Cristina Peri Rossi". *Bulletin of Hispanic Studies* 67.2 (1990): 151-164.

Cynthia A. Schmidt. "A Satiric Perspective on the Experience of Exile in the Short Fiction of Cristina Peri Rossi". *The Americas Review: A Review of Hispanic Literature and Art of the USA* 18.3-4 (1990): 218-226.

Carlos Raúl Narváez. *La escritura plural e infinita:* El libro de mis primos *de Cristina Peri Rossi.* Valencia: Albatros Ediciones, 1991.

Gustavo San Román. "Entrevista a Cristina Peri Rossi". *Revista Iberoamericana* 58.160-161 (1992): 1041-1048.

Adriana J. Bergero *et al.* "'Yo me percibo como una escritora de la Modernidad': una entrevista con Cristina Peri Rossi". *Mester* 22.1 (1993): 67-87.

María Rosa Olivera-Williams. "'El derrumbamiento' de Armonía Somers y 'El ángel caído' de Cristina Peri Rossi: dos manifestaciones de la narrativa imaginaria". *Revista Chilena de Literatura* 42 (1993): 173-181.

María B. Clark. "Feminization as an Experience of Limits: Shifting Gender Roles in the Fantastic Narrative of Silvina Ocampo and Cristina Peri Rossi". *Inti* 40-41 (1994): 249-268.

Ana Rueda. "Parábola de la tejedora: la poética femenina" en *El cuento hispanoamericano.* Enrique Pupo-Walker, coordinador. Madrid: Editorial Castalia, 1995, pp. 521-550.

## PORZECANSKI, TERESA

OBRA NARRATIVA

Novela: *La invención de los soles* (1981/1982/1994); *Una novela erótica* (1986); *Mesías en Montevideo* (1989); *Perfumes de Cartago* (1994); *La piel del alma* (1996).

Cuento: *El acertijo y otros cuentos* (1967); *Historias para mi abuela* (1970); *Esta manzana roja* (1972); *Construcciones: relatos* (1979); *Ciudad Impune* (1986); *La respiración es una fragua* (1989).

OBRA POÉTICA

*Intacto el corazón* (1976, poesía y cuentos).

ENSAYO

*Lógica y relato en trabajo social* (1974); *Mito y realidad en las ciencias sociales* (1982); *Apuntes sobre el proceso inmigratorio judío al Uruguay* (1984); *Desarrollo de comunidad y subculturas* (1972/1983); "Vaz Ferreira, transgresora de una opaca realidad". *Plural* 11.6 (1982): 33-37; *Historias de vidas de inmigrantes judíos al Uruguay* (1986); "Ficción y fricción de la narrativa de imaginación escrita dentro de fronteras" en *Represión, exilio, y democracia: la cultura uruguaya,* Saúl Sosnowski, ed. Montevideo: Banda Oriental, 1987, pp. 221-230; *La investigación social cualitativa: bases teóricas y metodológicas* (1988); *Curanderos y caníbales: ensayos antropológicos sobre guaraníes charrúas, terenas, bororos y adivinos* (1989); *Rituales: ensayos antropológicos sobre umbanda, ciencias sociales y mitología* (1991); *Historias de vida de negros en el Uruguay* (1994).

ESTUDIOS

Gwen Kirkpatrick. "Entrevista con Teresa Porzecanski". *Discurso Literario. Revista de Temas Hispánicos* 5.2 (1988): 305-310.

Mabel Moraña. "Teresa Porzecanski: balance y perspectivas de la literatura uruguaya" en *Memorias de la generación fantasma*. Montevideo: Editorial Monte Sexto, 1988, pp. 179-186.

Lois Baer Barr. Reseña de *La respiración es una fragua*. *Hispamérica* 53-54 (1989): 213-215.

Rómulo Cosse. "Teresa Porzecanski, relatos en luz" en *Fisión literaria: narrativa y proceso social*. Montevideo: Editorial Monte Sexto, 1989, pp. 67-88.

Johnny Payne. *Conquest of the New World: Experimental Fiction and Translation in the Americas: United States, Argentina, Uruguay*. Tesis doctoral, Stanford University, 1990.

Ricardo Gullón, ed. *Diccionario de literatura española e hispanoamericana* 2 vols. Madrid: Alianza Editorial, 1993, vol. 2, pp. 1315-1316.

Johnny Payne. "Cutting Up History: The Uses of Aleatory Fiction in Teresa Porzecanski and Harry Mathews" en *Conquest of the New World: Experimental Fiction and Translation in the Americas*. Austin, Texas: University of Texas Press, 1993, pp. 76-98.

## PRADA OROPEZA, RENATO

OBRA NARRATIVA

Novela: *Los fundadores del Alba* (1969/1975/1987/1981/1984); *El último filo* (1975/1985/1987); *Larga hora: la vigilia* (1979); *Mientras cae la noche* (1988); *Poco después, humo* (1989).

Cuento: *Argal* (1967); *Ya nadie espera al hombre: cuentos* (1969); *Al borde del silencio* (1969); *La ofrenda y otros relatos* (1981); *Los nombres del infierno* (1985).

ENSAYO

*La autonomía literaria* (1976/ 1977/1989); *El lenguaje narrativo: prolegómenos para una semiótica narrativa* (1979/1991); *Poética y liberación en la narrativa de Onelio Jorge Cardoso: ensayo de interpretación* (1988); *Los sentidos del símbolo: ensayos de hermenéutica literaria* (1990); *Análisis e interpretación del discurso narrativo-literario* (1993).

COMPILACIONES

El número 24 de la revista *La Palabra y el Hombre* (1977), dedicado a Bolivia; *Lingüística y Literatura* (1978); *Narratología hoy* (1989).

ESTUDIOS

José Ortega. *Letras bolivianas de hoy: Renato Prada y Pedro Shimose*. Buenos Aires: Editorial Fernando García Cambeiro, 1973.

Ricardo Gullón, ed. *Diccionario de literatura española e hispanoamericana* 2 vols. Madrid: Alianza Editorial, 1993, vol. 2, p. 1316.

## RAMÍREZ, SERGIO

OBRA NARRATIVA

Novela: *Tiempo de fulgor* (1970); *¿Te dio miedo la sangre?* (1977); *Castigo divino* (1988); *La marca del zorro* (1990); *Un baile de máscaras* (1995).

Cuento: *Cuentos* (1963); *Nuevos cuentos* (1969); *De tropeles y tropelías* (1972); *Charles Atlas también muere* (1976/1993); *Clave de sol* (1992); *Cuentos* (1994).

ENSAYO

*Mis días con el Rector* (1965); *Mariano Fiallos: biografía* (1971); *Balcanes y volcanes: y otros ensayos y trabajos* (1983); *El alba de oro: la historia viva de Nicaragua* (1983);

"Introducción" a *La insurrección de las paredes: pintas y graffiti de Nicaragua* (1984); *Seguimos de frente. Escritos sobre la revolución* (1985); *Estás en Nicaragua* (ensayo testimonial, 1985); *Las armas del futuro* (1987); *Confesión de amor* (1991); *Oficios compartidos* (1994, reúne entrevistas, conferencias, ensayos políticos, literarios, artículos y editoriales publicitarios escritos entre 1991 y 1993).

ENSAYOS Y COLABORACIONES SOBRE AUGUSTO CÉSAR SANDINO

*El pensamiento vivo de Sandino* (1974); *Augusto César Sandino* (1978); *Biografía de Sandino* (1979); *Sandino siempre* (1980); "Sandino a cincuenta años" en *Hablan los comandantes sandinistas* (1984).

ENSAYO LITERARIO / COMPILADOR

*La narrativa centroamericana* (1969); *Antología del cuento centroamericano* (1970); *Cuento nicaragüense* (1976); *Antología* (1976, introducción y selección —en colaboración con el poeta Carlos Martínez Rivas— de la poesía de Ernesto Gutiérrez); *Hombre del Caribe* (1977, edición de las memorias de Abelardo Cuadra); Selección, prólogo y cronología de la obra del autor salvadoreño Salarrué en *El ángel del espejo y otros relatos* (1977); "Darío y Cortázar". *Casa de las Américas* 25.145-146 (1984): 96-101.

ESTUDIOS

Alfredo Pavón. "Charles Atlas y la enajenación de la sociedad nicaragüense". *La Palabra y El Hombre* 21 (1977): 84-86.

Carlos Rincón. "Entrevista a Sergio Ramírez en San José, Costa Rica". *Eco* 32.193 (1977): 1-25.

Víctor M. Navarro. "*Charles Atlas también muere*: Nicaragua también nace". *Revista de la Universidad de México* 32.5 (1978): 40-42.

Ileana Rodríguez. Reseña de *¿Te dio miedo la sangre? Hispamérica* 7.21 (1978): 105-108.

Stefan Baciu. Reseña de *Charles Atlas también muere. Revista Interamericana de Bibliografía* 28.1 (1978): 89-90.

Sara Castro-Klarén. Reseña de *¿Te dio miedo la sangre? Revista Interamericana de Bibliografía* 28.3 (1978): 328-329.

Arqueles Morales. "Sergio Ramírez: 'Gobernar con el mismo esmero con que escribo'". *Casa de las Américas* 25.151 (1985): 70-74.

Claudia Schaefer-Rodríguez. "La recuperación del realismo: *¿Te dio miedo la sangre?* de Sergio Ramírez". *Texto Crítico* 13.36-37 (1987): 146-152.

E. San Juan, Jr. "History, Textuality, Revolution: Sergio Ramírez's *To Bury Our Fathers*". *Likha* 11.2 (1989-1990): 48-62.

George R. McMurray. "Sergio Ramírez's *Castigo divino* as Documentary Novel". *Confluencia* 5.2 (1990): 155-159.

Henry Cohen. "*Tiempo de fulgor*, Sergio Ramírez's 'historia privada' of León". *Confluencia* 6.2 (1991): 45-59.

Jorge Ruffinelli y Wilfrido Corral. "Un diálogo con Sergio Ramírez Mercado: política y literatura en una época de cambios". *Nuevo Texto Crítico* 4.8 (1991): 3-13.

Peter Ross. "The Politician as Novelist: Sergio Ramírez's *Castigo divino*". *Antípodas: Journal of Hispanic Studies of the University of Auckland and La Trobe University* 3 (1991): 165-175.

Julio Valle Castillo y Walter Lacayo. "Retrato de un escritor de 50 años". *El Semanario* [Managua] 2.99 (20-27 agosto 1992): 19-21.

Joaquín Marco. Reseña de *Charles Atlas también muere. ABC Cultural* 130 (29 abril 1994): 10.

Rosario Murillo. "La novela, la política, la vida: una revolución permanente..." en *Oficios compartidos*. México: Siglo Veintiuno Editores, 1994, pp. 17-59. [Entrevista.]

## RAMOS, JUAN ANTONIO
OBRA NARRATIVA

Novela: *Vive y vacila* (1986).

Cuento: *Démosle luz verde a la nostalgia* (1978); *Pactos de silencio y algunas erratas de fe* (1980); *Hilando mortajas* (1983); *En casa de Guillermo Tell* (1991).

PROSA VARIA

*Papo Impala está quitao* (1983); *El manual del buen modal y otras ocurrencias "lite"* (1993).

ENSAYO

"El choteo caribeño y la violencia en dos novelas del dictador". *Caribe* 3.4 (1982): 147-153; *Hacia* El otoño del patriarca: *la novela del dictador en Hispanoamérica* (1983); *El tramo ancla: ensayos puertorriqueños de hoy* ( 1988, en colaboración con otros escritores puertorriqueños).

ESTUDIOS

José M. Lacomba. "La cuentística ágil de Juan A. Ramos". *El Mundo* [San Juan, Puerto Rico], 15 de abril de 1979, pp. 9-B, 14-B.

Juan Martínez Capó. Sobre *Démosle luz verde a la nostalgia* de Juan Antonio Ramos. *El Mundo* [San Juan, Puerto Rico], 11 de marzo de 1979, p. 15-B.

Efraín Barradas. Sobre *Pactos de silencio y algunas erratas de fe*. *Sin Nombre* [San Juan, Puerto Rico] 12.4 (1982): 83-85.

Magali García Ramis. "Lo nuevo de Juan A. Ramos". *El Mundo* [San Juan, Puerto Rico] 29 de agosto de 1982, p. 8-B.

Rosario Ferré. "Prólogo" en *Hilando mortajas* de Juan Antonio Ramos. Río Piedras, Puerto Rico: Editorial Antillana, 1983, pp. 9-10.

Josefina Rivera de Álvarez. "Una nueva generación en perspectiva: la narrativa" en *Literatura puertorriqueña: su proceso en el tiempo*. San Juan: Ediciones Partenón, 1983, pp. 901-902. [Citamos las páginas dedicadas específicamente a Juan Antonio Ramos".]

Carmen Lugo Filippi y Ana Lydia Vega. "Juan Antonio Ramos: A Feminist Writer?" en *Images and Identities: The Puerto Rican in Two World Contexts*. Asela Rodríguez de Laguna, ed. New Brunswick, New Jersey: Transaction Books, 1987, pp. 144-150. [Traducción de Lourdes Torres y Marvin A. Lewis].

William Rosa. "El narrador-niño en 'Había una vez y dos son tres' de Juan A. Ramos". *Círculo: Revista de Cultura* 17 (1988): 123-128.

Yolanda Martínez San Miguel. "Voces narrativas y los medios de comunicación en tres relatos de Juan Antonio Ramos". *Osamayor: Graduate Student Review* 3.5 (1991): 50-65.

Yolanda Martínez San Miguel. "Vive y vacila: la multiplicidad de voces de la urbanización". *Lucero: A Journal of Iberian and Latin American Studies* 2 (1991): 25-39.

## RAMOS, LUIS ARTURO
OBRA NARRATIVA

Novela: *Violeta-Perú* (1979/1985); *Intramuros* (1983); *Domingo junto al paisaje* (dos novelas cortas, 1987); *Éste era un gato* (1988); *La casa del ahorcado* (1993), finalista en el Premio Internacional Planeta-México.

Cuento: *Siete veces el sueño* (1976); *Del tiempo y otros lugares* (1979); *Los viejos asesinos* (1981/1986).

Libros para niños: *Zili el unicornio* (1980); *La voz de Coatl* (1983); *La noche que desapareció la luna*

(1982/1985); *Cuentiario* (1986/1988); *Blanca-Pluma* (1993).

ENSAYO

*Ángela de Hoyos: A Critical Look. Lo heroico y lo antiheroico en su poesía* (1979); *Melomanías: la ritualización del universo* (1990); "Innovations on the Frontiers of the Caribbean and the United States", *Confluencia* 7.1 (1991): 15-17; "Autopresentación o suicidio", *Confluencia* 6.2 (1991): 3-6.

ESTUDIOS

Marco Tulio Aguilera Garramuño. "*Violeta-Perú*: viaje a todas partes y a ninguna". *La Palabra y el Hombre* 33 (1980): 75-76.

Ariel Muniz. "Las escaleras en Luis Arturo Ramos". *Plural* 15.174 (1986): 59-60.

Bensa Vera. "La ordenación de la temporalidad: un zig-zag en *Intramuros*". *La Palabra y el Hombre* 64 (1987): 274-280.

José Homero. "La ilusión viaja en tranvía". *La Palabra y el Hombre* 63 (1987): 142-147.

Timothy Richards. "Luis Arturo Ramos y la novela de la vuelta a la provincia". *Plural* 16.184 (1987): 28-32.

Timothy Richards. "Cosmopolitanism in the Provinces: Time, Space and Character in *Intramuros*". *Hispania* 71.3 (1988): 531-535.

Vicente Francisco Torres. "Luis Arturo Ramos: la realidad trastocada". *Narradores mexicanos de fin de siglo*. México, D. F.: Universidad Autónoma Metropolitana, 1989, pp. 65-81.

"Fichero: Giardinelli, Moreno-Durán, Ramos, Aguilera Garramuno." *Nuevo Texto Crítico* 3.1 (1990): 185-198.

Alberto Paredes. "Luis Arturo Ramos" en *Figuras de la letra*. México, D. F.: Universidad Nacional Autónoma de México, 1990, pp. 137-140.

Beth Miller. "Luis Arturo Ramos". *A la sombra del volcán: conversaciones sobre la narrativa mexicana actual*. México: Universidad Veracruzana y Universidad de Guadalajara, 1990, pp. 193-209.

José Homero. "Luis Arturo Ramos: la inminencia del desastre". *México en el Arte* 25 (1990): 16-17.

Fernando García Núñez. "Éste era un gato... ingeniosa vuelta al catecismo". *La Palabra y el Hombre* 74 (1990): 203-205.

Hernán Lara Zavala. "*Melomanías*: de una a otra generación". *La Palabra y el Hombre* 78 (1991): 298-300.

Susan Michele Brown Dennis. *La obra narrativa de Luis Arturo Ramos*. Tesis de doctorado, Texas Tech University, 1991.

Ricardo Gullón, ed. *Diccionario de literatura española e hispanoamericana* 2 vols. Madrid: Alianza Editorial, 1993, vol. 2, p. 1357.

Fernando Burgos. "Retratos de la historia en el cuento posmoderno hispanoamericano: Luis Arturo Ramos y Angélica Gorodischer". *La Palabra y el Hombre* 92 (1994): 143-155.

## RAMOS OTERO, MANUEL

OBRA NARRATIVA

Novela: *La novelabingo* (1976).

Cuento: *Concierto de metal para un recuerdo y otras orgías de soledad*; (1971); *El cuento de la mujer del mar* (1979); *Página en blanco y staccato* (1987).

OBRA POÉTICA

*El libro de la muerte* (1985); *Invitación al polvo* (1991).

COMPILACIONES / EDICIONES

*Cuentos de buena tinta* (1992), reúne cuentos de las colecciones de 1971, 1979 y otros relatos publicados en revistas).

ESTUDIOS

Efraín Barradas. Sobre *Concierto de metal para un recuerdo y otras orgías de soledad*. *Sin Nombre* 3.1 (1972): 108-110.

Rosario Ferré. "Ramos Otero, o la locura versus la libertad". *El Mundo* [San Juan, Puerto Rico], 12 de junio de 1977, p. 16-A.

Juan Martínez Capó. Sobre *La novelabingo*. *El Mundo* [San Juan, Puerto Rico], 29 de mayo de 1977, p. 16-A.

Juan Martínez Capó. Sobre *El cuento de la mujer del mar*. *El Mundo* [San Juan, Puerto Rico] 20 de abril de 1980, p. 10-B.

Juan Gelpí-Pérez. "Desorden frente a purismo: La nueva narrativa frente a René Marqués". *Literatures in Transition. The Many Voices of the Caribbean Area: A Symposium*. Rose S. Minc, ed. Gaithersburg, Maryland/ Upper Montclair, New Jersey: Hispamérica/Montclair State College 1982, pp. 177-187.

Josefina Rivera de Álvarez. "Oleada de nuevos cuentistas" en *Literatura puertorriqueña: su proceso en el tiempo*. Madrid: Ediciones Partenón, 1983, pp. 756-758. [Citamos las páginas dedicadas específicamente a Manuel Ramos Otero.]

Josefina Rivera de Álvarez. "Los renovadores del género novelesco" en *Literatura puertorriqueña: su proceso en el tiempo*. Madrid: Ediciones Partenón, 1983, pp. 786-788. [Citamos las páginas dedicadas específicamente a Manuel Ramos Otero.]

Nicholasa Mohr. "Puerto Rican Writers in the United States, Puerto Rican Writers in Puerto Rico: A Separation beyond Language". *The Americas Review: A Review of Hispanic Literature and Art of the USA* 15.2 (1987): 87-92.

Edward Mullen. "Interpreting Puerto Rico's Cultural Myths: Rosario Ferré and Manuel Ramos Otero". *The Americas Review: A Review of Hispanic Literature and Art of the USA* 17.3-4 (1989): 88-97.

Marithelma Costa. "Entrevista: Manuel Ramos Otero". *Hispamérica* 20.59 (1991): 59-67.

Gerardo Piña-Rosales. "Mejor la destrucción, el fuego: Manuel Ramos Otero (1948-1990): In Memoriam". *Nuez: Revista de Arte y Literatura* 3.7 (1991): 9-10.

Rubén Ríos Ávila. "Horrible ternera". *Cupey: Revista de la Universidad Metropolitana* 8 (1991): 79-83.

Arnaldo Cruz Malavé. "Para virar al macho: la autobiografía como subversión en la cuentística de Manuel Ramos Otero". *Revista Iberoamericana* 59 (1993): 239-263.

Ricardo Gullón, ed. *Diccionario de literatura española e hispanoamericana* 2 vols. Madrid: Alianza Editorial, 1993, vol. 1, p. 724. [De la sección *Hispanoamérica: narrativa actual*, pp. 718-725.]

Jossianna Arroyo. "Manuel Ramos Otero: las narrativas del cuerpo más allá del insularismo". *Revista de Estudios Hispánicos* (Universidad de Puerto Rico) 21 (1994): 303-322.

RÍO, ANA MARÍA DEL

OBRA NARRATIVA

Novela: *Óxido de Carmen* (1986/1988); *De golpe, Amalia en el umbral* (1991); *Tiempo que ladra* (1991/1994); *Siete días de la señora K.* (1993); *A tango abierto* (1996).

Cuento: *Entreparéntesis* (1985); los cuentos "Lavaza", "Flor blanca", "Pandora", "Suite" incluidos en *Siete días de la señora K.* Santiago, Chile: Editorial Planeta Chilena, 1993, pp. 111-151; *Gato por liebre* (1995).

ESTUDIOS

Ricardo Yamal. "El discurso alienado como denuncia: La narrativa de Ana María del Río". *Revista Chilena de Literatura* 32 (1988): 111-118.

Ana María Larraín. "Ana María del Río: 'Escribo para no morirme'". *El Mercurio* [Chile]. En la sección "Revista de Libros" No 112, 23 de junio de 1991, p. 1 y pp. 4-5.

Ignacio Valente. "Circo dentro, dictadura fuera". [Reseña sobre *De golpe, Amalia en el umbral*] *El Mercurio* [Chile]. En la sección "Revista de Libros" n.º 112, 23 de junio de 1991, p. 5.

Ramiro Rivas. "*Siete días de la señora K.*". *La Época*. Domingo 27 de junio de 1993, p. 4.

María Inés Lagos. "Familia, sexualidad, dictadura en *Óxido de Carmen* de Ana María del Río". *Inti* 40-41 (1994): 207-217. [Número especial *The Configuration of Feminist Criticism and Theoretical Practices in Hispanic Literary Studies.*]

Ana Rueda. "Parábola de la tejedora: la poética femenina" en *El cuento hispanoamericano*. Enrique Pupo-Walker, coordinador. Madrid: Editorial Castalia, 1995, pp. 521-550.

## RODRÍGUEZ, MARCO ANTONIO

OBRA NARRATIVA

Cuento: *Cuentos del rincón* (1972); *Historia de un intruso* (1976); *Un delfín y la luna* (1985); *Jaula* (1991); *Cuentos* (1994, antología).

ENSAYO

*Rostros de la actual poesía ecuatoriana* (1962); *Benjamín Carrión y Miguel Ángel Zambrano* (1967); *Isaac J. Barrera, el hombre y su obra* (1970); *Endara Crow* (1990, Serie Pintores Ecuatorianos).

ESTUDIOS

Miguel Donoso Pareja. "*Historia de un intruso*". *La Hora* [Quito]. Viernes 14 de octubre de 1983.

Miguel Donoso P. "Un delfín y la luna". *La Liebre Ilustrada 13*. 30 de junio de 1985.

Edmundo Ribadeneira. "'Un delfín y la luna' de Marco Antonio Rodríguez". *El Comercio*. 4 de agosto de 1985.

Rafael Herrera G. "Estudio Introductorio" a *Historia de un intruso*. Quito: Libresa, 1990, p. 7-29.

Fernando Tinajero. "Estudio Introductorio" a *Un delfín y la luna*. Quito: Libresa, 1990, pp. 7-62.

Manuel Zabala R. "Estudio Introductorio" a *Cuentos del rincón*. Quito: Libresa, 1991, pp. 7-30.

Fernando Tinajero. "*Jaula*: la palabra y la vida". *Hoy* [Ecuador]. Domingo 24 de noviembre de 1991.

"Sobre seres marginales". *Hoy* [Ecuador]. Lunes 19 de julio de 1993, p. 8-A.

Euler Granda. "Criaturas de la penumbra". *El Comercio*. Lunes 10 de enero de 1994, p. B-3.

Simón Espinosa. "A propósito de *Cuentos* de Marco Antonio Rodríguez. ¿Vale la pena esta reedición?" *Hoy* [Ecuador]. Domingo 22 de mayo de 1995.

## ROMERO, ARMANDO

OBRA NARRATIVA

Novela: *Un día entre las cruces* (1993).

Cuento: *El demonio y su mano* (1975); *La casa de los vespertilios* (1982); *La esquina del movimiento* (1992); *Una mariposa en la escalera* (1993, compilación basada en las tres colecciones anteriores, realizada por Antonio Benítez Rojo).

OBRA POÉTICA

*Los móviles del sueño* (1976); *El*

*poeta de vidrio* (1979); *Del aire a la mano* (1983); *Las combinaciones debidas* (1989); *A rienda suelta* (1991).

ENSAYO

"Ausencia y presencia de las vanguardias en Colombia". *Revista Iberoamericana* 48.118-119 (1982): 275-287; "Vicente Huidobro o las leyes del naufragio". *Hispanic Journal* 3.2 (1982): 69-76; "Gabriel García Márquez, Álvaro Mutis, Fernando Botero: tres personas distintas, un objetivo verdadero". *Inti* 16-17 (1982-1983)" 135-146; *De los cuadernícolas a Mito: un estudio de la poesía colombiana de 1940 a 1960* (1983, tesis doctoral); "José Lezama Lima, o el epos de la imaginación". *Cuadernos Hispanoamericanos* 412 (1984): 133-140; "Los poetas del mito". *Revista Iberoamericana* 50.128-129 (1984): 689-755; editor de un número de *Revista Iberoamericana* (50.128-129, 1984), dedicado a la literatura colombiana de los últimos sesenta años; *Las palabras están en situación: un estudio de la poesía colombiana de 1940 a 1960* (1985); "De los mil días a la violencia: la novela colombiana de entreguerras". *Revista Iberoamericana* 53.141 (1987): 861-885; *El nadaísmo colombiano o la búsqueda de una vanguardia perdida* (1988); "*Aura* o las puertas" en *La obra de Carlos Fuentes: una visión múltiple*. Ana María Hernández de López, ed. Madrid: Pliegos, 1988, pp. 81-86; "*Yo el Supremo* escritor de la república" en *Las voces del karaí: estudios sobre Augusto Roa Bastos*. Fernando Burgos, ed. Madrid: Edelsa/Edi-6, 1988, pp. 61-69; *Gente de pluma: ensayos críticos sobre literatura latinoamericana* (1989); "El cuento colombiano hoy" (1994, *Dominios*. Universidad Nacional Experimental, Caracas, n.º 9, pp. 29-34).

ESTUDIOS

Salvador Garmendia. "Prólogo" a *El demonio y su mano* de Armando Romero. Caracas: Monte Ávila Editores, 1975, pp. 7-8.

Raúl Gustavo Aguirre. Reseña de *El demonio y su mano*. *Revista Nacional de Cultura* 221 (1975): 231.

Héctor Gil M. Reseña de *El demonio y su mano*. Suplemento Dominical de *El Tiempo* (Bogotá) 20 de julio de 1975, p. 8.

Diana Bellesi. Reseña de *El demonio y su mano*. *Pluma y Pincel* (Buenos Aires) 24 de mayo de 1976, p. 6.

Umberto Valverde. Reseña sobre *El poeta de vidrio*. *El Pueblo* (Cali) 16 de mayo de 1980, p. 5.

Álvaro Mutis. "Mi amigo el poeta Armando Romero". *El Pueblo* (Cali) 28 de junio de 1981, p. 3. [Sobre *El poeta de vidrio*.]

Juan Manuel Marcos. Reseña de *La casa de los vespertilios*. *Discurso Literario* 2 (1983): 313-314.

Juan Calzadilla. Reseña de *La casa de los vespertilios*. *Revista Iberoamericana* 123-124 (1983): 641.

Fernando Charry Lara. Reseña de *Del aire a la mano*. *Correo de los Andes* (Bogotá) 1984, p. 35.

Jaime García Maffla. "La voz profunda del misterio". *Cromos* (Bogotá) 8 de enero de 1985, p. 48. [Reseña de *La casa de los vespertilios*.]

Ariel Muniz. "Para abrir las puertas". *Plural* 15.178 (1986): 65-66. [Reseña de *La casa de los vespertilios*.]

Miguel Ángel Zapata. "Armando Romero: escarbando el aire con las manos". *Inti* 26-27 (1987-1988): 323-335.

Eduardo Pachón Padilla. "El nuevo cuento colombiano. Generación de 1970: nacidos de 1940 a 1954". *Revista Iberoamericana* 50.128-129 (1984): 883-901.

Eduardo Espina. "Palabra y universo en la escritura de Armando Romero". *Revista Iberoamericana* 56.151 (1990): 533-540.

Alejandro Varderi. Reseña de *Las combinaciones debidas*. *Revista Iberoamericana* 151 (1990): 676-678.

Antonio Benítez Rojo. "Al lector", prólogo a *Una mariposa en la escalera*. Cali: Centro Editorial Universidad del Valle, 1993, pp. 9-11.

Ignacio Ramírez. Reseña de *La esquina del movimiento*. Lecturas dominicales, *El Tiempo* (Bogotá) 20 de junio de 1993, p. 15.

Eduardo Espina. Reseña de *Un día entre las cruces*. Magazín Dominical, *El Espectador* (Bogotá) 23 de mayo de 1993, pp. 20-21.

Juan Carlos Galeano. "El nadaísmo y la violencia en Colombia". *Revista Iberoamericana* 59.164-165 (1993): 645-658.

Ricardo Gullón, ed. *Diccionario de literatura española e hispanoamericana* 2 vols. Madrid: Alianza Editorial, 1993, vol. 1, p. 728 [De la sección *Hispanoamérica: poesía actual*, pp 725-731.]

Nohora Rosado. Reseña de *Un día entre las cruces*. *La Prensa* (Bogotá) 30 de abril de 1993, p. 10.

## SAMPERIO, GUILLERMO

OBRA NARRATIVA

Novela: *Anteojos para la abstracción* (1994); *La señal oculta* (inédita).

Cuento: *Cuando el tacto toma la palabra* (1974); *Fuera del ring* (1975); *Cruz y cuernos* (1976); *Tomando vuelo y demás cuentos* (1976); *Medio ambiente* (1977/1993); *Textos extraños* (1981); *Gente de la ciudad* (1986); *Medio ambiente y otros miedos* (1986); *Cuaderno imaginario* (1990); *Cualquier día sábado: cuentos* (1992); *Historias del olvido* (inédito).

COMPILACIONES DE LA CUENTÍSTICA

*Lenin en el fútbol* (1978); *Antología personal 1971-1990: ellos habitaban un cuento* (1990); *El hombre de la penumbra* (1991).

OBRA POÉTICA

*De este lado y del otro* (1982); *Al filo de la luna* (inédita).

OBRA VARIA

*Manifiesto de amor* (1980); *El hombre equivocado* (1988, novela escrita colectivamente); *Arepitas* (1992, textos breves en edición de doscientos ejemplares).

TRADUCCIONES

*Beatle Dreams and Other Stories* (1994, Latin American Literary Review Press).

ESTUDIOS

Silvia Durán Payán. "Contra lo solemne". *Plural* 74 (1977): 75-76.

César Leante. "*Medio ambiente*". *Casa de las Américas* 18. 104 (1977): 137-138.

Renato Prada Oropeza. Reseña de *Tomando vuelo y demás cuentos*. *La Palabra y el Hombre* 22 (1977): 101-102.

Alfredo Pavón. "Ambiente de miedo en *Miedo ambiente*". *La Palabra y el Hombre* 25 (1978): 73-74.

Rafael Vargas. "*Miedo ambiente*: entre lo fácil y lo difícil". *Revista de la Universidad de México* 32.6 (1978): 42-43.

Mario Antonio Campo. "*Textos extraños* de Samperio". *Proceso* 283 (1982): 53-54.

Mariela Cuervo. "Guillermo Samperio: entre lo fantástico y lo político". *Plural* 12.135 (1982): 13-15.

Russell M. Cluff. "Entrevista con Guillermo Samperio". *Chasqui. Revista de Literatura Latinoamericana* 19.2 (1990): 75-84.

Beth Miller. "Guillermo Samperio". *A la sombra del volcán: conversaciones sobre la narrativa mexicana actual*. México, D. F.:

Universidad Veracruzana y Universidad de Guadalajara, 1990, pp. 99-114.

Alberto Paredes. "Guillermo Samperio" en *Figuras de la letra*. México, D.F.: Universidad Nacional Autónoma de México, 1990, pp. 164-167.

Celina Márquez. "El texto, ese animal extraño de Samperio". *La Palabra y el Hombre* 79 (1991): 268-70.

Leo Eduardo Mendoza, "Diálogo con Guillermo Samperio" en *Antología personal (1971-1990): ellos habitaban un cuento*. Xalapa, México: Universidad Veracruzana, 1990, pp. 9-22. [Reproducido en la antología *El hombre de la penumbra*. Caracas: Alfadil Ediciones, 1991, pp. 7-18.]

Luis Arturo Ramos. "Presentación de las antologías de Lara Zavala y Samperio". *La Palabra y el Hombre* 78 (1991): 261-262.

Juan José Reyes. "Guillermo Samperio: un juego de los cuerpos". *El Semanario* [México], 16 junio de 1991, p. 3.

### SÁNCHEZ, ENRIQUILLO
OBRA NARRATIVA
Novela: *Musiquito. Anales de un déspota y de un bolerista* (1993).
OBRA LÍRICA
*Pájaro dentro de la lluvia* (1985); *Convicto y confeso I* (1990, reúne los poemarios "Cumbancha de Maguita" de 1976; "Pájaro dentro de la lluvia" escrito en 1983; "Sheriff (c)on ice cream soda" de 1983; y "Los cantos del húsar" de 1985).
ESTUDIOS
Aída Cartagena. "El cuento dominicano" en *Narradores dominicanos: antología*. Caracas: Monte Ávila Editores, 1969, pp. 7-12. [Contexto general sobre el relato en la República Dominicana;

también se ofrece una breve presentación biobibliográfica de Enriquillo Sánchez (p. 141).]

### SHIMOSE, PEDRO
OBRA NARRATIVA
Cuento: *El Coco se llama Drilo* (1974).
OBRA POÉTICA
*Triludio en el exilio* (1961); *Sardonia* (1967); *Poemas para un pueblo* (1968); *Quiero escribir, pero me sale espuma* (1972); *Caducidad del fuego* (1975); *Al pie de la letra* (1976); *Reflexiones maquiavélicas* (1980); *Bolero de caballería* (1985); *Poemas: 1961-1985* (1988).
OBRA VARIA
*Diccionario de autores iberoamericanos* (1982); *Historia de la literatura latinoamericana* (1989).
TRADUCCIONES
*Machiavellian Reflexions* (1992, edición bilingüe español-inglés); *Bolero der Chavalerie* (1994).
ESTUDIOS
José Ortega, *Letras bolivianas de hoy: Renato Prada y Pedro Shimose*. Buenos Aires: F. García Cambeiro, 1973.

César Chávez Taborga, *Shimose, poeta en cuatro estaciones*. Mérida, Venezuela: Centro de Investigaciones Literarias de la Universidad de los Andes, 1974.

José Ortega. "Pedro Shimose, poeta comprometido". *La Palabra y el Hombre* 13 (1975): 63-68.

José Ortega. "Narrativa y poesía bolivianas: Renato Prada y Pedro Shimose". *La Palabra y el Hombre* 24 (1977): 96-104.

Armando Tejada Gómez, *Cuatro poetas: Víctor García Robles, Antonio Cisneros, Pedro Shimose, Armando Tejada Gómez*. La Habana: Casa de las Américas, 1979.

Augusto Guzmán. "Pedro Shimose" en *Biografías de la nueva literatura boliviana.* Cochabamba: Los Amigos del Libro, 1982, pp. 31-36.

Miriam Mijalina Bornstein. *Nueva poesía socio-política: la expresión hispana.* Tesis, 1983.

Blanca Wiethüchter. "El romanticismo malogrado, Pedro Shimose" en *Tendencias actuales en la literatura boliviana.* Javier Sanjinés, ed. Minneapolis: Institute for the Study of Ideologies and Literature, 1985, pp. 99-106.

Blanca Wiethuchter. "Poesía boliviana contemporánea: Óscar Cerruto, Jaime Sáenz, Pedro Shimose, Jesus Urzagasti" en *Tendencias actuales en la literatura boliviana.* Javier Sanjinés, ed. Minneapolis: Institute for the Study of Ideologies & Literatures, 1985, pp. 75-114.

Eduardo Mitre, "Cuatro poetas bolivianos contemporáneos". *Revista Iberoamericana* 52.134 (1986): 139-163.

Eduardo Mitre. "Del fervor al escepticismo: la poesía de Pedro Shimose". *Cuadernos Hispanoamericanos* 438 (1986): 147-153.

Javier Sanjinés. "Pedro Shimose: poeta rebelde e intelectual letrado". *RLA: Romance Languages Annual* 4 (1990): 570-574.

Alberto Julián Pérez. "Entrevista con Pedro Shimose". *Alba de América. Revista Literaria* 11.20-21 (1993): 497-501.

Ricardo Gullón, ed. *Diccionario de literatura española e hispanoamericana* 2 vols. Madrid: Alianza Editorial, 1993, vol. 2, p. 1542-1543.

### SHUA, ANA MARÍA

OBRA NARRATIVA

Novela: *Soy paciente* (1980/1996); *Los amores de Laurita* (1984); *El libro de los recuerdos* (1994).

Cuento: *Los días de pesca* (1981); *La sueñera* (1984, cuentos breves); *Viajando se conoce gente* (1988); ; *Casa de geishas* (1992, minicuentos); *Cuentos judíos con fantasmas y demonios* (1994).

OBRA POÉTICA

*El sol y yo* (1967).

PROSA VARIA

*El marido argentino promedio* (1991, humor); *Risas y emociones de la cocina judía* (1993, humor); *El pueblo de los tontos* (1995, humor).

OBRA DE LITERATURA INFANTIL

*Expedición al Amazonas* (1988, cuentos); *La batalla de los elefantes y los cocodrilos* (1988, cuentos); *La fábrica del terror* (1990, cuentos); *La puerta para salir del mundo* (1992); *El tigre gente* (en prensa).

GUIONES

*Los amores de Laurita* (1986, filme dirigido por Antonio Ottone); *Soy paciente* (1986, filme —no estrenado— dirigido por Rodolfo Corral); *Una señora de carne* (1991, espectáculo de danza con coreografía y dirección de Nora Codina); *Dónde estás amor de mi vida, que no te puedo encontrar* (1992, guión de comedia; la pieza fue dirigida por Juan José Jusid).

ESTUDIOS

Beth Pollac. "Entrevista a Ana María Shua". *Hispamérica* 45-54.

Julio Ortega. "El nuevo cuento hispanoamericano" en *El cuento hispanoamericano.* Enrique Pupo-Walker, coordinador. Madrid: Editorial Castalia, 1995, pp. 573-585.

### SISCAR, CRISTINA

OBRA NARRATIVA

Novela: *Las líneas de la mano* (1993).

Cuento: *Reescrito en la bruma* (1987); *Lugar de todos los nombres* (1988); *Los efectos personales* (1994).

OBRA POÉTICA

*Tatuajes* (1985).

ANTOLOGÍAS EDITADAS
POR LA AUTORA

*Violencia. Visiones femeninas* (1994, cuentos de escritoras argentinas y uruguayas); *Los viajes* (1995, cuentos de autores contemporáneos).

ESTUDIOS

Paula Pérez Alonso. "Buen estilo en Siscar y Souto". [Reseña de *Lugar de todos los nombres* de Cristina Siscar y de *Trampas para pesadillas* de Marcial Souto. *Ámbito Financiero*. Argentina, 7 de septiembre de 1988, p. 20.]

Julio Ortega. "El nuevo cuento hispanoamericano" en *El cuento hispanoamericano*. Enrique Pupo-Walker, coordinador. Madrid: Editorial Castalia, 1995, pp. 573-585.

## SOUTO, MARCIAL

OBRA NARRATIVA

Cuento: *Para bajar a un pozo de estrellas* (1983/1987); *Trampas para pesadillas* (1988).

EDICIONES DE ANTOLOGÍAS

*Llegan los dragones* (1970); *La ciencia ficción en la Argentina: antología crítica* (1985); *Historia de la fragua y otros inventos*.

ESTUDIOS

María Inés Álvaro. "Pieza original, de alta calidad: sobre cómo bajar a un pozo de estrellas". *La Gaceta*, Tucumán, Argentina, 25 de septiembre de 1983.

Márgara Averbach. "Espacios en fuga". [Reseña de *Para bajar a un pozo de estrellas* y *Trampas para pesadillas*". *Clarín*. Argentina. 5 de mayo de 1988.

Pablo Capanna. Reseña de *Para bajar a un pozo de estrellas* y *Trampa para pesadillas*. *Criterio*. Argentina, 13 de octubre de 1988.

Carlos O. Antognazzi. "El onirismo de Marcial Souto: una poética de la realidad". *La Capital*, Rosario, Argentina, 19 de junio de 1988.

Anónimo. Reseña de *Trampas para pesadillas*. *Siete Días*. Argentina, 31 de marzo de 1988. [Firmado por S.S.]

Paula Pérez Alonso. "Buen estilo en Siscar y Souto". [Reseña de *Lugar de todos los nombres* de Cristina Siscar y de *Trampas para pesadillas* de Marcial Souto. *Ámbito Financiero*. Argentina, 7 de septiembre de 1988, p. 20.

Anónimo. "Detrás del mundo de siempre". *El Diario*, Paraná, 10 de enero de 1989. [Firmado por C.O.A.]

## UBIDIA, ABDÓN

OBRA NARRATIVA

Novela: *Sueño de lobos* (1986/1989).

Cuento: *Bajo el mismo extraño cielo* (1979); *Ciudad de invierno: y otros relatos* (1982/1983/1984); *Divertinventos: libro de fantasías y utopías* (1989); *Adiós siglo XX* (1990); *Divertinventos II* (de próxima aparición).

ENSAYO / CRÍTICA / DOCUMENTOS

*El cuento popular en el Ecuador* (1977/1989); *La poesía popular ecuatoriana* (1982); *Tendencias de la literatura ecuatoriana* (de próxima aparición); *Antología del cuento ecuatoriano contemporáneo* (de próxima aparición).

TRADUCCIONES

"Night Train" (1988, traducción del cuento "Tren nocturno" del volumen *Ciudad de invierno*; se publica en *Stories* 19: 62-76).

ESTUDIOS

Alberto B. Rengifo. *La gillette: un cuento de Abdón Ubidia*. Quito, Ecuador: Editorial Conejo, Departamento de Letras de la Universidad Católica del Ecuador, 1987.

Michael Handelsman. "Entre el desencanto y la posmodernidad: Un análisis de *Sueño de lobos*". *RLA: Romance Languages Annual* 2 (1990): 445-449.

Gladys Jaramillo Buendía, Raúl Pérez Torres y Simón Zavala Guzmán, eds. "Abdón Ubidia" en *Índice de la narrativa ecuatoriana* Quito: Editora Nacional, 1992, pp. 636-642. [El índice cubre desde 1960 hasta 1988. La sección dedicada a Ubidia contiene un comentario de su novela *Sueño de lobos*.].

Ricardo Gullón, ed. *Diccionario de literatura española e hispanoamericana* 2 vols. Madrid: Alianza Editorial, 1993, vol. 2, p. 1643.

VALENZUELA, LUISA

Obra narrativa

Novela: *Hay que sonreír* (1966); *El gato eficaz* (1972); *Como en la guerra* (1977); *Cola de lagartija* (1983); *Novela negra con argentinos* (1990/1991); *Realidad nacional desde la cama* (1990).

Cuento: *Los heréticos* (1967); *Aquí pasan cosas raras* (1975); *Libro que no muerde* (1980); *Cambio de armas* (1982); *Donde viven las águilas* (1983); *Simetrías* (1993).

Traducciones

*Clara: Thirteen Short Stories and a Novel* (1976, traducción de *Hay que sonreír* y de *Los heréticos*); *Strange Things Happen Here: Twenty-Six Short Stories and a Novel* (1979, traducción de *Aquí pasan cosas raras* y de *Como en la guerra*); *The Lizard's Tail: A Novel* (1983/1992); *Other Weapons* (1985, traducción de *Cambio de armas*); *He Who Searches* (1986, traducción de *Como en la guerra*); *Open Door: Stories by Luisa Valenzuela* (1988/1992, Selección de *Los Heréticos, Aquí pasan cosas raras* y *Donde viven las águilas*); *The Censors* (1992, selección bilingüe de cuentos); *Black Novel with Argentines* (1992); *Bedside Manners* (1995, traducción de *Realidad nacional desde la cama*).

Estudios

Evelyn Picon Garfield. "Muerte-metamorfosis-modernidad: *El gato eficaz* de Luisa Valenzuela". *Ínsula* 35.400-401 (1980): 17-23.

Sharon Magnarelli. "Juego/fuego de la esperanza: En torno a *El gato eficaz* de Luisa Valenzuela". *Cuadernos Americanos* 247.2 (1983): 199-208.

Martha Paley de Francescato. "*Cola de lagartija*: látigo de la palabra y la triple P". *Revista Iberoamericana* 51.132-133 (1985): 875-882.

Alfonso Callejo. "Literatura e irregularidad en *Cambio de armas* de Luisa Valenzuela". *Revista Iberoamericana* 51.132-133 (1985): 575-580.

Diane Marting. "Female Sexuality in Selected Short Stories by Luisa Valenzuela: Toward an Ontology of Her Work". *The Review of Contemporary Fiction* 6.3 (1986): 48-54.

Marie-Lise Gazarian Gautier. "The Sorcerer and Luisa Valenzuela: Double Narrators of the Novel/ Biography, Myth/History". *The Review of Contemporary Fiction* 6.3 (1986): 105-108.

Sharon Magnarelli. "*The Lizard's Tail*: Discourse Denatured". *The Review of Contemporary Fiction* 6.3 (1986): 97-104.

Nelly Martínez. "Luisa Valenzuela's 'Where the Eagles Dwell': From Fragmentation to Holism". *The Review of Contemporary Fiction* 6.3 (1986): 109-115.

María Inés Lagos. "Mujer y política en *Cambio de armas* de Luisa Valenzuela". *Hispamérica* 16.46-47 (1987): 71-83.

Juan Carlos Lértora. "El estatuto de la ficción en *Cola de lagartija*".

*Literatura Chilena: Creación y Crítica* 11.3-4 (1987): 12-13.

Joanne Saltz. *Stories of Power: The Short Narrative of Luisa Valenzuela*. Tesis, 1987.

Evelyn Picon Garfield. "Luisa Valenzuela" en *Women's Voices from Latin America: Interviews with Six Contemporary Authors*. Detroit: Wayne State University Press, 1987, pp. 141-165.

Fernando Burgos y M. J. Fenwick. "En Memphis con Luisa Valenzuela: voces y viajes." *Inti* 28 (1988): 109-126.

Magdalena García Pinto. "Entrevista con Luisa Valenzuela en New York, noviembre de 1982 y junio de 1983" en *Historias íntimas. Conversaciones con diez escritoras latinoamericanas*. Hanover, New Hampshire: Ediciones del Norte, 1988, pp. 217-249.

Barbara Pauler Fulks. "A Reading of Luisa Valenzuela's Short Story, 'La palabra asesino'". *Monographic Review/Revista Monográfica* 4 (1988): 179-188.

Sharon Magnarelli. *Reflections/ Refractions. Reading Luisa Valenzuela*. New York: P. Lang, 1988.

Mary K. Addis. "Fictions of Motherhood: Three Short Stories of Luisa Valenzuela". *RLA: Romance Languages Annual* 1 (1989): 353-360.

Ester Gimbernat de González. "De como ejercitar la libertad: dos obras de Luisa Valenzuela". *Discurso Literario* 6.2 (1989): 405-421.

Patricia Rubio. "La fragmentación: principio ordenador en la ficción de Luisa Valenzuela". *Literatura Chilena: Creación y Crítica* 13.1-4 (1989): 63-71.

Joseph Tyler. "Tales of Repression and 'desaparecidos' in Valenzuela and Cortázar". *RLA: Romance Languages Annual* 3 (1991): 602-606.

Juanamaría Cordones-Cook. *Poética de transgresión en la novelística de Luisa Valenzuela*. New York: Peter Lang, 1991.

Willy O. Muñoz. "Del falogocentrismo a la escritura ginocéntrica: *Cambio de armas* de Luisa Valenzuela". *Antipodas: Journal of Hispanic Studies of the University of Auckland and La Trobe University* 3 (1991): 125-34.

Juanamaría Cordones-Cook. "*Como en la guerra*, en busca del otro". *Revista Canadiense de Estudios Hispánicos* 16.2 (1992): 171-185.

Juanamaría Cordones-Cook. "Luisa Valenzuela habla sobre *Novela negra con argentinos* y *Realidad nacional desde la cama*". *Letras Femeninas* 18.1-2 (1992): 119-126.

Robert C. Dash. "An Interview with Luisa Valenzuela". *Chasqui* 21.1 (1992): 101-105.

Fernando Burgos y M. J. Fenwick. "Literatura a orillas del Mississippi: diálogo con Luisa Valenzuela". *Confluencia* 8.2/9.1 (1993): 157-178.

Z. Nelly Martínez. *El silencio que habla: aproximación a la obra de Luisa Valenzuela*. Buenos Aires: Corregidor, 1994.

Ana Rueda. "Los perímetros del cuento hispanoamericano actual" en *El cuento hispanoamericano*. Enrique Pupo-Walker, coordinador. Madrid: Editorial Castalia, 1995, pp. 551-571.

Ksenija Bilbija. "Maquillaje y escritura en 'Ceremonias de rechazo' de Luisa Valenzuela: hacia un cuerpo propio". *Inti. Revista de Literatura Hispánica* 43-44 (1996): 95-108.

Gwendolyn Díaz y María Inés Lagos, eds. *La palabra en vilo: la narrativa de Luisa Valenzuela*. Santiago, Chile. Editorial Cuarto Propio, 1996.

# ÍNDICE DE AUTORES
## POR ORDEN ALFABÉTICO
### TOMOS I, II Y III

545